Vydavateľstvo
Osveta

SLOVENSKO V OBRAZOCH

História

ISBN 80-217-0177-3
ISBN 80-217-0176-5 (SÚBOR)

Obsah

Na úvod

Dejiny Slovenska a Slovákov zaujímajú v dejinách Európy aj sveta osobité, v mnohom neopakovateľné miesto. Ak by sme chceli porovnávať, ťažko by sme našli iný národ, ktorý by sa bol vládal sformovať na plnoprávny etnický, politický a kultúrny celok v takých zložitých a nepriaznivých životných podmienkach a historických okolnostiach. Veď cesta Slovákov históriou bola neobyčajne komplikovaná a viac ako krivolaká.

Po krátkom období vlastnej štátnosti, ktorej korene tkvejú už niekde v časoch Samovej ríše a ktorá sa na tie časy naplno rozvinula v období Veľkej Moravy, Slováci so svojím územím sa už v polovici 10. storočia stali súčasťou utvárajúceho sa mnohonárodnostného uhorského štátu – a v ňom potom prežili nezávideniahodných tisíc rokov. Z rozvalín Veľkomoravskej ríše ostalo iba neveľa: skromná svätoplukovská tradícia, hmlisté spomienky na pôsobenie cyrilometodovskej misie a nakrátko aj včasnostredoveká Nitra ako stredisko dožívajúcej štátnej administratívy v novo sa tvoriacom uhorskom štáte. A potom už nasledovalo obdobie, ktoré akoby nebolo malo konca, keď Slovákom nezasvitala ani len nádej na nejakú teritoriálnu, politickú, náboženskú alebo kultúrnu autonómiu. Stratili sa podmienky a priestor, v ktorých by sa boli mohli aspoň raz za čas realizovať ich túžby a úsilia o emancipáciu. Ba od polovice 19. storočia sa mnohostranne potláčaný a utláčaný slovenský národ ocitol v hrozivej situácii – vládnúce vrstvy Uhorska nad ním vyslovili ortieľ zániku a začali cieľavedome uskutočňovať svoj zámer Slovákov naskrze vylúčiť z politického života krajiny, asimilovať ich a včleniť do maďarského národa. Vláda ich zahnala na samý okraj záhuby, keď ich nemilosrdne oberala už aj o tie najzákladnejšie kultúrne ustanovizne – školy a spolky – a naplno rozvinula bezohľadné odnárodňovanie. Slovenský národ však ani v tejto krajnej a naoko beznádejnej situácii neostal úplne bezmocný. Oprel sa o svoj živý jazyk, o svoje hlboko zakorenené a obrodzujúce sa tradície, o mravný zákon, koreniaci v neochvejnom kresťanskom svetonázore, ktorý nevládal narušiť ani bojovný islam, okupujúci pol druha storočia nemalý kus nášho územia, o puto spájajúce človeka v jeho každodennom živote i v životných zápasoch s jeho svojráznym a milovaným prostredím, v ktorom žije a pracuje, rodí sa, tvorí i umiera, o vedomie spolupatričnosti a živého spoločenstva. V tom bola pre náš národ nádej, že sa zachová, opora a útočište v jeho zápasoch i lákavých pokušeniach, záruka budúcnosti a rozvoja. A nebolo to tak iba pred stopäťdesiatimi rokmi. Aj v bližšej, ba aj v nedávnej minulosti sa náš národ mal o čo oprieť – a aj sa opieral. Vždy nanovo vstával a s novou chuťou sa púšťal do roboty, lebo vedel, že iba ona s príznačnou zanovitou vytrvalosťou a neochvejnou odvahou mu pomôže prekonávať a prekonať všetko, čo ho ohrozovalo, a napokon dosiahnuť vytúženú métu – postaviť sa na roveň vyspelých susedov a ostatných národov.

Slovensko bolo odjakživa kolískou činorodých a odvážnych ľudí s pracovitými rukami, ktorí boli schopní obnoviť to, čo nepriazeň a nenávisť vyplienili a zdevastovali. Bolo žriedlom zachovania ľudského rodu, akoby nevyčerpateľnou studnicou najrozmanitejších migrácií, imigrácií, ale aj vysťahovalectva alebo exulantstva, ktorými sú naplnené naše staršie i novšie dejiny. Preto Slováci nežijú iba na Slovensku. Od Aljašky po Pacifik, od Európy po Austráliu, tam všade môžeme nájsť krajanov. Žije v nich (a dúfame, že bude žiť naďalej) vedomie, že my aj oni patríme k sebe, že tvoríme jediný bytostný celok, ktorý ani moria, ani vzdialenosti, ani odlišné spoločenské podmienky nemôžu a nesmú narušiť.

Obraz, aký poskytujú dejiny slovenského národa, predstavuje teda doslova učebnicu o historickej sile o životaschopnosti etnického celku, ktorý musel žiť a rozvíjať sa v takých nepriaznivých podmienkach a okolnostiach. Je to obraz národa, ktorý svojou tvorivosťou, silou a zápalom stále viac prispieva a chce prispievať do spoločného pokladu európskej a svetovej kultúry, vedy a umenia. A hoci by sme mali byť voči svojmu národu, voči jeho minulosti i perspektívam do budúcnosti zdravo kritickí, predsa však hrdo hľadíme na dejiny Slovákov a Slovenska ako na jedinečnú ukážku produktívnej sily spoločenstva, ľudskej práce a činorodosti. Majú v nás upevniť vedomie, že tu nie sme odvčera, že sme národom s vlastnou históriou, s vlastnými koreňmi, so živými a oduševňujúcimi tradíciami, národom vyskúšaným a osvedčeným v zápasoch o bytie a budúcnosť, o svojbytnosť a morálny profil.

Tento zväzok obsiahleho a osobitého encyklopedického diela Slovensko v obrazoch chce poskytnúť ucelený obraz o zložitej a neľahkej historickej anabáze slovenského národa. Obaja autori – profesor PhDr. Matúš Kučera, DrSc., z Filozofickej fakulty Univerzity Komenského v Bratislave, spracoval obdobie do roku 1848, a PhDr. Bohumír Kostický, CSc., pracovník Štátneho ústredného archívu SR v Bratislave, spracoval obdobie po roku 1848 – ocitli sa pred neľahkou a netradičnou úlohou. Moderné hromadné oznamovacie prostriedky, akými sa v našej civilizácii stali film a televízna obrazovka, naučili nás vnímať a poznávať mnohé stránky života prostredníctvom obrazu, tvaru, nanajvýš syntézou obrazu a tradičného slova. Tomuto trendu sa nemohla vyhnúť ani taká – povedzme to tak – konzervatívna oblasť spoločenských vied, akou je historiografia, dejepis. Zámerom autorov aj vydavateľstva bolo teda načrtnúť predstavu o našej národnej minulosti prostredníctvom súvekého, autentického a ničím nenarušeného ikonografického materiálu. Text vstupných kapitol, ako aj opisné texty pod obrázkami majú iba informatívnu funkciu. Chcú dopovedať alebo bližšie osvetliť to, čo hovorí obrázok, a obohatiť poznanie záujemcu, ako aj prehĺbiť jeho historické vedomie. Autori sa spoliehajú na to, že vnímajúci a vnímavý čitateľ bude vedieť cez obraz spoznať nielen dobu, jej životný štýl, kultúru, myšlienkové smerovanie, ale nemenej úspešne si bude vedieť vytvoriť predstavu aj o tvorcovi alebo tvorcoch obrazu, o ich kultúrnom a tvorivom horizonte.

Už tu by sme chceli čitateľa upozorniť na to, že sme napriek dlhému a cieľavedomému výskumu v slovenských archívoch, galériách, múzeách i priamo v teréne neobsiahli všetko najlepšie, čo slovenská história a kultúrna minulosť po sebe zanechali. Nespôsobil to vždy nevyhnutný autorský svedomitý výber. Je všeobecne známe, že mnohé z kultúrneho dedičstva Slovenska a Slovákov, najmä hnuteľného, dostalo sa od konca 18. storočia a predovšetkým v 19. storočí do zahraničných zbierok, pretože v tomto konjunkturálnom zberateľskom období sme ešte nemali podmienky na sústredenie a zachránenie svojho národného kultúrneho majetku. Pritom spoločenská situácia v čase, keď sa náš projekt rodil, neposkytovala ani najmenšie možnosti programového výskumu aspoň v najbližších zahraničných zbierkach, aké sú nesporne vo Viedni alebo v Budapešti. Nové výskumy v tejto oblasti teda nepochybne prispejú aj k obsahovému zlepšeniu a doplneniu obrazových dejín Slovenska a Slovákov.

Našu širšiu verejnosť možno azda upozorniť, že významné kultúrne a národné pamiatky sa neskrývajú iba v galériách, múzeách a archívoch, ale že mnohé z nich predstavujú súčasť nášho života doslova na každom kroku. Len máloktorá krajina má na neveľkom priestore toľko zachovaných hradov, zámkov, kaštieľov, mestských historických centier, skvostov ľudovej architektúry. Od nikoho iného, iba od nás samých závisí, či si ich budeme vedieť zachovať aj naďalej ako jeden z neodmysliteľných atribútov moderného národa. Pôjde najmä o to, aby sme ich vedeli v nezdeformovanej, nenarušenej autentickej podobe ukázať svetu ako produkt tvorivej národnej energie, životaschopnosti a kultúrnej svojbytnosti a voviesť ich ako náš prínos do európskej a svetovej pokladnice kultúrnej minulosti.

Publikáciu, ktorú predkladáme širokej čitateľskej verejnosti, sme koncipovali predovšetkým ako výklad národného vývoja Slovákov, a to v najširšom a celistvom pohľade – od politických a hospodársko-sociálnych dejín až po široký horizont súvekej kultúry. Pritom sme sa však nezriekli ani teritoriálneho princípu, a tak sme do nášho výkladu zahrnuli aj osudy etnických skupín a národností, ktoré spolu s nami vytvárali obraz o minulosti slovenskej krajiny. Preto sa aj dejinný výklad začína už od času, keď sa na našom území zjavil prvý človek a začal formovať kultúrny obraz tohto územia. Konečnou etapou obrazovej syntézy mala byť – ako to bolo v našej nedávnej historiografii nepísaným zákonom – najsúčasnejšia súčasnosť. Do tohto programu, žiaľ, až v štádiu finalizácie, zasiahli prevratné zmeny, ktoré sa v našej spoločnosti udiali po 17. novembri 1989. V plnej nahote sa ukázali deformácie, akých sa v poslednom polstoročí na osvetľovaní vývinu svojho národa dopúšťala aj slovenská historiografia. Okolo syntézy, do ktorej boli zakomponované všetky najdôležitejšie výsledky súčasnej slovenskej, českej i svetovej historickej vedy, vznikla tým oprávnená pochybnosť o výsledkoch bádania odborníkov v oblasti nových a najnovších dejín. Už krátke obdobie revolúcie a spoločenskej obrody ukázalo, že historický výskum musí vstúpiť do očistnej studnice, musí sa rozlúčiť s nenáležitým prisluhovaním jednej strane a na základe nového štúdia pramenného materiálu a jeho interpretácie musí ponúknuť aj nový a kritický obraz o našej národnej minulosti, predovšetkým obdobia po prvej a najmä po druhej svetovej vojne. To sa však nedá urobiť zo dňa na deň. Nepochybne si to vyžiada nemálo bádateľského úsilia a vytrvalej práce. Preto vydavateľstvo v dohode s autormi predbežne upustilo od výkladu našich národných dejín po roku 1918 a perspektívne pripravuje samostatný zväzok o historickom vývoji v tomto období, pracovne nazvaný Slovensko v Československu. Ním sa potom uzavrie proponovaný projekt obrazových dejín Slovenska.

Naša práca je určená širšej domácej i zahraničnej čitateľskej verejnosti. Pri všetkom profesionálnom kriticizme, aký historická veda vyžaduje, vonkoncom nezakrývame svoju lásku k národu, k domovine, k vlasti, v ktorej žijeme. Tieto pocity lásky a obdivu pri plnom rešpektovaní poznanej historickej pravdy sme sa usilovali vtesnať tak do neveľkého textu, ako aj do výberu obrazov, ktorými sprístupňujeme dejiny Slovenska a Slovákov. Ak naša kniha čitateľa zaujme, poteší a poučí, prehĺbi jeho záujem o minulosť nášho národa, o naše kultúrne dedičstvo, ktoré je jeho výtvorom, budeme spokojní, splnili sme svoju úlohu.

Bratislava 17. februára 1990 Autori

Prví ľudia a svet ich práce

Dlho trvalo, kým sme dospeli k uspokojivému vysvetleniu vzniku človeka. Tisícročia zaťažovali túto oblasť náboženské predstavy a systémy, ktoré človeka ako mimoriadnu bytosť fetišizovali. Až v polovici 18. storočia veda po prvý raz zaradila človeka do sústavy živočíchov, čo bolo prvým krokom, aby dospela aj k vývojovému pohľadu na pôvod a vznik celého človečenstva. Keď roku 1891 Fuhlrot objavil pozostatky primitívneho človeka v Neanderthale, evolučná teória o pôvode človeka dostala základný vecný argument, ku ktorému sú dnes už znesené desiatky a desiatky nových nálezov z celého sveta, a to z mnohých vývojových fáz vývinu človeka: od sústavy antropoidných opíc až k skutočnému Homo sapiens sapiens, ktorý je prvým tvorcom dejín. Celý tento proces, ktorý odlíšil človeka od ostatných zástupcov živočíšnej ríše, sa volá hominizácia (poľudštenie) a prebiehal nesmierne dlho. Ak to však porovnáme s vývojom s ostatnými druhmi, bol to napodiv proces krátky, vysoko efektívny, čo nepochybne muselo mať svoje hlboké príčiny. Dnes už vieme, že ich nemožno hľadať len v biologických zákonoch. Zlom, ktorý vydelil človeka z ostatnej živočíšnej ríše, spôsobila najmä práca, presnejšie uvedomelá pracovná činnosť. Tá predstavuje ten revolučný bod, od ktorého sa začali rozvíjať dejiny ľudskej spoločnosti. Práca, spolu s ďalšími vývojovými faktormi, zmenila jeho biologický habitus, rozvinula myslenie, priviedla ho k artikulovanej reči, prinútila rozmýšľať a položiť začiatky ľudskej kultúry. Človek sa stal skutočným tvorcom svojich dejín.

Bezpečne rozpoznanými prvými produktmi ľudskej práce boli kamenné nástroje. Preto od čias dánskeho archeológa Christiana Thomsena (od roku 1837) najstaršiu dobu ľudských dejín nazývame dobou kamennou. Neskôr ju podelili na tri obdobia: paleolit, mezolit a neolit. Tak sa nazývajú tri fázy kamennej doby. V prvých dvoch dobách človek ešte nie je skutočným a tvorivým človekom práce. Nástroje si síce už vie vyrobiť, no využíva prírodný dar ohňa a v tlupách tiahne krajinou, aby lovil a zbieral, čo mu matka príroda dáva. Sám ešte do prírody nezasahuje, potraviny ešte nie je schopný vyrobiť si sám. Vedome teda ani nemení prírodu, ktorá ho v celej a premenlivej drsnosti obkolesuje. Dôležité je poznanie, že už v tejto dobe je naša krajina – Slovensko – vtiahnutá do procesu hominizácie, pričom napr. Amerika a Austrália doň nezasahujú. Postupná špecializácia lovu, najmä stádovej zveriny, rozleptáva široké kolektívy a zdá sa, že vedie k vytvoreniu rodiny. Je to aj dôsledok špecializácie práce medzi mužom a ženou. Túžba po zachovaní existencie formuje nadstavbový svet človeka, ktorý zatiaľ dostáva len podobu nevysvetliteľnej mágie. Dominuje v nej zdar v love a zachovanie rodu. Obe myšlienky už paleolitický človek prezentuje aj v tvorivých počinoch – maľbách v jaskyniach a plastickými výtvormi.

Novou etapou vo vývoji ľudskej civilizácie je mladšia doba kamenná – neolit. Predznamenáva prvú veľkú „revolúciu" v dejinách človečenstva, lebo v tvrdom zápase človeka s prírodou sa po prvý raz neklamným víťazom stáva človek. Končí sa nadvláda zberu a lovectva, doba koristníckeho vzťahu k prírode, človek ju svojou prácou už donútil, aby pracovala preň, aby mu dávala základné potraviny. Tak sa náš predok naučil pestovať poľnohospodárske plodiny (medzi nimi na prvom mieste obilniny) a niektoré zvieratá už donútil pomáhať mu v práci a poskytovať pravidelnú obživu. To všetko viedlo k tomu, že človek sa už netúla krajinou a nesleduje len chodníčky a napájadlá zveri, ale usadzuje sa na pevnom mieste. Osídľovanie krajiny, jej skultúrňovanie prebieha pomerne rýchlo, lebo nový spôsob života vedie aj k prudkému nárastu obyvateľstva. V tejto dobe je už trvalo osídlené aj územie Slovenska, a je to osídlenie také pevné, že odvtedy až dodnes už nikdy ľudská noha neopustila našu krajinu a ľudská ruka neprestala pretvárať Slovensko na kultúrnu krajinu. Neolitický človek pokročil aj vo výrobe náradia. Nástroje už vedel nielen štiepať a tvarovať, ale ich aj dokonalo vybrúsiť i vyvŕtať, aby lepšie vyhovovali jeho pracovným zámerom. U domestifikovaných zvierat (ovca, koza, neskôr ošípaná a hovädzí dobytok) najprv rozpoznal ich nutričnú hodnotu, neskôr spoznával ich ďalšie funkcie. Domácim zvieratám sa venoval muž, poľnohospodárstvu zas žena. Je to až neuveriteľné, ale aj v nadmorskej výške 650 m (Poprad-Matejovce) ženská ruka vypestovala nielen obilniny, ale aj strukoviny, olejnaté rastliny, ba na východe našej krajiny aj vinič. V ústrety jej vychádzala aj vtedajšia príroda s priaznivými klimatickými a ekologickými podmienkami. Ruku v ruke s materiálnym napredovaním išla aj výstavba domu, ako aj nadstavbový svet človeka – umenie, kultúra, výtvarné cítenie.

Legovaním medi a cínu (ideálny pomer 90 % medi a 10 % cínu) objavil človek kov, ktorý bol dostatočne tvrdý a všestranne použiteľný. V každom prípade mal už iné vlastnosti než v prírode v čistej forme sa nachádzajúca meď, ktorá bola mäkká. Nový kov sa nazýva bronz a podľa neho aj nová etapa vývoja ľudskej spoločnosti – doba bronzová. Od kameňa počas dlhej doby eneolitu, ktorá stojí medzi vlastnou dobou kamennou a bronzovou ako dlhé prechodné obdobie, prechádza človek postupne po prvý raz k všeužitočným kovom, aby ich už nikdy neopustil, len rozmnožoval a nahradzoval. Pracovné nástroje z bronzu boli dokonalejšie, výkonnejšie. Pravda, surovinami na výrobu nového kovu nedisponovali všetci ľudia, ale len tí, ktorí boli blízko nálezísk. Vo vývoji ľudstva preto dochádza k novým faktorom: vznikajú bohatší a chudobnejší. Delidlom bolo vlastnenie či nevlastnenie nerastného bohatstva, ovládanie umenia baníctva a hutníctva. Tieto nové skutočnosti dali vzniknúť pravidelnej výmene tovarov medzi ľuďmi a človek v sebe objavil novú vášeň: obchodovanie. Majetková nerovnosť však splodila aj inú neresť, z ktorej sa zatiaľ ľudstvo nevymanilo: človek doby bronzovej sa naučil vyrábať nielen pracovné nástroje a okrasy pre seba a svoje ženy, ale začal programovo vyrábať aj zbrane – dýky, meče, brnenia, prilbice. Boj o loviská vystriedal programový boj o náleziská, o majetok. Nastupuje dôležitosť vojnových náčelníkov, svet vojen a prímerí.

Majetok rozložil aj sociálne väzby spoločnosti. Staré veľké kolektívy sa rozpadajú a nadobro sa upevňuje monogamná rodina, aby ako základná spoločenská bunka pretrvala až doteraz. V jej rámci sa rozvíja tak poľnohospodárstvo, ako aj vydeľujúce sa remeslo. Vývoj v poľnohospodárstve je viac ako pozvoľný. Náradie na orbu je stále ešte drevené, prípadne z kostených článkov. Človek však využíva do rozmanitej podoby domáce zvieratá. Ako zdroj potravy sa začína používať mlieko s bohatou výživnou štruktúráciou, ovca je už súca nielen na mäso, ale využíva sa z nej aj vlna na tkanie látok a zhotovovanie odevov. Do inventára domácich zvierat pribudol kôň ako všestranne využívané zviera na prepravu i poťah. V remesle, prirodzene, najmä pri obrábaní nového kovu, sa zaviedli nové nástroje – kladivo, nákova, kliešte, kokily na odlievanie bronzových predmetov. Pri technike opracovávania predmetov sa využíva nielen vlastné kováčstvo, ale aj nitovanie, vykúvanie a vytepávanie drôtov do všakovakých ozdôb a pod. Popularite sa tešila najmä výroba žatevných kosákov, ktorá nepochybne spätne vplývala na poľnohospodárstvo a uvoľňovala časť pracovnej sily na iné práce. Všetko toto sa deje ako pozvoľný, časovo diferencovaný vývoj, ktorým sa spoločnosť pomaly, ale isto prepracováva k inému, oveľa užitočnejšiemu kovu – k železu. Pre celú bronzovú dobu z hľadiska slovenských dejín nie je nijako zanedbateľné poznanie, že sme boli krajinou, ktorá najmä v Slovenskom rudohorí mala bohatú nerastnú surovinovú základňu, na ktorej stála prevažná časť stredoeurópskej výrobnej činnosti, ale i spotreby. Tým sa Slovensko priamo napájalo na históriu okolitých krajín, pričom v nej hralo úlohu nepochybne vážneho činiteľa.

Tento stav akoby sa opakoval v nastupujúcej dobe, keď človek objavil kov oveľa vhodnejší na náradie i zbraň – a tým bolo železo. Staršia železná doba (halštatská) vyplnila obdobie 7.–4. storočia pred naším letopočtom a priviedla civilizáciu až na vlastný prah historického poznania, na prah gramotnosti. Objav železa, výroba ktorého si vyžadovala značnú hutnícku zdatnosť i skúsenosť, mohol vzniknúť len v oblasti s najvyspelejšími znakmi hutníctva. Veda sa domnieva, že sa tak stalo na územnom pruhu medzi Kilíkiou a severovýchodnou Anatóliou a odtiaľ sa znalosti novej výroby rozšírili aj na náš starý kontinent. Najprv azda do Grécka, kde o dobe železnej možno hovoriť už o sto–dvesto rokov skôr ako u nás. Odtiaľ sa hutníctvo železa dostalo aj do našich železnorudných krajín. Nie je náhodné, že napr. výroba železných predmetov na hradisku Molpír pri Smoleniciach patrí medzi najstaršie stredoeurópske dielne. Železo nielenže zlepšilo funkciu výrobných nástrojov, zbraní, ale postupne prispievalo i k sociálnemu rozvrstveniu spoločnosti. Pravda, u nás ani v tejto dobe nevzniklo mesto, mestská aglomerácia, ako sa to dialo na pobreží Stredozemného mora už od čias neolitu. My sme zostali aj naďalej dedinčanmi. Časť súdobej produkcie však už bola určená len pre najvyššiu vrstvu spoločnosti, ktorá svoje postavenie dávala najavo i typmi obydlí. „Kmeňoví králi" – tak ich azda možno priliehavo nazvať, ako aj spoločnosť bojovníkov, ktorá ich obkolesovala, sa výrazne začali vydeľovať od ostatnej masy obyvateľstva. Kládli sa tak prvopočiatky, prazáklad triedneho zoskupenia človečenstva.

Všetky skupiny ľudskej civilizácie, ktoré až do tých čias prešli našou krajinou a menili ju na svoj obraz, boli a sú pre nás spoločenstvá anonymné. Nepoznáme meno ani jednej z nich. Preto si aj archeológovia vypracovali svoje vlastné názvoslovie a jednotlivé etnické spoločenstvá nazývajú podľa typických druhov ich materiálnej kultúry – zväčša keramiky. O tom však, že materiálny svet týchto ľudí sa delil aj zo stránky jazykovej či etnickej, veda nepriniesla pevný a presvedčivý doklad. Na počiatku novej doby – mladšej doby železnej (laténskej) – sa však už aj v našej krajine stretáme s obyvateľstvom, o ktorom nám zanechali početné písomné svedectvá rímski autori a ktorých Rimania nazývali Galovia – Kelti. Tento dravý, životaschopný a kultúrne vyspelý etnický živel poznačil celý kus európskych dejín, pričom celkom nezanikol v mori európskych národov, ale jeho zvyšky dožívajú na najzápadnejších okrajoch nášho kontinentu.

Pred vyše dvoma tisícmi rokov zaujali Kelti celý stred Európy a zasiahli až na územie západného a južného Slovenska. Ich prazáklad sa formoval medzi veľkou skupinou Indoeurópanov na strednom Dunaji, odkiaľ podnikli cestu na západ. Nebol to obyčajný postup, pokojné osídľovanie. Všetko, čo o nich vieme, aj v neskoršej dobe naznačuje, že vždy a všade je ich aktivita poznačená tvrdou vojnou, dobyvateľskou politikou. Navyše je príznačné, že keď nastalo preľudnenie v ich vlastnej domovine a vydávali sa na čele so svojimi vojvodcami obsadzovať nové krajiny, nikdy si nevyberali priestory ľudoprázdne, chudobné, ale len a len krajiny bohaté. A tak si dobre možno vysvetliť ich krvavé boje s Rimanmi v Itálii, boje za Dunajom, na Balkáne, ba až na brehoch ázijského kontinentu. Vždy tu kráčal s nimi strach. Rímsky historik Livius tvrdí, že signál k tejto obrovskej, v Európe dovtedy nevídanej expanzii dal keltský kráľ Ambigatus, vodca Biturgov, ktorí žili v južnom Francúzsku. Nevedno, či sa Livius nepomýlil a či zapísal správnu tradíciu. Isté však je, že dobu 5.–3. storočia pred n. letopočtom vyplnila v európskych dejinách expanzia Keltov. V 4. storočí sa objavili v Karpatskej kotline a odvtedy trvale osídlili aj naše Slovensko. Posledné skupiny k nám prišli niekedy okolo roku 200 pred n. letopočtom. Zrejme to treba spojiť s tvrdými porážkami, ktoré Kelti utrpeli od Rimanov. Nezostávalo im nič iné, len sa trvale usídliť. A pretože sa dostali do mnohorakého styku s vyspelou stredozemnomorskou civilizáciou, priniesli jej výdobytky aj do našich krajín. Ich svojrázna civilizácia, ktorá tu pretrvala ešte i zlom letopočtu, vlastne uzatvára celú dlhú vývojovú etapu praveku v našich krajinách. Pravda, nie sú jediným etnikom, ktoré obsadilo Slovensko. Do juhoslovenských nížin sa postupne tlačili aj Dákovia, na východ zas Trákovia. Kelti sú však najvýraznejšou zložkou, ktorá poznačila vývoj našej krajiny v mnohých odvetviach života: od poľnohospodárstva cez remeslo, obchod i dopravu až po sociálnu štruktúru nového typu, ktorá predznamenávala historický vývoj v nasledujúcich storočiach.

Hoci to veda zatiaľ viac tuší ako vie – základom vyspelosti keltskej spoločnosti bolo poľnohospodárstvo, ktoré chtiac-nechtiac stále muselo predstavovať základ hospodárskeho života. Nastupujúce zhoršené klimatické podmienky akoby priam nútili človeka nachádzať nové a nové nástroje, technicky ich zdokonaľovať, aby mohol produkovať dostatočné množstvá potravy pre narastajúcu spoločnosť. A tak práve s Keltmi je u nás – tak ako v mnohých iných európskych krajinách – spojené používanie železnej radlice na okovanie oracieho dreva (háku alebo plazu), k čomu čoskoro pridávali i masívny nôž (čerieslo), ktorý pomáhal rozkrajovať pôdu a uľahčoval najťažšiu poľnohospodársku prácu – orbu. Tým sa začínala malá agrárna „revolúcia" v dejinách poľnohospodárstva. Zväčšila sa výmera obrábanej pôdy, zvýšili sa poľnohospodárske výnosy. Viac obilia si vyžadovalo aj zručnejšiu technológiu jeho úpravy na pokrm – najmä múku. S keltskou civilizáciou je spätá výroba otáčavých kamenných mlecích žarnovov ako technického výdobytku, na ktorom sa budovalo celé neskoršie mlynárstvo až do najnovších čias.

Pokroky v poľnohospodárstve by neboli možné, ak by im remeslo nedávalo dostatok surovín, nových technológií, výrobkov. Keď sa preberáme celou sústavou remeselných odvetví, musíme sa zastaviť najmä pri jednom – rozhodujúcom: je to hutníctvo železa. Množstvá železa vyžadovala už keltská expanzia, na čele ktorej stála široká vrstva bojovníkov vyzbrojená dlhými dvojsečnými mečmi a nezriedka i kopijami. Rímsky historik Polybios sa síce vysmieva Keltom, že v boji po prvom údere sa ich meče zohýbali a museli ich na kolene vyrovnávať, no nemohol zamlčať skutočnosť, že Kelti mali mnoho zbraní. Spracovávanie i kováčske opracovávanie železa sa stalo mohutnou, zrejme už i špecializovanou výrobou, ktorá vkročila do všetkých oblastí života – ženský šperk nevynímajúc. U nás sa o spracovávanie kovov zaslúžili najmä Kotíni, ktorí svoje sídla rozložili v rudonosnej oblasti Slovenska. Rovnaké súdy možno vyhlásiť i o hrnčiarstve, spracovávaní medi, striebra, zlata. Keltskí remeselníci pri výrobe mnohých artefaktov siahali aj k netradičným surovinám, akými boli sapropelit, korál, email, sklo. Rozbiehala sa aj výroba textilu, najmä zásluhou nového typu tkáčskeho stavu. Aj slovenské hrobové nálezy potvrdzujú, že sa hojne spracovávala nielen vlna, ale aj konope a ľan.

Rozvinutá výroba viedla k prehĺbenej tovarovej výmene – k obchodu v pravom zmysle slova. A že pritom nešlo len o prostý výmenný obchod: tovar za tovar, ale že je tu už aj výmenný ekvivalent, kovové mince, dosvedčujú mincovnícke dielne aj na území Slovenska. Tak napr. v Bratislave sa razila hodnotná strieborná minca s názvom BIATEC a NONNOS (azda meno panovníka alebo monetára), ale súčasne sa razili pekné mince aj na severnom Slovensku. Mincová keltská sústava pritom nebola chvíľkovým javom, ale udržala sa tu dlhší čas. To všetko signalizovalo nielen mimoriadnu technickú či hospodársku vyspelosť keltskej spoločnosti, ale aj jej vysokú politickú organizovanosť a sociálnu polarizáciu. Vonkajšie vyjadrenie to našlo v sídliskovej a na ňu nadväzujúcej administratívnej organizácii, kde popri početnom dedinskom osídlení vznikajú aj remeselnícko-obchodnícke strediská mestského typu. G. I. Caesar ich nazval oppidá. Je to vyvrcholenie celého dovtedajšieho historického vývoja, pričom spoločnosť sa nachádza na pokraji sociálnej rozvrstvenosti a vzniku štátu. Len ďalšia nepriaznivá historická situácia podlomila tento vývoj a naša krajina sa odrazu ocitla vo víre nových, nezriedka i retardujúcich udalostí.

Nastupujúca situácia na Slovensku je skutočne pestrá. Východ krajiny žije akosi po starom, prežívajú tu keltsko-dácke kultúry, ktoré postupne podliehajú rôznorodej asimilácii. Stred Slovenska tiež málo zmenil svoju tvár, aj keď treba priznať, že pôvodné zložky obyvateľstva tu sformovali nový kultúrny okruh, ktorý archeológovia nazvali púchovskou kultúrou. Už vyše tristo sídlisk, z nich mnohé opevnené, poznáme z činnosti a života tohto ľudu, o etnicite ktorého vieme zatiaľ len málo. Najčulejší historický pohyb v tejto dobe bol na západnom a juhozápadnom Slovensku. Azda i preto, že bolo v kontakte s vyspelou rímskou civilizáciou, ktorá nám zanechala aj písomné dokumenty, a tak objasnila mnoho udalostí, ktoré z archeologického materiálu len ťažko možno vyčítať.

Úrodné nížiny a doliny juhozápadného Slovenska osídlil germánsky kmeň Kvádov a vybudoval si tu pomerne mocné kráľovstvo. Najprv bolo súčasťou väčšieho celku – kráľovstva Marobudovho, ktoré sa rozprestieralo „na sever od Dunaja", ako hovorí rímsky historik, a patril doň i kmeň Markomanov, usadených na západ od našej krajiny. Rímske légie po prvý raz hodlali s nimi bojovať roku 6 nášho letopočtu. Na dnešné Slovensko útočili Tibériove légie, a to smerom od Carnunta, západne od dnešného Devína. Rimania nedlho kontrolovali len pomerne úzky pás južného Slovenska. Uznali, že proti germánskym barbarom bude najprirodzenejšou hranicou veľký a nie vždy a všade ľahko prekročiteľný Dunaj. Preto na tejto čiare začali budovať opevňovaciu sústavu (Limes Romanus), ktorej trvalou súčasťou sa stal rímsky vojak – legionár, ale aj obchodník. Tak sa začalo dlhé obdobie vojen i mieru na Dunaji, v ktorých vystupujú nielen mnohí neznámi i druhoradí účastníci dejín, ale dokonca aj priamo rímski cisári. Jeden z nich – Marcus Aurelius – stihol popri vojenčení v chvíľkach pokoja pri Hrone napísať i filozofické dielo, iný – Valentinianus I. – zas skončil svoj život neďaleko dnešného Komárna. Najsevernejšie sa vtedy dostala noha rímskeho legionára do dnešného Trenčína (Laugaricio), ako o tom svedčí dodnes zachovaný nápis z roku 179–180 nášho letopočtu. Do údolí Váhu, Hrona i Nitry preniesli vtedy Rimania ťažisko pustošivých markomanských vojen.

Prvé štyri storočia nášho letopočtu vyplnili teda styky i vzťahy vyspelej rímskej civilizácie s barbarským germánskym svetom, v ktorých sa odohrával neopakovateľný, no vždy znova a znova začínajúci konfrontačný život kultúr v najširšom zmysle slova. Zostalo nám na túto dobu veľa pekných pamiatok a navyše krajina pripravená stať sa dejiskom nových a nových ľudských počinov, do ktorých zakrátko zasiahli aj naši bezprostrední predkovia – Slovania.

2
Ako útulok pred nepohodou slúžili človeku jaskyne. Na Slovensku ich poznáme niekoľko a bola medzi nimi i jaskyňa v Bojniciach

Prvú veľkú éru v dejinách ľudstva tvorí obdobie osvojovacieho – koristníckeho hospodárenia.

1
Najstaršou stopou po človeku na Slovensku je výliatok lebečnej dutiny neandertálca z Gánoviec pri Poprade

3
Najstarším kamenným náčiním, ktoré uchopila ruka človeka, je pästný klin. Jediný zatiaľ poznáme z Bratislavy

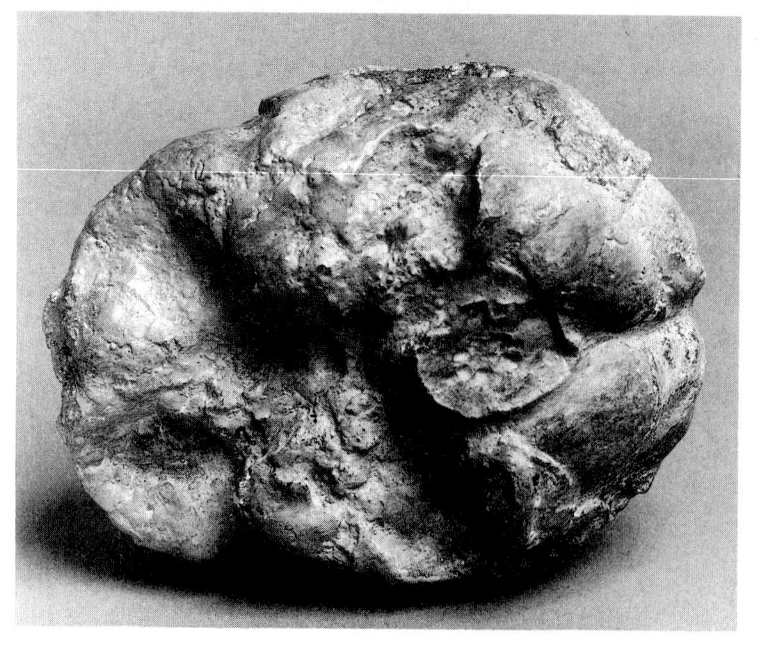

4
Štiepaním kameňa i opracovávaním kostí sa získavali ďalšie nástroje i zbrane

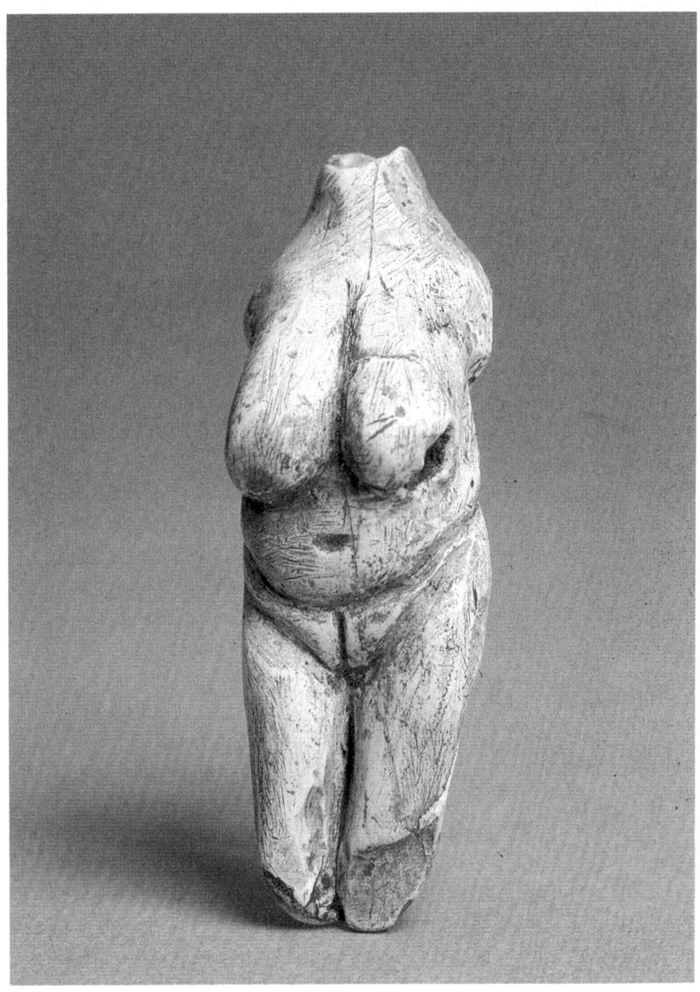

5
Kult plodnosti a zachovanie rodu predstavovali plastiky žien – tzv. Venuše. Venuša z Moravian je vyrezaná z mamutoviny

6
Hlina vypálená v žiari ohňa sa stala novou funkčnou hmotou na výrobu nádob. Keramika zdobená ryhou z východného Slovenska

V mladšej dobe kamennej svojou prácou už prinútil človek prírodu, aby mu slúžila. Dorábal potraviny, staval si pevné sídla, pokročil vo výrobe nástrojov.

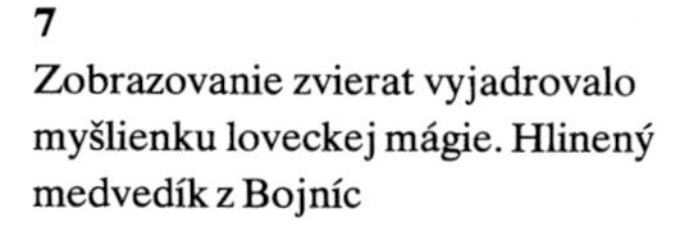

7
Zobrazovanie zvierat vyjadrovalo myšlienku loveckej mágie. Hlinený medvedík z Bojníc

8
Pretrváva kult plodnosti – Venuša z Oborína

9
Sediaca Venuša z Nitrianskeho Hrádku

10
Tvarovo i výzdobou je prekrásna bukovohorská keramika

11
Kultové podoby zvierat

12
Nádoba v tvare štylizovanej ženskej postavy je prejavom vyšších kultových i umeleckých predstáv (Svodín)

13

Ku koncu doby kamennej si už človek okrem veľkorodinných domov i spoločných skladovacích priestorov staval aj malé – jednorodinné domy (Horná Seč, okr. Levice)

14
Zmenil sa aj zovňajšok človeka – obliekal sa do tkaných látok. Prasleny a závažia

15
Opracované mlaty a sekeromlaty slúžili nielen ako pracovný nástroj, ale aj ako zbraň (Banská Štiavnica)

16
Nový technický výdobytok – kolesový voz – skrátil vzdialenosti. Hlinený kultový vozík z Radošinej pri Piešťanoch

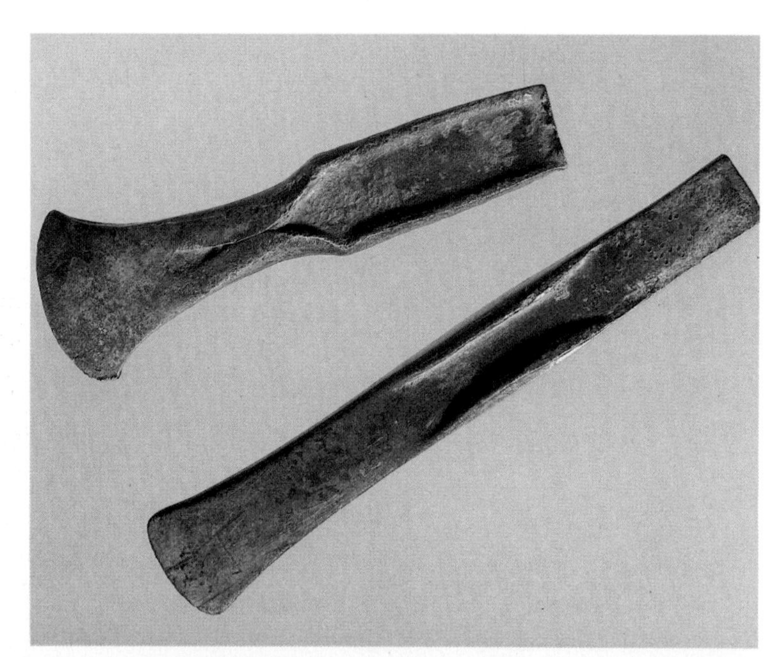

17a, b
Prvé bronzové predmety vyrobené z domácej surovinovej základne poznáme z východného Slovenska (bronzové sekerky zo Spiša, šálky a sekerky zo Somotora pri Košiciach)

Človek objavil lepšiu hmotu pre svoje nástroje i zbrane – bronz, zliatinu medi a cínu.

18
Bronzový čakan (Koš pri Bojniciach)

19
Obľúbené boli rôzne typy bronzových sekier (Hrádek-Bojnice)

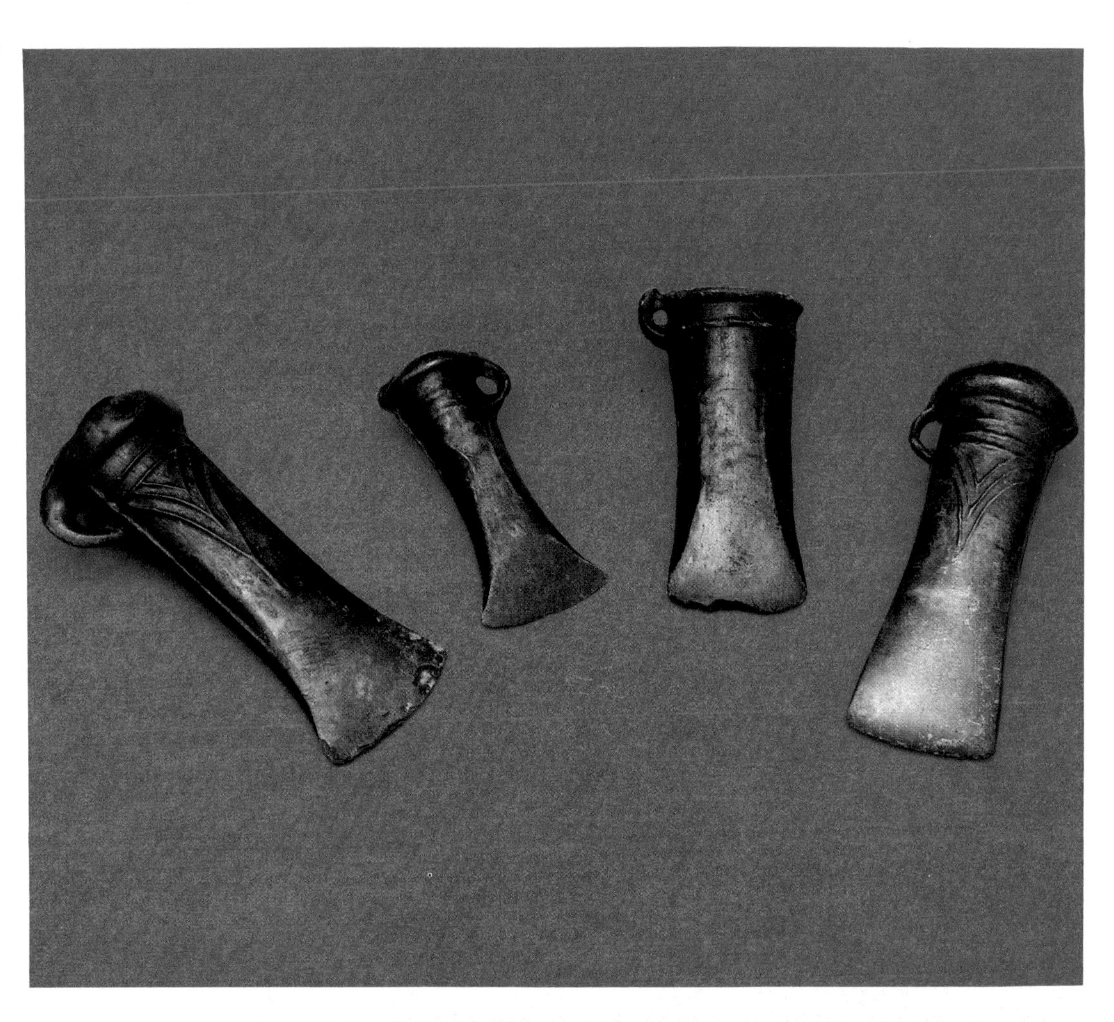

20 a, b
V tom čase vyrábali obzvlášť dlhé a ozdobné meče (Veľká, okr. Poprad; rukoväti mečov z Liptova)

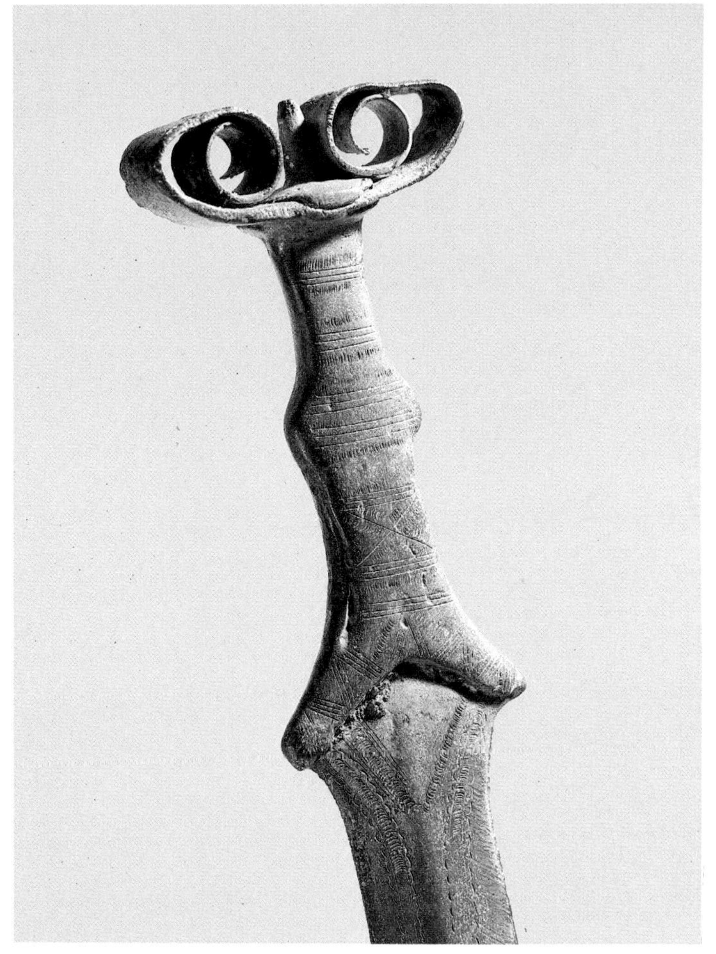

21
Kvalitnejšia je už aj vysokoleštená keramika

22
Človek sa naučil dobre využívať blahodarnosť ohňa. Poklop na pahrebu (Nitriansky Hrádok)

23
Voz s konským záprahom prešiel aj do armádnej výzbroje. Kresba na nádobe z Veľkých Raškoviec

24
Spoločnosť sa už začala majetkovo výraznejšie diferencovať. Spony na upevnenie a okrasu bohatého odevu (Rimavská Sobota)

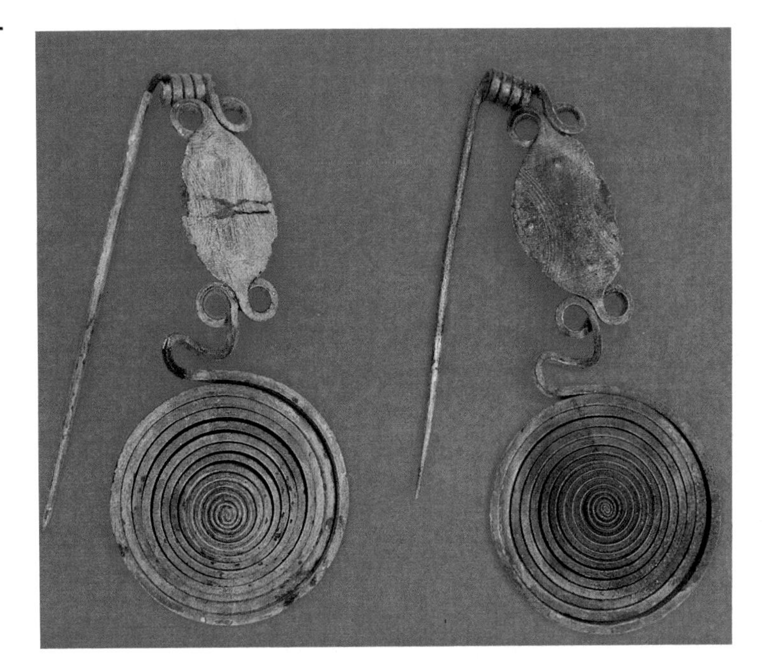

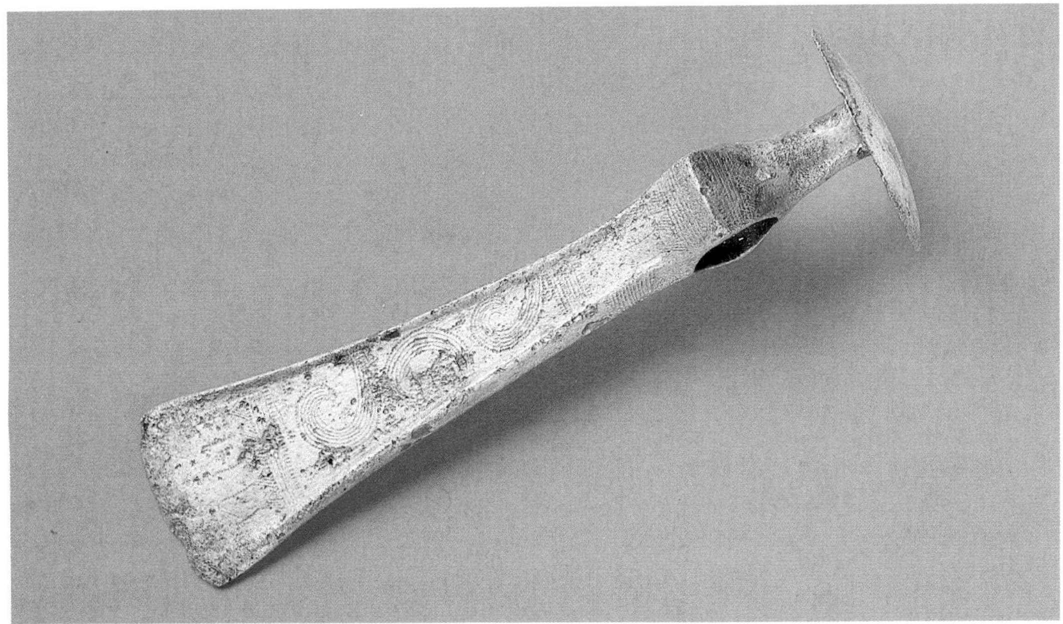

25a, b
Pestrá je paleta bronzových výrobkov (prilba – Lúčky, sekeromlat – Rimavské Janovce)

26
Bohatšia vrstva spoločnosti si buduje opevnené hradiská, akýsi prazáklad budúcich miest. Takým je napr. hradisko Molpír pri Smoleniciach

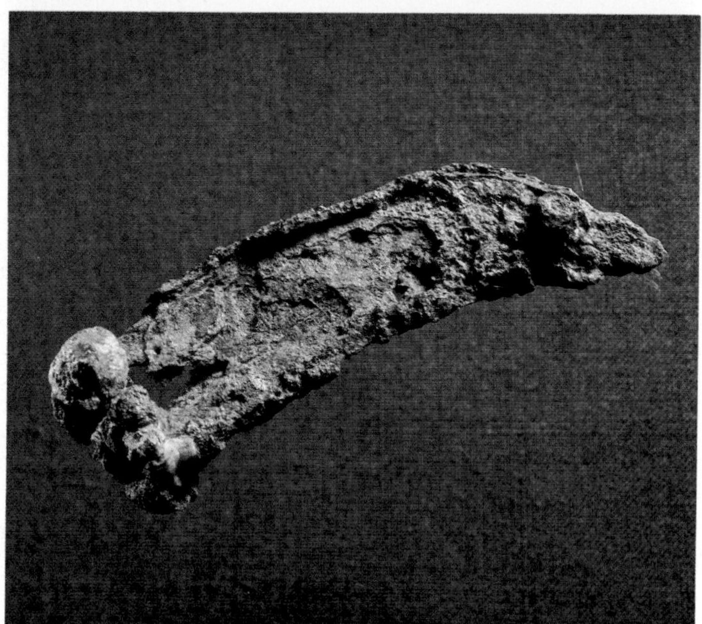

Novým kovom s významným civilizačným poslaním je železo. Najskôr sme ho k nám dovážali zo stredozemnomorskej oblasti, neskôr sa už spracovávala aj domáca surovinová základňa.

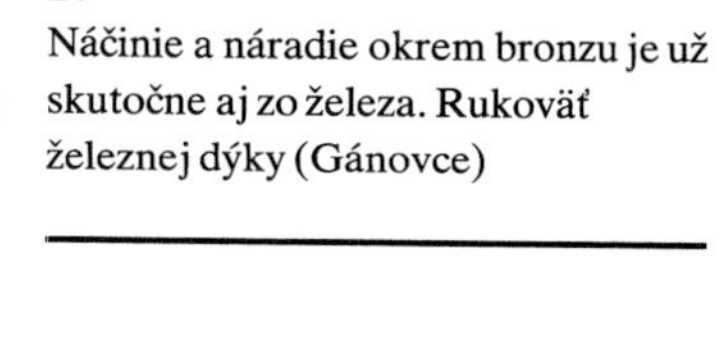

27
Náčinie a náradie okrem bronzu je už skutočne aj zo železa. Rukoväť železnej dýky (Gánovce)

28
Dvojica nádob z Chotína

29a, b
Vyššia spoločenská vrstva je pochovaná pod mohylami s bohatými darmi. Pozoruhodná je najmä kultová keramika (Nové Košariská)

Na začiatku mladšej doby železnej na Slovensko už prichádzajú ľudia, ktorých poznáme aj podľa mena. Sú to Kelti, zvaní tiež Galovia, ktorí sprostredkovali vyspelú kultúru Grékov, Etruskov i Rimanov celej strednej Európe. Postupne osídlili takmer celé Slovensko. Zostali po nich ploché pohrebiská, na ktorých svojich nebožtíkov zväčša pochovávali nespálených.

30
Z oblečenia Keltov sa zachovali najmä spony, ktorými si muži i ženy na rímsky spôsob upevňovali odev

31
Spona z opasku

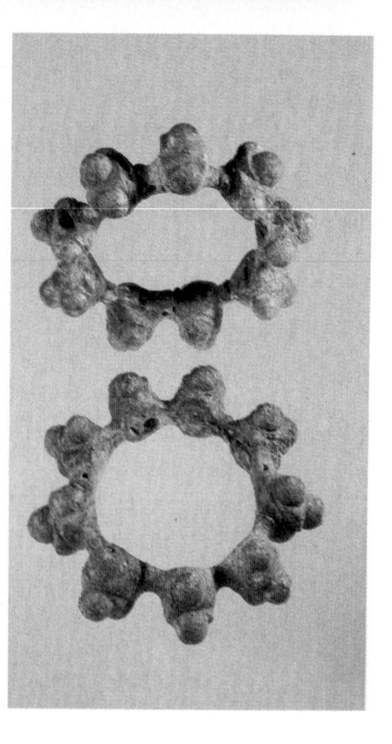

32
Bohatí ľudia nosili honosné náramky i nákrčné kruhy

33
Ozdobné nánožné kruhy

34
Boli poľnohospodármi a používali všetky známe náradia, ktorým dali taký tvar, že sa už po stáročia takmer nezmenil (sekera, kopije, putá – okovy, nožíky)

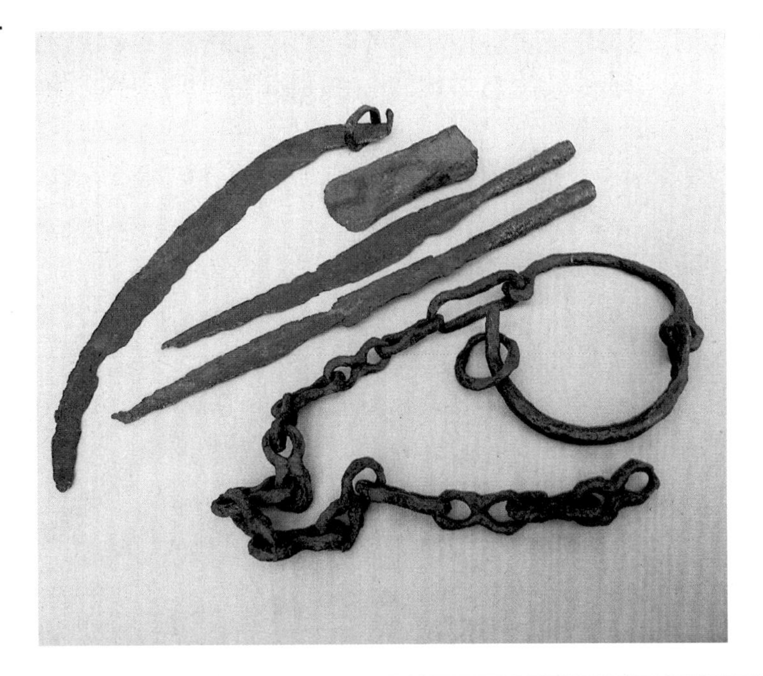

35a, b
Keramiku vyrábali už na rotujúcom hrnčiarskom kruhu

36
Pozoruhodná je najmä do čierna vypálená úžitková keramika zo zmesi tuhy a hliny

Svetovládne rímske impérium zasiahlo našu krajinu v prvých štyroch storočiach nášho letopočtu. Vtiahlo na Slovensko s vyspelou kultúrou a civilizáciou.

37a, b
Hospodársky rozmach a výmena tovarov si vyžiadali razenie zlatej, striebornej i bronzovej mince. V Bratislave strieborné mince s figurálnou plastikou niesli i názov BIATEC a NONNOS

38
Najsevernejším miestom na Slovensku, kam sa dostali rímski legionári, je Trenčín. M. Valerius Maximianus na počesť víťazstva svojich vojsk tu nechal vytesať nápis do skaly v rokoch 179–180 nášho letopočtu

39a, b
Rímske légie stavali u nás rozsiahle fortifikačné i obytné stavby z kvalitne vypálených tehál s vyznačením dielne (a – pohľad na rímsku stavbu v Páci, okr. Trnava, b – villa rustica – základy v Bratislave-Dúbravke)

40
Jupiter Dolichénsky (Považie)

41
Soška komického herca (Iža)

42
Z keramiky sa veľkej obľube tešila tzv. terra sigillata

43
Exkluzívnym tovarom bolo rímske sklo tvarované do nádob najrozmanitejších tvarov a použitia

44a, b
Bohatstvo triedne rozdelenej spoločnosti prezentovali výrobky zo zlata. Masívna náramennica (Zohor), zlaté prstene (Iža, Pác)

Slovensko prvých piatich storočí nie je etnicky jednoliatym územím. Na západnom Slovensku bojujú Rimania proti germánskym Markomanom a Kvádom; sever obýva ľud púchovskej kultúry a východ keltsko-dácke obyvateľstvo.

45
Cisár Marcus Aurelius na Hrone písal svoje filozofické dielo

46a–c
Portréty ďalších rímskych panovníkov na minciach (Nero, Caracalla, Domitianus)

47
Rekonštrukcia brány na hradisku v Liptovskej Mare

48a, b
Zvláštne je pracovné zameranie tohto ľudu žijúceho na severe Slovenska. Spracováva drahé kovy. Svedčia o tom šperky i vlastné mince

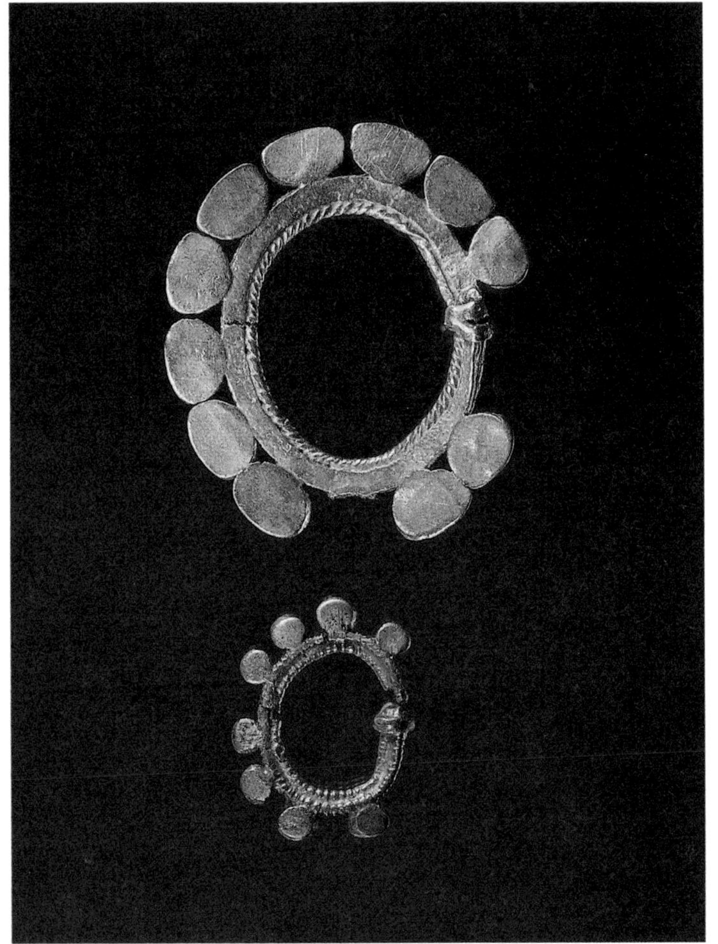

49a, b, c
V hroboch bohatých germánskych náčelníkov sa nachádza mnoho importovaného rímskeho tovaru. Takou je aj unikátna strieborná, reliéfom vyzdobená misa (Krakovany – Stráže) i iná hlboká misa

50
Šperky z Rusoviec

51a, b
Zlatá náušnica z doby sťahovania národov (Levice), spony z doby sťahovania národov (Kšinná)

52
Z pohnutej doby sťahovania národov sa zachoval aj unikátny nález – bochník kysnutého chleba (Devín)

Slovania a hľadanie novej vlasti

Začalo sa to všetko okolo roku 375. Najprv vpadli kočovní Huni do juhoruských a pričiernomorských stepí. A potom už vlastne nastala reťazová – nikým neočakávaná reakcia. Vzápätí sa dali do pohybu Góti, Vandali, Kvádi, Rugiovia, Herulovia, Alani a Longobardi. Rozsiahly pohyb historici nie najpriliehavejšie nazvali „sťahovanie národov". Ako poslední v tejto reťazi vystupujú Slovania a po nich (roku 568) Avari. Všetky tieto „národy" svojou aktivitou vyplnili celé 5. a 6. storočie nášho letopočtu a dali novú tvár novej Európe. Pohyb a mätež neobišli, pochopiteľne, ani otvorené roviny a doliny Slovenska. Len v uzatvorených kotlinách a horských dolinách prechádzal svet svojím predchádzajúcim rytmom, život pokračoval dovtedy obvyklým tempom.

V prvej polovici 5. storočia na Slovensko zasahovala moc silnej hunskej Attilovej ríše. Po jej zániku roviny Slovenska poznali život Gótov a Herulov, ktorých neskôr (najmä na západnom Slovensku) vystriedali pastieri svíň s dlhými bradami – teda Longobardi. Bol to posledný germánsky kmeň, ktorý prešiel z dolného Polabia okľukou cez strednú Európu až naplno zakotvil v hornej Itálii, aby jej dal aj dnešné meno – Lombardia. Po nich, či azda už s nimi, na naše Slovensko prichádzajú naši skutoční predkovia – Slovania, aby tu začali novú etapu našich národných dejín, ale aj trvalú epochu dejín novodobej Európy.

Príchod Slovanov sa dial akosi nehlučne, bez pokriku či bez veľkej okázalosti. To ticho a mlčanie gramotných súčasníkov až akosi mätie vedu a tá dlho vedie spor o pôvode Slovanov. Jednoty niet už pri výklade ich mena. Vtedy, keď na Slovanstvo ešte len čakala skutočne „slávna" budúcnosť, vedci sa domnievali, že ich názov treba odvodzovať skutočne od slovka „sláva". Iní hľadali pôvod pomenovania v indoeurópskom jazykovom koreni, z ktorého jazyk Slovanov vzišiel, v koreni: „slo*..., sla*..." čo označovalo vodu. Teda ľudia od vody, od jazier či močiarov. Ďalší tu hľadali slovanský koreň „slovo", aby sa dali odlíšiť od tých druhých, ktorým nerozumeli a ktorí boli pre Slovanov „nemí" – Nemci. Jedno je však isté: keď história a historici niekedy v 6. storočí Slovanov spomínajú, už vedia, že ich veľká časť takéto meno skutočne má. Odkiaľ sa však vzali, keď v poslednej už takmer neočakávanej vlne sa objavili v strednej a juhovýchodnej Európe v takom obrovskom množstve, ako by tu boli „rozosiati" – to nám doboví učenci nevedeli objasniť. Pravdu povediac, ani dnešná historická veda si nie je celkom načistom s pôvodom – etnogenézou Slovanov. Dlho vyznávali svoju vedeckú pravdu autochtonisti – teda tí, ktorí tvrdili, že Slovania žijú odpradávna tam, kde ich nachádzame v súčasnosti. Len sem-tam si vraj mená menili. Oprávnenie takémuto názoru často dávala aj pragmatická politika, ktorá najmä malým slovanským národom dlho upierala právo na svojbytný, nezávislý vývoj, Slovákov nevynímajúc. Preto aj náš rodák a veľký kritický vedec P. J. Šafárik, hoci cítil, že autochtonisti nemajú svoje názory zatiaľ plne podložené, predsa im len trochu podržal stranu. Kritikou autochtonizmu a rozvojom jazykovedy sa formovala migračná teória o pôvode Slovanov. Veda v nej predpokladala, že Slovania mali svoju jednu veľkú pravlasť, kde dlho žili spoločne a odkiaľ sa, v už spomínanom „sťahovaní národov", pohli, aby si našli nové krajiny v súdobom svete. Zápas o vedeckú pravdu, ako ukazuje najsúčasnejšia súčasnosť – akoby ešte nebol dobojovaný. Veda zatiaľ živí oba názory, aj keď vyvinula veľa úsilia a priniesla veľa poznatkov, aby obhájila migračnú teóriu o etnogenéze Slovanov. Tá zatiaľ i drží svoje dominujúce postavenie.

Keď sa preberáme dielami byzantských autorov zistíme, že v 6. storočí v našej krajine už nepochybne Slovania sídlili, ba už tu boli natoľko zorganizovaní, že vstupovali do vojsk byzantského vojvodu Belizara a zúčastňovali sa s jeho vojskami na obliehaní Ríma. Nevedno teda presne, kedy sa Slovensko stalo naším domovom. Zrejme pred a okolo roku 500 nastalo veľké preľudnenie v slovanskej pravlasti, ktorá sa rozprestierala na širokom páse medzi riekami Vislou a Dneprom, a z pritesného životného priestoru sa dali Slovania podľa vzoru svojich predchodcov na pochod. Jedna veľká vlna obišla ťažko priestupné Karpaty, obsadila kraje na strednom Dunaji a odtiaľ sa posúvala smerom na Grécko, ale aj smerom do starej Ilýrie, Dácie a Panónie spolu so svojimi stádami dobytka, majetkom a rodinami. Tí zasídlili aj dnešné stredné Slovensko a dali jazykovo neopakovateľný ráz nášmu spisovnému jazyku – stredoslovenčine. Iné skupiny Slovanov využili schodné karpatské priesmyky až po Moravskú bránu, prekročili ich a zasídľovali nížiny a kotliny západného, južného, ale aj východného Slovenska. Práve sem možno prenikali už aj pred rokom 500 a nadviazali na dovtedajšiu sídliskovú štruktúru. Celá Karpatská kotlina a jej okraje, ale aj úrodná česká krajina až za hranice Bavorska a Saska – to všetko spolu s Poľskom sa stalo domovom Slovanov, ktorým hovoríme – západní.

Jednu charakteristickú črtu celý pohyb Slovákov pri hľadaní novej vlasti má: je to pokojná kolonizácia poľnohospodárov a pastierov, ktorí bez veľkého bojového kriku obsadzujú miesta, kde je úrodná zem, vhodný zdroj vody, dobré a prístupné spojenie s ostatnými spolubratmi. V takýchto oblastiach Slovania zapustili svoje korene, postavili domy a usadili sa, aby už nikdy v dejinách odtiaľ neodišli. Tak sa stalo aj Slovensko ich novou vlasťou, kde prekryli staré sídliskové zvyšky obyvateľstva od Keltov až po Germánov, či potomkov keltských Kotínov, vtlačili krajine svoj neobvyklý kolorit a začali si budovať novú vlasť. Čo vieme o tejto prvej etape nášho nového života?

Nie je toho zatiaľ veľa, no ani nie málo. Archeológia odkryla už vyše 160 lokalít, ktoré odrážajú životný štýl, pracovné návyky, kultúru i nadstavbový svet prvých Slovanov u nás. Vieme, že sme dlho boli a zostávali dedinčanmi. Stavali sme si neveľké, do zeme zahĺbené domy s neveľkými rozmermi 9–12 m^2, s kamenným ohniskom v rohu, ktoré bolo pevným centrom slovanskej rodiny. Sedlová strecha pokrývala zrubový alebo z prútia a mazanice vystavaný dom. Bol teplý v zime, príjemne chladný v lete a dobre slúžil 15–20 rokov. To bola priemerná doba usídlenia na jednom mieste. Za ten čas sa obrábaná pôda vyčerpala a bolo treba hospodáriť na „novine". Potom sa znova stavala neveľká kôpka domov – nová dedina. Zo zvyškov a kostí, ktoré nachádzame pri obydliach, vidno, že v strave boli zastúpené tak múčne, strukovinové, ako aj mäsité pokrmy. Až 90 % kostí pochádza z domácich zvierat, z čoho vidno, že na lov ako na zdroj obživy sa naši predkovia veľmi nespoliehali. O to dôkladnejšie bola každá domácnosť vybavená rotačným žarnovom na mletie zrna, pekáčmi na sušenie a praženie obilia i pečenie chleba, ale aj nevyhnutnými obilnicami – jamami zahĺbenými v zemi, v ktorých sa odkladalo najmä zrno na budúci výsev. Produkcia potravín bola teda trvalá a zabezpečovala nielen udržanie rodu, ale aj jeho rozširovanie. Počet obyvateľstva v novej vlasti pomaly, ale isto rástol. Staré rody sa v priebehu sťahovania porušili a dedinské pospolitosti sa už formujú na vzťahoch susedstva a spoločných životných osudov. To je tiež nový progresívny prvok rozvoja slovanskej spoločnosti, ktorej osudy v dvoch, možno i troch generáciách prebiehali pokojne. Zlom nastal niekedy po roku 568, keď sa do podunajských rovín prisťahoval nový kočovný pastiersky „národ" – Avari. Takto nečakane naši predkovia dostali suseda, s ktorým sa nie vždy dalo nažívať v pokoji a mieri. Nie že by na širokých rovinách podunajských nížin už pre nich nebolo miesta. Problémy nového spoločenstva boli hlbšie, zložitejšie.

Avari boli kočovný „národ", ktorý sa živil pastierstvom v klimaticky dobrých podmienkach Pričiernomoria. V podunajskej kotline, kde takmer pol roka trvá zima so snehovou prikrývkou, nastali veľké problémy pre avarské stáda dobytka a ich majiteľov. Najprv – ako všetky bojovné nomádske spoločenstvá, riešili problém dobyvačnými rabovačkami, korisťou, poplatkami od porazených. Slovania ako trvalí susedia im však mohli poskytnúť viac: trvalú opateru a vynútenú pomoc počas zimných mesiacov. Tieto hybernálie niesli so sebou nielen hospodársku, ale aj občiansku ťarchu. Avari sa stýkali so Slovankami, z čoho zákonito vychádzalo aj nové potomstvo, ktoré sa muselo sociálne zaradiť. Práve títo miešanci pociťovali krivdu, ak sa išlo na spoločnú avarsko-slovanskú vojenskú výpravu. Slovania vraj museli bojovať v prvých šíkoch, no pri delení koristi bývali poslednými.

Drobné zápletky prerastali do trvalejšieho napätia, nepriateľstva, ktoré umocňovala avarská snaha urobiť si zo Slovanov stálych poplatníkov. A tak v čase, keď Avari s hlavnými vojskami bojovali až niekde pod múrami Konštantinopolu, vypuklo slovanské povstanie proti Avarom, ktoré prerástlo do akéhosi všeobecného vojenského odporu. V čase, keď sa už tvrdo bojovalo, prišla medzi Slovanov kupecká karavána až z ďalekej Francie, odkiaľ už dávnejšie putovali najmä dobré a kvalitné zbrane, ale aj ozdoby a iný luxusný tovar do krajiny Slovanov. Karavánu vtedy viedol – a či len bol v nej – šikovný kupec Samo, ktorý sa ihneď so svojimi pridal na stranu bojujúcich Slovanov a ohromne im poslúžil svojou udatnosťou, smelosťou, takže nakoniec sa spolu radovali z veľkého víťazstva nad Avarmi. Spokojní slovanskí náčelníci požiadali Sama, či by nechcel byť ich kráľom a natrvalo zostať v slovanskej krajine. Súhlas zrejme nikoho neprekvapil. A tak vzniklo prvé známe slovanské kráľovstvo (regnum), ktoré vošlo do dejín súvekej Európy.

Celé rozprávanie by mohlo mať len epizodický charakter, ak by nám ho nebol zapísal takmer súčasník, ktorý pochádzal z kraja Samovho. Historici – keďže sa pod svoje dielo, kroniku, nepodpísal – ho nazvali Fredegar. Kronikár Fredegar, ktorý si postavil za cieľ opísať panovanie franského kráľa Dagoberta, mal totiž dobrý dôvod, aby sa celej epizóde nevyhol. Medzi Samovou ríšou a Dagobertovým kráľovstvom vznikli čoskoro nezhody, ktoré vyústili do otvorenej vojny. Tri prúdy franského vojska podporované oddielmi zo severnej Itálie tiahli na Samovo kráľovstvo. Krajné voje svoje bitky vyhrali, ale úderný stred armády vedený samým Dagobertom utrpel v trojdňovom boji od slovanských vojsk krutú porážku. A tak, hoci by to kronikár mal čo najrafinovanejšie zamlčať, veľká vojenská konfrontácia slovanského politického zoskupenia s najmocnejším štátom vtedajšej západnej i strednej Európy sa skončila slovanským víťazstvom. Fredegar porazených síce ospravedlňuje, ale pravdivú skutočnosť výsledkov boja nám zaznamenáva. Rozhodujúca bitka sa vraj udiala pri Samovom hrade Wogastisburg.

Odkedy sa obsah Fredegarovej kroniky stal všeobecnejšie známy, hľadajú historici stredisko Samovej ríše podľa Wogastisburgu. Oprávnene sa však v našej vede spochybnil slovanský pôvod názvu a súčasne sa ukázalo, že hrad nemusel byť priamym strediskom ríše, ale len vhodným strategickým uzlom zvoleným na obranu proti silnému nepriateľovi. Keď sa už zdalo, že veda vyčerpala všetky deduktívne možnosti, ktoré písomný materiál i miestne názvy poskytovali, priniesla takmer rozhodujúci pramenný materiál archeológia.

Avarská spoločnosť mala svoju vyhranenú kultúru, ktorá ju výrazne diferencovala v niekoľkých základných znakoch od Slovanov, čo archeologický výskum dobre postihuje. A keďže musíme prijať logický historický fakt, že do boja sa dostali dva susedné národy – Avari a Slovania, museli vedľa seba žiť, tvoriť, milovať sa i nenávidieť. Vznikol tak nový priestor, aby veda mohla položiť rad nových otázok i takým písomným prameňom, od ktorých sa nová vypovedacia schopnosť už neočakávala. Postupne sa preto opúšťal názor, ktorý mocne od čias F. Palackého podopierala česká historiografia – že Samova ríša sa rozkladala v Čechách, k čomu už len niektorí prikladali i fabulu, že Samo je súčasne predchodca Přemyslovcov – to samozrejme bolo viac národným želaním, ako vedeckou výpoveďou rešpektujúcou pramene. Krajina okolo Úhošťa pri Kadani v juhozápadných Čechách, kam filológovia a onomasti položili známy Wogastisburg, tiež pod rukami archeológov nevydala nijaké svedectvo. A tak sa už medzi dvoma vojnami, zatiaľ viac intuitívne ako preukazne, niektorí vedci zadívali na starú Moravu. Táto cesta, aj keď nebola plne verifikovaná, ukázala smer do podunajského priestoru, kam sa treba pozrieť a zvažovať. Za necelých päťdesiat rokov archeológia urobila pre zodpovedanie otázky míľové kroky. Maďarskí bádatelia spresnili centrum avarského kaganátu, strediska ich ríše, do okolia Debrecínu. Slovenská archeológia zas na starej dunajskej hranici odkryla rozsiahle pohrebiská, na ktorých spolu žil avarský i slovanský ľud, pohrebiská, kde sa nezriedka dala sledovať historická kontinuita života od príchodu Slovanov až po dobu Samovu, ba niekedy i ďalej. Keď sa mapa nálezov zapĺňala, odrazu vystúpil s celou nástojčivosťou sídliskový uzol Bratislavskej brány, teda vlastného juhozápadného cípu Slovenska, priľahlej južnej Moravy a Dolného Rakúska. Tu sa ukázala taká silná koncentrácia ľudského potenciálu, že ho nebolo možné vyhlásiť za náhodu. Už sama geografická poloha dávala tušiť neobvyklú cenu tohto územia. Kto ho ovládol, mohol kontrolovať každý pohyb po prastarej dunajskej ceste, ktorú vybudovali už Rimania, ale aj nemenej dôležitú spojnicu idúcu od Stredozemného mora cez Panóniu, ktorá práve v Bratislavskej bráne ideálne prekračovala dunajský brod a smerovala na sever. A tak veda od čias J. Eisnera, ktorý veľkým výskumom v Devínskej Novej Vsi položil základy novému uvažovaniu, prikladá kamienok ku kamienku a buduje nové poznanie o tom, že kryštalizačné jadro Samovej ríše treba hľadať práve v priestore tohto nesmierne vážneho strategického bodu, ktorý je súčasne zemepisným stredom strednej Európy.

Nové poznanie nemá charakter náhodne získaného pokladu. Má silu vypovedacieho historického faktu. Samova ríša sa tým totiž ocitá nielen na starom a vyspelom sídliskovom slovanskom území, ale je akoby územným predchodcom ďalšieho, nekonečne pevnejšieho politického zoskupenia – Veľkej Moravy. Len nové centrá sa posunuli do pokojnejšej, lepšie brániteľnej, severnejšej oblasti. Súčasne naše národné dejiny dostali pevnejší bod, hlbšie historické, politické i kultúrne ukotvenie. Vieme totiž, že stabilnejšia politická organizácia môže vzniknúť len vtedy a tam, kde sú na to primerané hospodárske a sociálne podmienky, nezriedka idúce až na prah sociálne rozdelenej spoločnosti. Ak sa spod takéhoto zorného uhla dívame na kryštalizačné jadro Samovej ríše a jeho zázemia, vidíme, že je to krajina, ktorá sa v mnohom líši od vtedajšieho severnejšieho slovanského sveta. Markantné je to najmä v tom, že prebrala štafetový kolík vyspelej neskororímskej civilizácie, čo spôsobilo výrazné zrýchlenie života spoločnosti v najzákladnejších odvetviach. V poľnohospodárstve to bol masový prechod od starého žiarového hospodárenia k ornému, ktorý zakrátko umožnil potrebný nadprodukt pre nevýrobné zložky obyvateľstva – vládnu skupinu nevynímajúc. Pokročili aj základné odvetvia remesla. Výdobytky hutníctva železa zabezpečili dostatočnú surovinovú základňu pre mnohé rozvíjajúce sa remeslá a výrobu ako celok. Tunajší Slovania si osvojili novú technológiu hrnčiarskej výroby, šperkárstva a navyše zmenili sa aj ich nadstavbové predstavy. Odrazu prestali svojich nebožtíkov spaľovať, ale vystretých ich ukladali do hrobových jám a pridávali im všeličo z ich životného osobného inventára.

Samova ríša sa týmto novým poznaním už nejaví ako náhodný meteor na slovanskom historickom horizonte, ale ako logický fakt, kauzálne zviazaný s vedecky i teoreticky spoznaným vývojom spoločnosti. Je to nová politická štruktúra, ktorá po prvý raz vyskúšala v našich dejinách organizovať tak potrebnú inštitúciu pre vývoj novodobého sveta – štát. Aby sa toto historické poznanie i dej naplnili, muselo sa udiať ešte veľa udalostí priamo v Karpatskej kotline, ako aj v súdobej Európe. Za najvýznamnejšiu treba považovať, že popri Byzancii, ktorá sa stala dedičkou Rímskej ríše a jej civilizácie, upevňujúce sa pápežstvo priam vyprovokovalo Franskú ríšu, aby si tiež sformulovala svoj vzťah k dávnemu impériu. Pápež potom korunoval pri vhodnej príležitosti Karola Veľkého za cisára a ten sa usiloval dať nový politický program i štruktúru Európe. Ako súčasť novej mocenskej koncepcie Frankovia roku 791 rozbili a rozmetali avarskú moc na strednom Dunaji a pripojením Bavorska sa ich moc tesne priblížila až k hraniciam zatiaľ nepoznanej „Slavínie". V takejto atmosfére 8. storočia sa pripravovali aj naši predkovia, aby s plnou vážnosťou vystúpili na európsku scénu dejín, aby vyplnili uprázdnený politicko-mocenský priestor, ktorý sa vytvoril medzi dvoma veľmocami súdobého sveta – Byzanciou a Franskou ríšou. Tak hlboko, až kdesi v odkaze Samovej ríše, korení nová politická aktivita aj na našom Slovensku. Začína sa doba kniežaťa Pribinu a jeho soka – moravského Mojmíra.

Hľadanie novej a trvalej vlasti neprebiehalo ani jednoducho, ani naraz. Slovensko osídľovali naši predkovia z rôznych smerov, pričom pohlcovali zvyšky predchádzajúcich etník žijúcich na našom území.

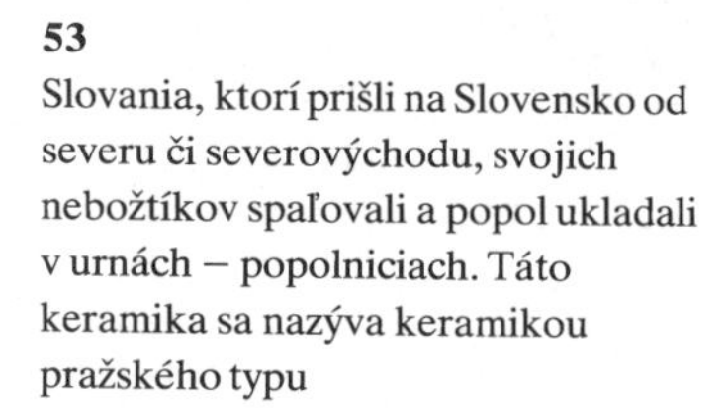

53
Slovania, ktorí prišli na Slovensko od severu či severovýchodu, svojich nebožtíkov spaľovali a popol ukladali v urnách – popolniciach. Táto keramika sa nazýva keramikou pražského typu

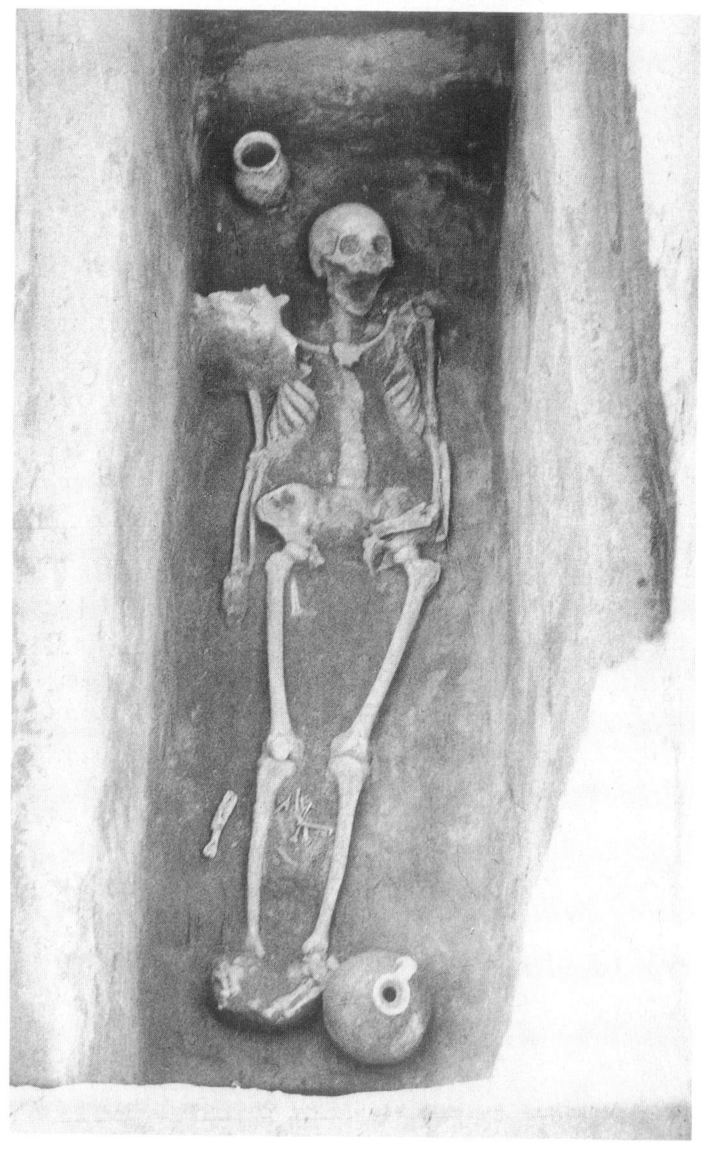

54
Predkovia, ktorí prichádzali od juhu, svojich mŕtvych pochovávali. Slovanský hrob ženy s nádobami a posmrtnou stravou – ovca (Nové Zámky)

55
Vyrábali aj iný druh keramiky, zv. keramika podunajského typu

56
Pôdorys slovanského obytného domu s ohniskom v rohu

57a, b
Noví obyvatelia boli poľnohospodármi, ako ukazuje súbor oracieho náčinia

58
Základné potreby, najmä z dreva, si každý vyrábal sám (drevená naberačka – Pobedim)

59
Ako surovina na výrobu drobných predmetov sa dobre hodili kosti a parohy. Cifrovaná kostená píšťalka – frkáč (Pobedim)

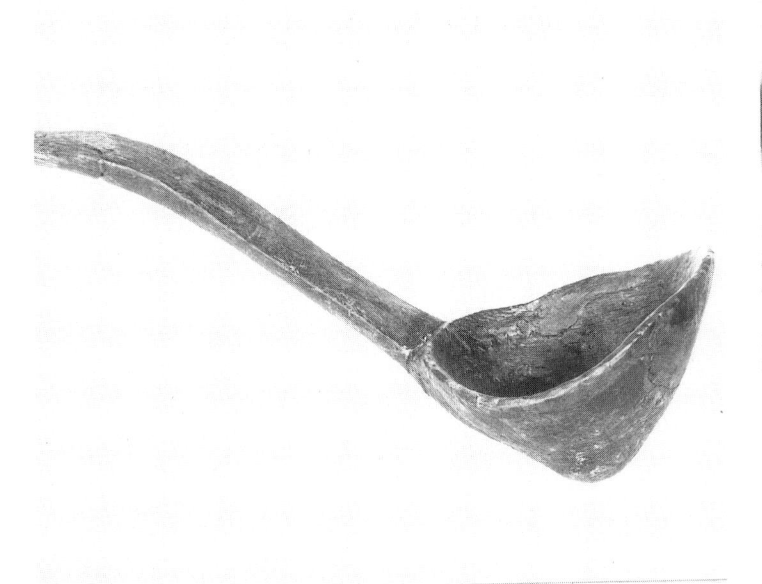

60
Hrnčiari postupne zhotovovali veľké a náročnejšie nádoby. Keramika sa už vyrábala na hrnčiarskom kruhu

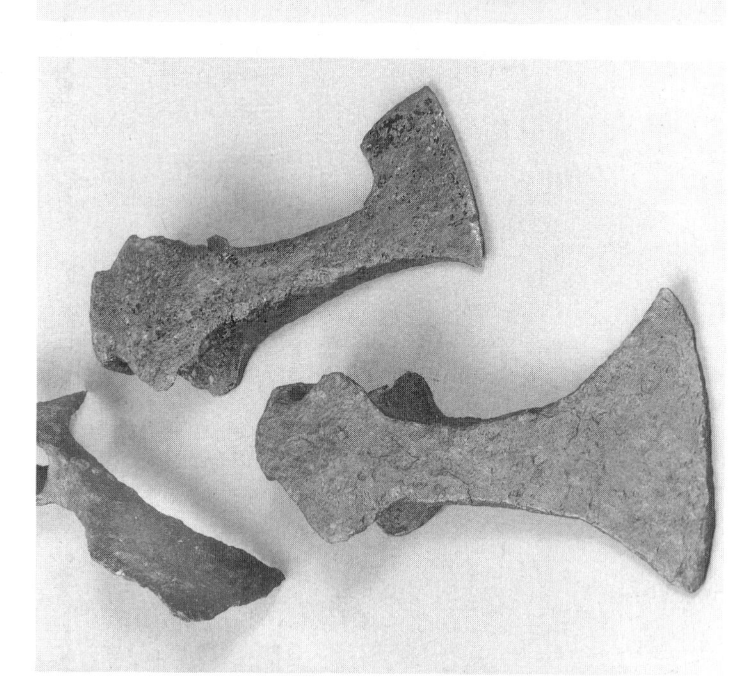

61
Obľúbeným bojovým nástrojom boli sekery – širočiny i bradatice

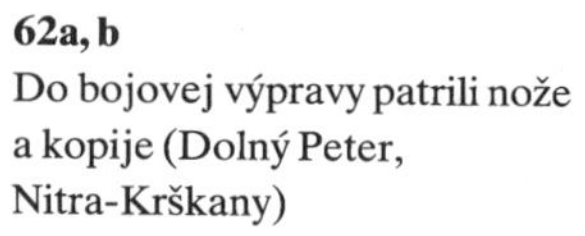

62a, b
Do bojovej výpravy patrili nože a kopije (Dolný Peter, Nitra-Krškany)

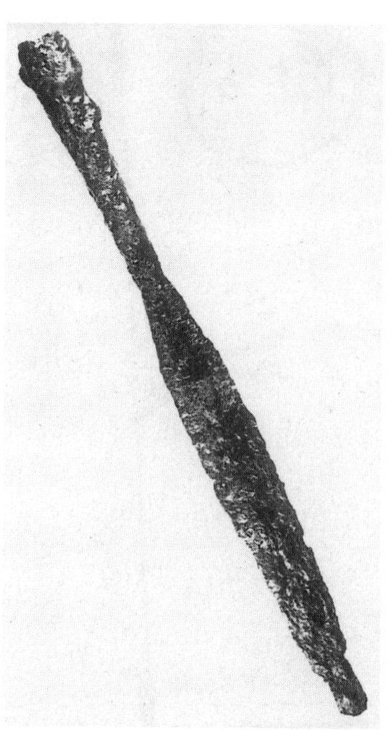

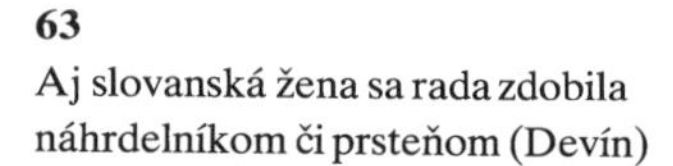

63
Aj slovanská žena sa rada zdobila náhrdelníkom či prsteňom (Devín)

Krátko po usadení dostali naši predkovia nového suseda. Boli to kočovní pastieri z ázijských stepí – Avari. Odlišovali sa nielen zamestnaním, ale aj zovňajškom, zvykmi, oblečením.

64
Avari svojho nebožtíka pochovali so zvyškom koňa

65
Na obleku sa vynímalo najmä nákončie remeňa

66
Nákončie bývalo vyzdobené i motívom zvieraťa

67
Hospodársky vzostup a sociálna diferenciácia vedú k tomu, že Slovania organizujú svoj život v hradiskách. Pohľad na hradisko v Majcichove

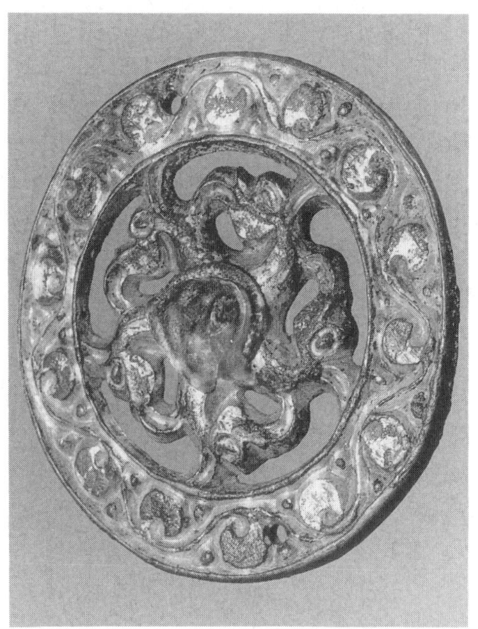

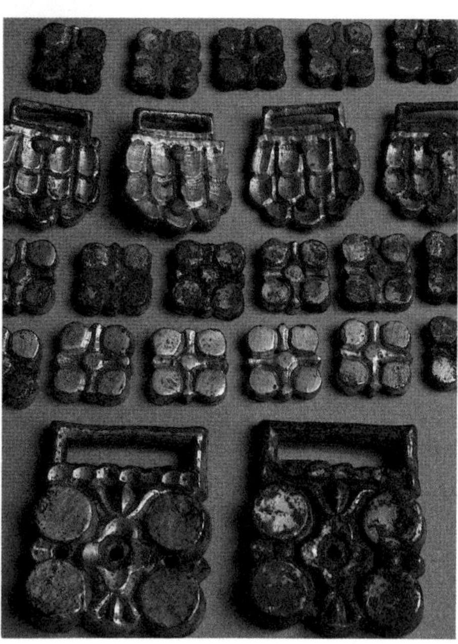

68a, b
Konský postroj bol tiež vyzdobený (faléra zo Žitavskej Tône, pozlátená faléra, tiež zo Žitavskej Tône)

69
Rodiaca sa slovanská šľachta rada napodobňovala zovňajšok i mravy avarských náčelníkov. Ozdoby z hrobu slovanského veľmoža z Bernolákova (fragmenty konského postroja)

Spolunažívanie Avarov a Slovanov nebolo vždy priateľské. Nesúlad prerástol do otvorenej vojny, v ktorej Slovanom výdatne pomohol franský kupec Samo. Ako spomína kronikár Fredegar – „za jeho vlády Slovania viedli mnoho bojov s Avarmi a vďaka jeho rozvahe a schopnosti Slovania Avarov vždy premohli.“

70
Kryštalizačným jadrom Samovej ríše bol strategický stredoeurópsky dopravný uzol – priestor Bratislavskej brány, krajina nad sútokom Dunaja a Moravy

71
Slovania sa v tomto priestore usadzovali už od konca 5. storočia. Základy slovanského domu (Bratislava)

72a, b, c
Ženy sa krášlili šperkom z dovozu (Želovce, Holiare)

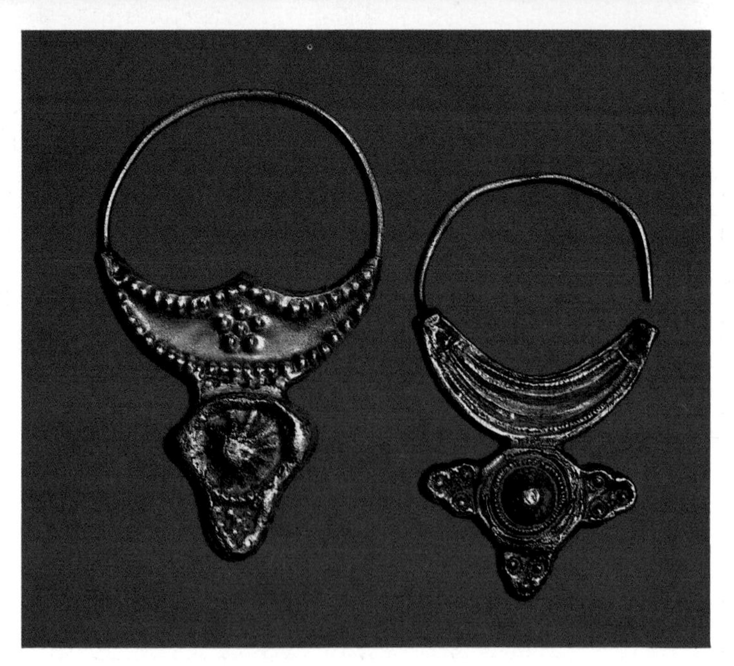

73
Bojovník východného typu
(Sinnikolau Mare)

75
Náhrobný kameň franského
bojovníka (Niederfollendorf
v Porýní, koniec 7. storočia)

74
Franská pechota

76
Okrasné predmety z pohrebiska zo Želoviec

Po Samovej smrti Avari obsadili kus južného a juhozápadného Slovenska. Svedčia o tom veľké pohrebiská, na ktorých sú pochovávaní pospolu s našimi predkami.

77
Nákončie na remeň s motívom viniča (Štúrovo)

78
Šperky a bronzové kovania z pohrebiska v Želovciach

79
Strieborné predmety z pokladu v Zemianskom Vrbovku sú produktom importu

80
Importovaná keramika z pohrebiska v Nových Zámkoch

Budovanie štátu

Keď historik vstupuje do sveta prameňov, musí vstupovať do tohto „chrámu" s úctou. To, čo totiž spoločnosť po sebe aj s najlepším úmyslom zanecháva, len v malej miere poslúži nastupujúcim generáciám. Záujem historika sa preto chtiac-nechtiac stretáva len s torzami. Ak by sa nám nezachoval spisok neznámeho autora z neďalekého Salzburgu, ktorý bol určený na obhajobu diecéznych práv proti Metodovi a vznikol okolo roku 871, tak by sme nikdy a nič potrebné či užitočné nevedeli o prvom slovenskom kniežati Pribinovi a o jeho osudoch, nič o starodávnej Nitre a jej historickom poslaní. Neznámy autor siahol hlboko do svojho poznania i do starých rukopisov, ktoré ho obklopovali, aby nám objasnil, že ide o toho Pribinu, ktorý na svojom majetku, v hrade či meste nazvanom Nitrava, nechal postaviť kresťanskú svätyňu. A súčasne ide o toho istého Pribinu, proti ktorému s brannou mocou vytiahol moravský panovník Mojmír a vyhnal ho z Nitry, ako aj z celej jeho krajiny. Dnes už vieme, že to nebol osobný spor dvoch ambicióznych mužov, lebo za Mojmírom zostali vypálené a rozrumené všetky centrálne Pribinove hradiská tak, aby ich už nikto a nikdy neobnovil. V krvi a v popole sa teda rodil nový slovanský štát – a nebol to jav v ničom neobvyklý –, ktorý neskorší historici nazvali Veľká Morava. Nevieme ani, kedy sa to celkom presne udialo. Súdime, že okolo roku 830. Pribina po úteku neodišiel celkom z politickej scény. Po zložitých životných putovaniach dostal od východofranského panovníka ako léno územie pri dnešnom Balatone (v MR) osídlené Slovanmi; vybudoval tu svoj rodový hrad, organizoval krajinu a po smrti tu múdro a prezieravo vládol jeho syn Koceľ, ktorý sa narodil ešte v otcovskej Nitre.

O Mojmírovej vláde vieme pramálo. Nevedno prečo, ale tá istá franská moc, ktorá mu nebránila vojensky tiahnuť do Nitrianska, ho pozbavila trónu a dosadila naň jeho príbuzného – Rastislava, ktorého Slovania nazývali i Rastic. Mladý, no európsky rozhľadený štátnik pochopil, že zatiaľ nemá taký silný štát, aby mohol viesť vojenskú konfrontačnú politiku s Východofranskou ríšou. Navyše dobre odhadol, že vnútorný ideový tmel spoločnosti – gramotné duchovenstvo – má svoje centrály v Salzburgu a v Pasove, a tak slúži a bude slúžiť len týmto jeho nepriateľom. Tu niekde korení geniálny Rastislavov projekt: oprieť sa o iného silného mocenského činiteľa – Byzantskú ríšu – a s jej pomocou vybudovať aj vlastnú, len panovníkovi podriadenú cirkevnú organizáciu. Rastislav pri tomto projekte neobišiel Rím. No len čo prišlo od pápeža odmietnutie, pred rokom 863 stojí pred byzantským cisárom Michalom III. Rastislavovo posolstvo a deklamuje: *„My Slovieni sme prostý ľud..."*, pričom žiada od cisára *„biskupa a učiteľa"*. Opatrná byzantská politika (a bystrý Fotios na jej čele) nechcú sa zaviazať k plnej podpore, no súčasne vítajú Rastislavov projekt. Vyhovuje im z hľadiska dlhodobej stratégie ich boja s Rímom, ale aj v akútnej politike proti Bulharskému štátu, ktorý susedí s Veľkou Moravou. V takomto uvažovaní dozrieva projekt vyslania dvoch rodených Solúnčanov, bratov Konštantína a Metoda na Veľkú Moravu. Majú mnoho predností pre danú štátnu misiu: v podobnej praxi v byzantských službách už obstáli aj inde; ovládajú reč krajiny, do ktorej idú; Konštantín je skvelý a talentovaný filológ, pod vedením ktorého možno dokončiť pokusy o prvú sloviensku abecedu, lebo nikto zo Slovanov ešte nikde nemá svoje písmo. Konštantín má navyše skúsenosti z práce na vysokej škole a Metod, ako školený právnik a už v praktickej politike skúsený muž, bude bratovi dobrou oporou i pomocníkom.

Po príchode na Veľkú Moravu solúnski bratia začali budovať nové učilište, aby rýchlo vychovali kádre za franské duchovenstvo, ktoré Rastislav vyhnal. Tak po prvý raz v dejinách Slovanstva vznikla škola, v ktorej sa čítalo a písalo novou slovienskou abecedou, hlaholikou. Bol položený základ kultúrnej revolúcie, ktorá neskôr zaradila celý slovanský svet, nevynímajúc našu krajinu, medzi civilizované európske spoločenstvá, ktoré môžu myšlienky a slová – a to v úplnej zhode s fonetikou jazyka – zachytávať písmom a odovzdávať ako najvyššiu formu kultúrneho odkazu nastupujúcim generáciám. Štyridsať mesiacov trval kurz základnej výuky a bratia sa pobrali do svojej krajiny, aby tu nechali svojich žiakov vysvätiť za kňazov. Sami nemali potrebné kňazské svätenie a nemohli to urobiť. Pobrali sa cez kniežatstvo Koceľovo, kde si urobili zastávku, pri ktorej aj knieža sa naučilo sloviensku abecedu, potom šli do Benátok, kde ich zastihli nečakané správy o politických zmenách v ich krajine. Protektorov, ktorí ich vyslali na Veľkú Moravu, stihli už odstaviť od vlády. Preto bratia uvítali pozvanie pápeža do Ríma, aby tu obhajovali pravosť a oprávnenosť svojho počinu – preložiť Písmo i vykonávať bohoslužby v dovtedy neobvyklom jazyku – v staroslovienčine. Ich príchod do Ríma, okázalé prijatie u pápeža, ale aj potvrdenie oprávnenosti ich misijného postupu – to bolo obrovské víťazstvo jednak ich diplomacie, ale aj myšlienky nároku národov na vlastný jazyk aj v takej citlivej oblasti, akou bola nová štátna ideológia – kresťanstvo. Chorľavý Konštantín vstúpil v Ríme do kláštora a zakrátko umrel. Na Metoda ešte čakali kruté, ale i priaznivé časy.

Franská moc sa nijak nezmierila s Rastislavovým diplomatickým postupom. Najprv zorganizovala vojenskú výpravu, obkľúčila Rastislava s jeho vojskami na Devíne, a tu diktovala podmienky, brala rukojemníkov, dosadzovala naspäť svoj ideový front – duchovenstvo. Navyše veľmi rýchlo vstúpila do dynastického sporu, ktorý na Veľkej Morave vzápätí vznikol: spor Rastislava s jeho synovcom, nitrianskym kniežaťom Svätoplukom. Nevieme presne príčiny sporu. No domnievame sa, že išlo o rozdielne názory na zahraničnú politiku Veľkej Moravy. Spor sa natoľko vyostril, že Rastislav sa rozhodol nechať Svätopluka zavraždiť. Tento obvyklý spôsob vybavovania sporov v súdobej Európe sa však prezradil a pasca sa obrátila proti jej strojiteľovi. Svätopluk svojho strýka zajal a vydal ho franskému panovníkovi Ľudovítovi Nemcovi. Takmer súčasne po zložitých diplomatických rokovaniach Rím konečne súhlasil, že vytvorí na Veľkej Morave novú cirkevnú diecézu a na jej čelo postaví Metoda. Toho však, keď sa už uberal ujať sa svojho nového úradu, franské duchovenstvo zajalo a vláčilo z jedného žalára do druhého. Už sa zdalo, že nikto z oboch politických a ideologických protagonistov sa nikdy nevráti na svoje miesto. Navyše zakrátko obvinili aj Svätopluka zo zrady a uväznili ho vo franskom väzení. V tej chvíli sa zdalo, že draho a s námahou budované základy svojbytnosti a samostatnosti veľkomoravského štátu, sú navždy pochované.

Zmenu spôsobilo takmer „všeľudové" povstanie, ktoré Veľkomoravania zorganizovali proti hrabivým franským správcom, na čele ktorých stál Engelšalk a Wilihelm. Veľkomoravania si zvolili aj nového panovníka a vodcu, aby ich viedol. Bol to príbuzný Svätopluka – Slavomír. Do nadchádzajúcej vojny pozvali franskí činitelia aj Svätopluka, lebo sa spoliehali na jeho znalosti krajiny, ľudu, bojovej stratégie a taktiky. Keď však Svätopluk v mene Frankov odišiel vyjednávať so Slavomírom, dohodli sa a spojenými silami kruto porazili franské vojská. V takýchto dramatických a rýchlo sa meniacich situáciách sa teda dostáva Svätopluk opäť na veľkomoravský panovnícky stolec, pravda, bohatší o veľkú skúsenosť: už vie, že s nestálou franskou mocou niet nijakej trvalej dohody; možno s ňou rokovať len na báze vojenskej rovnosti či z pozície sily. Takáto skúsenosť sa stala programom jeho politickej koncepcie vybudovať mocný a rozsiahly slovanský štát v strednej Európe. Pochopil aj snahu svojho strýka Rastislava – vybudovať v svojom štáte nezávislú cirkevnú organizáciu ako oporu štátnej moci. Pričinil sa spolu s pápežskou kúriou o vyslobodenie Metoda z rúk franských väzniteľov a naďalej využíval pomoc pápeža, ktorému sa spolu so svojím kráľovstvom (roku 880) dal pod ochranu. Rastislav však, žiaľ, zostal odsúdený pre neveru, oslepili ho a zhnil v niektorom bavorskom väzení.

Doba Svätoplukovej vlády v dejinách Veľkej Moravy predstavuje vrchol vývoja štátnej moci, politiky, hospodárstva i rozvoja kultúry. Postupnými výbojmi do okolitých krajín Svätopluk programovo vybudoval rozsiahly stredoeurópsky štát, ríšu, ktorá sa tak rozsahom, ako aj ekonomickým a na ňom budovaným vojenským potenciálom plne vyrovnala Východofranskej ríši. V celom procese budovania si Svätopluk počínal umne a Metod plne stál pri jeho politickom a vojenskom programe. V pripojených krajinách ponechával pri moci domáce kniežatá a uspokojil sa s odvádzaním dávok, daní, poplatkov, vojenských kontingentov a obvyklej „vernosti" (fidelitas), ktorá sa skladala do rúk okázalými prísahami a obradmi. Tak sa Svätoplukovi podarilo do trvalého zväzku Veľkomoravskej ríše pripojiť územie Čechov na čele s kniežaťom Bořivojom, aby po jeho predčasnej smrti sám Svätopluk zasadol na dávny trón českých kniežat. Pripojil územie lužických Srbov, Sliezsko a Malopoľsko, ktoré musel pokoriť mečom.

V tvrdej vojne dobyl od franskej moci územie Zadunajska, ale po soľnej blokáde, ktorú na Veľkomoravanov uvalil franský panovník Arnulf, Svätopluk dobyl až sedmohradské soľné bane, aby pre svoju rozsiahlu krajinu zabezpečil životnú surovinu, bez ktorej nemohli žiť nielen ľudia, ale ani domáce zvieratá.

Veľkomoravská spoločnosť až do doby Svätoplukovej zaznamenáva prudký, no progresívny vývojový trend v mnohých odvetviach hospodárskeho a sociálneho života. Citeľný je rozvoj osídlenia, ktorý nadobúda najhustejšiu koncentráciu v starých sídliskových oblastiach juhovýchodnej Moravy a juhozápadného Slovenska. Prirodzenými strediskami sídliskových komplexov sa stávajú hradiská ako centrá hospodárstva, administratívy i vojenstva. Stúpol význam najzákladnejšieho hospodárskeho odvetvia – poľnohospodárstva. Veľkomoravský roľník už masovo disponuje dobrým náradím, záprahom a je schopný kultivovať i ťažšie pôdy aj vo vyššie položených oblastiach. Svojou výrobou už produkuje dostatočný nadprodukt pre vládne i vojenské zložky štátu, je vlastne jeho základnou oporou. Poľnohospodárstvo súčasne vytvorilo dobré predpolie pre rozvoj špecializovanejšej výroby – remesla. To v mnohých odvetviach dosiahlo európsky stupeň vo svojom rozvoji: platí to o odvetviach spracovania železa, tradičnej hliny, parohu i kostí, ale aj drahých kovov. Veľkomoravský remeselník vedel vyrobiť jedinečné šperky pre ženu, pre muža zas okrasy, ktoré boli dokladom jeho spoločenského postavenia i majetnosti. Klenotníctvo sa sústreďovalo najmä do bezprostrednej blízkosti dvora, na rozsiahle centrálne hradiská, ktoré už predstavujú typ širokých mestských aglomerácií výrobno-výmenného charakteru. Nové technológie výroby nastúpili vo výrobe zbraní, brnenia pre jazdca i koňa. Uspokojujú sa tým najmä potreby kráľovských družín, ktoré patria k brachiálnym zložkám štátu, pričom vojenstvo v stave ohrozenia krajiny, či vo výpravách do zahraničia, stále ešte profituje z povinnej ľudovej domobrany. V špecializácii remesla pokročila aj textilná výroba, ktorá sa orientuje najmä na spracovávanie konopí, ľanu a vlny. Popri špecializovanom dvorskom remesle sa, pochopiteľne, naďalej udržuje domácka výroba samozásobiteľského typu, ako je to obvyklé v okolitých krajinách súdobej Európy.

Staviteľstvo a monumentálna architektúra má svoje dve vyhranené podoby smerujúce aj k rôznej funkčnosti: na jednej strane je tu tradičné staviteľstvo obytných domov a hradísk, kde sa uplatňuje najmä práca s drevom a kde veľkomoravskí remeselníci ukázali nesmiernu zručnosť najmä v palete budovania fortifikačných systémov. Tesárska ruka bola schopná vyrábať umné člny z jednej monolitnej klady, ale aj dobré drevené mosty, hradobné veže, brány, obytné paláce pre narastajúcu vrstvu veľmožov a panovníckeho dvora. Druhú kategóriu veľkých stavieb na Veľkej Morave predstavuje cirkevná architektúra – kostoly. Poznáme ich okolo osemnásť a variabilita ich architektonickej podoby je skutočne rozmanitá. Sú tu nielen jednoduché – jednoloďové kostolíky s pravouhlou apsidou, ale aj prekrásne rotundy, ba až rozmerné baziliky. Stavali ich skúsení stavitelia, ktorých si veľkomoravská vládnúca vrstva pozývala z celej Európy. Obyčajní remeselníci pri týchto stavbách, akými boli kamenári a murári, však nepochybne pochádzali z radov domáceho obyvateľstva. Rozvoj poľnohospodárstva i remesla si vyžiadal potrebu organizovať pravidelný výmenný proces – obchod so všetkými jeho náležitosťami. Pravda, veľkomoravský štát ešte nedospel k tomu, aby razil vlastnú mincu. Tú zatiaľ nahradzovali napr. železo, soľ i plátno (odtiaľ pochádza i naše slovo „platiť"). Popri domácom obchode dobre fungoval i veľký zahraničný obchod, ktorý uspokojoval najmä potreby horných vrstiev. V Svätoplukovom sídle tak prekvital známy pravidelný trh, že o ňom vedeli až kupci v ďalekom ruskom Povolží.

Úmerne k ostatným zložkám hospodárskeho a štátneho života sa rozvíjalo aj sociálne rozvrstvenie spoločnosti. Dostatočne sa vyhranila vládna zložka (knieža, družina, bojovníci, správcovia jednotlivých panovníckych úradov, duchovenstvo a pod.) od prostého ľudu, ktorý sa tiež vnútorne členil. Boli v ňom pôvodní slobodní občania dedinských komunít, ktorých však už štát donútil platiť dane a dávky, vykonávať služby v prospech dvora, čím ich vlastne uvádzal do postavenia feudálnych poddaných. Početní boli aj nevoľníci, ktorí boli usadzovaní na pôde a tvrdo k nej pripútaní. Najneslobodnejšiu vrstvu tvorili otroci, ktorí sa stávali predmetom obchodu a spravidla vystupujú ako podriadená čeľaď na zemepanských a panovníckych dvorcoch, ale aj ako patriarchálni – osobní otroci – sluhovia. Otrokárske spoločenské výrobné vzťahy však na Veľkej Morave nemajú širokú sociálnu bázu. Spoločnosť jasne buduje feudálny poriadok, pričom jeho charakter sa nám javí ako synkretizmus východného i západného typu feudalizmu. Za vlády Svätopluka, keď sa feudálne pomery upevňujú najmä v centrálnych častiach veľkej ríše, vznikol odpor starej rodovej šľachty proti novým poriadkom, čo nič dobré neveštilo pre nastávajúce obdobie. Hlavu zdvihlo aj franské duchovenstvo, ktoré dosiahlo svoje pozície už za života veľkého Svätopluka. Rozdúchalo vnútorné rozpory o vieroučných otázkach medzi Metodom a jeho stranou, pričom sa neštítili (najmä v osobe nitrianskeho biskupa Wichinga) ani vyrábania falošných listín i udaní. Spor sa skončil tak, že po smrti Metoda jeho žiakov vyhnali z krajiny podľa oprávnenia buly pápeža Štefana V. Slovanskí kňazi odišli do Čiech, do Bulharska i na chorvátske prímorie. Tam všade pokračovalo dielo, základy ktorého položili solúnski bratia.

Smrť veľkého Svätopluka na jar 894 uvoľnila ruky všetkým neprajníkom i nespokojencom. Od Veľkej Moravy sa odtrhli mnohé krajiny k nej pripojené, medzi prvými Čechy. Navyše sa vyhrotili rozpory medzi dvoma Svätoplukovými synmi (tradícia hovorí o troch), ktorí sa ujali vlády v rozdelenej krajine: medzi Mojmírom II. a Svätoplukom II. Do bratovražednej vojny vstúpila franská moc, aby stranila

Svätoplukovi II., ktorý bol ešte len chlapec. Obkľúčeného Svätopluka II. franské vojská vyslobodili a vzali so sebou.

Mojmír II. po odchode svojho brata k Frankom sa ešte usiloval konsolidovať štátnu i cirkevnú organizáciu. Veľká Morava sa však dostala do dvojitého vojenského tlaku, ktorému nemohla dlho odolávať. K tradičnej franskej moci pribudol ich nebezpečný spojenec – starí Maďari, ktorých ešte veľkomoravskí panovníci usadili v Potisí, aby tam tvorili nárazníkovú ochranu Veľkej Moravy proti bulharskému štátu. Nejaký čas veľkomoravský štát bol schopný odrážať vojenský i mocenský tlak svojich nepriateľov. Vnútorná kríza, ktorá sa ukázala ako zákonitý jav pri budovaní každej novej feudálnej spoločnosti i štátu, značne prispela k tomu, že za tichého mlčania všetkých spravodajcov, niekdajší mocný štát zaniká. Pravda, zanikla štátne organizovaná vrchnosť. Ľud zostal vo svojej krajine i naďalej, aby štafetu života a práce niesol i v nastupujúcich dobách. Tradičný veľkomoravský dualizmus, ktorý neprekonalo ani krátke trvanie spoločného štátu, ukázal sa byť rozhodujúcim aj teraz: staré Nitriansko sa dostalo do zväzku formujúceho sa uhorského štátu, vlastná Morava sa neskôr včlenila do štátu českého. V nových nástupníckych štátoch však zostalo veľa politicko-organizačných výdobytkov z predchádzajúceho vývoja, ale aj mnoho z materiálnej a duchovnej sféry veľkomoravského spoločenstva.

Veľkomoravská doba predstavuje jednu z významných historických etáp oboch našich národov, ktoré sa tu po prvý raz ocitli v spoločnom štáte. Z hľadiska slovenských dejín má však špecifické postavenie. Bolo to slobodné a svojbytné obdobie národného detstva, ktoré položilo historické základy vzniku a vývoja slovenského národa. V národotvornom procese Slovákov veľkomoravská doba dala vzniknúť rozsiahlej tradícii, ktorá od 11. storočia sprevádzala osudy národa až do doby jeho národného oslobodenia. Ako silný odkaz nastupujúcim generáciám pôsobil jej boj za nezávislosť, za hľadanie a upevnenie postavenia v rámci súvekej Európy. Pri tomto boji naši predkovia získavali prvé skúsenosti i poznatky v medzinárodnej politike, v ktorej im boli partnermi najmocnejší činitelia súdobého sveta. Program politickej nezávislosti bol uskutočňovaný najprv bojom proti nemeckej, neskôr maďarskej agresii. Tým ako by sa predznamenávali mnohé skutočnosti ďalšieho vývoja nášho národa. Veľká Morava mala veľký význam aj ako kolíska svojbytnej európskej kultúry, a to tak hmotnej, ako aj duchovnej. Z jej potrieb sa zrodilo nové slovanské písmo, vznikol starosloviensky literárny jazyk a v ňom mnoho neopakovateľných pamiatok. Kultúrnym dianím, ktoré prebiehalo na Veľkej Morave, sa naši predkovia významne zapájali do svetového kultúrneho kontextu. To všetko nás oprávňuje, aby sme sa k Veľkej Morave hlásili ako k obdobiu svetlých tradícií nášho národa, ako k dôležitému predstupňu československej štátnosti, ako k významnej epoche našich dejín.

81
Nitra a Nitriansko sú spojené s menom prvého slovenského kniežaťa Pribinu. V pozadí Zobor

82a
Roku 828 salzburský arcibiskup Adalram vysvätil na Pribinovom majetku prvú známu kresťanskú svätyňu. Základy kostola v Nitre (na Martinskom vrchu) zo začiatku 9. storočia, o ktorom však nemožno zatiaľ spoľahlivo povedať, či ide o Pribinov kostol

82b
Prvá písomná zmienka o kniežati Pribinovi

Quiet post ratbodo commissus aliquod
cum illo fuit tempus; Interim exorta
e. Inter illos aliqua dissensio. quam
priuuina timens fugam iniit in re
gionem uulgariam cum suis et chozil
filius eius cum illo. Et non multo post
de uulgariis ratimari ducis adiit
regionem; Illoque tempore hludo
uuicus rex bagoariorum misit ratbo
dum cum exercitu multo ad exterminan
dum ratimarum ducem; Qui diffisus
se defendi posse. in fugam uersus est
cum suis qui cedem euaserunt; Et predic
priuuina subsistit et cum suis per
transiuit fluuium sauua. Ibique
susceptus a salachone comite pacifi
catus est cum ratbodo; Aliqua uero
interim occasione percepta. rogantibus
predictis regis fidelibus prestauit
rex priuuine aliquam inforiorum
defecit hic integrum folium, quod suppleri po
test ex Ms Hist. 119 olim; nunc vero 73

83
Moravské knieža Mojmír okolo roku 830 vtrhol so svojím vojskom na Slovensko a do základov vyvrátil Pribinove hradiská. Pohľad na hradisko Pobedim na strednom Považí

84
Rukoväť ozdobného meča, ktorý patril veľmožovi z Blatnice v Turci

85
Veľkomoravské meče so zdobenými rukoväťami

Ideológiou nového štátu sa stalo kresťanstvo. Mojmírov nástupca Rastislav v snahe vybudovať nezávislý štát a v ňom svojbytnú cirkevnú organizáciu ako protiváhu Franskej ríše, obrátil sa na Byzanciu.

86
Byzantský cisár Michal III. Portrét na minci (averz – reverz)

87
Prijímanie posolstva na byzantskom dvore

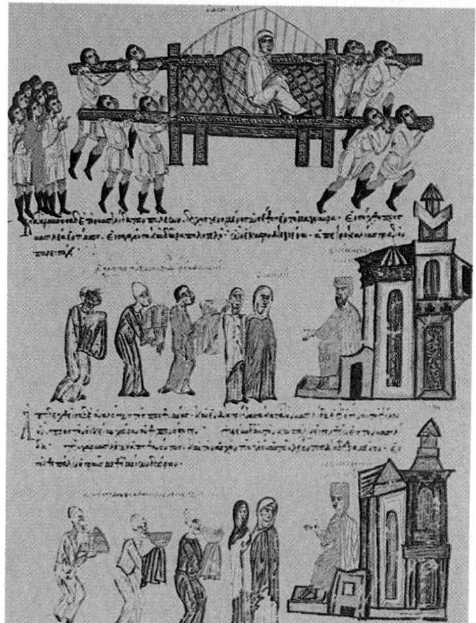

88
Palácový život na byzantskom dvore

89
Solúnski bratia Konštantín a Metod viedli posolstvo na Veľkú Moravu. Ich najstaršie vyobrazenie na freske v Ríme

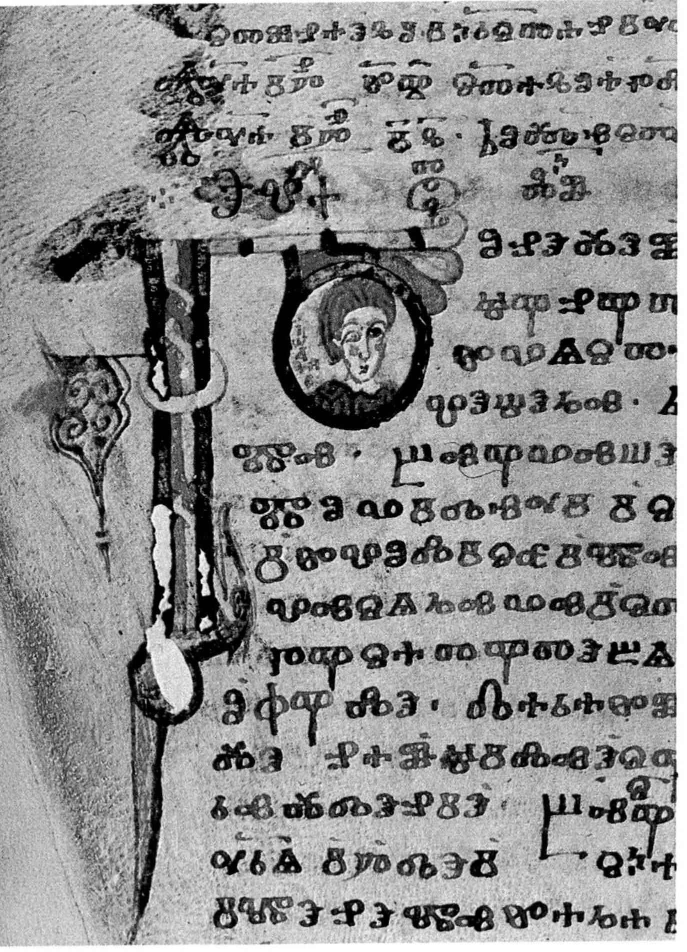

90
Pre potreby kultúrnej práce vytvorili prvé písmo v dejinách Slovanov – hlaholiku. Ukážka z misála, ktorý vznikol na Veľkej Morave koncom 9. alebo na začiatku 10. storočia (Kyjevské listy, uložené v knižnici Akadémie Ukrajinskej SSR)

91
Assemanov kódex. Časť evanjeliára, ktorý vznikol na Veľkej Morave v 9. storočí (text opisu zachovaného v Macedónii v 10.–11. storočí; Vatikánska knižnica)

92
Assemanov kódex – detail iluminácie. Iniciála s postavou sv. Jána (Vatikánska knižnica)

93
Symbolom kresťanstva bol kríž. Krížiky východného pôvodu (Mača)

94
Nákončie na remeni zobrazujúce panovníka v tunike (Valy pri Mikulčiciach)

95
Postava veľmoža na nákončí (Valy pri Mikulčiciach)

Veľkomoravská spoločnosť už bola sociálne hlboko členená. Panovník, družina a rodiaca sa šľachta sa odlišovali od prostého ľudu oblečením, vyzbrojením a ozdobami ako symbolmi svojho postavenia.

96
Zobrazenie biskupa (Valy pri Mikulčiciach)

97
Obľúbenou panskou zábavou bola poľovačka so sokolom (vyobrazenie na terči zo Starého Města)

98
Pracovné nástroje zo železa. Kováčske kliešte z Vršatského Podhradia

Remeslo dosiahlo na Veľkej Morave vysokú profesionálnu úroveň. Najzdatnejší remeselníci pracovali priamo na kniežacích dvoroch.

99
Hrnčiarska produkcia z dielne na hradisku Lupka

100
Batéria hrnčiarskych pecí na hradisku Lupka v Nitre pracovala pre široké zázemie

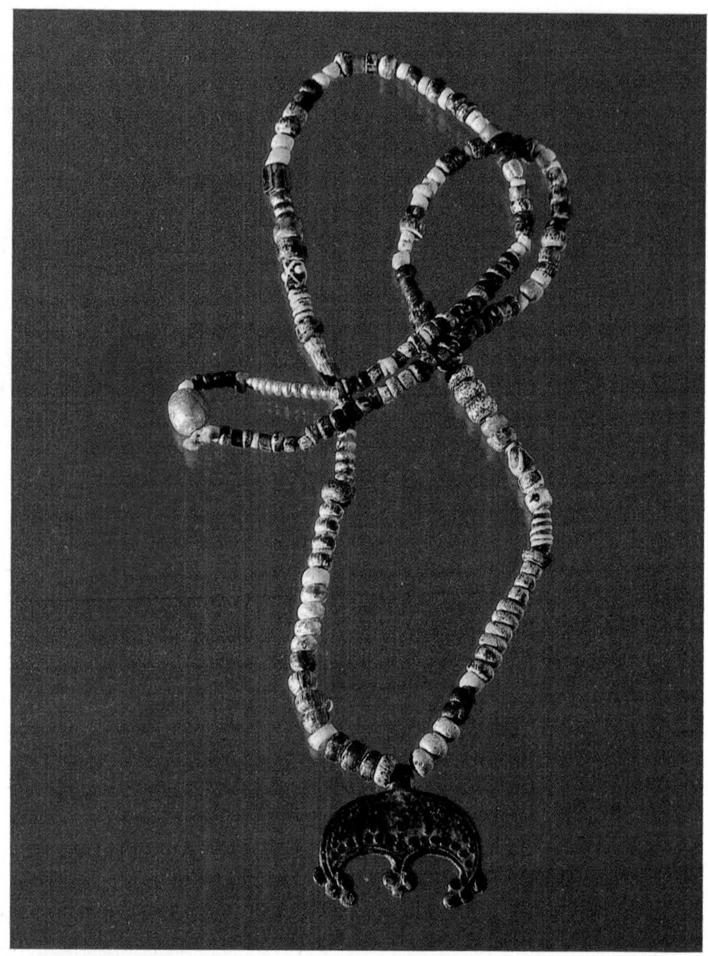

101a, b
Šperkári dosahovali vysoké majstrovstvo pri spracovávaní drahých kovov

102
Veľkomoravské remeslo dobre zvládlo i prácu so sklom

103
Ozdobné amulety sa nosili ako prejav novej ideológie a kultúry (závesok, krížik)

104
Kováči, tesári i stolári už pracovali s vyspelým náčiním (súbor náradia z kováčskej dielne z Vršatského Podhradia)

105
Kováči pracovali s hutníckym polotovarom – so železnými sekerovitými hrivnami (Pobedim)

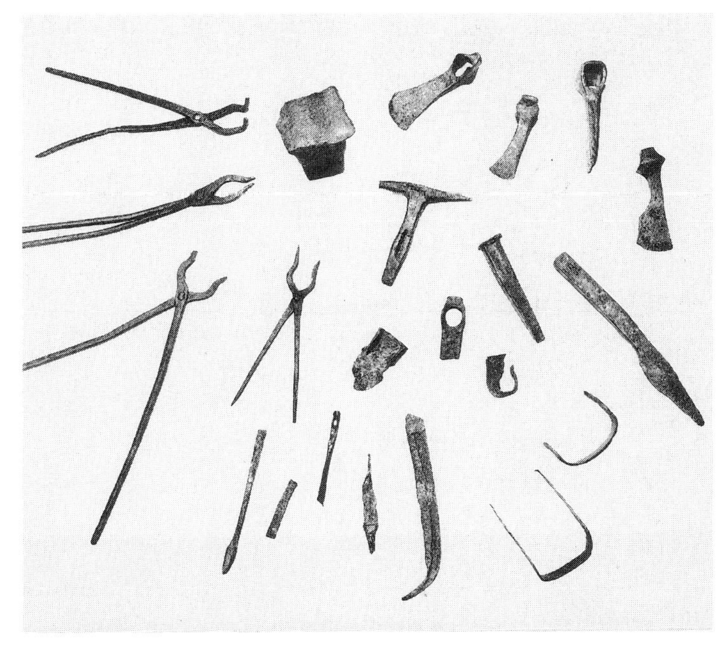

106a, b
Poľnohospodárske náradie (radlice, kosy, kosáky, motyky a pod.) boli zväčša už produktom špecializovaných dielní (Pobedim, Žabokreky)

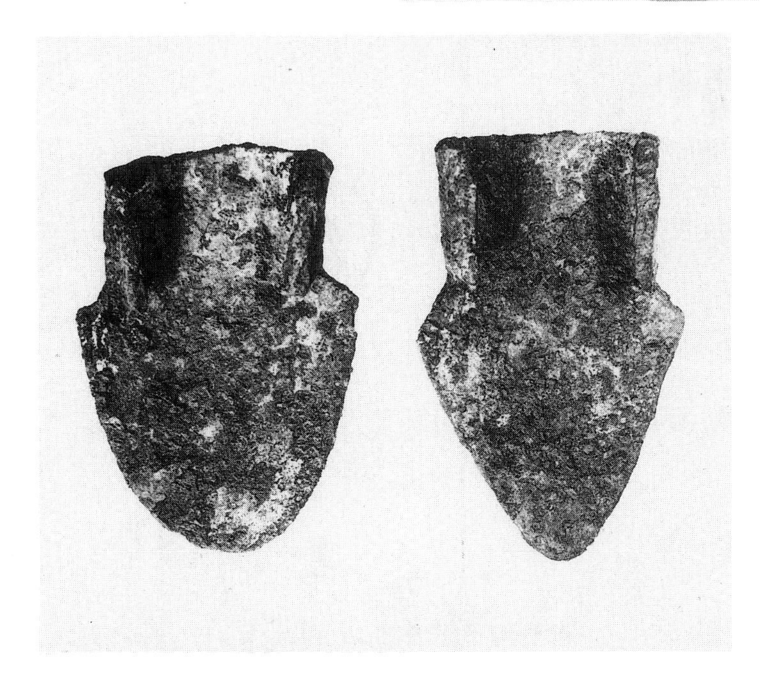

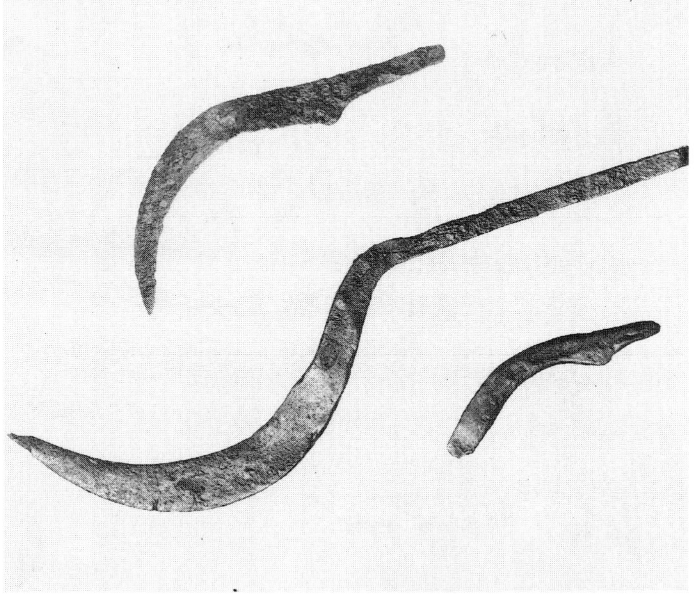

107
Murári zanechali po sebe pamiatky v monumentálnej cirkevnej architektúre (základy kostola na Bratislavskom hrade – úprava po rekonštrukcii)

108
Symbolom veľkomoravského odporu proti franskej moci sa stalo hradisko Devín, kde sa roku 864 bránil udatný Rastislav

109
Ako import sa na Slovensko dostala bohato vyrezávaná pyxida zo slonoviny (Čierne Kľačany)

V hraniciach mnoho- národnostného Uhorska

Osudy Slovenska po páde Veľkej Moravy sú naplno spojené s novým etnikom, ktoré k nám prišlo z juhoruských stepí – starými Maďarmi. Boli to pastieri, kočovníci, ktorí sa dostali do otvoreného boja so svojimi susedmi, Pečenehmi. Po krutej porážke, keď časť maďarského vojska odišla na pomoc Byzancii, boli maďarské kmene rozmetané, takže sa rozhodli odísť za Karpaty, hľadať si tu novú vlasť. Prvé skupiny z nich usadzovali už veľkomoravskí panovníci na územia riedko osídleného Potisia. K nim neskôr pribudli rozsiahle spoločenstvá so svojimi stádami a zaplavili v dobyvačných vojnách veľkú časť Podunajskej nížiny. Svojou vojenskou aktivitou výdatne prispel k zániku Veľkomoravskej ríše. Roku 907 pri Bratislave porazili aj svojich dávnych spojencov – Bavorov, a tak začali písať svoje trvalé dejiny v Karpatskej kotline. V prvom štádiu dobyvačných bojov obsadili len oblasti juhozápadného Slovenska a na dôležitých brodoch cez rieky, na strategických miestach, osadili strážne oddiely. Spočiatku sa ich záujem upieral najmä na bohatú západnú Európu, kam podnikali celoročné lúpežné prepady. Korisťou si nahradzovali nedostatky, ktoré im vznikali nepriaznivými podmienkami pre stepné pastierstvo v podunajskej oblasti. V dvoch tvrdých vojnách (v bitke na rieke Unstrute, neskôr na rieke Lech pri Augsburgu roku 955) boli ich vojská natoľko porazené a zdecimované, že Maďari museli chtiac-nechtiac prejsť k trvalému usídľovaniu sa a k novému – poľnohospodárskemu životu. Pri tomto vynútenom prerode im výdatne pomáhali naši slovanskí predkovia, ako na to poukazujú celé desiatky slovanských slov, ktoré práve z tejto oblasti života prešli do maďarského jazyka a ktoré nomádi dovtedy nepoznali. S tým súčasne nastupuje aj celá vnútorná prestavba spoločenského života a postupný proces budovania štátu.

Proces výstavby štátu najrýchlejšie prebehol na území bývalého Koceľovho kniežatstva, ako aj starého Nitrianska. Spojený je s menom kniežaťa Gejzu a jeho syna Štefana, ktorý otcovu moc rozšíril na celú krajinu a je pokladaný za zakladateľa uhorského štátu. Materiálna základňa nového politického útvaru stojí prevažne na práci a nadprodukte starousadlého slovanského obyvateľstva, ktoré už predtým žilo vo feudálnom spoločenskom poriadku a v ktorom sú dostatočne vybudované i zakorenené návyky odvádzať dane, dávky a služby. Pritom jestvuje aj potrebná administratívna organizácia, ktorá to všetko zabezpečuje. Dobre to vidno na výpožičkách zo slovanského jazyka do maďarčiny, odrážajúcich celý súbor štátno-administratívnej i represívnej terminológie, ktorá má zjavný západoslovanský charakter a podpísali sa pod ňu i naši slovenskí predkovia. Gejza i Štefan vybudovali okolo seba silnú kniežaciu

– kráľovskú družinu, do ktorej vchádzali tak zvyšky veľkomoravskej šľachty, ako aj početní cudzinci. Aj v boji proti maďarským rodovým náčelníkom, ktorí sa búrili proti novým štátnym poriadkom – menovite proti uchvatiteľovi nástupníckych práv Kopaňovi – pomohli Štefanovi vojská zo Slovenska vedené domácou šľachtou, aby tak zabránili rozkladu ešte nepevného uhorského štátu.

Všetky tieto skutočnosti boli ešte výrazne pociťované v dobe prvých uhorských kráľov z Árpádovského rodu, ktorí od roku 1046 vychádzali z vetvy nitrianskych kniežat Michalových. Vtedy sa ešte aj stále udržiavala tradícia Nitry ako starého sídla veľkomoravských panovníkov, teraz ako údelného kniežatstva. Neskôr sa stále viac a viac do vedomia spoločnosti, najmä jej vládnych kruhov, presadzovala podmaniteľská teória o vzniku uhorského štátu. Podľa nej tu žijúci Slovania boli dobytí krvou a mečom, čím sa stali len sluhami v svojej pôvodnej krajine. Aj usadzovanie starých Maďarov v Potisí ešte za kráľa Svätopluka dostalo nový výklad, akoby sám predal krajinu za bieleho koňa, drahé sedlo a uzdu. Novú ideológiu na panovníckom dvore presadzovali najmä jeho nie príliš vysoko vzdelaní a talentovaní spisovatelia – kronikári. Proti podmaniteľskej a potupnej ideológii sa Slováci bránili tým, že v krajine šírili a dlho udržovali povesti o sláve veľkého Svätopluka, o vlastnom štáte, v ktorom boli sami sebe pánmi. Povesti, z ktorých sa nám zachovalo niekoľko archetypov už z 11. storočia, šírili z ľudu vychádzajúci speváci i rozprávači, ktorí ako skupiny profesionálov fungovali už na Veľkej Morave, kde aj dostali svoj staroslovanský názov – igrici.

Štátna ideológia – kresťanstvo, sa v uhorskom štáte uchytila pomerne rýchlo. Najprv sa Gejzu i jeho syna Štefana usilovali pokrstiť bavorskí cirkevní hodnostári, ktorí chceli – tak ako za Veľkej Moravy – dostať krajinu pod svoju cirkevnú moc. Pokrstenie sa upevnilo až za Vojtecha z českého rodu Slavníkovcov, pričom Rím uznal samostatnosť cirkevnej provincie v novom štáte. Organizačným strediskom sa stal Ostrihom, kde pravdepodobne sídlil biskup už v dobe veľkomoravskej. Pápež Silvester II. po dohode s rímskym cisárom udelil Štefanovi aj kráľovskú korunu, čím sa Uhorsko, podobne ako naša krajina za Svätopluka, dostalo pod priamu patronanciu Ríma. To všetko sa ukázalo byť veľmi dôležité v medzinárodných zápasoch o udržanie samostatnosti uhorského štátu. Kresťanstvo v organizácii, architektúre i umení nadviazalo na všetky pozitívne rezíduá veľkomoravského a zadunajského vývinu, pričom najmä kláštory spájali krajinu s európskym románskym umením. Takto v ranofeudálnom Uhorsku vznikla vyspelá románska materiálna i duchovná kultúra. Slovensko sa na jej vytváraní zúčastňovalo postupne, tak ako bolo včleňované do sústavy uhorského štátu. Spočiatku to boli len oblasti juhozápadného Slovenska, pričom v ostatných častiach krajiny najprv zostávali pri moci drobné domáce kniežatá, neskôr tu začali uplatňovať svoj politický vplyv mocnejúci český a po ňom aj poľský štát. V priebehu 11. storočia sa Slovensko postupne stávalo plne politicky organizovanou súčasťou uhorského štátu a významnou mierou prispievalo k utváraniu feudálneho spoločenského poriadku v ňom. Patrilo k hospodársky i spoločensky najpokročilejším častiam štátu, malo za sebou už pomerne dlhú etapu tradície feudálneho zriadenia i kresťanskej ideológie, ktorá ho spoluvytvárala. Navyše juhozápadné Slovensko na čele s Bratislavou zohrávalo významnú úlohu v boji uhorského štátu proti nemeckým cisárom, usilujúcim sa o podrobenie krajiny. Severovýchodné Slovensko sa zas stalo významným nástupným mostom štátu k ranostredovekým dobyvačným vojnám v Haliči a na Ukrajine.

13. storočie predstavuje významný zlom v mnohých odvetviach života spoločnosti. Zavádzanie pluhu, vytváranie novej a trvalej plužiny v chotároch, upevňovanie sídliskovej stability dedín, ako aj osídľovanie dovtedy neosídlených oblastí – to všetko vytváralo podmienky pre nový kultúrny vzhľad našej krajiny. Pevnejšie sa zasídlili všetky kotliny a doliny Slovenska, stúpol počet pracujúcich rúk v nížinných úrodných oblastiach. V zhode s hospodárskym vývojom nastúpila aj vyhranenejšia majetková a s ňou spätá sociálna diferenciácia. Zjednocuje sa poddanská trieda, k svojim politickým právam sa hlási šľachta. V krajine sa naplno presadil nový spoločenský poriadok – feudalizmus. Panovníci – Ondrej II. a Belo IV. – sa usilovali pri posilnení moci oprieť najmä o strednú a drobnú šľachtu, uzákoniť jej práva na zem, ktorú drží, vymaniť ju zo súdnej právomoci kráľovských županov a urobiť plnoprávnou politickou silou v krajine. Všetky tieto tendencie dostali svoje právne vyjadrenie v Zlatej bule Ondreja II. z roku 1222, ktorá sa po niekoľkých premenách a potvrdeniach stala magnou chartou uhorskej šľachty v priebehu celého obdobia feudalizmu. Uhorsko sa preformovávalo na plnoprávny stavovský štát, s upadajúcim leskom panovníckej moci a vlády.

Do tohto vývoja prudko zasiahli kočovné hordy Tatárov, ktoré sa pod vedením veľkého chána Batu i Ogotaja rozhodli z juhoruských stepí vpadnúť do Uhorska, a to nielen cez východoslovenské karpatské priesmyky, ale aj zo severu – cez Poľsko a Sliezsko. V rozhodujúcej vojenskej zrážke roku 1241 na rieke Slanej uhorské vojsko utrpelo krutú porážku a kráľ si len šťastným útekom z bojiska zachránil život. Tatárske oddiely ho prenasledovali a spásu i ochranu našiel až na ostrovoch v Dalmácii, kam kočovní bojovníci nemohli. Súčasníci sa zhodli v názore, že krajina ľahla popolom a zostala posiata mŕtvolami. Len v hlbokých lesoch a roklinách sa zachránilo obyvateľstvo so svojím statkom i majetkom. Bolo pre nás šťastím, že veľká ríša, ktorú vybudoval mocný Temudžin, sa po jeho smrti ocitla v kríze a chán Batu sa musel s armádou vrátiť na nové voľby. Nikto však nevedel, či sa nepriateľ znova nevráti do našej krajiny.

Nová vojensko-obranná situácia si vynútila aj nový postoj k šľachte. Panovník jej žičlivo rozdával majetky len s jedinou prosbou, aby rýchlo budovala nové hrady na vysokých a nedostupných bralách. V nedávnej vojne totiž len takéto pevnosti odolali tatárskemu útoku. Slovensko, ktoré už i predtým muselo zadržiavať prvý úder kočovných národov z Ázie, sa aj teraz pustilo do veľkej výstavby a prestavby svojho pevnostného systému. Ešte aj dnes sme svedkami, že naša krajina je skutočne pokrytá takým množstvom gotických hradov, zámkov a pevností, aké v okolí len tak ľahko nenájdeme. Minca takéhoto vývoja mala však aj svoj rub: vznikla neveľká vrstva bohatej šľachty, ktorá si zo svojich hradov urobila nedobytné hniezda a položila tak základ neskoršej feudálnej oligarchii, ktorá na prelome 13.–14. storočia takmer rozložila jednotný štát. Súčasne panovník do vyľudnenej krajiny pozýva kolonistov zo zahraničia; do našej krajiny putujú noví osadníci z Nizozemska, z Nemecka i z Itálie. K vnútornej kolonizácii, ktorá prebiehala v ranom stredoveku (v 10.–12. storočí) pribudla tak kolonizácia vonkajšia, ktorá do budúcnosti spestrila etnický obraz Slovenska a popri mnohonárodnostnej šľachte komplikovala aj národný vývoj Slovákov. S novými kolonistami však prišli i nové výrobné a sociálne skúsenosti zo západnej Európy, nové právne usporiadanie zabezpečujúce rovnoprávnejší vzťah poddaného a zemepána. Takto je 13. storočie pri všetkých vojenskopolitických peripetiách skutočne veľkým prelomovým obdobím v živote stredovekého slovenského človeka. Odráža sa to nielen v architektúre, ktorá si osvojuje nový umelecký sloh – gotiku, ale aj pri formovaní urbanistickej podoby našich najstarších miest, ba aj vo výtvarnom umení, v ideológii, kultúre i v početných odvetviach umeleckého remesla. Je výhodou, že pre mnohé tvorivé počiny slovenský človek nachádza vo svojej krajine bohatú a všestrannú surovinovú základňu, ktorú sa postupne učí efektívne exploatovať a využívať pre svoje ciele a zámery. Pritom vývoj ide akoby po dvoch vzájomne sa nevylučujúcich cestách: na jednej strane sa rozvíja po stáročia pestovaná stará slovanská kultúra, ktorá si ponecháva domovské právo najmä pod strechami sedliackych chalúp; na druhej strane je krajina otvorená širokému európskemu prúdeniu, ktoré spoločnosť, vzhľadom na svoju vyspelosť, je schopná prijímať a tvorivo rozvíjať tak v duchovnom, ako aj materiálnom živote. Najmä na nové organizačné základy postavené slovenské baníctvo sa stáva základňou, na ktorej neskôr vyrastie mohutná hospodárska báza Slovenska napájajúca ho na európsky trh. Počiatočným vonkajším prejavom hospodárskeho napredovania je dobre organizovaný vnútorný i medzinárodný trh i obchod, ako aj strieborná menová sústava, bez ktorej je už život spoločnosti nemysliteľný.

V polovici januára 1301 zomiera posledný panovník z rodu Árpádovcov Ondrej III. a krajina sa dostáva do víru zápasov. Slovenskom vládnu dvaja mocní oligarchovia, z ktorých rozhodujúcou mierou do bojov vkročil Matúš z Trenčína. Jeho spojenci na východnom Slovensku – Omodejovci z rodu Aba – sa zas po prvý raz v našich dejinách pokúsili viesť boj o podrobenie si bohatého kráľovského mesta Košíc, ale neuspeli. Matúš zbohatol už v službách štátu, ako palatín, ktorý sa mal starať o prinavrátenie kráľovských majetkov späť korune. Keď však panovník zistil, že Matúš rozkradnuté majetky, ktoré sa mu podarilo dostať naspäť, nedáva kráľovi, ale rozširuje svoju vlastnú feudálnu državu, zbavil ho úradu palatína (zástupcu kráľa), ako aj úradu kráľovského pokladníka – taverníka. Túto príležitosť Matúš za svojho života využil i zneužil dvakrát. Najviac majetkov však získal vtedy, keď účinne podporil kandidatúru českého kráľoviča Václava III. na uhorský trón, vojensky porazil jeho nepriateľov a dopomohol aj k jeho korunovácii. Vtedy od Václava dostal celú Nitriansku, Bratislavskú a Komárňanskú stolicu a sídlom svojho veľkého panstva, ktoré sa rozšírilo i na juhovýchodné a stredné Slovensko – Považie a Oravu nevynímajúc – urobil hrad a mesto Trenčín. Tu si podľa vzoru panovníka zriadil vlastný dvor s takými funkcionármi, ako mal kráľ. Do Topoľčian zvolával snemy jemu podriadenej šľachty a počínal si v domácej, ale aj zahraničnej politike ako skutočne nekorunovaný kráľ Slovenska. Zasiahol do dynastických sporov pri nástupe na poľský trón, kde pomáhal dosadiť Vladislava Lokietka, ktorý sa dovtedy skrýval na východnom Slovensku u Omodejovcov, a to proti kandidatúre českých Luxemburgovcov. Proti Jánovi Luxemburskému, ako spojenec cisára Fridricha III., viedol aj samostatnú vojnu, pričom sa mu podarilo nielen zvíťaziť nad dobre vyzbrojenou českou armádou, ale na dlho obsadil aj niektoré hrady na moravsko-slovenskom pomedzí. Spájal sa pritom s moravskou šľachtou, ktorá bola v oponentúre voči Jánovi Luxemburskému, a nadviazal príbuzenské vzťahy s moravskými Šternbergovcami.

Samostatnú politiku viedol proti cirkvi a jej diplomacii, nevynímajúc pápežskú kúriu. Tá vyslala skúseného diplomata kardinála Gentilisa, aby Matúša získal na stranu uhorského kráľovského protikandidáta – Karola Róberta. Dohody Matúš nedodržal, preto ho vyobcovali z cirkvi. V rokoch 1316–1317 sa dostal do otvoreného boja s ostrihomským arcibiskupom, nitrianskym biskupom, ako aj opátom z Pannonhalmy, ktorý mal majetky na Slovensku. Majetky všetkých Matúš vyplienil, pričom sídlo biskupa v Nitre spustošil a nechal zváľať i mestské opevnenie. Znova sa tak dostal do cirkevnej kliatby. Rovnako tvrdo postupoval voči mestám, ktoré sa mu odmietli podriadiť. Hoci sa Karolovi Róbertovi ako novému uhorskému kráľovi podarilo dobyť späť niekoľko kráľovských hradov i majetkov, v otvorenom boji sa jeho armáde nemohol postaviť a musel tolerovať Matúšovo oligarchické panstvo na Slovensku až do jeho smrti – 18. marca 1321.

Slovenská, najmä romantická, historiografia legendarizovala Matúša ako národného hrdinu. Najmä v 19. storočí, keď vládnúce kruhy uhorského štátu upierali Slovákom právo na národný svojbytný život, odopierali im „historické právo" na vlastnú existenciu, Matúš a jeho doba slúžili ako predmet i objekt národnej obrany. V skutočnosti prvky novodobého nacionalizmu v 13.–14. storočí necítila nijaká vrstva uhorskej šľachty, ktorá si budovala svoj – triedne obmedzený, nadnárodný, tzv. „uhorský národ". Matúš bol typom dravého feudála, ktorého stvorila doba feudálnej anarchie, a tá mu pomohla i vyrásť do rozmerov neobmedzeného oligarchu. Skutočnosťou však zostáva, že familiarita i vojsko, ktoré bolo strojcom Matúšovej moci, pochádzalo väčšinou zo Slovákov. Ba aj krajina, v ktorej rozložil svoje neobmedzené panstvo – državu, sa krylo s dnešným územím Slovenska. To nepochybne prispelo k tomu, že sa upevňoval vo vedomí spoločnosti politicko-teritoriálny celok Slovenska ako svojbytný útvar, ktorý už súčasníci nazvali „Terra Mathei" – „Zem Matúšova". Toto označenie sa udržalo po niekoľko storočí a nepochybne zohralo vážnu úlohu v budúcich slovenských dejinách. Aj úzke spojenectvo Matúšovej državy s Moravou a odbojnou moravskou šľachtou upevňovalo spojivá našich dnešných dvoch národov.

Ani všetky tieto skutočnosti však neboli schopné eliminovať historickú pravdu, že Slováci sa ocitli už od 10. storočia v novom štáte ako národ potlačený, bezprávny, pričom ani obdobie Matúšovej vlády nevymanilo ani ich, ale ani krajinu, v ktorej žili, z obručí mnohonárodnostného uhorského štátu a nezabezpečilo im slobodné podmienky pre ďalší historický vývoj. Navyše doba feudálnej anarchie už svojou podstatou neprospievala hospodárskemu a sociálnemu rozvoju krajiny. Až nasledujúce storočia bez každodenných vojen, storočia mieru a politickej konsolidácie, vytvorili priaznivejšie podmienky najmä na hospodársky rozkvet Slovenska a jeho ľudu.

Starí Maďari – pôvodne so súhlasom veľkomoravských panovníkov usadení v Potisí, zakrátko sa stali nepriateľmi a spolupodielnikmi pri rozpade Veľkej Moravy.

110
V hrobke pod mohylou pri Zemplíne bol pochovaný bohatý staromaďarský náčelník. Strieborná šálka z tohto pokladu

111
Ozdoba zo šiat i postroja staromaďarského jazdca

112
K charakteristickej výstroji maďarského bojovníka patrila kožená, plechom okovaná brašňa. Kovanie nájdené v Hlohovci

113
Časť veľkomoravskej šľachty aj po zániku Veľkej Moravy zostala na svojich hradoch-dvorcoch a platila dane i dávky novým vládcom. Takým bol i veľmož z Ducového pri Piešťanoch. Základy zemepanského kostolíka

114
Prstene z nálezov na veľmožskom dvorci v Ducovom

115
Ľud naďalej žil vo svojich dedinách. Tu pracoval, bojoval, žil i zomieral. Meč z polovice 10. storočia (Dolný Peter, okr. Komárno)

V 10.–11. storočí sa Slovensko stáva plnou súčasťou nového uhorského štátu, nástupníckeho štátu Veľkej Moravy.

116a
Za zakladateľa uhorského štátu je považovaný Štefan I. Slovensko mu pomohlo v boji o trón s Koppáňom, preto na štíte, o ktorý sa opiera, je vyobrazený historický znak Slovenska (z Obrázkovej kroniky, 14. storočie)

116b
Tzv. Svätoštefanská koruna

117
Mince ako symbol panovníckej i štátnej moci razil Štefan I. i v Bratislave. Denár s názvom (B)RESLAVA CIV (ITAS)

118
Panovnícka moc sa opierala o ozbrojenú družinu. Meč bojovníka z druhej polovice 10. storočia z Krásnej nad Hornádom je dovozom zo severských štátov alebo z Porýnia

119
Cirkevná organizácia v uhorskom štáte nadviazala na veľkomoravské kresťanstvo. Kostol v Kostoľanoch pod Tribečom pokračuje vo veľkomoravskom stavebnom tvarosloví

120a
Vnútro kostola v Kostoľanoch pod Tribečom

120b
Kamenná krstiteľnica z kostola v Kostoľanoch pod Tribečom

121
Kláštory tiež podporovali stabilitu panovníckej moci, preto ich panovníci štedro obdarovávali. Súpis rozsiahlych majetkov zoborského kláštora v Nitre z roku 1113

122
Ideológovia nového štátu sa grupovali z radov cirkvi. Jedným z nich bol neznámy notár Bela III., zvaný Anonymus. Ukážka z jeho kroniky

123a
Do stredovekej legendy prerástol panovník Ladislav I. (1077 – 1095). Jeho vyobrazenie na nástennej maľbe vo Veľkej Lomnici, okolo roku 1300

123b
Vyobrazenie Ladislava I. na minci z doby M. Korvína

124
Belo III., najvýznamnejší ranostredoveký uhorský kráľ (Obrázková kronika, 14. storočie)

125
V dynastických zápasoch o uhorský trón významné miesto zaujal pohraničný kráľovský hrad v Bratislave. Cisár Henrich III. ho neúspešne obliehal roku 1052 z lodí na Dunaji (z Obrázkovej kroniky, 14. storočie)

126
Za panovania Ondreja II. zosilnela moc šľachty, čo našlo vyjadrenie v známej Zlatej bule z roku 1222 (pečať – t. j. zlatá bula Ondreja II.)

127
Roku 1241 vpadli na Slovensko hordy východných kočovníkov – Tatárov (vyobrazenie v Obrázkovej kronike)

128
Najstaršia rukou písaná latinská kniha na Slovensku – Nitriansky kódex z prelomu 11. – 12. storočia

pater amat uos. quia uos me amastis & credidistis quia a deo
exiui. Exiui a patre. & ueni inmundum. Iterum relinquo mun
dum. & uado adpatrem. Dicunt ei discipuli eius. Ecce nunc
palam loqueris. & prouerbium nullum dicis. Nunc scimus quia
scis omnia. & non opus est tibi ut quis te interroget. Inhoc
credimus quia a deo existi. IN DIE ASCENSIONIS DNI
N ILLO TEMPORE. SCDM MARCVM.
RECVMBENTIBVS VNDECIM DISCI
PVLIS. Apparuit illis ihc & expro
brauit incredulitatem illorum & du
riciam cordis. quia his qui uiderant
eum resurrexisse non crediderant.
Et dixit eis. Euntes inmundum uniuersum
predicate euangelium omni creature. Qui
crediderit & baptizatus fuerit. saluus
erit. Qui uero non crediderit. condemp
nabitur. Signa autem eos qui credide
rint. hec sequentur. Innomine meo
demonia eicient. linguis loquentur
nouis. serpentes tollent. Et si mortife
rum quid biberint. non eis nocebit. Super egros manus
inponent. & bene habebunt. Et dns quidem ihc postquā
locutus est eis assumptus est incelum. & sedet a dextris
dei. Illi autem profecti predicauerunt ubique. domino
cooperante & sermonem confirmante sequentibus signis.
DOMC PRIMA POST ASCENS. SCDM IOHANNE.
N illo tempore. Dixit ihc discipulis suis. Cum uenerit
paraclitus quem ego mittam uobis a patre spiritum ueritatis
qui a patre procedit. ille testimonium perhibebit de me.
Et uos testimonium perhibebitis. quia ab initio mecum estis.
Hec locutus sum uobis. ut non scandalizemini. Absque sina
gogis facient uos. Sed uenit hora. ut omnis qui interficit
uos arbitretur obsequium se prestare deo. Et hec facient

129
Najstaršia zachovaná listina zo Slovenska – z roku 1111 (kláštor na Zobore pri Nitre)

Ranostredoveké Slovensko sa tvorivo napájalo na európsku kultúru i vzdelanosť v dominujúcom románskom štýle.

130
Proti vonkajšiemu nebezpečenstvu sa stavajú kamenné hrady v románskom štýle. Ukážka zdvojeného okna na Spišskom hrade

131
Kamenárski majstri vyzdobili kostol v Bíni. Postava oranta

132
Symbol ukrižovaného Krista. Plastika v Spišskej Starej Vsi

134
Kristus na kríži. Bronzová figúrka z Rimavskej Soboty

135
Ukrižovaný – napodobovanie francúzskych prác. (Rimavská Sobota)

133
Portál kostola v Spišskom Podhradí

Ondrejom III. vymrel rod Árpádovcov a v krajine naplno prepukla feudálna anarchia. Z nej ťažila najmä bohatá a mocná šľachta.

136a, b
Mince Ondreja III.

137
Trenčiansky hrad, sídlo najmocnejšieho oligarchu na Slovensku, Matúša Čáka Trenčianskeho

138
V bitke pri Rozhanovciach (pri Košiciach) zostali porazení východoslovenskí magnáti, spojenci Matúša Trenčianskeho – Omodejovci z rodu Aba (vyobrazenie boja z Obrázkovej kroniky)

139
Novým uhorským panovníkom bol Karol Róbert z rodu Anjou. Obraz symbolickej korunovácie na nástennej maľbe v Spišskom Podhradí

140
Kardinál Gentilis bol vyslaný až z Ríma na zmierenie Matúša Trenčianskeho s panovníckou mocou (Obrázková kronika)

Mestská civilizácia

Mesto je zvláštny socio-topografický, hospodársky i kultúrno-historický útvar: vzniklo už v raných štádiách feudálneho spoločenského poriadku, aby v ňom prežilo ako cudzorodý element a položilo základy budúcemu – kapitalistickému spoločenskému poriadku. Až dodnes vo svojich historických jadrách nás obkolesuje stredoveké mesto a dáva neopakovateľný kolorit nášmu občianskemu životu. Ak pátrame po zdrojoch, ktoré vyvolali k životu takúto schopnú inštitúciu, prazáklad nájdeme v tom, že sa vyčlenila zvláštna skupina neagrárnych špecialistov – remeselníkov – a pri realizácii ich výrobkov – tovarov – zas vznikla ďalšia skupina profesionálov – obchodníkov. Remeslo a s ním spätý široko organizovaný obchod, do ktorého vchádza nielen sama mestská komunita, ale aj obyvateľstvo zo širokého priľahlého dedinského okolia – to sú dva nezastupiteľné komponenty, ktoré formujú mesto ako novú sídliskovú jednotku. Na neveľkom priestore vzniká rad murovaných domov rozostavaných do ulíc, v strede obvykle veľké námestie, kde sa obchoduje. Potom *miesto obchodovania* (od toho i naše pomenovanie „mesto") dostáva obvyklé stavebné atribúty, symbolizujúce materiálny i duchovný dozor nad celou komunitou, ktorá sa pravidelne schádza na týždenných trhoch: radnicu i mestský kostol. Oba sú produktmi, tak ako celý ostatný život v meste, na svoje obdobie neobvykle slobodného obyvateľstva. Každý plnoprávny mešťan je totiž skutočne „homo liber" (slobodný človek), nepodlieha nijakým kráľovským úradníkom, na spoločných zhromaždeniach si volí svoj riadiaci orgán – mestskú radu na čele s richtárom. Tí potom rozhodujú o všetkých záležitostiach mesta, často až o otázkach života i smrti. Mestský človek stiesnený svojím životným priestorom (nezriedka determinovaný mestskými múrmi a bránami, ktoré regulujú pohyb každého, kto vkročí do mesta), vysoko si váži poriadok, normy spolunažívania, kultúrny vzhľad svojho prostredia a robí všetko pre to, aby „právo a poriadok" boli nielen spísané, ale aj skutočne dodržiavané. V meste sa rodí nová forma riadenia – samospráva.

Remeslo – prazáklad mestského usporiadania – vychádza prevažne z domáceho prostredia starých slovanských, ešte veľkomoravských hradísk, postupným vývojom však prechádza mnohými štrukturálnymi premenami. Najprv produkuje len pre panovníka a jeho dvor, neskôr sa špecializovaný remeselník oslobodzuje od panskej závislosti a začína vyrábať výrobky určené na trh – tovary. Naopak obchodník, ten je svetobežník, ktorý nepozná hranice národa či štátu. Je doma všade, kde prekvitá slobodný trh. Usadzuje sa tam, kde vidí perspektívu hospodárskeho rozvoja a s ním spätého života, tam si buduje i svoj nový domov. Učaroval mu kapitál – ten je jeho najvyšším bohom i pánom. Najmä po tatárskom vpáde, keď je krajina veľmi vyľudnená a keď pritom prudko rastie hospodársky potenciál Slovenska, do našich miest prichádza množstvo takýchto cudzincov – svetobežníkov. Prichádzajú zväčša zo západnej Európy. Práve oni prinášajú už odskúšané, často i spísané normy mestského spolunažívania. Preto aj právne sústavy našich miest sú poznačené krajmi, z ktorých noví osadníci prichádzajú, prevažne z Nemecka. Pritom nové, emfyteutické či zákupné právo nezostáva len doménou a základom mestského práva, ale modifikuje sa aj pre vidiecke osídlenie, kde tiež vnáša nové vzťahy medzi pánom zeme a jej nájomcami. Poddaný totiž po celé obdobie feudalizmu nie je vlastníkom pôdy – živiteľky, ale skutočne len jej prenájomcom, a tieto vzťahy majú najrozmanitejšiu podobu, často podobu panskej svojvôle.

Základy miest, ktoré vznikajú v podhradiach centrálnych hradov, pri významných brodoch veľkých riek, na križovatkách ciest a podobne, dostávajú v 13. storočí svoju plnohodnotnú mestskú podobu, lebo sa pretvárajú aj na samosprávne celky vybavené svojimi mestskými výsadami a privilégiami. Priaznivý rozvoj ovplyvňuje nielen hospodárska konjunktúra 13. storočia, ale aj nastupujúca konsolidácia v krajine v dobe panovníkov z rodu Anjou. Porážka oligarchov bola len prvým predpokladom na upevnenie panovníckej moci Karola Róberta z francúzsko-neapolského rodu Anjou. Na panovnícky dvor sa v priebehu 14. storočia dostávajú noví radcovia – často skúsení zahraniční hospodári a finančníci, ktorí stáli pri kolíske mnohých reforiem, na ktoré sa krajina pripravovala. Karol najprv našiel cestu k upevňujúcemu sa meštianstvu, ktoré pod ochranou ústrednej panovníckej moci s úľavou prijímalo dobu bez vojen, násilia, šľachtickej nevraživosti. To prospievalo rastu výrobných síl, upevňovaniu mestskej ekonomiky, zvyšovalo váhu meštianstva v politickom, ale aj kultúrnom živote spoločnosti. Nový panovník zabezpečil krajinu aj voči tradičným zahraničným nepriateľom uhorského štátu, a to najmä tým, že uzatvoril rad mierových dohôd i dohôd o spolupráci. Obzvlášť výhodné bolo priateľstvo a spojenectvo s českými Luxemburgovcami, s ktorými na schôdzi v Trnave (roku 1322) a neskôr v Trenčíne, i na hrade Vyšehrad, dohodol nielen spojenectvo proti rakúskym Habsburgovcom, ale oživil aj obchod na tradičnej obchodnej spojnici Slovenska s Moravou i Čechami – na tzv. Českej ceste, ktorá napájala Slovensko na medzinárodný obchod smerujúci do západnej Európy. Týmto smerom, ako aj na obchod s Dalmáciou, sa orientovali dve najväčšie západoslovenské mestá – Bratislava a Trnava. Na obchodnej ceste spájajúcej Balkán s Baltom vyrastali a bohatli zas východoslovenské mestá, obstarávajúce obchodný styk medzi Sedmohradskom a Poľskom, ale aj Pruskom. Ako odbočka obchodnej tepny z Košíc do Krakova vyrástla cesta cez Liptov a Žilinu, odkiaľ sa uberala do bohatého Sliezska, do Wrocławi. Zvlášť rýchly vývoj zaznamenali mestá, ktoré vyrastali na nerastnej surovinovej základni Slovenska – na bohatých náleziskách zlata, striebra, medi a železa. Tak vznikala skupina stredoslovenských i východoslovenských banských miest s jej najstaršími centrami – Banskou Štiavnicou, Banskou Bystricou, Kremnicou i Gelnicou. Urýchľujúcim momentom ich rozvoja bola banská reforma – banská sloboda z roku 1327. Pôvodne bývalo v Uhorsku zvykom, že kráľ bol jediným vlastníkom vyhradených nerastov, akými boli zlato, striebro, meď i soľ – kedysi sem patrilo i železo. Podstata banskej slobody vyhlásenej za Karola Róberta bola naoko prostá, no o to účinnejšia, významnejšia. Každé územie, na ktorom sa našli spomínané rudy, panovník ihneď odňal dovtedajšiemu vlastníkovi a dal mu za to iné majetky v primeranej náhrade. To však spôsobovalo, že vlastníci pozemkov novonájdené ložiská zatajovali, kutanie a hľadanie drahých kovov sa umŕtvovalo. Zavedenie banskej slobody odbúralo starú prax vymieňania majetkov. Nová „sloboda" umožňovala nielen šľachte, ale aj mešťanom, na svojich pozemkoch bez zábran vyhľadávať i ťažiť rudy, hutnícky ich spracovávať, a len z hotového produktu mali odvádzať panovníkovi 1/15 získaného kovu ako banskú daň. Tá sa nazývala – urbura.

Ako čarovný prútik zapôsobili nové slobody na rozvoj dolovania a spracovávania najmä drahých kovov. Na zlatonosnom baníctve skoro vyrástla Kremnica, Nová Baňa a iné drobnejšie mestečká Slovenska. Zakrátko sa prudko rozhojnil počet rotujúcich vodných mlynov, kde sa mlel tvrdý kremeň, obohacovali sa chudobnejšie rudy a Slovensko produkovalo ročne bezmála štvrť tony zlata. Prudko vzrástla aj výroba striebra. Stále bohatstvo pre panovníka (a samozrejme i pre producentov) prinášala Banská Štiavnica, Banská Bystrica, Pukanec, na Spiši Gelnica a v Gemeri Smolník. Produkcia striebra sa v tom čase na Slovensku odhaduje na stotisíc kilogramov ročne, čo predstavovalo takmer štvrtinu európskej produkcie. Rovnako sa rozvíjala výroba medi, z ktorej sme tiež vyrábali viac, ako sa doma spotrebovalo a nadprodukt putoval na mnohé európske trhy do Benátok, Viedne, Regensburgu i Norimbergu, ale aj do

Stockholmu i do Antverp, ba aj do Londýna. A to bola éra slovenskej medi ešte len v začiatkoch. Budúcnosť ešte stále mala pred sebou, rovnako ako slovenské železo. Ruka v ruke s rozvojom banskej výroby ide vznik nových banských a hutníckych technológií, využívanie vodného pohonu na mnohé spracovateľské operácie, ale aj zvyšovanie počtu pracujúcich rúk. Na opačnom brehu sa združuje podnikateľský kapitál, vytvárajú sa ťažiarske spoločnosti, v ktorých je základ – tak ako v každej veľkovýrobe danej doby –, budúcnosť hospodárskej prosperity.

V zhode s hospodárskym rastom narastá i počet miest v našej krajine. Ak v 13. storočí je ich sotva 30, v ďalšom storočí ich už je takmer sto. Novým, takmer symbolickým znakom najbohatších spomedzi nich sa stávajú mestské hradby. Ich budovanie je spočiatku viazané na povolenie kráľa, pričom nejde len o formálny akt. Vybudovanie mestských hradieb s obrannými valmi, mestskými bránami, vežami a podobne – to všetko si vyžadovalo nielen veľké finančné náklady, ale aj veľa ľudskej práce a úsilia, v neposlednom rade i materiálu. Preto s panovníkovým povolením budovať hradby mesta dostávali spravidla aj jeho pomoc. Dobre vybudované mestské opevnenia zmenili nielen vonkajškový, ale aj vnútorný charakter našich miest: stávajú sa z nich vojensko-mocenské pevnosti, priam rovnocenné zemepanským či kráľovským pevnostným sústavám. Tým rastie politická váha miest v krajine a šľachta sa úzkostlivo bráni, aby v tejto konkurencii nestratila svoje výsadné postavenie. Mesto sa stáva malým „štátom v štáte“, pričom Slovensko v takomto zaradení má naprosto prioritné postavenie v celom uhorskom štáte. Preto celé 14.–15. storočie možno považovať za „zlatý vek“ vo vývoji slovenských miest, za progresívne obdobie narastania ich spoločenského významu. Vo vnútri mestských komunít pulzuje čulý ruch rozvoja remesla, obchodu a kultúry. Bohatí mešťania sa usilujú okrášliť svoje životné prostredie najpozoruhodnejšími i najmodernejšími výtvarnými produktmi svojej doby. A tak vznikajú prekrásne monumenty gotickej architektúry, výtvarného umenia i umeleckého remesla, z ktorých časť zdobí našu krajinu i naše kultúrne stánky, veľká časť – žiaľ – v nepriaznivých rokoch odplynula z krajiny a stala sa kultúrnym majetkom okolitých národov. Mestskú gotickú architektúru veľmi rýchlo rozširujú aj kláštorné stavby a kostoly. Bohatí mešťania svojimi darmi, nadáciami i testamentmi rýchlo prispeli k tomu, že kláštory v mestách bohatnú, pričom mnísi a mníšky akoby na oplátku prispôsobujú svoju činnosť potrebám meštianstva. Vo všetkých slovenských mestách

14. storočia je už usadených niekoľko mužských i ženských rádov, ktoré vyvíjajú nielen spomínanú aktívnu stavebnú činnosť, ale sú významným článkom v sústave školstva, vzdelanosti, knižnej kultúry a umenia. O to viac, že niektoré kláštory majú svoje organizačné centrá v materských krajinách západnej Európy a sú s nimi v každoročnom pravidelnom styku. To vytvára dobrý most pre kultúrne ovplyvňovanie, obohacovanie, rozvoj. Preto aj slovenská knižná maľba, sochárstvo, nástenné maliarstvo a pod. zostali síce bytostne závislé od tradície, prostredia, no súčasne dokázali prijímať vonkajšie impulzy a nimi obohatiť svoje vlastné tvorivé postupy.

Nástupcom Karola Róberta sa stal jeho syn Ľudovít, ktorého už súčasníci poctili prímením „Veľký". Jeho štyridsaťročná vláda býva považovaná za vyvrcholenie anjouovskej moci v Uhorsku, za dobu ďalšieho priaznivého rozvoja slovenských miest. Ľudovít sa snažil upokojiť aj uhorskú šľachtu, a tak s jeho menom je spojené vydanie zvláštneho dekrétu v Košiciach (roku 1351), ktorým sa vlastne dokončil dlhotrvajúci boj o konštituovanie šľachty ako riadneho a plnoprávneho stavu v štáte. Tento dekrét sa skutočne aj stal základom „zlatej slobody", no súčasne aj svojvôle uhorskej šľachty ako stavu, pričom zrovnoprávnil politické práva tak bohatej oligarchie, ako aj drobných zemanov. „Una et eadem nobilitas",... tak hlásal dekrét a taká bola aj ďalšia historická prax v našej krajine.

Po smrti kráľa Kazimíra si poľská šľachta zvolila za svojho panovníka Ľudovíta I. Anjouovského. Takto sa roku 1370 vytvorila uhorsko-poľská personálna únia a tým aj obrovská ríša, ktorá siahala od Jadranu až po Baltické more. V Poľsku sa však Ľudovít nezdržiaval a panovnícke práva tam prešli na jeho mladšiu dcéru Hedvigu, a to hneď po otcovej smrti. Ten náhle zomrel v Trnave (roku 1382) na zjavné príznaky malomocenstva. Vytvorením uhorsko-poľskej únie dostalo Slovensko ako krajina v rámci súštátia nové – centrálnejšie postavenie. Opätovne to prispelo k rozvoju výroby, obchodu, k prudkej urbanizácii i celkovému kultúrnemu prúdeniu v našej krajine. V krátkom čase sa tak Slovensko stalo najrozvinutejšou časťou uhorského štátu a toto svoje postavenie si udržalo i dlho do budúcnosti. Ak si uvedomíme túto skutočnosť, potom dobre pochopíme, prečo sa naša krajina v nastupujúcich storočiach v mocenských zápasoch stáva takým vážnym jazýčkom na politických váhach všetkých celoštátnych udalostí 15. a prvej polovice 16. storočia.

So 14. storočím sú spojené prvé pevné písomné dokumenty o tom, že Slováci sa v mnohonárodnostnom Uhorsku cítia nielen ako dávna a svojbytná etnická jednotka – národ, ale že aj vedú priamy boj za svoje národné práva. Zatiaľ sa tak nedeje v reláciách celokrajinských, ale len v miestnych, v danom prípade mestských. Mesto – ako konglomerát starého pôvodného obyvateľstva a novoprišlých kolonistov, ktorí si navyše vydobyli od panovníka zvýšenejšie právomoci a výsady ako malo staré obyvateľstvo – od 14. storočia veľmi vážne nastoľuje otázku vzťahu týchto dvoch obyvateľských skupín. Navyše každodenný prílev slovenského obyvateľstva z okolia do miest postupne mení početnú štruktúru oboch skupín v prospech Slovákov, pričom nemecký patriciát, ktorý si stihol v meste vybudovať silné pozície, nielenže bráni prisťahovalému obyvateľstvu získať práva občanov mesta, ale ich programovo vytláča z mestskej správy. Preto v mnohých našich mestách nastupuje obdobie zložitých nacionálnych zápasov, ktoré v svojom jadre často nesú i zápas triedny. Dobrým príkladom je mesto Žilina, ktoré vzniklo už pred 14. storočím. Tu od začiatku v mestskej rade mali paritné zastúpenie Nemci i Slováci. Nemecký patriciát však začal ukracovať Slovákov v ich právach, a tí sa proti tomu vzbúrili. Spor, ktorý z toho vznikol, musel riešiť až sám kráľ Ľudovít I. Anjouovský pri svojej návšteve v meste. Rozhodol ho tak, že Slováci, ktorí sú v meste početnejší ako Nemci, a navyše sídlia aj v okolí mesta, majú mať polovičné zastúpenie v mestskej rade. Dokument o tomto rozhodnutí pre Žilinu bol vydaný 7. mája 1381. Je dokladom pociťovanej i proklamovanej spolupatričnosti Slovákov ako etnika a súčasne je ukážkou jednej vývojovej etapy našich miest. Navyše ukazuje, že do uvedomovacieho národotvorného procesu Slovákov nevstupuje len tradičná dedina, ale podobný proces prebieha i v mestských sídliskových útvaroch. Slováci vo svojej krajine početne narastajú, mocnejú, stávajú sa kompaktným sídliskovým substrátom, z ktorého sa postupne formuje a mocnie slovenský národ.

Tento proces nezastavili, ale skôr umocnili udalosti, ktoré nastúpili po vymretí Anjouovského rodu a po tom, čo nastúpila aj v Uhorsku panovnícka dynastia Luxemburgovcov. S touto dobou je spojená prvá veľká ideologická kríza súdobého sveta, ktorá našla pripravené pole najmä v susedných Čechách. Tie sa na dlhý čas stali dejiskom revolučného zápasu o nový spoločenský poriadok, plamienky ktorého preskakovali i na Slovensko a nachádzali svoju, v mnohom transformovanú, podobu.

141
Pohľad na stredoveký Bardejov (model urbanistickej štruktúry od Millyho)

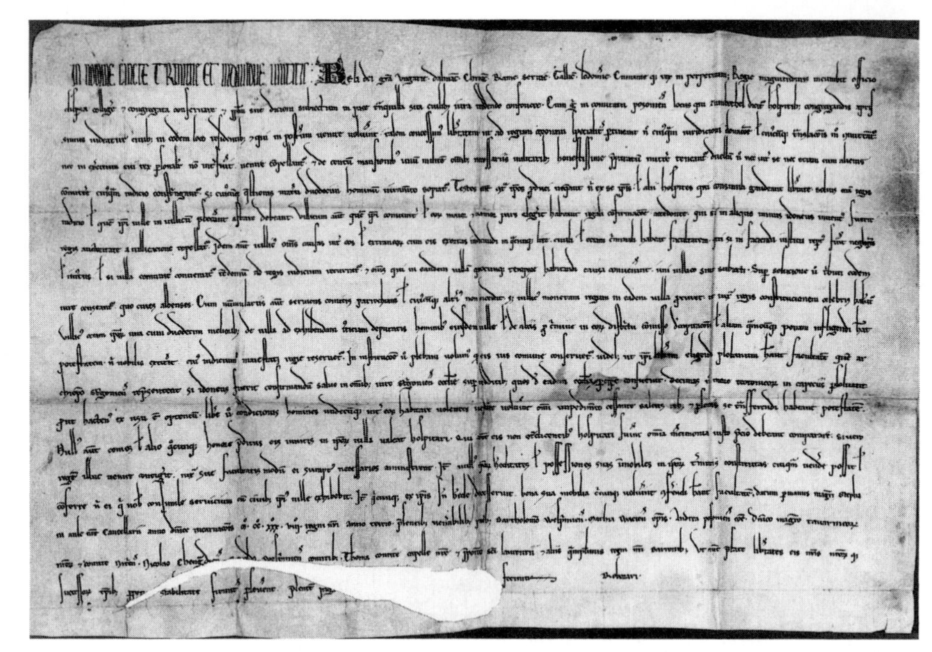

142
Najstaršie zachované mestské privilégium má Trnava – z roku 1238

143
Bratislava vyrastala na obchodnej Dunajskej ceste. Pohľad na gotický dom, ktorý sa neskôr stal stavebnou súčasťou mestskej radnice

144
Predstava gotického majstra o stredovekom opevnenom meste (z oltárneho obrazu v Spišskej Sobote)

145
Bohato odetí mešťania pred mestskou bránou (z toho istého obrazu na oltári sv. Juraja)

146
Metropolou východného Slovenska sa čoskoro stali Košice (erb mesta podľa vyhotovenia z roku 1502)

147
Erb Kežmarku – mesta na obchodnej ceste do Poľska

149
Na Považí vyrástol starobylý Trenčín. Pohľad na historické jadro mesta

148
Pečať mesta Ružomberku

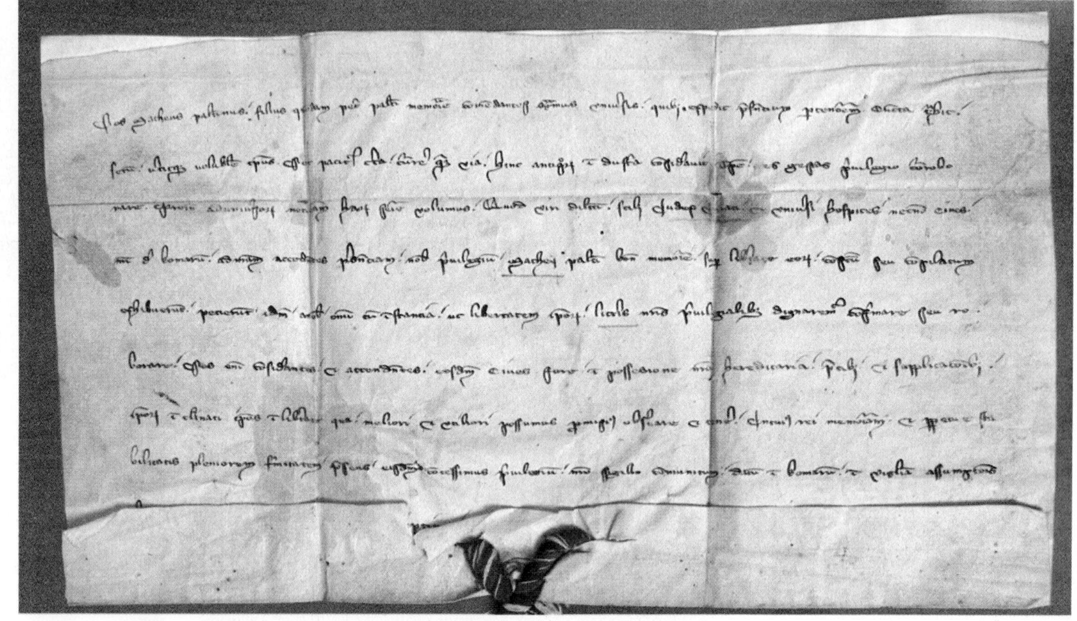

150
Komárno dostalo mestské privilégium od Matúša Čáka Trenčianskeho roku 1307

151
Mestské opevnenie Levoče

152
Zlato sa dlho získavalo len ryžovaním na zlatonosných riekach Slovenska. Staré náradie na ryžovanie

Rozvojom baníctva a hutníctva, najmä drahých kovov, vyrástli stredoslovenské banské mestá.

153, 154
Postupy pri hlbinných baníckych a hutníckych prácach (detaily z oltárneho obrazu v Rožňave)

155
Najbohatším stredoslovenským banským mestom sa stala Banská Štiavnica

156
Na zlatonosných baniach vyrástlo banské a mincovnícke mesto Kremnica

157a, b
V Kremnici vznikla mincovňa, v ktorej sa razili najhodnotnejšie peniaze súvekej Európy. Florén Karola Róberta, averz-reverz

157c
Listina Karola Róberta, udeľujúca mincové práva Kremnici (1328)

158
Bardejov dotvoril svoju mestskú podobu s honosnou radnicou už v 15. storočí

Mestá na Slovensku v priebehu 14.–15. storočia vyrástli do urbanisticky a architektonicky vybudovaných celkov, s rozvinutou remeselnou a svojbytnou meštianskou kultúrou; všetko v prekrásnom gotickom štýle.

159
Levočská radnica zažila niekoľko stavebných fáz

160
Gotický interiér levočskej radnice

161
Veža kostola klarisiek v Bratislave

162
Krížová chodba v kláštore minoritov v Levoči

163
Meštianske domy v Poprade – Spišskej Sobote

164
Stará ulica s príporami v Rožňave

165
Chodba a schodište v meštianskom dome v Levoči

166
Priečelie gotického meštianskeho domu v Levoči s fasádou z polovice 16. storočia

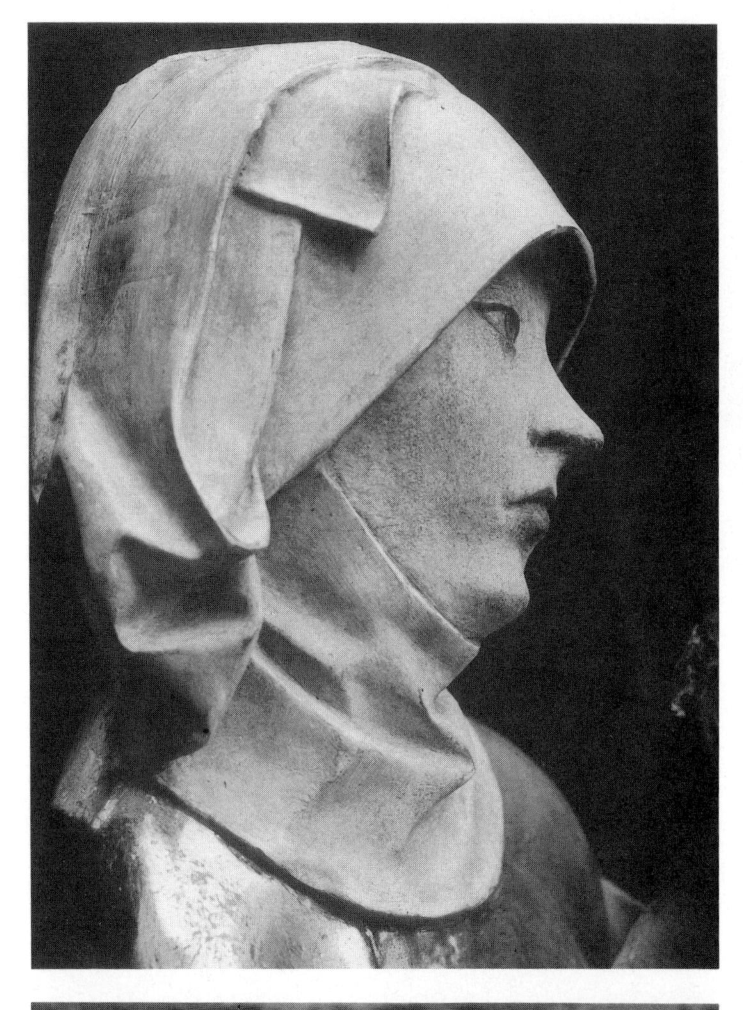

167
Meštiansky ženský odev (z oltárneho obrazu v Košiciach)

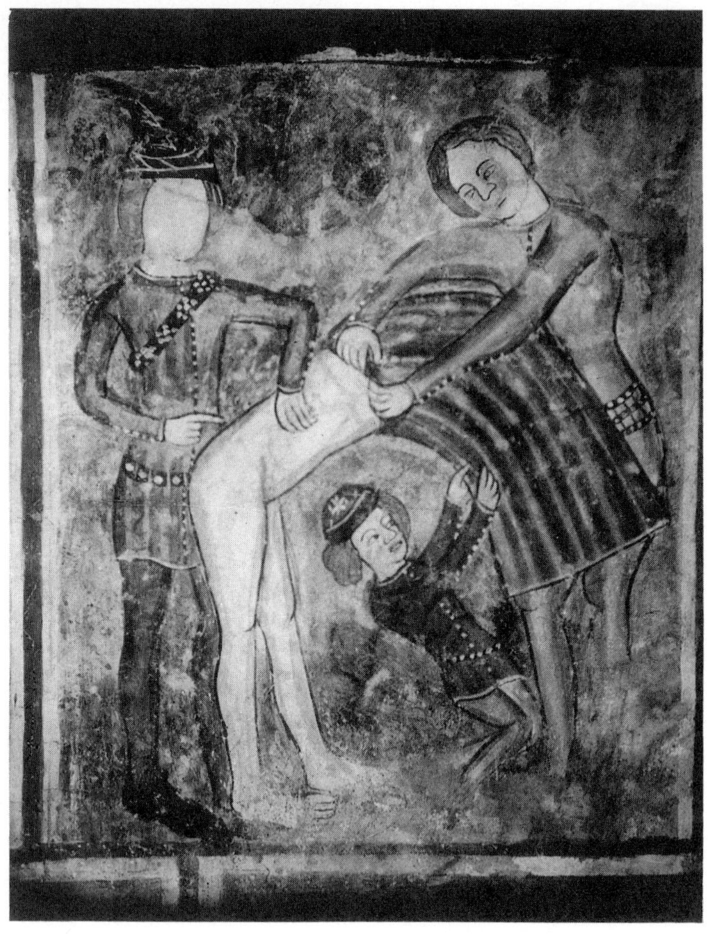

Mešťania sa odlišovali od ostatných vrstiev spoločnosti nielen právnym postavením, ale aj zovňajškom a životným štýlom.

168
Meštianska žena s lyžicou (portrét sv. Alžbety na oltárnom obraze v Košiciach)

169
Mešťania v kabátcoch (z nástennej maľby kostola v Liptovských Sliačoch)

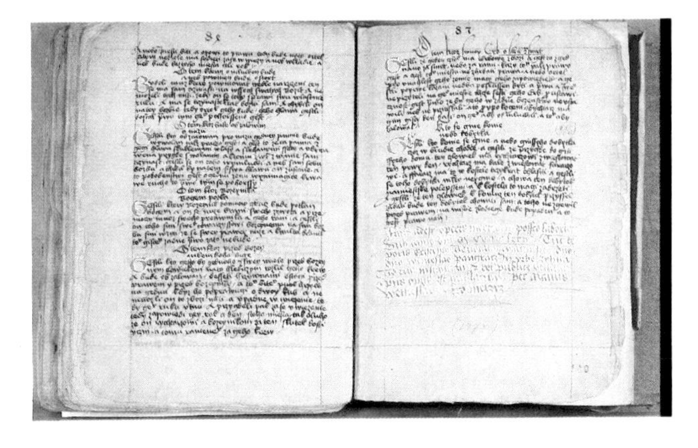

170
Meštianska rodina (z neskorogotického oltára v Levoči)

171
Oblečenie meštianskych detí (z neskorogotického oltára sv. Anny v Levoči)

172
Žilinskí Slováci si za svoj písomný jazyk zvolili literárne vyspelú a blízku češtinu, v ktorej viedli mestskú agendu. (Žilinská kniha – stať s prekladom magdeburského práva z roku 1473)

Pod revolučnou zástavou

Obdivuhodný vývoj Európy, ktorý ju poznačil najmä v 11.–13. storočí, sa postupne spomalil, aby v 14.–15. storočí prerástol do prvej „veľkej krízy". Plocha obrábanej pôdy sa už takmer nezväčšuje, ba v mnohých priestoroch zanikajú aj dobre prosperujúce dediny. Mestá už vznikajú len ojedinele, zastavuje sa dovtedy prudký rast obyvateľstva; zhoršuje sa minca, rastú ceny a ľudstvo sužujú dovtedy neznáme morové epidémie, ktoré vošli do dejín pod menom „čierna smrť". Vnútorný nepokoj, napätie v spoločnosti prerastá do série veľkých povstaní v mnohých krajinách súdobej Európy. Najprv sú to sociálne boje v mestách, neskôr horia povstalecké ohne aj na vidieku. Zachvátili postupne Itáliu, Flandry, Francúzsko i Anglicko a presunuli sa i do strednej Európy. Príznaky krízy sa najvypuklejšie prejavili v krajine nášho slovanského bratského národa – v Čechách, pričom nezostali bez vplyvu ani na naše Slovensko. Bola to nastupujúca husitská revolúcia, ktorá vyplnila kus našich spoločných dejín.

Koncom 14. storočia pán Smil Flaška z Pardubíc veršuje: *„Svět jest toho založenie, že v něm nic ustavičného nenie"*. Pocity veršovca o nepokoji a rozporoch vo vnútri českej spoločnosti sa šírili aj v mnohých vrstvách českého obyvateľstva. Prehlboval sa základný rozpor vo vtedajšej spoločnosti – medzi poddanými a zemepánmi. Zhoršovali sa životné podmienky poddaného človeka, ktorého trápili stále nové a nové dane i poplatky, pričom cena potravín na českom trhu zostávala na rovnakej úrovni. Remeselnícke produkty sa však predávali za drahšie a drahšie peniaze. Aj neustále vojny najväčšie bremeno valili na plecia sedliaka. Ani sa nemožno čudovať, že z poddanských kruhov sa šírili myšlienky o novej, spravodlivej spoločnosti, v ktorej by pánov nebolo a neplatili by sa dane. Šírili sa idey o novom, spravodlivom „božom štáte".

Ani mesto nežije harmonickým a usporiadaným životom. Všetku moc a rozhodovanie drží v rukách bohatý patriciát. O svoje práva sa však hlásia aj nižšie vrstvy meštianstva, ktoré chcú mať svoj podiel na správe v meste. Početne narastá mestská chudoba, ktorá sa regrutuje z námezdne pracujúcich, sluhov, slúžok i čeľade, ale aj z najspodnejších vrstiev mestského obyvateľstva – žobrákov, tulákov, neviestok a pod. Mestská chudoba je však ešte stále málo zomknutá, slabo organizovaná a neuvedomelá. Ak by jej však niekto dal príťažlivý program, odhodlane by šla bojovať, lebo nemá čo stratiť – ani majetok, ani peniaze.

Vnútorný pohyb zaznamenala aj šľachta ako skupina: majetkovo i mocensky sa rozčlenila. Politický vplyv v krajine si udržala len najbohatšia časť starých rodov, tzv. páni. Tí už stihli pozbaviť pozemkového vlastníctva mnoho z českých rytierov, vladykov a panošov. Z olúpených sa potom utvorili buď záškodnícke skupiny živiace sa lúpežou a zbíjaním, alebo museli vstupovať do služieb bohatých pánov i kráľa. Všetky mnohostranné rozpory, ktoré zmietali českou spoločnosťou na rozhraní 14.–15. storočia, vytvárali skutočný vnútorný nepokoj, no ľudia stále ešte akosi nenachádzali cestu i spôsob, ako ich riešiť, ešte stále nedospeli k myšlienke veľkej revolučnej ideológie a s ňou spätej premene spoločnosti. Našli si však jedného spoločného nepriateľa, o ktorom boli presvedčení, že má voči každej zo spomenutých sociálnych vrstiev vlastné podlžnosti, nedostatky, krivdy či bezprávie: bola to cirkev, nachádzajúca sa v stave hlbokej krízy.

V priebehu stredoveku cirkev vyrástla na mohutnú organizáciu. Duchovenstvo tvorilo samostatný stav, ktorý sa odlišoval zvláštnym právom, zvláštnym odevom i svojským spôsobom života. Pápeži, ktorým sa v priebehu storočí podarilo cirkev zorganizovať, nie sú len autoritou vo veciach duchovných, vo veciach viery, ale významne môžu zasahovať do mnohých otázok spoločenského a politického života v celej Európe. Umožňuje to obrovské bohatstvo, ktoré cirkev vo svojich rukách drží. Odhaduje sa, že napr. v Čechách patrí duchovenstvu viac ako tretina poľnohospodárskej pôdy, pričom má aj v mestách množstvo dôchodov, rent i nehnuteľného majetku. Cirkev je pritom v 14. storočí ešte stále nepostrádateľným článkom vtedajšej kultúry, významným činiteľom v správe krajiny. Mala v rukách takmer celé školstvo a bez nej sa neobišla nijaká panovnícka kancelária. Prostý človek okrem toho všetkého videl v cirkvi organizáciu, ktorá má v rukách kľúč k jeho posmrtnému životu, v ktorý bezmedzne veril. Napriek tomuto postaveniu, napriek moci a vážnosti, stáva sa cirkev terčom kritiky, ba priam nenávisti. Nie preto, že by ju chceli vtedajší ľudia odstrániť; ešte nedospeli k predstave spoločnosti bez cirkvi. Ostrie kritiky proti nej smeruje preto, že sa spreneverila svojmu spoločenskému poslaniu, pôvodnej chudobe, že sa stala semeniskom nemravnosti a skazenosti. Ani sa nemožno čudovať. Veď v tom čase má cirkev miesto jedného pápeža až troch, ktorí vedú proti sebe vojny a tvrdo vymáhajú na ne peniaze od mnohých svojich „ovečiek". Cirkev hlboko upadla, ako upadá každá organizácia, ktorá má príliš veľa výhod a príliš veľa moci. Prostý ľud si oprávnene kládol otázku, ako ho môže takáto skazená a nemorálna inštitúcia doviesť k spáse? A táto myšlienka až príliš silno začala rezonovať aj v najchudobnejších vrstvách duchovenstva, ktoré začalo hnutie za „opravu" cirkvi, za jej návrat k pôvodným ideálom.

Príťažlivým reformným hnutím za opravu cirkvi bolo učenie anglického mnícha Johna Viklefa, ktoré sa čoskoro dostalo i za múry pražskej Karlovej univerzity. Majstri sa rozdelili na dva nezmieriteľné tábory, ktoré sa súčasne stali i tábormi nacionálnymi: na jednej strane stáli českí učenci, na druhej nemeckí. Tak zápas o Viklefa dostal i novú dimenziu. A keď sa už zdalo, že tábory sa zmieria, pražský biskup nariadil verejne spáliť Viklefove spisy. To vyvolalo novú búrku nevôle, ale i nových reformných prívržencov. Všetci neformálne uznávajú najväčšiu autoritu, ktorá celé hnutie zjednocuje a osobným príkladom i revolucionizuje – je to majster Jan Hus. Popri činnosti na univerzite vystupuje každú nedeľu na kazateľnicu v Betlémskej kaplnke, aby odtiaľ ponúkal drobným remeselníkom i mestskej chudobe svoj program na obnovenie mravov v cirkvi, aby podával kritiku súdobej spoločnosti. Útok proti mocným a bohatým vyvolal snahu umlčať Husa. Vyhlásili ho za kacíra, vypovedali z Prahy a neskôr pozvali na cirkevný koncil do juhonemeckého mesta Kostnice, aby sa tu zodpovedal za svoje názory. Husovo „neodvolám" prednesené na koncile, ktorým sa odsúdil na smrť upálením, stalo sa burcujúcou výzvou, heslom pre všetkých jeho stúpencov. Plameň z Kostnice uvoľnil v českej spoločnosti lavínu, ktorú už nemohli zadržať ani výstrahy, ani tresty. Najprv vystúpila mestská chudoba vedená Jánom Želivským a vyhádzala konšelov z okien mestskej radnice. Potom dedinské obyvateľstvo – bezzemkovia, sedliaci, remeselníci i zemani zo širokého okolia položili základy prvej skutočnej komúny v európskych dejinách stredoveku. Dali jej meno Tábor, aby tým vyjadrili úmysel vybudovať vzornú biblickú pospolitosť podľa príkazu prvých kresťanských obcí. Začína sa tak plniť dávna vidina chudobných a ponižovaných – *„že mají býti všichni zároveň bratři s sebú a pánův aby nebylo a jeden druhému aby poddán nebyl."* Pravda, program táborskej chudoby ešte nemal nádej na uskutočnenie. Bol to však začiatok skutočnej revolúcie, ktorá pätnásť rokov otriasala českými krajinami. Husiti sa čoskoro pokúsili zasiať semeno reformácie i do okolitých krajín. Bolo medzi nimi i naše Slovensko.

Medzi prvými šíriteľmi husitskej ideológie na Slovensku boli naši študenti, ktorí študovali na univerzite v Prahe. Tu „učené" reformné hnutie dostáva svoju skutočnú ideologickú tvár a nachádza i svoju základňu. Po príchode na Slovensko títo študenti však nemajú priaznivé podmienky pre svoju prácu. Na Slovensku stále niet významného duchovného – vzdelaneckého centra, niet vysokej školy, kde by našli svojich nových následníkov. Preto nové myšlienky zostávajú obmedzené len na niekoľkých jedincov pri kapitulách, čo nestačí na masovejšie rozšírenie husitizmu medzi širokými masami pospolitého ľudu. Jednotlivci sa potom stávajú ľahkým terčom cirkevnej hierarchie, ktorá ich skoro pacifikuje. Niektorí absolventi pražskej univerzity zostávajú preto v Čechách a tam sa zapojujú do obrodného procesu v cirkvi. Viacerých poznáme i podľa mena, mnoho zostalo neznámych. Tak napr. Lukáš z Nového Mesta nad Váhom patrí k zakladateľom Tábora a neskôr je kazateľom v Písku. Keď sa však rozhodol aj so svojím druhom šíriť idey husitizmu doma, na Slovensku, padli do rúk rožmberským drábom a tí ich upálili. Iný, Matej Slovák, je kňazom v Kutnej Hore, kde ho odporcovia husitizmu zhodili z kostolnej veže a zabili. Husitizmus má teda svojich mučeníkov i zo Slovenska.

Oveľa širší spoločenský dopad má „ľudové" reformné hnutie, ktoré dostáva podobu ľudových siekt a prejavilo sa v mnohých formách i na Slovensku. Sú to spravidla kazatelia, ktorí vyšli z ľudu a šíria v masách nádej na nový príchod Krista a vybudovanie novej, spravodlivejšej tisícročnej ríše. Toto hnutie je také živé, ako je pestrá forma všestranných stykov i vzťahov medzi našimi krajinami. Najviac je spojené s pobytom uhorských vojsk v Čechách, ktoré pod zástavou svojho panovníka Žigmunda Luxemburského bojujú proti husitským bojovníkom. Tu sa slovenskí ľudia zoznamujú s ideami husitizmu a snažia sa ich preniesť i do svojej domoviny. Tak napr. páni z Ludaníc sa usilujú vybudovať na svojom panstve husitský Tábor a celá horná Nitra sa stáva strediskom slovenského husitizmu.

Husitské vojská pod vedením svojich hajtmanov na čele s Prokopom Veľkým vedú rad „spanilých jázd" do našej krajiny. Tak totiž husiti nazývali vojenské vpády, ktoré mali nielen demonštrovať silu vlastného vojska, získať korisť a zastrašiť nepriateľa, ale súčasne mali šíriť ideológiu husitizmu v okolitých krajinách. Po sebe zanechávajú ako oporné body na hradoch i v mestských pevnostiach husitské posádky, ktoré sa stávajú trvalou súčasťou života krajiny a jeho obyvateľstva. Takto na Slovensku vznikli husitské posádky v Trnave, v Žiline, v Topoľčanoch, ale aj na hradoch Likava, Lednica, z ktorých sa do širokého okolia medzi vrstvy pospolitého obyvateľstva šíria myšlienky husitského programu, utužuje sa priateľstvo medzi našimi národmi. Blízky jazyk je najlepším mostom, ktorý k tomu účinne dopomáha. Bratislavu, kde bola kráľovská kúria (a ktorá mala aj vynikajúce strategické postavenie), sa dvakrát pokúšali husiti dobyť. Pritom mali vo vnútri i svojho silného spojenca – tajných husitov. Tí sa mali zhromaždiť pri Laurinskej bráne a na daný signál mali otvoriť brány husitským bojovníkom. Akcia však bola prezradená a jej iniciátori skončili v bratislavskom väzení. Vtedy sa v meste spomínalo až sto prívržencov husitizmu a bohatý patriciát i cirkevná hierarchia sa nepochybne triasli strachom z predpokladaného úspechu. Pritom v našich mestách husitské posádky nesú so sebou i posilu slovenského živlu, ktorý sa často cítil vo svojich právach utláčaný od bohatého, spravidla nemeckého patriciátu. A tak napr., keď husiti na čele so skúseným veliteľom Blažkom z Borotína šikovným spôsobom dobyli bohatú Trnavu, nemecký patriciát húfne utekal z mesta a jeho miesta v mestskej rade obsadzovali Slováci.

Idey husitizmu sa takto stávali nielen pomocníkom v sociálnom zápase na Slovensku, ale hlboko poznačili i národotvorný proces Slovákov. Všade tam, kde sa pod ich vplyvom namiesto nemeckého patriciátu a pánov presadzuje slovenské drobné meštianstvo i zemania, všetci si pre svoj písomný prejav volia vyspelú, literárne vyskúšanú češtinu, do ktorej postupne stále viac a viac prenikajú prvky hovorového jazyka Slovákov. Výrazné svedectvo o tom poskytuje napríklad Žilinská mestská kniha. Slovakizovaná čeština na dlhý čas supluje jeden z významných znakov formujúceho sa plnoprávneho slovenského národa.

Odkaz husitského Tábora ešte raz silno zahrmel v našich dejinách. Bolo to v čase, keď sa bratovražednou bitkou pri Lipanoch skončila doba husitských vojen v Čechách a v krajine zostalo mnoho ľudí, pre ktorých vojna bola každodennou obživou. Nechali sa najímať ako žoldnieri do služieb mnohých veliteľov v krajinách strednej Európy. Aj k nám sa dostalo mnoho takýchto bývalých husitských bojovníkov, a to ako žoldnieri vo vojsku Jana Jiskru z Brandýsa, ktorého si ako známeho veliteľa najala kráľovná Alžbeta, aby po manželovej smrti hájil nástupnícke práva pre jej maloletého syna Ladislava Pohrobka. Takto českí bojovníci, ku ktorým sa pridávalo mnoho domáceho obyvateľstva, zaplnili naše dejiny svojou aktivitou v rokoch 1447–1467. Najmä po roku 1453, keď po prvý raz rozpustili Jiskrovo vojsko, osamostatnili sa mnohé skupiny bojovníkov na čele so svojimi hajtmanmi, podľa vzoru starého Tábora si budovali poľné tábory ako vojenské body v krajine a začali v krajine žiť i „podnikať" na vlastnú päsť. Podľa demokratických táborských tradícií začali sa oslovovať „brat" (a „sestra") – od čoho dostali i pomenovanie – bratríci. Bratrícke hnutie zjednotil hajtman Petr Axamit z Lideřovíc a Kosova a svoje sídlo na hrade Plaveč urobil strediskom. Podriaďovali sa mu bratríci z mnohých táborov na Slovensku, ktorých bolo nemálo: poznáme ich 36, strategicky rozmiestnených po celej krajine, s 15–20 tisíc ozbrojenými mužmi. Pravda, v poľných táboroch čisté ideály revolučného husitizmu už zneli len ako vzdialené echo. Na povrch oveľa viac vystupoval drsný život a mravy žoldnierskeho vojska, často zle alebo vôbec neplateného, ktoré sa musí živiť lúpežou v krajine, v ktorej žije. Napriek tomu bratríci orientovali svoju pozornosť na korisť z prepadov bohatých kláštorov, mestského patriciátu, kupeckých karaván. V táboroch panoval odskúšaný a preverený vojenský poriadok slávneho hajtmana Jana Žižku z Trocnova, a to pri volení veliteľov podľa udatnosti, pri spravodlivom delení koristi, pri správe tábora, ktorý viedla volená rada starších. Panovala tu často príslovečná „biblická rovnosť" a svoje dôstojné miesto mali i husitskí kňazi.

Doba politickej anarchie, ktorá panovala v tých rokoch na Slovensku, urobila z bratríkov aj dôležitého vnútropolitického činiteľa, o priazeň, ktorého sa uchádzali rozvadené šľachtické skupiny. Ich mocenské postavenie spevňovali nielen noví bojovníci prichádzajúci zo zahraničia, ale v prvom rade bojovníci z pospolitého slovenského ľudu, ktorí stáli tak blízko nielen k jazyku bratríkov, ale sympatická im bola aj ich ideológia namierená proti pánom a bohatej cirkvi. To všetko rozkladne pôsobilo na široké masy poddanského obyvateľstva. Množia sa úteky z pôdy, odopieranie poslušnosti zemepánom, vzbury proti niektorým cirkevným, ale aj svetským pánom. Tvrdý zásah proti bratríckym rotám sa pre feudálnu vrchnosť ukazoval viac ako potrebný, nástojčivý.

Tejto úlohy sa ujíma novozvolený uhorský kráľ Matej Korvín. Podarilo sa mu pod vedením Šimona z Rozhanoviec spojiť uhorskú šľachtu s meštianstvom do jedného bojového šíku. V tvrdej zrážke s bratríkmi potom v bitke pri Blatnom Potoku (roku 1458) boli poľné roty kruto porazené. Na bojisku zostal i hlavný bratrícky veliteľ Petr Axamit, s ním Valgata a mnoho iných. Len Talafúzovi sa podarilo utiecť do Poľska. Nastáva postupný úpadok bratríckeho hnutia, ktoré sa končí novou a už definitívnou porážkou v bitke pri Veľkých Kostoľanoch. Vojsko do boja viedol sám Korvín a pripojila sa k nemu šľachta i meštianstvo zo západného Slovenska. Kruto – vyhladovaním a šibenicami – zúčtoval uhorský kráľ s poslednou oporou bratríckeho hnutia na Slovensku.

Husitské i bratrícke hnutie podporovalo nielen protifeudálny boj slovenského ľudu, ale prispievalo k uvedomovaniu a upevňovaniu slovenského národa. Preto patrí k popredným kapitolám predhistórie našej česko-slovenskej vzájomnosti i štátnosti.

173
Cirkev a jej veriaci tvorili v stredoveku mnohými putami pospájané spoločenstvo (z misála Bratislavskej kapituly zo 14. storočia)

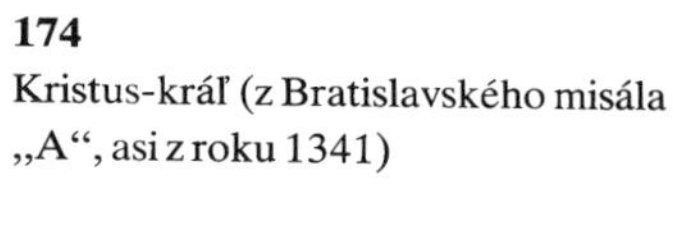

174
Kristus-kráľ (z Bratislavského misála „A", asi z roku 1341)

175
Pápež v spoločnosti biskupa a kardinálov (z prvotlače G. de Baysia: Rosarium decretorum; kniha bola majetkom kostola v Levoči)

176
Bronzová krstiteľnica s bohatou výzdobou je dielom umu a zručnosti našich kovolejárov (Slovenská Ves)

177
Krstiteľnica zo Stráží pod Tatrami

178
Kríž-relikviár vyhotovil pre zámožného objednávateľa Mikuláš Galicus v prvej polovici 14. storočia (Spišská Nová Ves)

179
Kalich (zlatník Caspar, polovica 15. storočia – Bardejov)

Uhorský kráľ pochádzajúci z českej panovníckej dynastie – Žigmund Luxemburský – urobil zo Slovenska nástupisko boja proti husitským kacírskym Čechom.

180
Stredoveká predstava o čertovi (z oltárneho obrazu v Spišskej Sobote)

181
Upálenie Jana Husa ako kacíra sa stalo signálom pre veľký spoločenský zápas európskeho dosahu

182
Žigmund Luxemburský (obraz od A. Dürera)

183
Kráľ Žigmund na čele vojska tiahne do boja (z oltárneho obrazu v Hronskom Beňadiku)

184
Správa o skupine tajných husitov v Bratislave

185
Topoľčiansky hrad, sídlo husitskej posádky

186
Husitské zbrane z okolia Bojníc

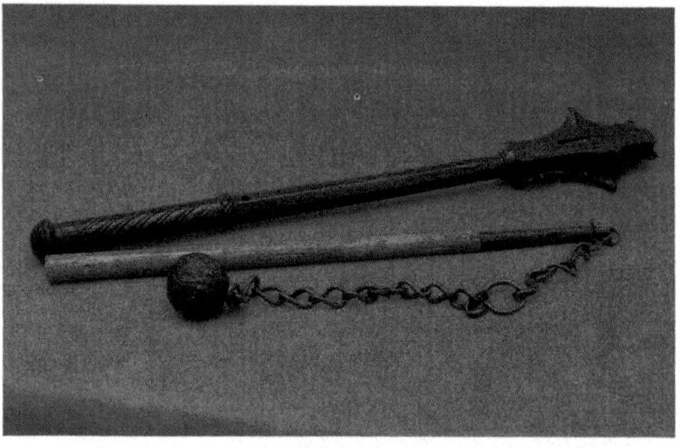

Husitské vojská po svojich vpádoch na Slovensko zanechali posádky na opevnených strategických bodoch.

187
Nápis o pobyte husitov a bratríkov na Spiši (v predsieni chrámu sv. Jakuba v Levoči), koniec 15. storočia

188
Stibor zo Stiboríc, pán na hrade Beckov, bol jedným z hlavných veliteľov vojsk proti husitom

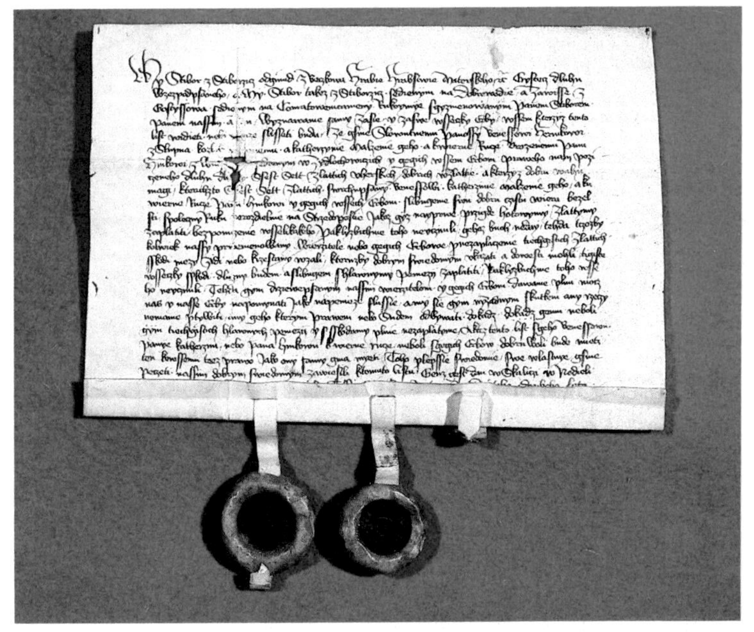

191
V Bratislave sa so Žigmundovým súhlasom začali raziť mince

Nos Sigismundus dei

189
Stiborovci dobre ovládali český jazyk slovom i písmom. List z roku 1422

190
Kráľ Žigmund sa v boji proti husitom veľmi spoliehal na bratislavských mešťanov. Obnovil im mestské privilégium

192
Sídlom Jana Jiskru z Brandýsa bol Zvolenský hrad

Po smrti Žigmunda a jeho zaťa Albrechta nastúpili v našej krajine boje o moc. Z nich vyrástlo bratrícke hnutie ako vzdialená odozva husitského Tábora.

193
Bratríci ovládli veľkú časť Slovenska. Základy opevneného tábora v predhradí Spišského hradu (pohľad po rekonštrukcii)

194
Bratríci – bratia Brcálovci – držali hrad Kežmarok

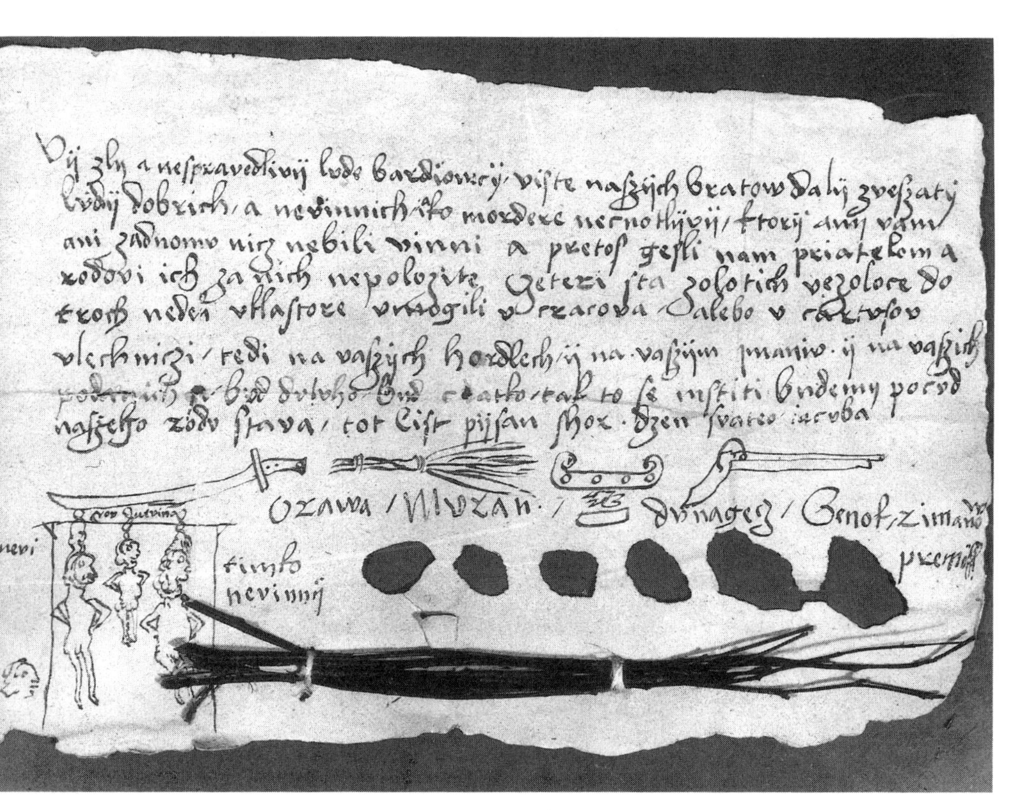

Vij zly a nespravedlivij lude bardiowcij, viste naszijch bratow dalij zveszatij
ludij dobrich a nevinnich iako mordere nernothyvij, ktorij anij vam
ani zadnomo nicz nebili vinni a pretos gesli nam priatelom a
rodovi ich za nich nepolozite cžeteri sta zolotich v zolote do
troch nedel v klastore vmdgili v zarova alebo v raktvsov
vlchnici, tedi na vaszijch hordlech ij na vaszijm imaniv ij na vaszich
poddanich ... bud dluho bud kratko, tak to se msztiti budemij porad
naszeho rodv stava, tot list pissan shor. dzen svateo iacuba

Ozawa / Niuzan / Dunagez / Genok / Ziman ...

nevi ... tinto nevinnij ... premiss

195
Odboj slovenského ľudu, ktorý vyvolalo bratrícke hnutie, dostal vyjadrenie v zbojníckom liste Fedora Hlavatého Bardejovčanom

196
O prvý úder bratríckemu hnutiu sa zaslúžil gubernátor Ján Huňady

197a
Nový panovník – Matej Korvín z Huňadovského rodu, zorganizoval koalíciu proti bratríckym bojovníkom a pričinil sa o rozbitie hnutia

197b
Štátny znak na minci Mateja Korvína

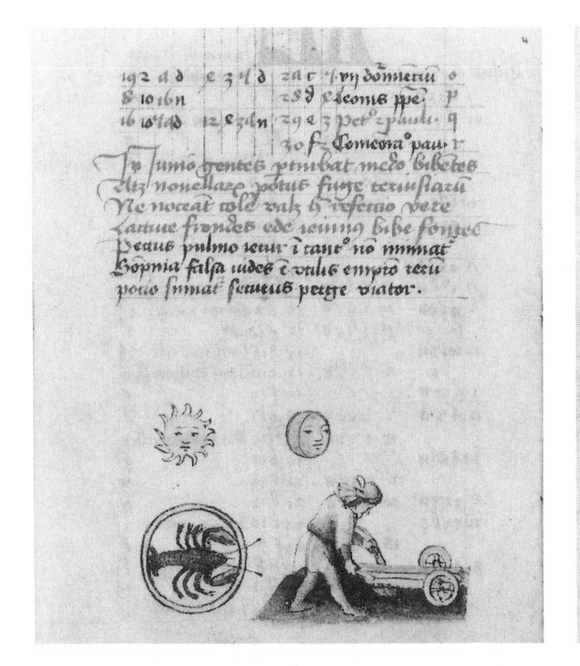

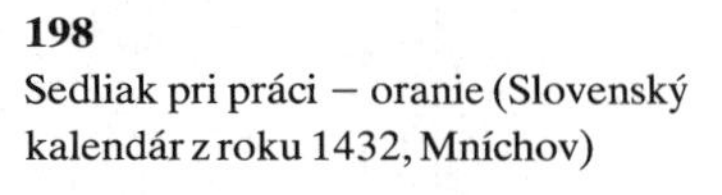

198
Sedliak pri práci – oranie (Slovenský kalendár z roku 1432, Mníchov)

199
Kosenie trávy

Bratrícke hnutie predznamenávalo hlbokú krízu feudálnej spoločnosti, ktorú sa snažili riešiť na úkor poddanského ľudu. Ten sa proti panskej svojvôli bránil a jeho zápas vyvrcholil v sedliackej vojne pod vedením Juraja Dóžu.

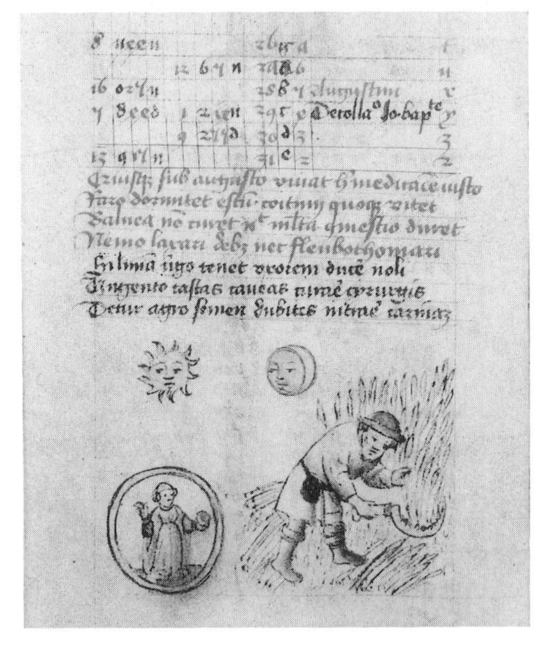

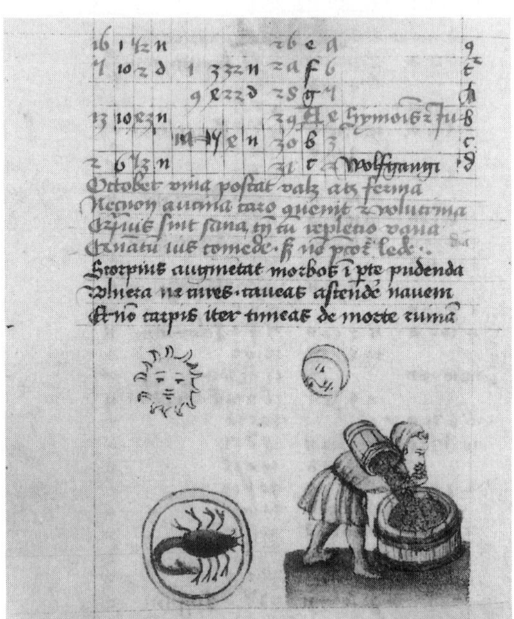

200
Žatva kosákom

201
Vinobranie

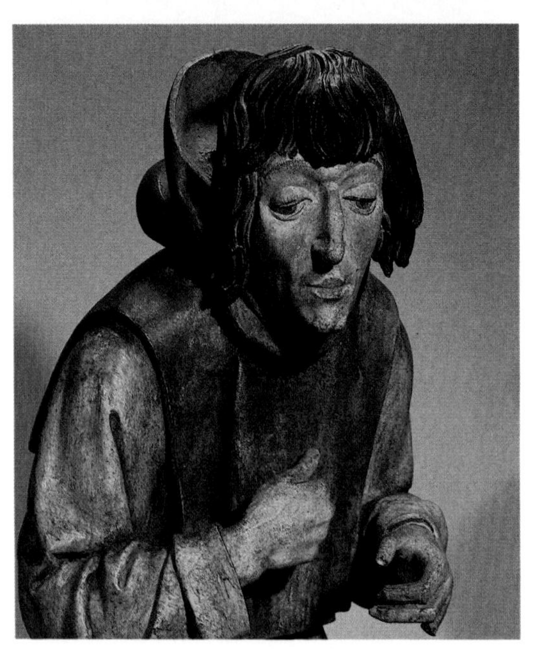

202
Pastier (postava z oltára majstra Pavla v Levoči)

203
Slovenskí sedliaci (z oltárneho obrazu v Sásovej)

204
Bojovník z Dóžovho sedliackeho vojska

205
Upálenie vodcu vzbúrených sedliakov – Juraja Dóžu

206
Prvý kancelárom Academie Istropolitany bol Ján Vitéz

207
Budova, v ktorej v Bratislave sídlila nová univerzita (na dnešnej Jiráskovej ulici)

208
Jedným z najvýznamnejších profesorov bol učenec európskeho formátu – Regiomontanus

Počiatky humanizmu a renesancie na Slovensku viedli k záujmu o vzdelanie a o založenie prvej univerzity v našej krajine. Nazývala sa Academia Istropolitana.

209
Vicekancelár univerzity – neúnavný organizátor z bratislavskej kapituly – J. Schomberg (podobizeň z náhrobného kameňa, Bratislava)

210
Učenosť sa stala atribútom doby (kachlica s postavou učenca z Košíc)

211
Muž s knihou (Bojnice)

213
Učiteľ a žiak (miniatúra z Gratianovho kódexu z Kapitulnej knižnice z Bratislavy)

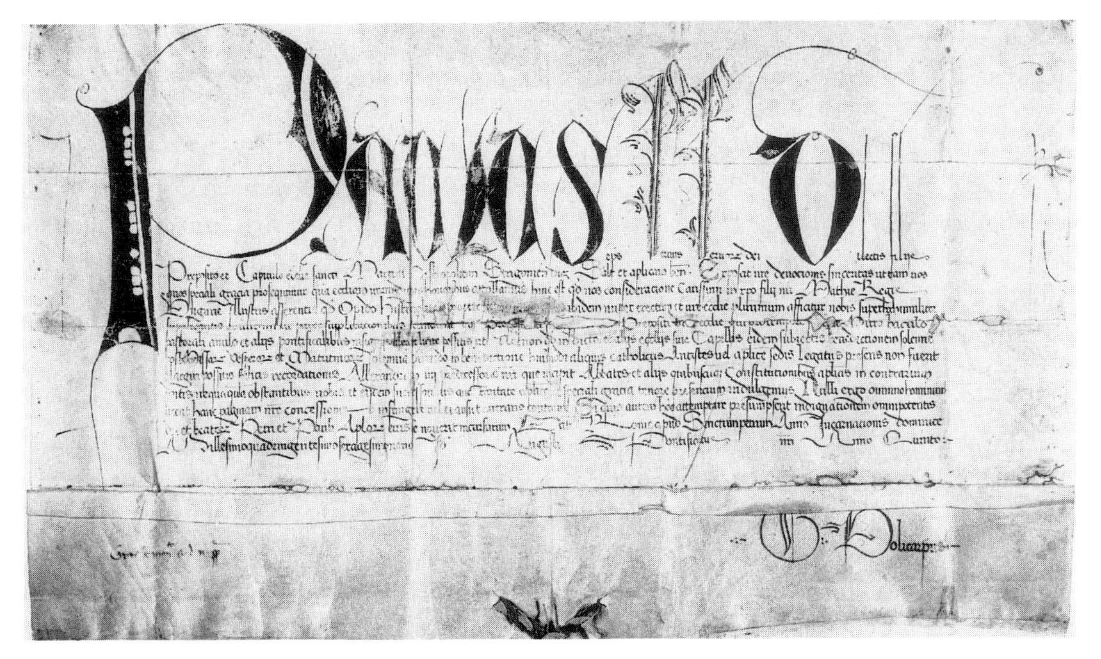

212
List pápeža Pavla II. bratislavskej kapitule ako správcovi univerzity. Povoľuje im právo používať biskupské insígnie

Zápas s osmanským polmesiacom

Po nájazdoch Mongolov sa jedna čať z tohto türkského plemena (odtiaľ ich názov – Turci) uchytila v Malej Ázii a dostala kus krajiny na svoje používanie ako léno. V priebehu 13.–14. storočia, keď na čele tohto – zatiaľ neveľkého – štátu stál panovník Osman (odtiaľ ich druhý názov – Osmani), začali sa mocensky presadzovať a viesť celý rad výbojných vojen. Oslabená Byzantská ríša im na to navyše dávala dobrú príležitosť. Tretí osmanský sultán Murad I. obsadil časť Macedónie, Bulharska a v bitke na Kosovom poli (1389) porazil aj mocný srbský štát. Tým sa Osmani definitívne uchytili aj na európskej pevnine a začali písať kus európskych dejín. V dvoch ďalších veľkých bitkách proti nim bojovali už aj Slováci. Bolo to pri Nikopole v Bulharsku, kde uhorské vojská vedené Žigmundom Luxemburským utrpeli krutú porážku. Po nej sa panovník zachránil len na lodi, ktorá pristála až v Konštantínopole. Druhá bitka bola na bulharskom pobreží pri Varne, kde Murad II. porazil uhorských a poľských križiakov a v boji zahynul i mladý uhorský kráľ Vladislav Jagelovský. Muradov nástupca potom dobyl aj hlavné mesto Byzantskej ríše – Konštantínopol (roku 1453), čím urobil definitívny koniec voľakedy slávnej a mocnej ríše. A aby po nej nezostalo ani pamiatky, Konštantínopol premenovali na Istambul. Už prvé skúsenosti našich predkov s formujúcim sa osmanským impériom boli teda viac ako varovné.

Osmanská ríša bola vojensko-feudálnou despociou, ktorá sa dobre poučila z organizácie života i spoločnosti Byzantíncov. Expanziu živil systém vojenských lén, pričom bojovú slávu zabezpečovali mládenci kresťanského pôvodu obrátení na islam – janičiari. Spoločnosť prešla k usadlému spôsobu života a aristokracia zanechala mravy drsných kočovných náčelníkov. V jej živote nastúpil zjemnelý prepych a nádhera. Koncom 15. storočia sa turecký štát už stal jednou z veľmocí, ktorá nielenže na pol tisícročia určovala osudy balkánskych Slovanov, ale s ktorou sa čoskoro museli konfrontovať takmer všetky európske štáty. Neobišlo to ani uhorský štát a v ňom nás – Slovákov i naše Slovensko. Prišlo to nakoniec skôr, než sme očakávali.

V lete roku 1526 už proti sebe na rovinách pri Moháči stoja dve veľké armády: sultán Süleyman, ktorý má prevahu v počte mužov, v delách i ostatných strelných zbraniach – a spojené vojská uhorského kráľa Ľudovíta II. Jagelovského. Výsledok bitky, v ktorej uhorské vojsko nebolo rovnocenným partnerom, demonštroval víťaz nielen tým, že na bojisku zoradil dvetisíc odrezaných hláv uhorských bojovníkv a pri nich usporiadal vojenskú prehliadku, ale aj príkladným pustošením krajiny. Vtedy sa turecké vojská po prvý raz objavili na dnešnej slovensko-maďarskej hranici v Poiplí a málokto bol vtedy ešte ochotný veriť, že sme dostali na najbližších 150 rokov nového suseda, pritom suseda veľmi nepríjemného i nenásytného. Po moháčskej bitke sa sultán ešte musel z našej krajiny vrátiť domov, aby riešil krízovú situáciu vo svojom štáte. Myšlienky na obsadenie Uhorska sa však už nevzdal. Pri jeho zámeroch mu priala aj vnútropolitická situácia v krajine. Pri Moháči totiž zahynul uhorský kráľ a krajina sa stala predmetom vladárskeho súperenia. Turci vždy vystupovali na strane tzv. „národného" kandidáta, ktorým bol Ján Zápoľský. V Uhorsku bol však korunovaný aj protikráľ – Ferdinand Habsburský. Občianska vojna, ktorá zo súperenia týchto dvoch panovníkov vzišla, dávala dostatok priestoru i možností osmanskej vláde zasahovať nielen politicky, ale aj vojensky. A tak už tri roky po Moháči tiahnu turecké vojská na Ferdinandovo sídlo, na Viedeň. Neúspech tejto výpravy ich v ničom neodradil. V septembri 1530 smederevský beg Mehmed prekročil Dunaj pri Ostrihome a vpadol na Slovensko. Troma prúdmi – povodím troch slovenských riek Nitry, Váhu i Hrona – sa pustilo turecké vojsko po našej krajine. Pevnosti, hrady a mestá obchádzalo, o to viac stonal vidiek. Slovenský ľud po prvý raz tvrdo pocítil pustošiacu ruku tureckej moci. Z vypálenej krajiny po týždennom vyčíňaní hnali Turci mnoho dobytka, ale najmä niekoľko desiatok tisíc zajatcov ako cenný tovar na otrokárske východné trhy. Taký bol september onoho pamätného roku. Turci drancovali až v okolí Bojníc, Piešťan a Hronského Beňadiku. Len v Nitrianskej stolici vyše 80 dedín ľahlo popolom.

Trvalým nebezpečenstvom sa pre nás stali Turci po tom, ako dobyli Budín (roku 1541). Zo stredného Maďarska sultán Süleyman totiž utvoril samostatnú a trvalú provinciu – pašalik, ktorú spravovali budínski pašovia. Sedmohradsko zostalo v rukách syna Jána Zápoľského a „zvyšok zvyškov", ako posmešne nazývali zostávajúcu časť Uhorska, pripadol Ferdinandovi Habsburskému. Strediskom Uhorského kráľovstva sa namiesto Budína stala Bratislava, kde zasadal snem a kde aj korunovávali uhorských kráľov. Slovensko sa stalo aj duchovným centrom štátu po tom, ako Turci obsadili Ostrihom a arcibiskupstvo sa prenieslo do Trnavy. Politicko-spoločenská váha Slovenska tak nepochybne stúpla. Druhou stranou tejto mince však bola skutočnosť, že Osmanská ríša postupne posúvala svoje hranice stále viac do vnútra nášho Slovenska, pričom tu vytvárala nové a nové správne obvody – sandžaky. Tak vznikol ostrihomský, novohradský, sečiansky, fiľakovský a neskôr nevyhlásený, no skutočný – novozámocký. Tým sa južné Slovensko stávalo nielen najsevernejšou hranicou rozsiahleho Osmanského impéria, ale aj trvalým bojovým poľom, nástupiskom výprav smerujúcich hlboko do našej krajiny. Najmä stredoslovenská banská oblasť so svojimi strategickými surovinami na výrobu zbraní, ale aj ako nálezisko drahých kovov neustále lákala tureckých veliteľov.

Rýchly posun hraníc Osmanského impéria na sever i na západ nemohol nechať ľahostajne spávať ani obyvateľstvo iných stredoeurópskych národov. A tak, keď začali Habsburgovci organizovať obranu slovensko-tureckej hranice, najprv dobrovoľne, neskôr už i povinne prispievali na budovanie nového fortifikačného systému. Stratégia techniky i taktiky boja, v ktorej začalo dominovať delostrelectvo, si vyžiadala i nový typ pevností. To, čo dovtedy bolo narysované v najvyspelejších ateliéroch európskych architektov, po prvý raz sa staviteľsky realizovalo na Slovensku. Tak vznikali ideálne renesančné pevnosti, už nie na vysokých bralách, ale rozložené v nížinnej krajine, v nárožných bastiónoch vybavené delami, obohnané širokými vodnými priekopami a podobne. Jedinečne opevneným renesančným mestom sa napríklad stali Nové Zámky, pod ktoré sa staviteľsky podpísali Taliani – bratia Baldigariovci. Ale aj mnohé iné slovenské mestá a hrady dostávali novú fortifikačnú podobu, v krajine sa stavali strážne veže – vartovky a iné. Európski novinári, ako nová rodiaca sa profesia, sú vysielaní na bojovú hranicu, aby prinášali svojim čitateľom najnovšie správy, aby v novinách ukazovali podoby pevnostných zariadení, výjavy z bojov, spôsob života v našej krajine atď. Slovensko sa tak ocitá v strede európskej pozornosti, a to v prvom rade ako krajina, ktorá zastavila osmanskú rozpínavosť. Menej sa však už hovorí o tom, že najväčšia ťarcha obrany európskej civilizácie leží na bedrách prostého slovenského obyvateľstva, ktoré hrdinsky znáša príkoria vojny. Na hranici sa bojuje aj vtedy, keď je oficiálne uzavretý mier. Je to drobná každodenná gerila zameraná na korisť a na ničenie územia protivníka. Pritom hranica záujmov oboch bojujúcich strán nie je vonkoncom pevná. Dane, dávky a poplatky vymáhajú od obyvateľstva obe strany, s väčšou agresivitou osmanskí správcovia pohraničných sandžakov. Svedčí o tom množstvo výhražných, ba priam výpalných listov adresovaných richtárom dedín a predstavenstvám miest. Je len pochopiteľné, že život na turecko-slovenskej hranici sa stal neistým, nastúpilo vyľudňovanie a zložité migračné posuny. Nás, Slovákov, tentoraz – ako už v mnohých iných historických dobách – zachránili hlboké lesy a doliny, kam sme sa utiahli, aby sme prežili. Naopak, na južné Slovensko sa tlačí maďarské obyvateľstvo, čím sa nadlho na sever posúva etnická hranica maďarských enkláv. Prichádza však aj srbské, ale najmä chorvátske obyvateľstvo, ktoré zasídľuje poľnohospodársky vidiek. Šľachta z južných stolíc Uhorska sa zas usadzuje za múrmi našich miest, kde sa cíti bezpečnejšie a kde si buduje svoje nové sídla, paláce. Odhaduje sa, že Slovensko muselo v tom období živiť takmer dve tretiny uhorskej šľachty, ktorá sa vtlačila aj do ekonomiky miest a pozmenila mozaiku každodenného života v nich.

Slovensko je v tom čase vysoko urbanizovanou krajinou. Okolo 160 lokalít má nepochybne mestský charakter a prežíva dobu obvyklej konjunktúry vyvolanej vojnou. Rastie nielen počet obvyklých spotrebiteľských remesiel, ktoré uspokojujú požiadavky domáceho trhu a mestského okolia, ale narastá výroba v takých remeselných odvetviach, ktoré zásobujú armádu. Sú to predovšetkým textilné odvetvia, spracovávanie koží a dreva, kovovýroba každého druhu, medzi nimi najmä výroba pušiek a diel, pre ktoré má Slovensko dostatočnú surovinovú základňu. Mestá, medzi nimi najmä slobodné kráľovské mestá, ako celok bohatnú. Vidno to už na ich vzhľade. Prebudúvajú sa mestské centrá, stavajú sa nové radnice i meštianske domy. Výstavbu i výzdobu pritom poznačil nový myšlienkový i umelecký smer – renesancia. Jej nepochybným prínosom bolo estetické usporiadanie mestských priestorov, námestí, ulíc i domov – ako o tom dodnes svedčia historické jadrá našich najstarších miest.

Stredoveké mesto tejto doby nežije svojím pevným, sociálne harmonickým životom, ako by sa na prvý pohľad zdalo. Narastanie počtu námezdne pracujúcich, nádenníkov i chudoby v meste posilňuje ich závažnosť nielen v hospodárskom, ale i sociálnom živote. Zvýšená nespravodlivosť vedie k sérii nepokojov, ba i povstaní. Najmohutnejším sociálnym výbuchom v celých našich stredovekých dejinách je povstanie baníkov v stredoslovenských banských mestách v rokoch 1525–1526. Je to súčasne prvé sociálne vystúpenie námezdne pracujúcich, predchodcov robotníckej triedy. Povstanie trpelo nízkou organizovanosťou a navyše spojenie mestského patriciátu so šľachtou i represívnymi orgánmi štátu viedlo k tomu, že bolo krvavo potlačené. Zostalo však ako svetlá tradícia bojov pracovitého ľudu v celých našich stredovekých dejinách.

Habsbursko-osmanský vojenský zápas hospodársky využíva i domáca šľachta. Zúčastňuje sa na zásobovaní armády chlebom, mäsom i vínom. Aby tieto základné tovary mohla dodávať vo veľkom, organizuje hospodárenie vo vlastnej réžii. Je to nová forma tovarovo-peňažného hospodárenia, ktorú si stále viac a viac vynucuje formovanie celoeurópskeho, ba už i celosvetového trhu, ktorý začal rozleptávať staré hospodárske formy feudálneho spoločenského systému ako celku. Šľachta v našej krajine sa novému vývinu prispôsobuje aj vonkajškovo. Zišla zo starých gotických hradov postavených na skalných bralách a začala si budovať prepychové renesančné paláce na rovine, blízko svojich majerov. Začala posielať svoje deti na štúdiá do cudziny, na univerzity, aby popri vedomostiach získali i obraz o nových cestách a podobách života na európskom západe. V zhode s celkovým vývojom upadajú staré šľachtické rody a v službách kráľa i dvora bohatne nová skupina šľachty, ktorá vzišla poväčšine z drobných zemepánov alebo aj meštianstva. Časť šľachty využíva nepokojnú dobu, neuznáva nijakú vrchnosť a dáva sa na obyčajný zboj. Na Slovensku sa veľmi darilo týmto podnikavcom, ktorí vošli do našich dejín pod príznačným názvom – lúpežní rytieri.

V prvej polovici 16. storočia sa aj na Slovensku začala šíriť reformácia. Jej predstavitelia odmietali autoritu pápeža, koncilov a za zdroj viery považovali len samu bibliu. Usilovali sa o odstránenie vonkajškovej nádhery v kostoloch, zjednodušili obrady, kňazi si vymohli právo oženiť sa a založiť rodinu. Vo svojej základnej podobe reformácia predstavovala ideológiu meštianstva a v ňom sa i najrýchlejšie šírila. Na Slovensku to bolo v stredoslovenských banských mestách a na východe krajiny, lebo tieto mestá vzhľadom na svoje etnické zloženie udržiavali najčulejšie styky s Nemeckom. Podporovali ju aj študenti, ktorí sa vracali z nemeckých univerzít. Reformácia vyhovovala i potrebám šľachty, lebo im dávala možnosť sekularizácie cirkevného majetku. Poddaní v rámci reformačnej ideológie vyznávali najradikálnejšiu protifeudálnu doktrínu, no po ich porážke v nemeckej sedliackej vojne zvíťazila nakoniec umiernená reformácia, ktorá našla vhodné cesty ako sa integrovať do feudálneho spoločenského poriadku. Preto aj v našej krajine sa ujíma najmä táto umiernená reformácia luterovského typu, ktorá sa veľmi rýchlo šíri tak v mestách, ako aj medzi šľachtou. Poddaní sú už potom len nútení vyznávať „vieru“ svojho zemepána. Reformácia má v Uhorsku dobre pripravenú pôdu. Krajina je v rozvrate, ktorý postihol i cirkev a jej organizáciu. V bitke pri Moháči zahynuli obaja arcibiskupi a päť biskupov. Ani Habsburgovci, ktorí vždy stáli vzorne na strane Ríma, nemohli veľmi radikálne proti nej zakročiť. Meštianstvo zo Slovenska – bašta protestantizmu – bolo totiž ich najsilnejším politickým spojencom v zápase o uhorský trón. Vieroučná organizačná štruktúra luteránstva na Slovensku sa napriek tomu konštituovala len pomaly. Až na žilinskej synode roku 1610 sa ustanovila evanjelická cirkev augsburského vyznania.

Umiernená reformácia musela zápasiť s radikálnymi formami reformácie, ktoré sa v Uhorsku tiež šírili. Bol to kalvinizmus, ktorý zasiahol aj kus východného Slovenska, ale najmä novokrstenectvo (anabaptizmus), trinitári, antitrinitári, ktorí sa nazývali tiež unitári a podobne. Najviac sa rozšírili novokrstenci (anabaptisti), ktorí mali svoje stredisko tak na Spiši, ako aj na západnom Slovensku v okolí Sobotišťa. Tu ich Slováci nazývali aj „habáni“ a dobre sa zapísali do dejín remesla ako vynikajúci keramikári, nožiari atď.

Od druhej polovice 16. storočia sa aktivizuje aj katolícka cirkev. Usiluje sa zastaviť vlnu protestantizmu a získať stratené pozície. K protireformačnému boju si prizýva aj novú bojovú reholu – jezuitov. Tým sa postupne darí doviesť naspäť „do lona“ katolíckej cirkvi časť šľachty a s nimi aj jej poddaných. Strediskom protireformácie sa stala Trnava, v tom čase cirkevné stredisko uhorského kráľovstva.

Reformácia i protireformácia pre svoje ciele využívajú nové európske ideové prúdy – humanizmus i renesanciu, a to tak pre otázky vieroučné, ako aj široko kultúrne. Zápas znepriatelených náboženských síl o dušu veriaceho vedie k tomu, aby sa oň uchádzali v zrozumiteľnom, národnom jazyku. Vzniká celý rad diel z literatúry, hudby, divadla, knižnej kultúry, čo všetko predznamenáva zmenu štruktúry národnej vzdelanosti. Prudký rozvoj školstva umožňuje vzdelávanie stále širších a širších vrstiev spoločnosti. Pomocou kníhtlače sa šíria nielen náboženské spisy, ale aj učebnice a diela so svetskou tematikou. Dôležité miesto tu zaujíma obľúbený žáner – historické spevy, ľúbostná lyrika, polonáboženské veršované lamentácie a podobne. Boli to diela, ktoré prezentovali mienku širokých vrstiev spoločnosti. Vzniká nový druh historizmu s novým obsahom pojmu „vlasť, hrdinstvo“. Do tejto pokladnice národnej kultúry v rozsiahlej miere prispieva sám ľud, ktorý v piesňach, baladách i povestiach vyrozprával žiale, ktoré mu priniesli osmanské vojny, ale vyzdvihol aj bezmedzné hrdinstvo pri obrane svojej krajiny, životov najbližších, svojich domovov. Pestuje sa národný jazyk ako atribút upevňujúceho sa národa.

Rok 1526, ktorý sa stal medzníkom v stredoeurópskych dejinách, výrazne poznačil aj politické a administratívno-kultúrne dejiny Slovenska a Slovákov.

214
Zemepisná predstava o Slovensku na Lazarovej mape

215
Bitka pri Moháči, v ktorej osmanské vojská porazili spojenú uhorskú armádu

216
Ľudovít II. zahynul v moháčskych močiaroch; po jeho smrti nastali zápasy o uhorský trón

217, 218
Ferdinand Habsburský a Ján Zápoľský – hlavní protagonisti občianskej vojny

219
Sultán Süleyman vďačne zasiahol do zápasov o uhorský trón

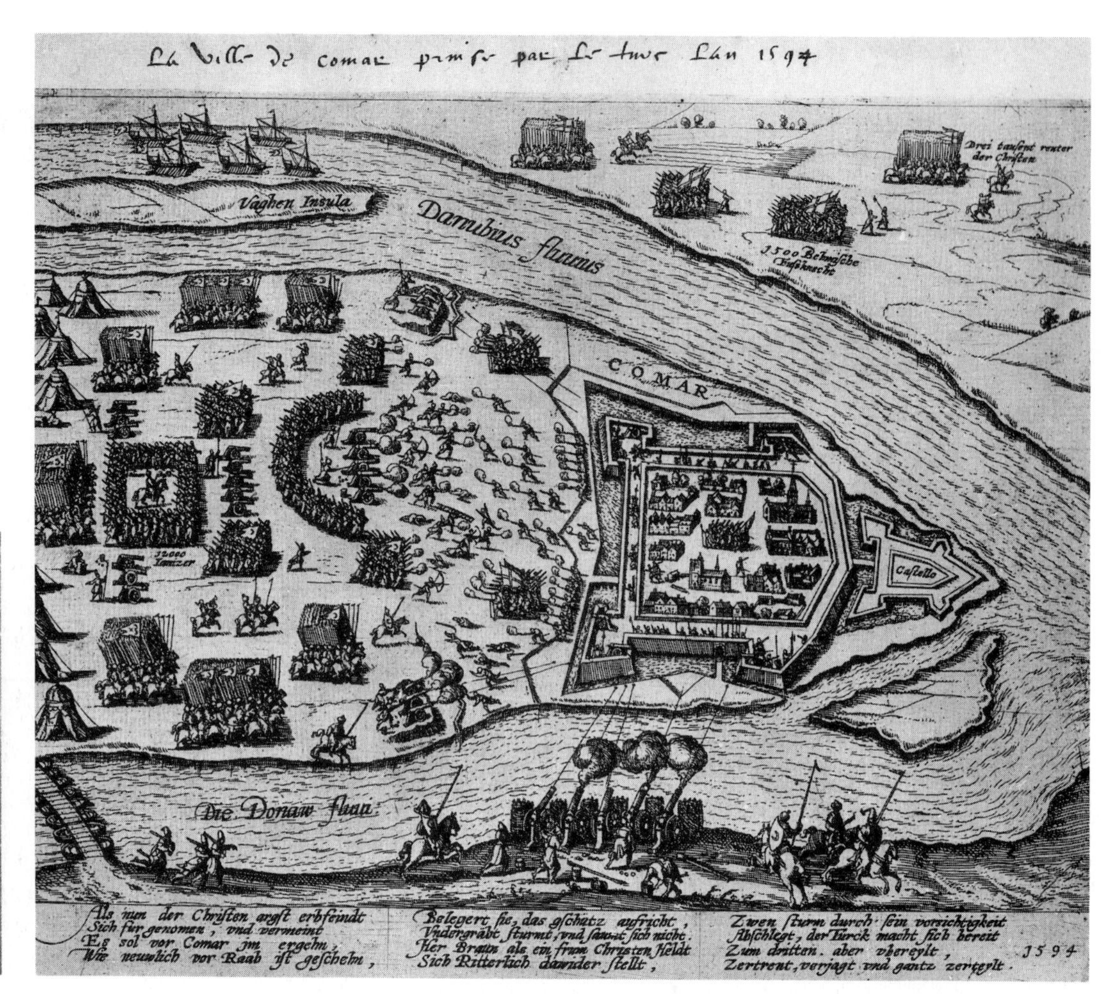

220
Komárno – významná protiturecká pevnosť na Dunaji

221
Nové Zámky – moderná protiturecká pevnosť, dielo bratov Baldigariovcov z Itálie

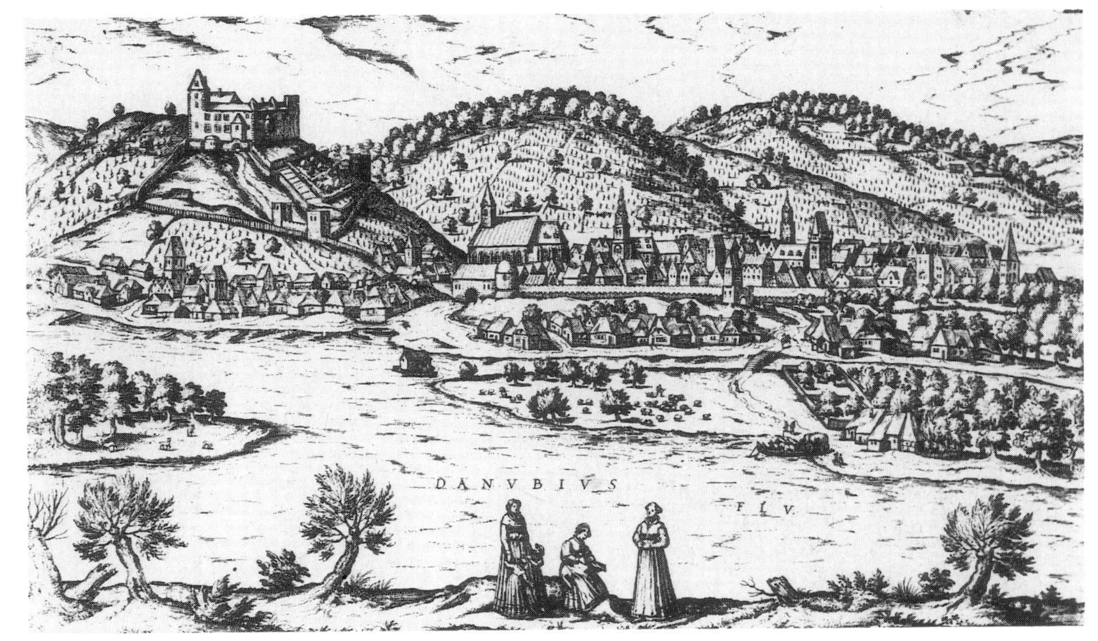

222
Pohľad na Bratislavu z roku 1593

223
Bratislavský hrad sa po dobytí Budína Turkami (roku 1541) stal rezidenciou uhorských kráľov z rodu Habsburgovcov

Po rozdelení Uhorska na tri časti sa Bratislava stala politickým strediskom Uhorského kráľovstva. Zasadal tu krajinský snem, korunovávali uhorských kráľov.

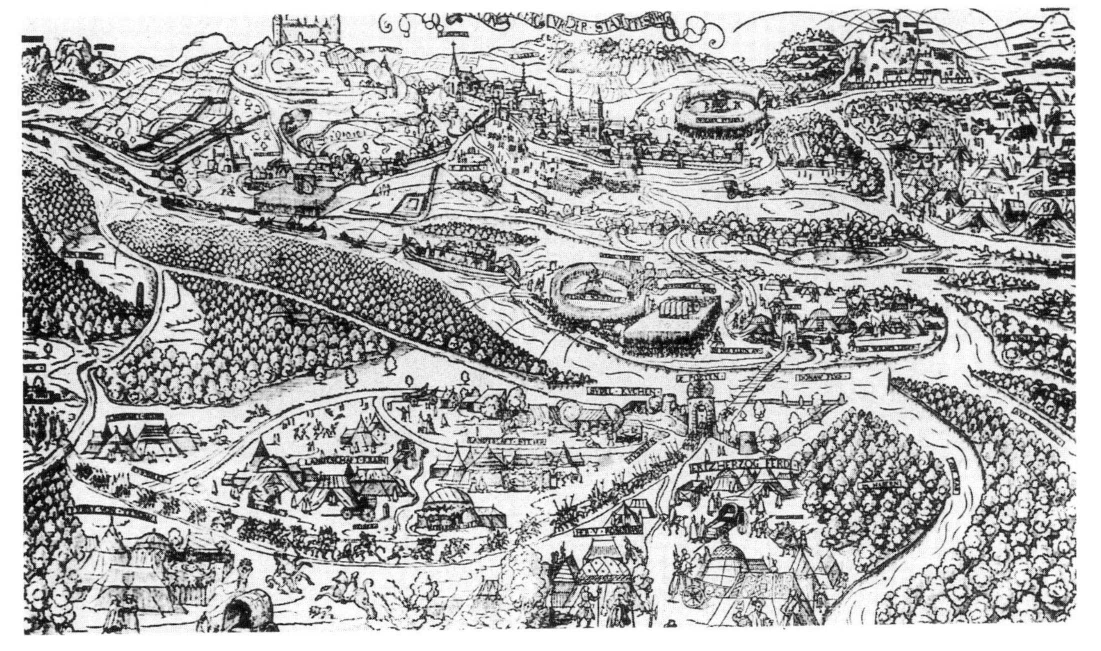

224
Z bratislavských mestských brán sa zachovala len Michalská. Základy sú už zo 14. storočia, neskôr ju viackrát prestavovali

225
Korunovačný tábor pred Bratislavou pri korunovácii Maximiliána II. roku 1563

229
Janičiari pri slávnostnom pochode

230
Zdobená vojenská prilba z tureckých čias
a) Komárno
b) Bojnice

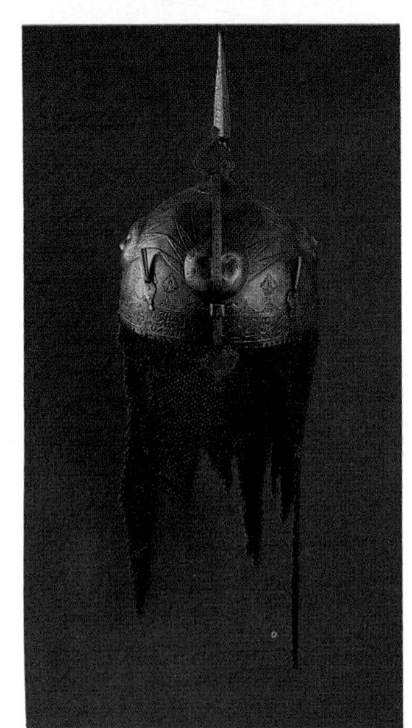

Osmanské vojny spôsobili, že Slovensko sa stalo permanentným európskym bojiskom, na ktorom sa vyskúšala stratégia, taktika i technika súdobého vojenstva.

226
Strážna veža – vartovka proti Turkom pri Krupine

227
Uhorskí pohraniční velitelia

228
Osmanský jazdec (drevorez z roku 1529)

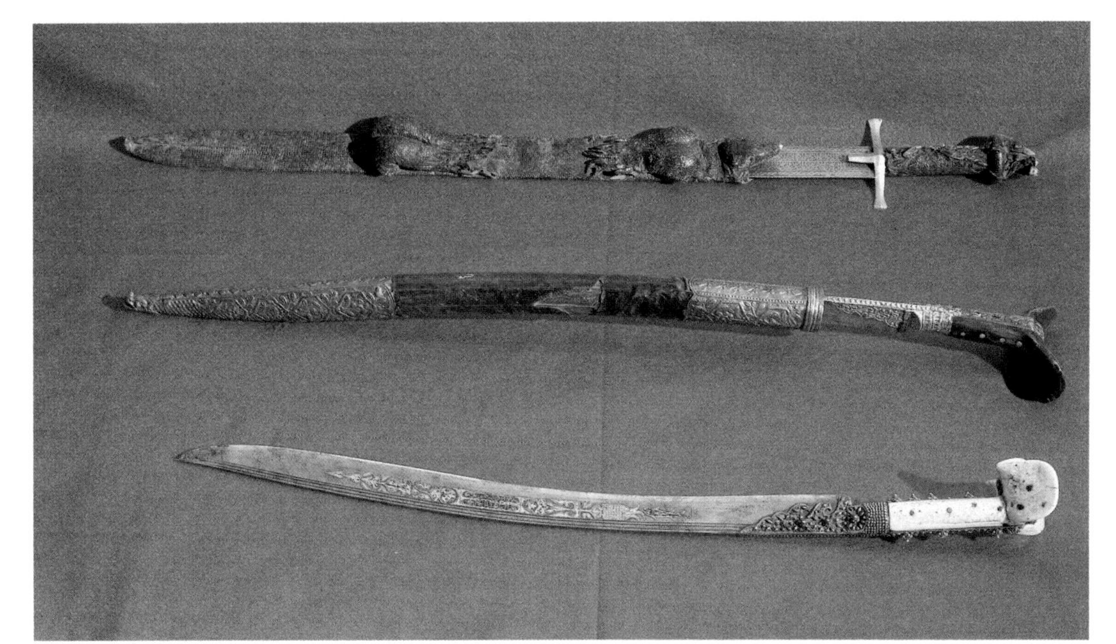

231
Šable s ozdobnými rukoväťami a puzdrami (Bojnice)

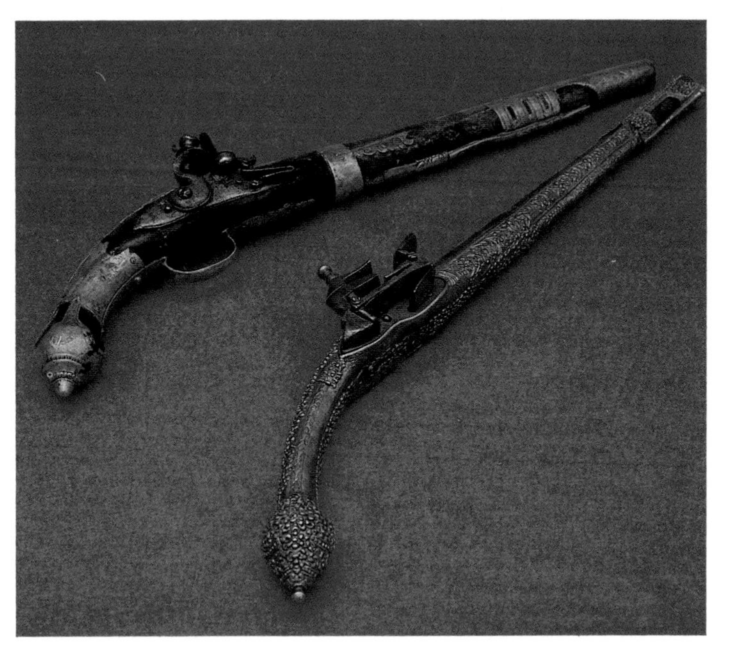

232
Pušky s ozdobnými pažbami (Bojnice)

233
Pištole (Bojnice)

234
Ľahké delo (Betliar)

235
Uhorskí bojovníci v 16.–17. storočí

236a, b
Zo života na slovensko-osmanskom pomedzí

237
Mikuláš Zrínsky (1518–1566), legendárny hrdina protitureckých bojov (Bojnice)

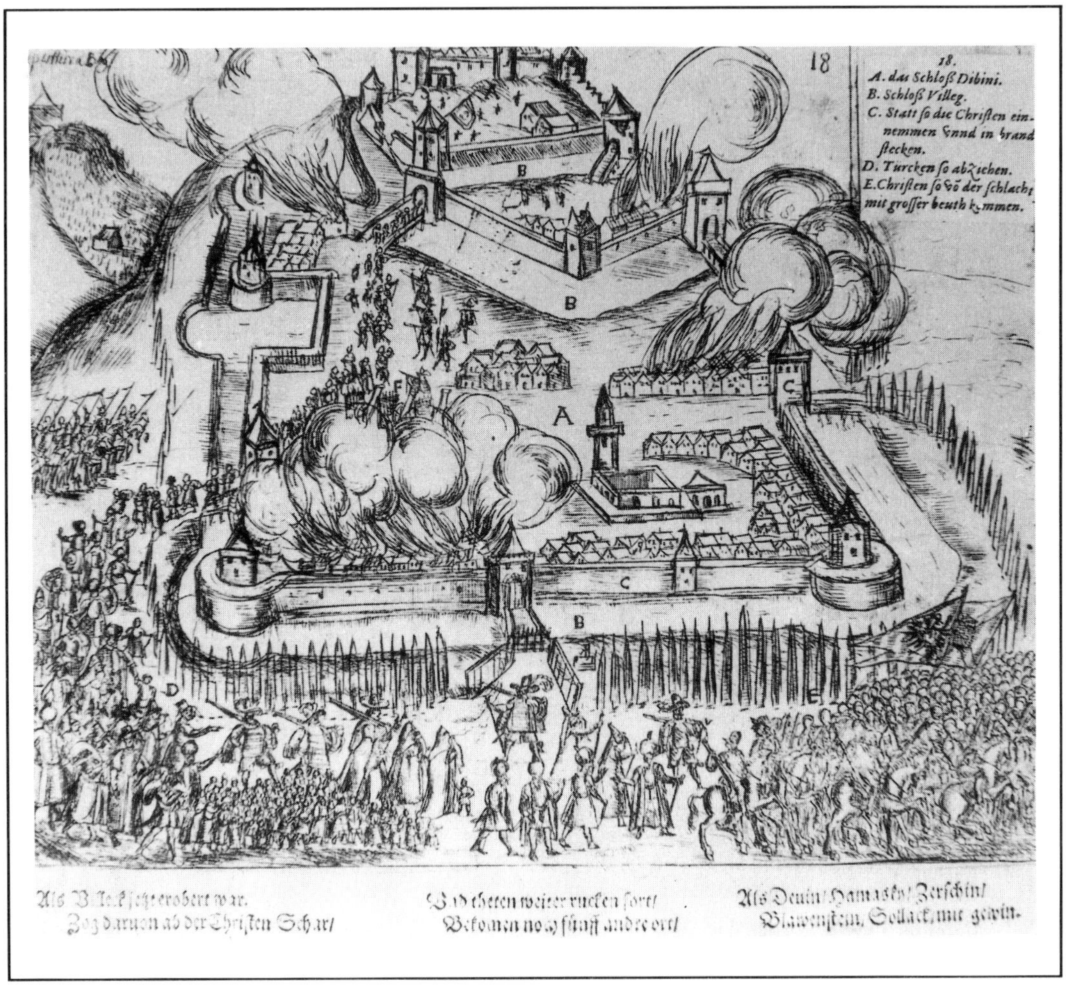

238
Bitka o hrad Fiľakovo

239
Protiturecká pevnosť – hrad Divín

240
Hrad Šomoška na slovensko-osmanskej hranici

241
Pohľad na Banskú Štiavnicu z roku 1676

V dobe osmanských vojen sa prudko mení vzhľad našich miest: Spevňujú sa fortifikácie, do ich stavebnej podoby vstupuje renesancia.

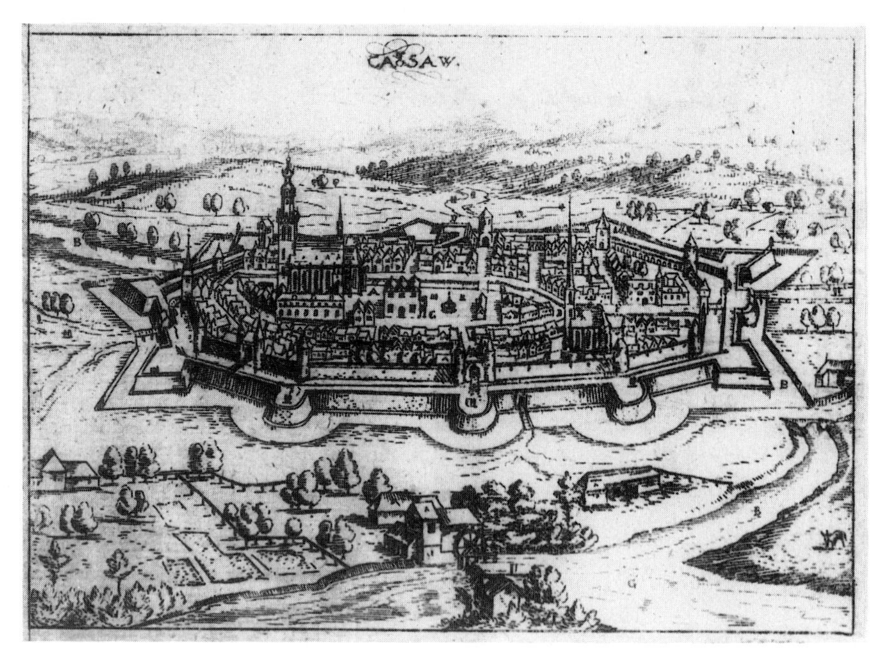

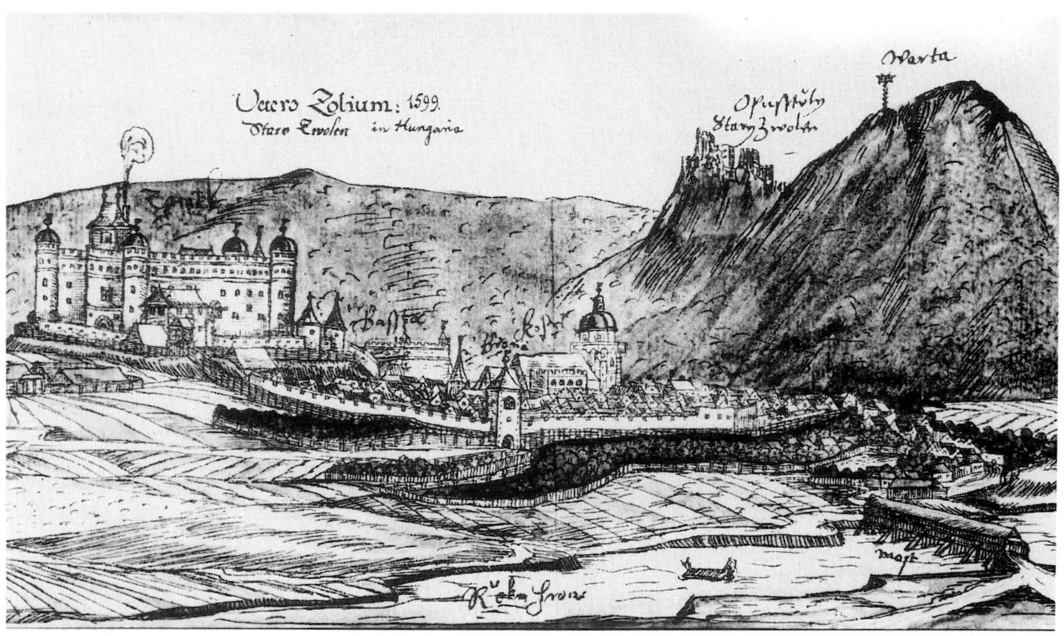

242
Košice okolo roku 1600

243
Zvolen z roku 1599

244
Nitra – pohľad z roku 1663

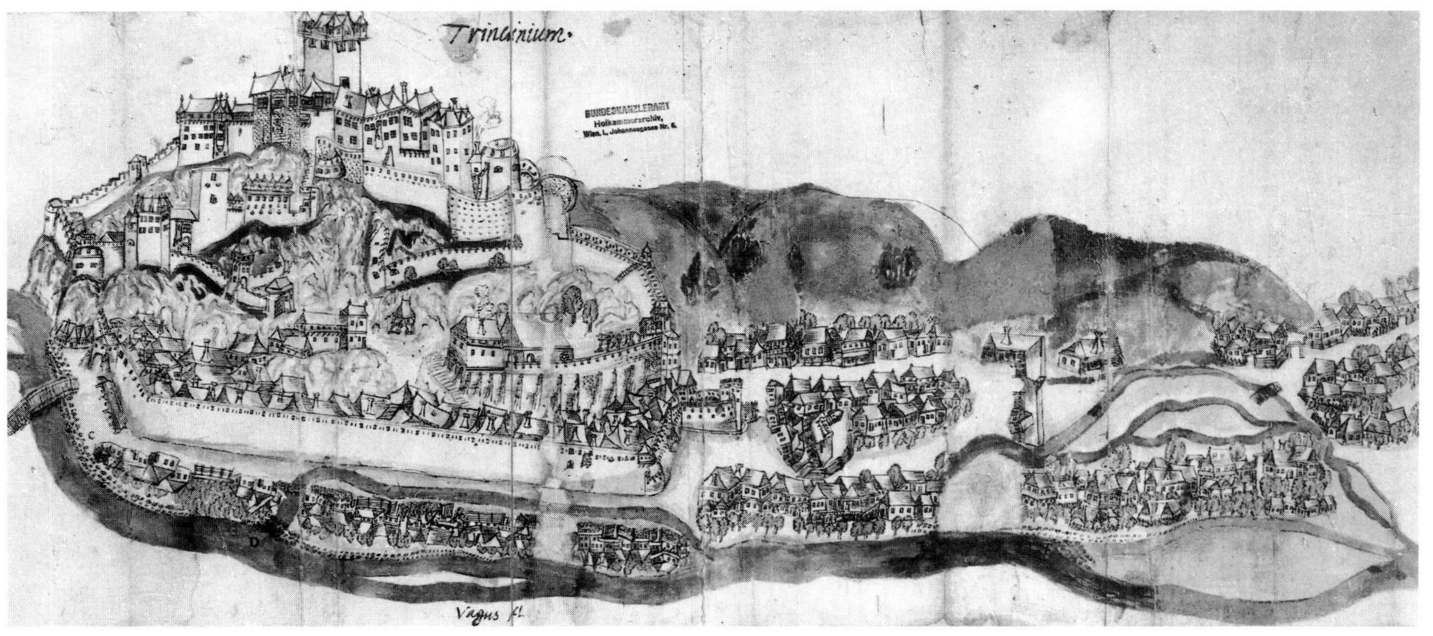

245
Plán mesta Trenčína s novým opevnením

246
Renesančná prestavba Bratislavského hradu z polovice 16. storočia

247
Bohato oblečený šľachtický pár (Sásová)

248
Kľačiaci šľachtic v honosnom obleku (Rakúsy)

Slovenská spoločnosť v 16.–17. storočí prežíva zložitú dobu bohatstva i biedy. Zasiahlo to všetky vrstvy spoločnosti, no z pohnutých dôb najviac vyťažila šľachta.

249
Obľúbená panská zábava – poľovačka so sokolom (drevená intarzia na skrinke, Červený Kameň)

250
Kúpeľ (Spišská Sobota)

251
Meštianka s čepcom (Spišská Sobota)

252
Zbrojnoš v koženom kabátci (Spišská Sobota)

253
Zasadnutie mestskej rady v Levoči (1697)

254
Honosný pokál s renesančným motívom (Bratislava)

Ideový a kultúrny život najviac poznačila reformácia a nastupujúca protireformácia vo všetkých svojich podobách.

255
Ochranca slovenských evanjelikov, palatín J. Thurzo (Oravský Podzámok)

256
Dom novokrstencov (anabaptistov), u nás zvaných tiež habáni (Veľké Leváre)

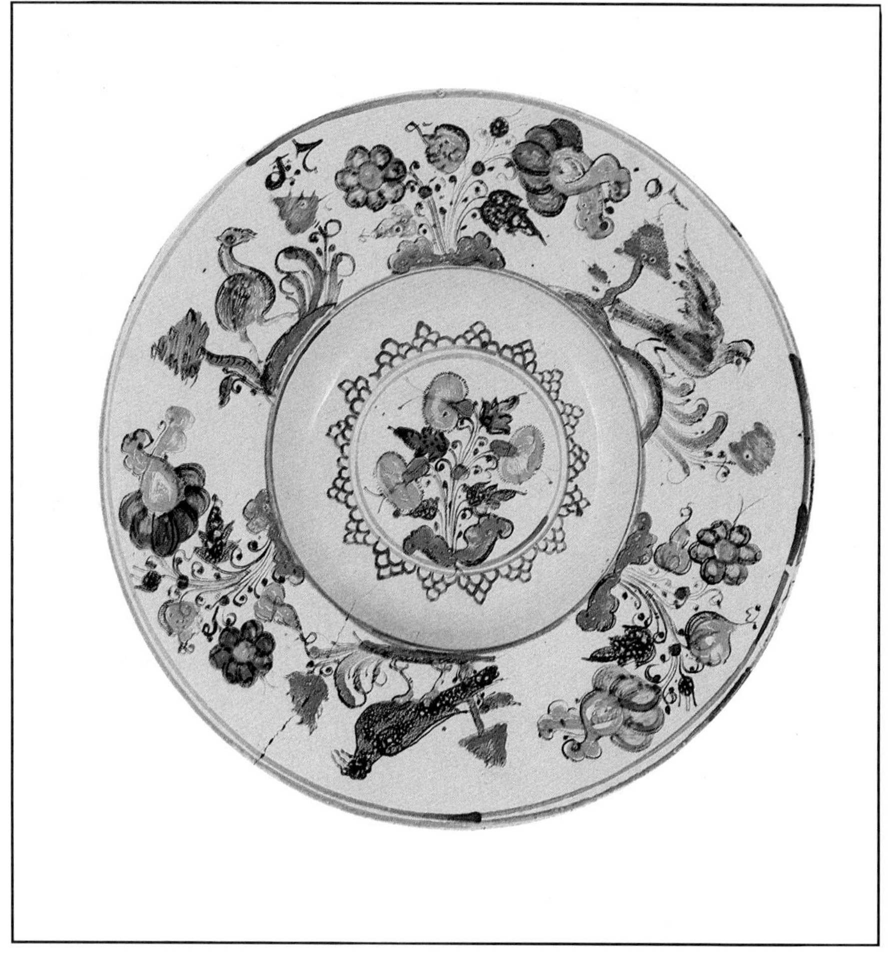

257, 258
Habáni boli zručnými majstrami, najmä hrnčiarmi

259
Evanjelický kostol v Kežmarku – pozoruhodná drevená stavba

260
Protireformačné centrum na Slovensku sa začalo formovať v Trnave (pohľad na mesto zo 17. storočia)

V ohni povstaní

Zložité a rozporuplné obdobie sme prežívali v 17. až začiatkom 18. storočia. V Európe sa intenzívne lámal chlebík historického pokroku, pri ktorom feudalizmus strácal svoju hospodársku silu i perspektívu a rodil sa nový svet kapitálu. Našu krajinu všetky tieto novoty obchádzali. Je pravda, že dlhé roky sme boli v pozornosti celej Európy. Bolo to však len divácke účastenstvo, ktoré vyvolávala vojna s Osmanským impériom. Vlastný vývoj to veľmi nezasahovalo. Krajina sa zmietala v hlbokej kríze a neukazovali sa ani najmenšie možnosti vyjsť z nej s úspechom. Naopak – nastupuje zaostávanie Slovenska za vývojom mnohých okolitých krajín, pričom ešte nikto nevedel, že to bude zaostávanie dlhodobé. Slovensko – pokladnica kovov a strategických surovín, krajina s vysoko štrukturovanou urbanistickou sústavou, čulým domácim i medzinárodným obchodom, krajina, v ktorej nechýbal ani biely pšeničný chlieb – po pustošivých tureckých vojnách skutočne strácala dych, zaostávala.

Storočie vojen – tak by sme mohli príznačne nazvať túto dobu – v prvom rade zničilo, vyhubilo a ožobráčilo základnú výrobnú silu spoločnosti, jediného tvorcu spoločenských hodnôt – človeka. Ešte niet presných štatistických údajov. Vieme však, že mnohé stolice stratili až polovicu svojho produktívneho obyvateľstva. A spravidla to bolo na juhu krajiny, na bohatých žírnych rovinách. V horských oblastiach prebytok obyvateľstva zas kosili hladomory, podvýživa, bieda, ktoré sa pridávali k vojnovým útrapám. Najťažšie bolo postavenie nechráneného vidieka. Po prechode armád – a bolo mnohokrát celkom jedno, či priateľských a či nepriateľských – zostávali vypálené dediny, vydrancované sýpky, zdecimovaný dobytok. Na obnovu života a hospodárstva ako soľ chýbal pokoj, mier, istota. A tých sa stále nedostávalo.

Stredoveké mestá a meštianstvo tiež začínajú strácať zo svojho dovtedajšieho postavenia. Zmena štruktúry európskych obchodných ciest po objavení Ameriky postupne vyraďuje slovenské mestá z diaľkového obchodu. K tomu pristupuje nedostatok kapitálu, ktorý v neistých dobách nedovoľuje rozvinúť do väčších rozmerov ani vlastnú výrobu. A keď k tomu prirátame nízku kúpyschopnosť obyvateľstva, tak ani v mestskej sfére sa vôbec nečrtá rýchle a jasné východisko z krízy. Špecifickým problémom je príchod šľachty za múry opevnených miest. Utieka sa sem najmä panstvo, ktoré z juhu uhorského štátu uteká pred Turkami. Obchodným a remeselníckym podnikaním sa potom takáto šľachta zapája do ekonomiky mesta, využíva svoje privilégiá a načisto rozleptáva štruktúru dovtedajšej mestskej sústavy, samosprávy, života. Mestá sa stávajú semeniskami sporov, ktoré nezriedka dostávajú aj nacionálne zafarbenie. Až kráľ, jeho komisári, ba i snemy sa stávajú arbitrami, aby rozsúdili sporné stránky a hľadali východiská. Počet slobodných kráľovských miest ešte stále na Slovensku narastá a pribúda aj veľa malých poddanských mestečiek. Tento rastový koeficient je však veľmi klamlivý. Za múrmi či v areáloch miest už často žije obyvateľstvo, ktoré len príležitostne má možnosť vyrábať remeselné výrobky pre trh, ale väčšinu svojho času venuje poľnohospodárstvu. Takto sa mnoho miest viac ako bývalo v predchádzajúcich dobách zvykom agrarizuje a remeslo i obchod sú len príležitostnou obživou. Remeselníci sa húfne organizujú do záujmových a ochranných združení – cechov. Nie je to však spájanie kapitálu, ale často len spôsob, ako vylúčiť cudzích remeselníkov z výroby a súčasne regulovať konkurenciu vo vnútri výrobného odvetvia. Ku koncu 17. storočia je na Slovensku už okolo tisícky cechov, pričom všetky trpia nedostatkom kapitálu a rozvojových možností. Ruka v ruke s týmito podmienkami sa mení i veľkosť a s ňou význam našich miest. Prílev lacného zlata a najmä striebra zo zámorských krajín, ako aj stále nákladnejšie a zložitejšie podmienky dolovania v našich baniach oslabili aj takú silnú hospodársku základňu, akou bolo slovenské baníctvo. Pohasína sláva banských miest, nastáva v nich stagnácia života a v oveľa väčšej miere sa rozmáhajú tie mestá, ktoré sú súčasťou štátnej administratívy. Preto už v 17. storočí naším najväčším mestom je Bratislava, ktorá je hlavným mestom jednej časti starého uhorského okliešteného štátu – Uhorského kráľovstva. Tu sídli panovník a jeho zástupcovia, tu sú korunovávaní uhorskí králi, tu zasadá krajinský snem, tu si šľachta stavia svoje paláce, aby počas dlhých snemových rokovaní mala kde bývať a prijímať svojich hostí.

Zo širokej reštruktualizácie spoločnosti ako víťaz a najpevnejší spoločenský článok vychádza – žiaľ – šľachta. Jednoznačne si upevnila svoje postavenie vo všetkých oblastiach života, a tak vdýchla nový impulz na zachovanie a upevnenie feudálneho spoločenského poriadku. Základným víťazstvom bola obnova starých stavovských šľachtických slobôd. Vyradila alebo aspoň výrazne oslabila štát, ktorý sa začal stavať medzi šľachtica a poddaného. Ten zostal vydaný na milosť a nemilosť panskej zvole. Postupne si šľachta vydobýja rad zákonov zakazujúcich sťahovanie poddaných. Výsledkom tohto procesu je úplné pripútanie poddaného a jeho potomstva k hrude. Historiografia príznačne nazvala tento stav „druhým nevoľníctvom“. V Uhorsku šľachta ešte presnejšie hovorí o „večitom poddanstve“.

Šľachtic 17. storočia už nie je nablýskaným a obrneným rytierom, ktorý sa ženie do „čestných“ bojov. To je nový dravý hospodársky podnikateľ, ktorý už objavil silu peňazí a ktorý sa usiluje vtlačiť do formujúceho sa európskeho či svetového trhu. Vytvára rozsiahle alódiá – majere, kde začína hospodáriť vo veľkom a často vo vlastnej réžii. A pretože zákony, ktoré si presadil, mu odovzdali poddaného ako kus bezbranného tvora, denne naň nakladá zvýšené dane, dávky a povinnosti. Ťaživá je najmä pracovná renta, ktorú musí tento pre svojho pána odviesť vtedy a v takej miere, ako potrebuje zemepán. Šľachtické trhové hospodárstvo nezasahuje len do oblasti poľnohospodárskej či živočíšnej výroby. Podľa potreby produkuje všetky výrobky, ktoré potrebuje armáda na vedenie vojen. Do hospodárskeho života jasne vstupuje finančne silný jedinec, ktorý aj svojich poddaných programovo odblokováva od slobodného trhu. Využíva všetky svoje mocenské prostriedky, aby produkty vyrobené vo vlastnej réžii, ak ich neuplatní na zahraničnom trhu, nútene predával svojim poddaným. To vedie k samozásobiteľskému charakteru feudálnej ekonomiky, k hospodárskemu izolacionizmu, k prežívaniu zastaraných foriem feudálneho života, k stagnácii a úpadku. Šľachta ako trieda však pritom bohatne, najmä jej najmocnejšia časť – magnáti. Tí sa už negrupujú zo starých feudálnych rodov, ale sú to hlavne noví zbohatlíci, ktorí k hospodárskej moci pridávajú aj moc politickú. Práve zápas o ňu a o upevnenie stavovských slobôd vyplnil politické dejiny 17. storočia a viedol k sérii povstaní – vojen proti pokusom o presadenie sa absolutistického štátu aj v zaostalom Uhorsku. Sprievodným znakom tohto zápasu je ideologická polarizácia, ktorá akoby navonok všetkým sporom dávala náboženský charakter. Habsburská dynastia je totiž v celoeurópskych reláciách vzorným prívržencom Ríma, a tak odbojná šľachta sa programovo stavia do opozičného – protestantského tábora. Skutočné demokratické ciele – sloboda vierovyznania – sú pritom len deklaratívnymi zástavami. Tak na majetkoch katolíckej, ako aj protestantskej šľachty vystupuje dobové „cuius regio, eius religio“ (koho je krajina, toho je i náboženstvo) – nútiace poddaného vyznávať vieru svojho pána. A tak aj historický zápas progresívneho s reakčným sa nedeje výlučne na línii konfesionálnej, ale je hlbšie skrytý pod povrchovou škrupinou súdobej ideológie.

Uhorsko je od polovice 16. storočia rozdelené na tri výrazné a relatívne samostatné celky: jednu časť priamo spravujú Turci a jej strediskom je Budín. Druhú časť tvorí Sedmohradské kniežatstvo, ktoré sa tvári ako svojbytný politický celok, no v skutočnosti je takmer závislé od politiky Osmanskej ríše, ktorá z neho urobila ohnisko odboja uhorskej šľachty proti Habsburgovcom. A tretia časť, „zvyšok zvyškov“ starého Uhorska, pod vládou habsburskej dynastie, je známe Uhorské kráľovstvo. V ňom na seba prevzalo úlohu teritoriálneho a politického hegemóna územie Slovenska. V Bratislave je centrum politického života, v Trnave zas stredisko cirkevnej správy a kultúrnych inštitúcií, ktoré pri ňom vznikajú. Takto sa Slovensko vyčleňuje do pevnejšieho územného celku, petrifikuje sa jeho pomenovanie, upevňuje sa etnická jednota spoločenstva, ktoré na tomto území žije. Slováci sa jednoznačnejšie vyčleňujú z rodiny slovanských národov, výraznejšie je uvedomovanie si slovenčiny alebo slovakizovanej češtiny ako svojbytného jazyka – materčiny. Vznikajú prvé programové dejiny Slovenska a Slovákov, ktorých autorom je J. Jakobeus. Všetky tieto znaky prispievajú k formovaniu základov národnej ideológie, evokujú snahu po poznaní histórie i súčasnosti krajiny, ľudu, ktorý v nej žije. Pociťuje sa výraznejšia snaha brániť svoje národné „ja“ oproti ostatným, najmä väčším národom v monarchii – Maďarom a Nemcom.

Túto teritoriálno-politickú a etnickú vyhranenosť Slovenska ako svojbytného politického, ideologického a kultúrneho činiteľa pociťujú všetky tri časti rozdeleného Uhorska a v príhodnej chvíli sa ju snažia i pre seba využiť. Dynastia Habsburgovcov ráta s pevnou oporou najmä šľachty oddanej dvoru, ale aj s nemeckým obyvateľstvom, ktoré práve v tomto období začína po prvý raz hlásať teórie o svojom prapôvode v uhorskej krajine. Iniciatívne tu vystúpili najmä spišskí Nemci. Osmanská moc tiež uvažuje so Slovenskom ako politicko-územnou jednotkou, kráľovstvom, a dáva mu i svojské pomenovanie „Orta Madžar“. So Slovenskom ráta aj odbojná sedmohradská šľachta, ktorá spolieha na konfesionálnu rozčesnutosť krajiny a na silný vplyv reformácie, ktorá tu zapustila korene. Preto sa nijako nemožno čudovať, že politicko-vojenský život, bojové stretnutia v stavovských povstaniach, ale aj kus stredoeurópskej mocenskej politiky sa odvíja práve v našej krajine, a to so všetkými kladmi, strasťami i utrpením. Je to navyše oblasť hospodársky mnohovrstvová, schopná produkovať širokú škálu životných potrieb – od chleba až po špecifické remeselné a hutnícke produkty

– a spomedzi všetkých troch častí starého Uhorska má najvyspelejšie sociálne bohato rozvrstvené obyvateľstvo na čele s početným meštianstvom. Aj z hľadiska stratégie a taktiky vedenia vojen ide o krajinu členitú, ktorá má priam európsky vyspelý fortifikačný systém, pri technickom pokroku vojenstva nie práve zanedbateľný.

A tak našou krajinou sa prehnali alebo sa v nej začali všetky stavovské povstania uhorskej šľachty proti habsburskému domu: povstanie pod vedením Štefana Bočkaja v rokoch 1604–1606 i povstanie Gabriela Bethlena, ktoré sa stalo súbežným tak s českým stavovským povstaním, ako aj s veľkým európskym konfliktom tradične nazvaným tridsaťročná vojna. Už roku 1619 sa Bethlen v Košiciach nechal vyhlásiť za hlavu uhorského štátu a ani po podpísaní mieru v Bratislave (roku 1626) nebol stále spokojný s výsledkami, ktoré dosiahol. Len skorá smrť mu zabránila rozpútať novú vojnu proti cisárskemu dvoru. Pritom Bethlen so súhlasom osmanskej politiky zvolal aj krajinský snem do Banskej Bystrice, kde sa dal 25. 8. 1620 zvoliť za uhorského kráľa. Myšlienku vytvoriť Veľké Sedmohradsko, do ktorého by bola včlenená i časť Slovenska sa mu nepodarilo uskutočniť. Zástavu odboja zakrátko po ňom preberá Juraj Rákoci, ktorý si za svoje vojenské nástupisko tiež vyberá východné Slovensko a jeho metropolu – Košice. V povstaní, ktoré netrvalo dlho, podarilo sa Rákocimu od cisára Ferdinanda III. opäť vydobyť nastolenie práv pre nekatolíkov, ktoré už dávnejšie priznal a ratifikoval snem roku 1608. Povstanie urobilo aspoň na krátky čas prietrž násilnej rekatolizácii, pomohlo vrátiť evanjelikom kostoly a, samozrejme, posilnilo moc uhorskej šľachty tak v mestách, ako aj na vidieku. Ďalšie povstanie, ktoré na hrade Muráň pripravoval palatín František Vešeléni a po jeho smrti Peter Zrínsky, ani nestihlo prepuknúť do otvoreného boja. Spojenie s Turkami a francúzskym kráľom Ľudovítom XIV. bolo prezradené a sprisahanci kruto potrestaní, tvrdé popravy pritom nevynímajúc. Cisár Leopold I. sa domnieval, že všetky tieto víťazstvá mu dávajú možnosť proti opozícii a jej ideologickým protestantským predstaviteľom zasiahnuť aj mocensky. Dovtedy bol totiž dvor odkázaný len na viac-menej ideologické prostriedky. Proces s 300 protestantskými kazateľmi v Bratislave, z ktorých boli mnohí odsúdení na galeje a tvrdo týraní, ale aj zásah do správnej organizácie krajiny (zrušenie palatinátu a vlastne nerešpektovanie „uhorskej autonómie") – to všetko vyvolalo vlnu nevôle, odporu a čakalo sa len na vhodnú príležitosť na nové povstanie. Zostalo koordinované s tureckou vojenskou aktivitou a na jeho čelo sa postavil Imrich Tököli. Vojenským vpádom zo Sedmohradska tento nevlastný syn Juraja Rákociho za krátky čas, prakticky do roku 1683, obsadil celé Slovensko vrátane rodného Kežmarku a vynútil si rokovania s cisárom. Leopold I. musel v ústupkoch prejsť až za hranice, ktoré by nikdy nebol predpokladal, a to tak v oblasti správy a šľachtických uhorských slobôd, ako aj v otázkach ideologických, presnejšie náboženských. Imrich Tököli bol nekorunovaným kráľom Slovenska a o osudoch jeho vlády sa vlastne rozhodlo až v bitke pri Viedni, kde spojené európske vojská pod vedením poľského kráľa Jána Sobieskeho tvrdo porazili početnú tureckú armádu. S ňou padol aj jej najpevnejší spojenec – Tököli. Doživotný azyl našiel u svojich chlebodarcov a až na začiatku 19. storočia jeho hrob previezli do rodného Kežmarku a uložili v tamojšom evanjelickom chráme.

Bolo by iste mylné a zavádzajúce domnievať sa, že Slovensko v 17. storočí bolo len objektom šľachtickej stavovskej politiky. Sociálne rozdelený svet aj tu dal o sebe počuť, a to mierou vrchovatou. Utužovanie nevoľníctva, zbavovanie sedliaka základných ľudských práv, zvyšovanie feudálnych, ale aj štátnych daní, poplatkov a robôt na neúnosnú mieru, vyvolalo zvýšenú vlnu sociálneho boja. Dostával všakovaké podoby, aké mu len umožňoval život a životné podmienky. Masové je zbiehanie poddaných z pôdy, odopieranie feudálnej renty, útek do hôr a vytváranie tak príznačného „národného" zbojníctva ako svojského odporu proti pánom. To sa rozmohlo do takej miery, že pre celé obdobie neskorého feudalizmu sa odbojná postava zbojníka stala prototypom ľudového hrdinu ospievaného v početných ľudových baladách, piesňach, vyrozprávaných povestiach. Pritom poddanská trieda tej doby sa prepracovala aj k najvyššej forme triedneho boja – otvorenej vzbure, povstaniu so zbraňou v ruke. Tak bojovali oravskí poddaní pod vedením Gašpara Piku, tak bojovali Východoslováci pod vedením veľkého stratéga Petra Čására v rokoch 1631–1632. To všetko signalizovalo hlbokú krízu feudálneho spoločenského poriadku ako systému, ukazovalo na veľký spoločenský prežitok súdobého sveta, akým bolo nevoľníctvo. A práve z týchto podnetov ľudového odporu sa rodilo aj posledné uhorské stavovské povstanie, ktoré sa začínalo tiež na východnom Slovensku. Začali ho vlastne vojenskí vyslúžilci pod príznačným heslom „Keď už za nič iné, tak aspoň za práva chudobného ľudu". Posledné zo série uhorských stavovských povstaní, na čelo ktorého sa postavil v tom čase v emigrácii žijúci František Rákoci, začínalo teda ako prosté sedliacke hnutie proti pánom a nenávideným poriadkom.

Rákoci využil habsburské zaneprázdnenie v boji o španielske dedičstvo, ako aj celkovú revolučnú situáciu v krajine, a tak získal nielen podporu uhorskej odbojnej šľachty, ale aj širokých más poddanského ľudu. Pravda, ten povstanie podporoval len dovtedy, kým sa rukolapne nepresvedčil o zradnosti uhorskej šľachty, kým nezistil, že svet panský a svet poddanskej biedy sú dve celkom nezlučiteľné veličiny, tak ako voda a oheň. František Rákoci a vedenie povstania sa stále viac a viac spoliehali na zahraničnú európsku pomoc. Rokovali s Francúzskom, Poľskom, Pruskom, Švédskom a pokúšali sa do akcie zatiahnuť i ruského cára Petra I. Na sneme v Onóde, po predchádzajúcich a zložitých rokovaniach, povstalci dokonca zosadili Habsburgovcov z uhorského trónu a ponúkli ho bavorskému princovi. O tom, že v samom tábore povstalcov nepanovali jednotné názory, svedčia však tvrdé rozpory na sneme, kde dokonca zabili dvoch delegátov Turčianskej stolice, ktorí sa postavili na stranu opozície. V poslednej bitke pri Trenčíne generál Heister rozprášil Rákociho kurucké vojská. Povstalci sa dali na ústup a postupne vyprázdnili tak stredoslovenské banské mestá, ako aj ostatné časti Slovenska. V tomto štádiu Rákoci znova sľubuje účastníkom povstania zbavenie nevoľníctva, no nikto mu už neverí a jeho najmasovejší spojenec – poddanský ľud – ho nadobro opúšťa. Mier medzi cisárskou stranou a povstalcami podpísali v dnešnom rumunskom mestečku Satu-Mare 1. mája 1711. Znamenal, tak ako mnohé pred ním, vlastne kompromis medzi cisárskym dvorom a uhorskou šľachtou. Uhorská šľachta sa zachránila pred následkami Bielej hory, ktoré postihli šľachtu a stavy v Čechách. Dlhoročné vojny a prelievanie krvi sa ukázali v úplne nezmyselnom svetle historickej pravdy. Ľudský rod v našej krajine v priebehu piatich či šiestich generácií len úchytkom poznal, čo je to mier, svet bez vojen, pokojný spánok a istá budúcnosť.

Je to akoby zvláštny historický paradox: v pohnutých a neistých dobách často ľudstvo žije veľmi mobilným kultúrnym a spoločenským životom. Priam dychtivo využíva každú chvíľu pokoja, mieru i pohody, aby sa sebarealizovalo v plnohodnotnom spoločenskom živote. Také bolo aj obdobie 17. a začiatku 18. storočia. Hospodárska stagnácia a svet vojen vonkoncom nezastavili rytmus života. Aj u nás prešiel doň základný ideovo-umelecký atribút súdobej Európy – humanizmus a renesancia. Pravda, dostali mnoho domáceho zafarbenia. Humanizmus sa zmieril s náboženskou vieroukou a spätne na ňu vplýval. Zostal atribútom prebiehajúcej reformácie a protireformácie a v oboch konfesijných táboroch doviedol spoločnosť k vzdelanostnému vypätiu, aké dovtedy nepoznala. Rozvoj školstva, pokusy o založenie protestantskej univerzity v Hlohovci a založenia katolíckej v Trnave je len jedným zo špičkových úspechov. Školy – kolégiá, ktoré sa svojou úrovňou blížia mnohým predchádzajúcim univerzitám, majú masový základ. Ročne z nich vychádzajú stovky a stovky vzdelaných ľudí, často z najširších vrstiev národa. Už niet ani negramotnej šľachty, lebo taká by sa už v tejto dobe neuživila v štátnom aparáte. Kníhtlač – revolučný výdobytok – je už natoľko masovo rozšírená, že robí knižku dostupnou nielen pre intelektuálne špičky dobového sveta. Humanizmus sa teda nestal len filozofiou meštianstva, ale prestúpil i prahy šľachtických palácov, stal sa atribútom nového života. Prevažovala v ňom u nás kriticko-filologická orientácia, ale predsa pomáhal aj národnej literatúre sprostredkúvať špičkovú kultúru a literatúru európskeho sveta.

Najzjavnejším znakom nového životného štýlu je renesančné staviteľstvo. Je až obdivuhodné, kde sa v takých nepriaznivých dobách bralo toľko prostriedkov na stavbu okázalých šľachtických kaštieľov, zámkov, či mestských renesančných radníc ako symbolov meštianskej slobody, na stavbu honosných renesančných domov tak vo veľkých, ako aj v menších mestečkách, ba nezriedka aj na vidieku. Naprostú prevahu v renesančnom staviteľstve má, pochopiteľne, šľachta, bohatí páni. Tí si pozývajú umelcov až z ďalekého Talianska, ktorí tu nechávajú pečať svojho ducha. V mestách šľachtu napodobuje nielen meštianstvo, ale najmä bohaté cirkevné inštitúcie, mecenáši. Takto renesancia poznačila nielen urbanizmus, architektúru, ale všetky odvetvia výtvarného umenia, remesla, literatúry, dramatickej tvorby. Pritom vrstva inteligencie je široko rozhľadená a spája našu krajinu s okolitými krajinami súdobej Európy. Obzvlášť pre rozvoj slovenskej kultúry daného obdobia je dôležitý príchod českej pobielohorskej emigrácie. Sú to nielen remeselníci, ale mohutná je v jej radoch inteligencia, kníhtlačiari, vydavatelia. A naopak, Čechy v tom čase poskytli priestor najtalentovanejším slovenským básnikom a dramatikom. Zjavný je aj celkový rast domácej – národnej kultúry ako prípravný stupeň pre uvedomelé národné obrodenie, ktoré si už tu, niekde v 17. storočí, kladie svoje prvopočiatky, najmä demograficko-sociálnu bázu, neopierajúcu sa už len o agrárny vidiek, ale aj silné slovenské meštianstvo a inteligenciu vychádzajúcu z plebejských vrstiev spoločnosti.

261
Obrázky zo života slovenského roľníka podľa trnavského kalendára z roku 1612. Jarné práce vo vinohrade

262
Dojenie kravy a ručné mútenie mlieka

263
Strihanie oviec

264
Kosenie trávy a sušenie sena

265
Žatva a obed v poli

266
Oranie pod oziminy

Európa speje k novému spoločenskému poriadku, no v našej krajine silnie nevoľnícky systém, v strede ktorého ako základná sila stojí roľník. Jeho pracovné náčinie, postavenie v spoločnosti i vlastný život zostávajú v obručiach stredoveku.

267
Vinobranie a lisovanie hrozna

268
Spracovávanie konopí – trepanie, česanie, pradenie na vreteno

269
Zabíjačka

270
Poľnohospodárske práce – orba, bránenie a žatva (drevoryt, Zvolen)

271
Renesančný kaštieľ vo Fričovciach

Šľachta zvyšuje svoju prestíž a okázalo ju dáva najavo výstavbou honosných sídiel na rovine – kaštieľov, všakovakými armálesmi, v čom sa ju usilujú napodobňovať aj najbohatší mešťania.

272
Opevnený kaštieľ v Liptovskej Štiavničke

273
Dom šľachtickej podnikateľskej rodiny Thurzovcov v Banskej Bystrici

274
Thurzovský dom v Levoči

275
Renesančný zámok v Bytči – neskorší pohľad z obrazu neznámeho maliara

276
Honosné priečelie zvláštnej stavby na Bytčianskom zámku – tzv. svadobnej sály

277
Znak Tekovskej župy z roku 1552 – symbol šľachtickej župnej správy

278
Znak Liptovskej župy

279
Erb mesta Levoče z roku 1549

280
Armáles trenčianskeho richtára

281
Zasadacia sieň mestskej rady v levočskej radnici

282
Meštiansky dom s arkádami v prízemí, určenými na obchodovanie (Levoča)

Mesto a meštianstvo sa ešte tvári noblesne, v skutočnosti sa už začína obdobie jeho úpadku, z ktorého sa nevymanilo až do vzniku kapitalizmu.

283
Rozsiahle podzemné sklady na hrade Červený Kameň mali slúžiť Fuggerovcom ako sklady tovaru, najmä medi

284
Znak rybárskeho cechu z roku 1690. Detail vyobrazenia na džbáne (Bojnice)

285
Sklený pohár s výzdobou z roku 1639 (Červený Kameň)

286
Výrobky zlatníckych majstrov dosahovali vysokú umeleckú úroveň (Banská Štiavnica)

287
Zvolávací znak krajčírskeho cechu z roku 1673 (Michalovce)

288
Vývesný štít mestského kováča (Ružomberok)

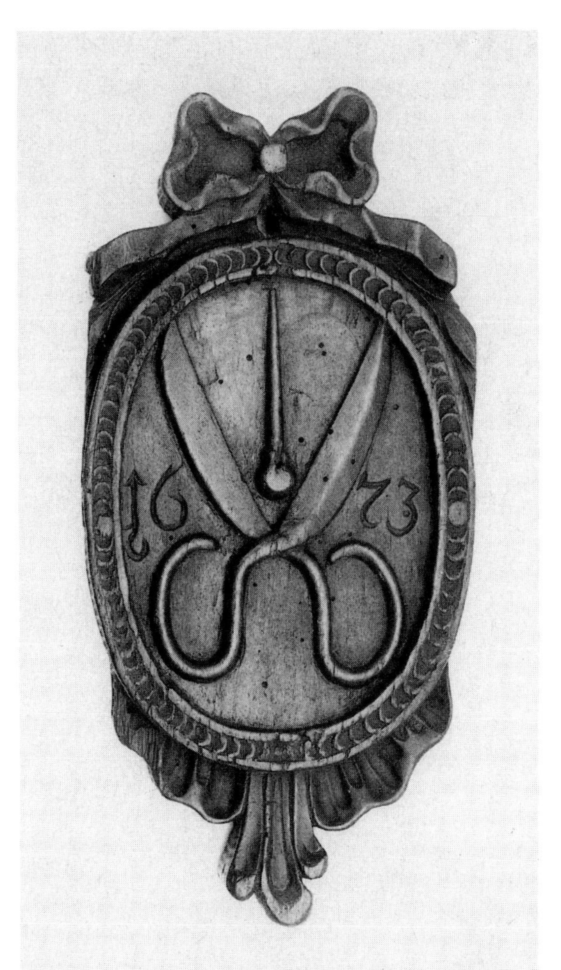

289
Truhlica na peniaze a cennosti – umné dielo zámočníkov (Levoča)

290
Galériu vodcov stavovských povstaní začal Štefan Bočkaj (1605–1606)

291
Gabriel Bethlen (1613–1629) viedol povstanie, ktoré bolo súčasťou českého odboja i tridsaťročnej vojny

292
Západným Slovenskom sa preháňali vojská vedené Albrechtom Valdštejnom

Slovenskom 17. storočia sa preháňali vojská stavovských povstalcov, nezriedka sa spájajúce s osmanskou mocou. Uhorská šľachta, ktorá tieto boje organizovala, sa tvárila humanitne a liberálne, no v skutočnosti bojovala najmä za udržanie svojich stavovských výsad proti centralizovanému absolutistickému štátu.

293
V Banskej Bystrici sa nechal Gabriel Bethlen zvoliť za uhorského kráľa (25. 8. 1620)

294
Františka Wešeléniho odhalili skôr, ako mohol so svojimi sprisahancami začať povstaleckú vojnu

295
Imrich Tököli (1678–1685) využil tak sociálnu, ako aj náboženskú nespokojnosť na vyvolanie nového povstania. Posmešne ho nazývali i „slovenským kráľom"

296
Poprava vzbúrených liptovských a oravských sedliakov roku 1672

297
Protestantskí kňazi na nútených prácach z roku 1674. Ich prenasledovanie bolo dôsledkom ideologického zápasu reformácie a protireformácie, ktorý stavovské vojny sprevádzal

298
Nové vojny priniesli i nové zbrane. Najsilnejšou i najničivejšou bolo delostrelectvo (vyobrazenie na pažbe pušky – Červený Kameň)

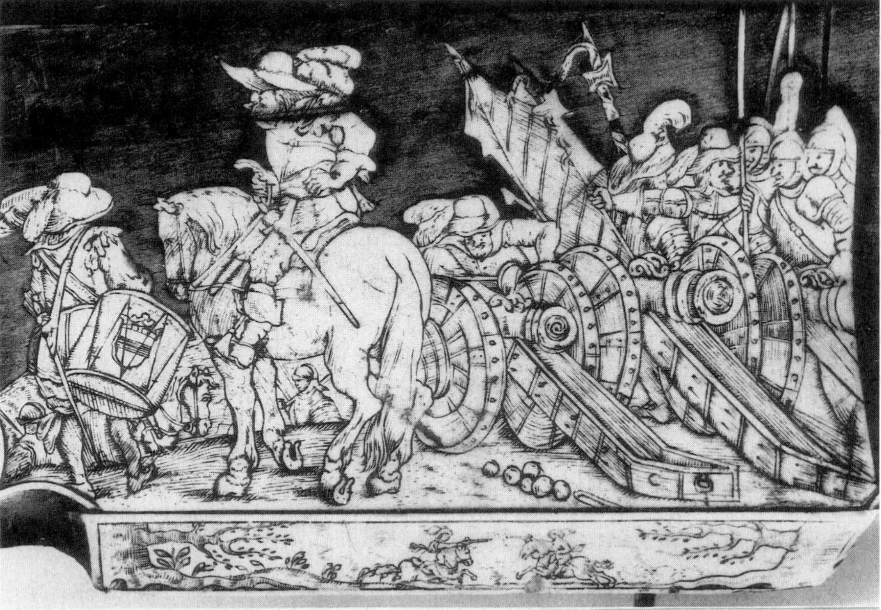

299
Nízkohodnotné peniaze, povestné libertáše, ktoré nechal v Kremnici raziť posledný z galérie stavovských vodcov – František Rákoci

300
Útok na predstaviteľov Turčianskej stolice na Onódskom sneme, kde povstalci zosadili z uhorského trónu Habsburgovcov

301
Pri Trenčíne boli porazené vojská posledného protihabsburského stavovského povstania

302
O založenie protestantskej univerzity – no neúspešne – sa usiloval palatín Juraj Thurzo. Univerzita mala byť v Hlohovci

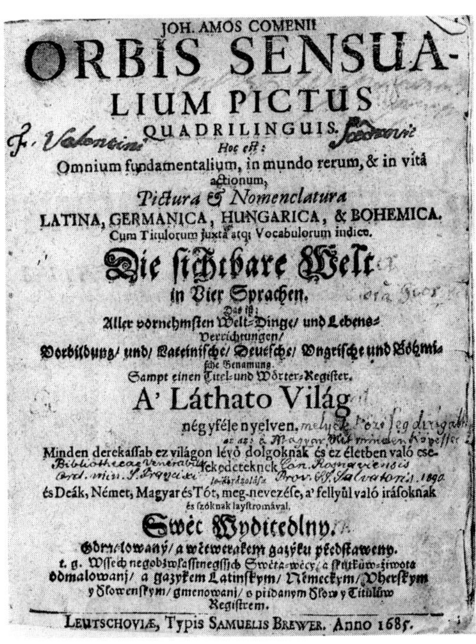

JOH. AMOS COMENII
ORBIS SENSUALIUM PICTUS
QUADRILINGUIS.
Hoc est:
Omnium fundamentalium, in mundo rerum, & in vitâ actionum,
Pictura & Nomenclatura
LATINA, GERMANICA, HUNGARICA, & BOHEMICA.
Cum Titulorum juxtà atq; Vocabulorum indice.
Die sichtbare Welt
in Vier Sprachen.
Das ist:
Aller vornehmsten Welt-Dinge/ und Lebens-Verrichtungen/
Vorbildung/ und/ Lateinische/ Deutsche/ Ungrische und Böhmische Benamung.
Sampt einen Titel- und Wörter-Register.
A' Láthato Világ
négyféle nyelven.
Minden derekassab ez világon lévö dolgoknak és ez életben való cselekedeteknek
lerajzolása
és Deák, Német, Magyar és Tót, meg-nevezése, a' fellyül való irásoknak és szóknak laystromával.
Swět Wyditedlny.
Obrazowaný/ a wčtweraktem gazyku předstawený.
t. g. Wssech negobzwlasstnegssjch Swěta-wěcy/ a skutkůw-žiwota odmalowanj/ a gazykem Latinskym/ Německym/ Uherskym y Slowenskym/ gmenowanj/ s přidanym Slow y Titulůw Registrem.
LEUTSCHOVIÆ, Typis SAMUELIS BREWER. Anno 1685.

303
Budova (katolíckej) univerzity v Trnave, založenej roku 1635

304
Tlačiarne urobili knižku dostupnou širokým masám. V Levoči vytlačili jedinečné dielo J. A. Komenského – *Orbis pictus* (titulný list)

Kultúrny život spoločnosti sa vybíjal v zápase o dušu veriaceho medzi protestantmi a katolíkmi. Z toho zápasu pozitívne získavalo najmä školstvo a vzdelanosť.

305
Obrazová časť v diele J. A. Komenského predstavuje názornú pomôcku pri vyučovaní:
a) práce na poli
b) práce v bani

306
Renesančný výtvarný prejav postupne vytláča nový umelecký smer – barok. Univerzitný kostol v Trnave, dielo talianskych majstrov

307a, b
Ukážka z práce trnavskej univerzitnej tlačiarne

308
Interiér ranobarokového kostola v Trnave

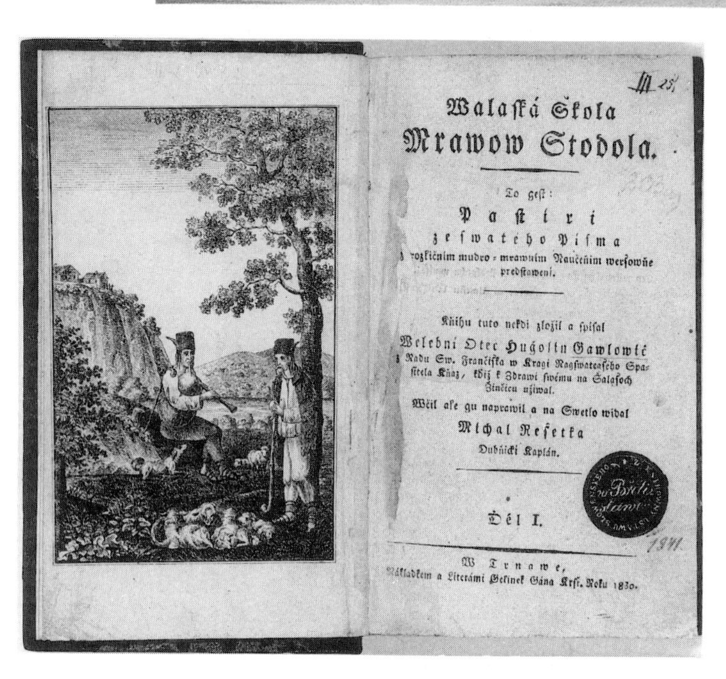

Walaſká Škola
Mrawow Stodola.

To geſt:
Paſtiri
ze ſwatého Píſma
ſ rozkličnim mudro-mrawním Naučeňím werſowňe predſtawení.

Kňihu tuto nekdi zložil a ſpiſal
Welebni Otec Hugolin Gawlowič
z Radu Sw. Frančiſka w Kragi Nagſwateyſſého Spaſitela Kňaz, kdiž k Zdrawí ſwému na Šalaſoch Žinčicu užíwal.
Wčil ale gu naprawil a na Swetlo widal
Michal Reſetka
Dubňicki Kaplán.

Díl I.

W Trnawe,
Nákladkem a Literámi Gelinek Gána Krſt. Roku 1830.

Bene ambuletis, & ſit DEUS in itinere veſtro, & Angelus ejus comitetur vobiſcum, Tob. 5. ℣. 21.

Tutus iter peragit, recto quoque tramite pergit:
Cui ſe ſe defert Angeli ab axe manus.

ITER
OECONOMICUM,
DUODENA
STATIONUM,
Quarum ſingulæ in certas Digreſſiones diſtribuuntur, definitum:
AC
Ad Urbaria, & Inventaria diverſiſſima Dominiorum formanda directum
Ab Admodùm Reverendo Domino
JOANNE LYCZEI,
Archidiœceſis Strigonienſis Presbytero.
Itinerantibus hoc evenit, ut multa hoſpitia habeant, nullas amicitias. Seneca Epiſtola 2.

TYRNAVIÆ Typis Academicis, Anno 1707.

Na prahu industriálneho veku

V dejinách sa nezriedka opakuje, že pred veľkými zmenami v hospodárstve, v usporiadaní spoločnosti, v životnom štýle nastupuje ako prvý impulz silná, neopakovateľná a burcujúca myšlienka. Pred „revolúciou" v spoločnosti nastupuje akosi najprv „revolúcia" v hlavách ľudí. Osemnáste storočie v našich dejinách potvrdilo túto skutočnosť, a to bez toho, aby sme akokoľvek predbiehali celospoločenský vývoj, či za ním výrazne zaostávali. Hlbokou brázdou v myslení spoločnosti bolo osvietenstvo. Stalo sa nielen celoeurópskym, ale v skutočnosti už celosvetovým myšlienkovým hnutím. Obsiahlo priestory od Lomonosovho a Radiščevovho Ruska až po krajiny nového sveta – Jeffersonove či Washingtonove Spojené štáty americké. Ponechalo si však najmä jazyk a kolorit krajiny, z ktorej vyšlo – Francúzsko a francúzštinu. Tu sa osvietenstvo zrodilo a tu dosiahlo aj svoju prvú pevnú podobu. Vo vzdelanej spoločnosti tejto krajiny v polovici 18. storočia načisto prevládol pocit, že sa skončil vek stredovekého gotického a barokového temna s prepiatou silou viery a že nastali celkom nové časy – „vek rozumu". Osvietenstvo tak naplno odmietlo náboženstvo, ktoré zatemnilo ľudskú myseľ, a podsunulo spoločnosti novú „vieru", že zdravým a bystrým rozumom, jeho schopnosťami a silou, možno odstrániť všetky neduhy, na ktoré je spoločnosť chorá: od hospodársko-sociálnych až po politicko-kultúrne. Treba ich len spoľahlivo spoznať, opísať, vedecky analyzovať tak, aby ich mohli prijať všetci v jestvujúcej spoločnosti: tí, ktorí ju vedú, ale aj tí, ktorí sú len „vedení". Hlboké vedomosti o prírode a ľudstve môžu takto uvoľniť cestu pre rozumnú „reformnú" činnosť a jej prostredníctvom umožnia nájsť i cestu k novému – ideálnemu modelu spoločnosti.

Kolískou osvietenstva nebola len nová, rodiaca sa spoločnosť buržoázie. Patrilo sem aj veľké spoločenstvo vzdelancov, v ktorom mala jasnú prevahu šľachta. A tak sa nemožno ani čudovať, že nové ideové a politické systémy, ktoré osvietenstvo tvorilo a stvorilo, boli nielen progresívne či revolučné, ale aj aristokratické. Osvietenstvo tak vyhovovalo nielen záujmom nového rodiaceho sa buržoázneho sveta, ale súčasne aj politike reforiem, politike „opravy" feudálneho spoločenského poriadku, ktorý bol v 18. storočí v mnohých európskych krajinách v stave hlbokej krízy. Osvietencom je teda nielen veľký republikán a revolucionár J. J. Russeau, ale aj monarchista gróf Montesquieu alebo sám veľký Voltaire. Tí sú presvedčení, že spoločnosť by pokojne prijala aj „osvieteného" despotu. Preto je celkom zákonité, že osvietenstvo vychovalo nielen zapálených revolucionárov bojujúcich za odstránenie feudálneho spoločenského poriadku, ale aj „osvietených panovníkov", usilujúcich sa zachrániť topiaci sa feudálny štát, feudálny spoločenský systém.

My sme žili v krajine, kde neprevládli osvietenskí revolucionári, ale reformátori. Keď nastupovala na trón prvá žena v dejinách stredoeurópskeho monarchizmu – Mária Terézia, svet osvietenských reforiem už bol hotový, použiteľný aj pre ňu. Je pravda, že pomery, ktoré vládli pri jej nástupe na trón, jej príliš nežičili. Hoci mnohí podpísali jej otcovi Karolovi VI. tzv. Pragmatickú sankciu, v ktorej súhlasili s nástupom ženy na habsburský panovnícky trón, veľmi skoro svoje sľuby rušili a začali vojny o delenie habsburského dedičstva. Signálom bola už skutočnosť, že Habsburgovci prehrali vojnu o španielske dedičstvo, kde sa presadil Filip z Anjou, z francúzskej kráľovskej dynastie. A tak už v prvom roku nástupu novej panovníčky bavorské a francúzske vojská pochodovali na Prahu. Krátko nato vojská Friedricha II. obsadili Moravu a operovali až na území západného Slovenska. Vojna o „rozparcelovanie" habsburského dedičstva sa teda začala na mnohých frontoch a veľa nechýbalo, aby sa aj celá naša krajina znova neocitla v ohnisku bojov. Zatiaľ za záujmy monarchie odchádzali bojovať len slovenskí poddaní spolu s ostatnými poddanými mnohonárodnostnej monarchie, najmä po tom, čo uhorská šľachta na pamätnom sneme s vytasenými šabľami prisahala „život i smrť" pre svoju novú cisárovnú. V prerušovaných vojnách monarchia veľa nevyhrávala; skôr strácala a nezmyselne krvácala. V plnej nahote totiž až vojny ukázali zaostalosť a prežitosť celého nevoľnícko-poddanského systému, neudržateľnosť poriadkov v starosvetskom stavovskom štáte s neobmedzenou vládou svojvoľnej šľachty. Jej „daň z krvi", ktorú údajne platila po stáročia, bola už napospol zastaraná a nepotrebná. Štát potreboval novú profesionálnu armádu a na to bolo treba – ako sa ľudovo vravievalo – aspoň tri veci: peniaze, peniaze a ešte raz peniaze. Dane z celej krajiny prinášali do štátnej pokladnice ročne 9 miliónov zlatých. Pritom len výdaje na armádu boli rozrátané na 15 miliónov. Bolo teda jasné, že sa treba znova pozrieť na rozvrhnutie daní a systém, akým sa odvádzajú, a navyše konečne prinútiť aj šľachtu, aby zo svojho podnikania i pôdy platila štátu riadnu daň.

Panovníčka so svojimi osvietenskými radcami sa rozhodla obe naliehavé otázky riešiť na uhorskom sneme zvolanom do Bratislavy na leto 1764. Nič neponechala náhode. Ešte pred snemovým zasadnutím vyšla knižka jej dvorného radcu Adama Františka Kollára, v ktorej pod skromným názvom *O pôvode a stálom používaní zákondarnej moci* autor nastolil rad pálčivých problémov. Jasne ukázal, že tak panovník, ako aj centralizovaný štát má plné právo zdaniť majetky šľachty, ale aj bohatého kléru. Tu hneď poukazuje, že práve cirkevných osôb je v krajine priveľa, že treba zrušiť niektoré rehole alebo ich zapojiť do produktívnej práce. Žiada sčítanie ľudu, aby štát mohol účelne riadiť a spravovať krajinu. Aby vedel, koľko treba potravín, koľko škôl a aby vôbec spoznal, koľko produktívnych a koľko zaháľčivých ľudí žije v štáte. Nedvojzmyselne autor ukazuje, že medzi neproduktívne obyvateľstvo ráta najmä šľachtu, pričom pod ochranu berie poddaného ako najbezbrannejšieho tvora v štáte. Kollár tu v osvietenskom duchu predkladá vlastne starú sedliacku filozofiu vyjadrenú úslovím: „Ak chceme ovečku strihať, musíme ju aj kŕmiť". To bola skúsenosť, ktorá platila tak pre malé gazdovstvo, ako aj pre veľký štát. Ak totiž treba od poddanského obyvateľstva vynútiť nové a vyššie dane, treba ho chrániť pred svojvôľou jeho zemepána. Medzi poddaného a šľachtica sa musí vložiť politika konsolidovaného štátu, aby si tento uchránil svoju najproduktívnejšiu „ovečku" a nenechal ju „strihať" len jeho zemepánovi. V tomto duchu mal snem nastoliť potrebu zavádzania tzv. tereziánskeho urbára. Mal to byť v prvom rade dôkladný súpis všetkej poddanskej pôdy a obyvateľstva, ktoré na nej hospodári. Súpis nemal byť len všeobecný, ale mal presne uviesť i bonitu a výnosnosť pôdy podľa štyroch kvalitatívnych stupníc, a súčasne mal stanoviť najvyššiu mieru daňového a robotného zaťaženia na jednu poddanskú usadlosť. Výraznú pozornosť mal venovať práve robotovaniu, ktoré patrilo medzi najponižujúcejšie i najzastaralejšie formy vykorisťovania poddaného nevoľného ľudu.

Uhorská šľachta priam zúrila nielen nad Kollárovou knihou, ktorú odsúdila na verejné spálenie a autora ako zradcu na vypovedanie z krajiny, ale hlboko sa cítila dotknutá problémami, ktoré chcela panovníčka na sneme prerokúvať. A tak ich odmietla. Nezhody s uhorskou šľachtou Mária Terézia riešila tvrdo: uhorský snem rozpustila a do konca svojej vlády ho už ani nezvolala. Odmietla tak diktát šľachty v najzákladnejšej, a preto i najcitlivejšej otázke – v názore na poddaného a na mieru jeho vykorisťovania. Vedľa panovníčky stál pevný poradný orgán – štátna rada, v ktorom zasadali ministri zahraničných vecí, vnútra a vojenstva, a vedľa nich traja radcovia. Všetci sa vyjadrovali k návrhom predkladaným panovníčkou a riadili vlastne celý chod monarchie vrátane Uhorska, Nizozemska a Itálie. Štátna rada sa stala ohniskom reforiem za vlády Márie Terézie, jej následníka Jozefa II. a nakoniec ešte i za Leopolda II. A treba hneď povedať, to že nebolo reforiem málo alebo počinov nevýznamných. Zasiahli mnohé oblasti života spoločnosti a poznačili jej ďalší chod. Pritom nepochybne šli v ústrety novej rodiacej sa triede – buržoázii aj napriek tomu, že programovo šlo len o obmedzený reformizmus, ktorý nesmeroval priamo k odstráneniu feudálneho spoločenského poriadku, ale reformami sa ho pokúšal ozdraviť a udržať pri živote.

Úporne, celých päť rokov prebiehal boj o reformu v základnom odvetví života – v poľnohospodárstve. Na začiatku roku 1767 sa už práce na ňom skončili a až v októbri roku 1770 bola vyhlásená platnosť tereziánskeho urbára pre Uhorsko. Stanovil výšku poddanských povinností, najmä robôt. Od jednej usadlosti sa malo robotovať najviac 52 dní do roka so záprahom alebo 104 dní pri ručnej práci. Urbariálny zákon zároveň presne rozdelil poddanskú pôdu na chotár (extravilán), ako aj na domový grunt v dedine (intravilán), pričom presne stanovil poplatky a dane v takto vymedzených častiach. Poddanské vzťahy týmito zákonmi nadobúdali verejnoprávny charakter a vytláčali zemepánov s ich právami na okraj. Paradoxom, ba priam tragédiou však bolo, že nové zákony do života mala uvádzať práve tá istá šľachta, proti ktorej boli namierené. Držala totiž ešte stále vo svojich rukách organizačno-správny systém v krajine, najmä stoličnú správu. A tak vchádzanie urbárskych reforiem do života bolo zdĺhavé, pomalé, protirečivé až do takej miery, že niekde boli priamo poddaní proti ich zavádzaniu. Pri všetkých peripetiách, ktoré ho sprevádzali, stal sa základnou právnou normou pre slovenskú dedinu až do roku 1848.

Poddanská otázka zostala v pozornosti i u nového panovníka Jozefa II., ktorý sa stal spoluvladárom už pri svojej matke od roku 1765, pravda, bez súhlasu Uhorska. Z osvietenského dvorného kruhu tohto panovníka vzišla myšlienka o zrušení neľudského a nedôstojného nevoľníctva. Stalo sa tak najprv v Čechách, no 22. 8. 1785 aj v Uhorsku. Poddaný v našej krajine sa znova stal človekom. Mohol si slobodne vybrať partnera do manželstva, rozhodnúť o životných osudoch svojich detí, odsťahovať sa z majetku svojho zemepána, slobodne nakladať s výsledkami svojej práce. Zrušenie nevoľníctva sprevádzal aj veľký súpis obyvateľstva a nový súpis katastrálnej pôdy. Pritom Jozef už zdanil aj pôdu, ktorá bola v rukách šľachty, a to samozrejme proti jej vôli a za veľkého odporu.

Osvietenské reformy v poľnohospodárstve sa neobmedzovali len na právne úpravy. Čulý ruch prebiehal aj v živote vtedajšieho roľníka. Osvietení národohospodári ho učili lepšie a efektívnejšie zaobchádzať s pôdou, pestovať ďatelinu ako krmivo pre dobytok, a tak zabezpečiť jeho pravidelné zimné udržanie i ustajňovanie. Naplno sa presadzovalo pestovanie kukurice, ale najmä zemiakov, ktorým sa dobre darilo i v severnejších oblastiach Slovenska, a tak sa čoskoro stali vážnym zdrojom výživy pre slovenskú chudobu. Renesanciu prežíva slovenské vinohradníctvo, rozmáha sa pestovanie textilných plodín a tabaku. Ba robili sa dokonca pokusy s pestovaním hodvábnika morušového. Oživenie nastáva i v živočíšnej výrobe, kde sa rozširuje chov dobytka, ale najmä chov všeužitočného zvieraťa, ktoré dáva mlieko, mäso i vlnu – oviec.

V dôsledku agrárnych premien sa mení aj slovenská dedina. Počet obyvateľstva sa v krátkom čase zdvojnásobil, a tým sa rozmohol aj počet pracujúcich i slovenských pracovitých rúk, pre ktoré zavše nebolo uplatnenia. Aktuálnym sa stalo dlhodobé osídľovanie Dolnej zeme, kde po odchode Turkov zostalo mnoho neosídlenej a neobrobenej pôdy. Tak sa začala písať prvá kapitola slovenského vysťahovalectva, ktoré vytvorilo národné enklávy v podunajských krajinách Maďarska, Rumunska a najmä Juhoslávie. Na mnohých miestach sa udržali až dodnes a hlásia sa k svojej materskej krajine, k svojmu národu.

Nový duch obvial aj remeselnú výrobu, ktorá po prvý raz prekročila hranice stredoveku. Jej novým dieťaťom je manufaktúra – dnes by sme povedali „rukodielňa", kde podnikateľ zhromaždil početnú skupinu pracujúcich rúk, prácu na výrobku rozdelil do jednotlivých operácií, a tak mohol aj s nevyučenými tovarišmi a majstrami zhotoviť dobrý, najmä však lacný remeselný výrobok. Niektoré pracovné operácie (napr. pradenie bavlny) sa nemuseli ani robiť pod strechou manufaktúry, ale doma, v zastrčených podhorských chalupách. Takto podnikateľ sústredil často i niekoľko tisíc rúk a začal podnikať skutočne vo veľkom. Manufaktúra pritom ani v zaostalom Uhorsku nemala nevoľnícky charakter, ale stále viac a viac sa v nej uplatňovali voľné námezdne pracujúce sily, základ novej robotníckej triedy. Na Slovensku vzniklo mnoho manufaktúr. Orientovali sa na tradičnú súkenársku výrobu, no čoskoro najväčšie manufaktúry spracovávali už bavlnu na populárny kartún. Väčšina manufaktúr však trpela nedostatkom kapitálu a mnohé skoro zanikali. Napríklad manufaktúra v Šaštíne, ktorú založil roku 1736 manžel Márie Terézie František Lotrinský, bola svojho druhu najväčším podnikom v strednej Európe. Ročne vyrobila stotisíc metrov kartúnu a obliekla tak tisíce ľudí. Okrem textilných manufaktúr vznikali aj manufaktúry na kuchynský riad (majoliku, „anglický porcelán", kameninu), na spracovanie koží, papieru, skla, ale aj na fajky a podobne. Slovenským manufaktúram chýbali však dve vážne podmienky na ďalší rozvoj: kúpyschopné obyvateľstvo na domácom trhu a trochu prajnejšia politika viedenského dvora, ktorá programovo odsúvala celé Uhorsko do pozície agrárnej krajiny, ktorá má len potravinami živiť monarchiu. Preto aj mnohé manufaktúry nemali dlhý život. Napriek tomu v ich lone sa rodil nový zázrak vývoja – priemyslová revolúcia. Spôsobovalo ju zavádzanie pradiacich strojov na vodný pohon a neskôr využívanie nového európskeho vynálezu – parného stroja. Prví si ho u nás namontovali podnikaví Skaličania (roku 1830) pre súkennícku výrobu. Mechanizácia však neobchádzala ani ostatné odvetvia výroby a výrazne zasiahla najmä do slovenského baníctva a hutníctva, ktoré sa po skončení stavovských vojen ocitlo na prahu skazy. Budovanie nových mechanických vodných čerpacích zariadení, ako aj postavenie – v dejinách Európy vlastne po prvý raz – atmosferického parného stroja už v rokoch 1721–1722, dalo slovenskému baníctvu a hutníctvu novú hospodársku injekciu. Strediskom sa stáva znova Banská Štiavnica, no rozvoj potrebného železiarstva pozdvihuje aj iné slovenské kraje. Výraznú konjunktúru v ňom spôsobili najmä napoleonské vojny. Rozsiahla banská a hutnícka výroba vyžaduje aj rad odborníkov. Na ich prípravu sa otvorila v Banskej Štiavnici a neskôr i v Smolníku banská škola. Štiavnická škola, ktorá sa začala nazývať aj akadémiou, dosiahla vynikajúcu úroveň a bola prvou školou tohto typu v Európe. Z jej učiteľského zboru vyšli aj vynikajúci vedci slovenského pôvodu a pre jej potreby bola napísaná prvá a dlho jediná učebnica „Úvod do baníctva" – preložená i do francúzštiny. Slovensko zas po dlhom čase rozdávalo um i skúsenosti okolitým štátom i národom.

Mnoho ďalších aktivít by bolo potrebné spomenúť, ktorými osvietenský absolutistický štát zasahoval do prestavby spoločnosti: organizoval spojenie a komunikácie vôbec, zaviedol jednotné miery a váhy, aby odstránil jednu z bariér rozvoja domáceho obchodu, zasahoval do zjednotenia menného systému atď. atď. Jednu z jeho činností však nemožno obísť už preto, že mala dlhodobý a nesmierne progresívny dopad na najširšie vrstvy spoločnosti. Sú to reformy v oblasti školstva a vzdelanosti vôbec. Osvietenskí radcovia totiž jasne spoznali, že bez gramotných nemožno vybudovať moderný štát. Potrebovali poddaného štátneho občana, ktorý je schopný aspoň prečítať štátne vyhlášky a nariadenia. Nehovoriac už o tom, že rovnako manufaktúra, ako aj ostatné zložky hospodárskeho a sociálneho života potrebovali robotníka, ktorý vie nielen čítať, ale aj písať a elementárne rátať. Takto sa problém školy a vzdelania stal skutočne naliehavou politickou otázkou aj v zaostalom Uhorsku. Škola, ktorá bola po stáročia v rukách cirkvi a neprekročila prah vlastných náboženských záujmov, mala a musela slúžiť štátu. Preto už Mária Terézia poverila celú skupinu expertov, aby sa školským systémom zaoberali a navrhli východiská. Výsledkom zložitej a dlhotrvajúcej práce je štátna reforma, ktorou sa roku 1774 po prvý raz v našich dejinách zavádza zákon o povinnej školskej dochádzke. Vytvára sa nový systém základných dedinských škôl, v ktorých sa deti od šiestich do dvanástich rokov mali naučiť čítať, písať a počítať. Pravda, dochádzka do školy sa predpokladala len v tých mesiacoch, keď nebolo práce na poli a deti nemuseli doma pomáhať. Na túto, tzv. triviálnu školu nadväzovala tzv. normálka a potom už latinské školy, z ktorých sa posledné ročníky nazývali honosne „Akadémiou". V základnom školstve sa ponechával výrazný priestor národným jazykom, čo bol na ten čas počin nesmierne demokratický. Celá školská reforma dostala aj svoju jasnú normatívnu podobu, zostala vytlačená v podobe dokumentu, ktorý do dejín našej vzdelanosti vošiel pod názvom „Ratio educationis".

V 18. storočí, keď sa aj v našej krajine presadzujú veľké myšlienky osvietenstva, priam v novej životnej sile vytryskla životaschopnosť slovenského ľudu. Nezlomili ho ani turecké vojny, ani nezmyselné stavovské povstania s dlhotrvajúcimi a pustošivými vojnami. Slovensko prekračuje svoje dovtedajšie etnické hranice a osídľuje Dolnú zem. V mestách a mestečkách si slovenský živel v boji s nemeckým a maďarským patriciátom upevňuje svoje postavenie a likviduje tak neorganické inonárodné enklávy vo svojom národnom priestore. Slováci si uvedomujú svoje historické práva na krajinu, v ktorej odpradávna žijú a ktorú svojou prácou zveľaďujú. Boli to napospol zmeny a výdobytky, ktoré stáli v hlbokej zhode s ideovou platformou osvietenského absolutizmu. Feudálnym reformizmom sa tento usiloval udržať pri živote starý spoločenský systém, ale práve tým, že bojoval proti celému radu stavovských stredovekých prežitkov, proti tmárstvu a pokorujúcej bezmedznej viere i šľachtickej povýšenosti, objektívne pomáhal historickému pokroku v mnohých zložkách života – v hospodárstve i v ideovom a kultúrnom živote najmä. Slovensko sa tak napriek všetkým peripetiám predsa len ocitá na prahu industriálneho veku, aj keď cesta, ktorú nastúpilo, bola v daných podmienkach príliš strmá a neschodná.

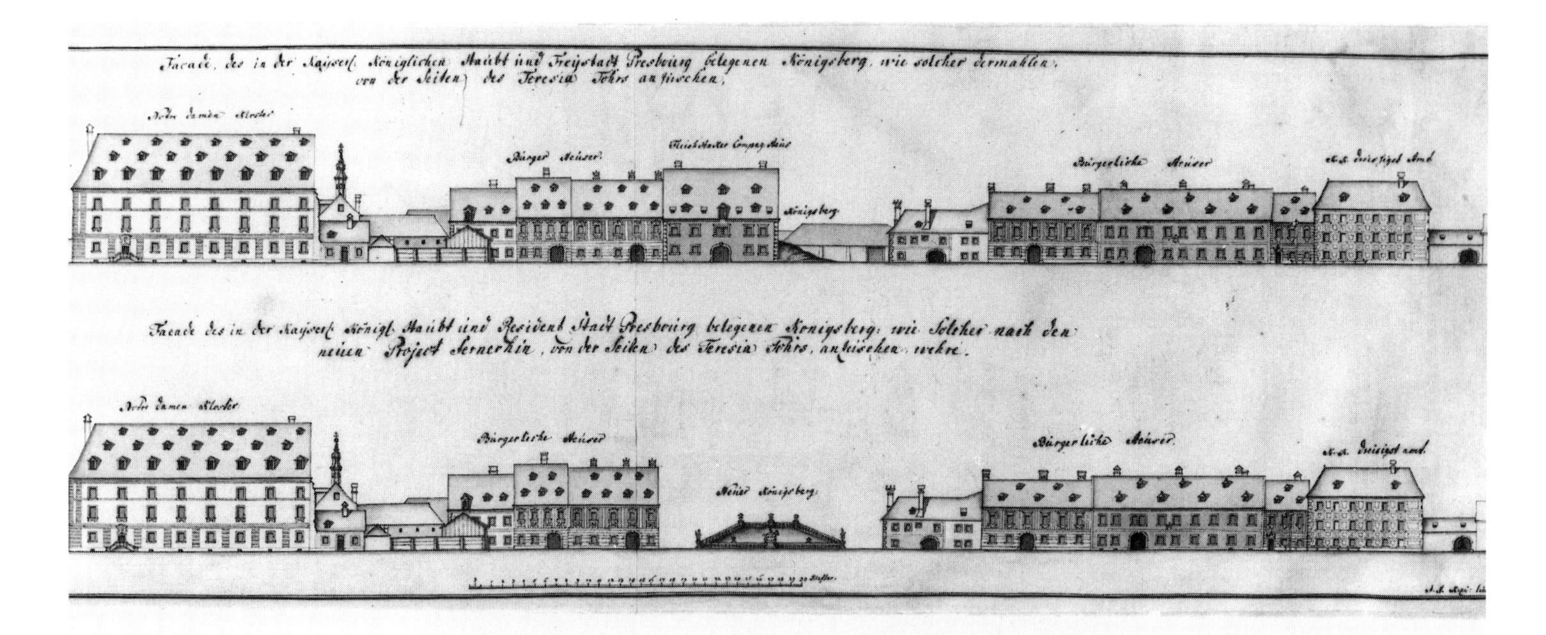

Galériu osvietenských panovníkov u nás začínala žena. Do okruhu jej radcov a podporovateľov vchádzali aj Slováci

309
Mária Terézia (1740–1780) – príznačné dobové vyobrazenie (Bojnice)

310a
Návrh na prestavbu korunovačného kopčeka v Bratislave

310b
Korunovácia Márie Terézie

311
Jozef II. (1780–1790) išiel v osvietenských reformách ďalej ako jeho matka

ADAMI FRANC. KOLLARII,

Equitis Vngari de Kereſztény, Conſiliarii actualis aulici, Aug. Bibliothecae Directoris & Academiae Scientiarum elegantiorumque literarum Theodoro-Palatinae Socii extraordinarii,

HISTORIAE IVRISQVE PVBLICI REGNI VNGARIAE AMOENITATES.

AD

ILLVSTRISSIMVM DOMINVM

IOSEPHVM COMITEM KAROLYI,

EXCELLENTISSIMI

ANTONII COMITIS F.

IVVENTVTIS VNGARICAE SVAVISSIMVM DECVS ATQVE ORNAMENTVM.

VOLVMEN II.

VINDOBONAE,
TYPIS A BAVMEISTERIANIS.

CIƆIƆCCLXXXIII.

20

ΚΕΦΑ'ΛΑΙΟΝ Β'.

Λέοντος τοῦ σοφοῦ ἐν Χριστῷ τῷ Θεῷ βασιλέως ἡ περὶ τούρκων περικοπὴ ἐκ τοῦ τῶν τακτικῶν κεφαλαίου ιή.

α.

Τὰ μὲν γὰρ τῶν ἐθνῶν, οἷον οἱ τοῦρκοι, ἐν ταῖς διώξεσιν ἀτάκτως ἐπιτίθενται τοῖς διωκομένοις· ὅθεν καὶ εὐχερέστερον βλάπτονται παρὰ τῶν διωκομένων, εὐτάκτως ὑποχωρούντων καὶ ὑποστρεφόντων.

2. Τὰ δὲ πρᾴως καὶ συντεταγμένως διώκουσιν· διὸ οὐδὲ χρὴ τοὺς ἀναστρέφοντας κατ᾽ αὐτῶν δι᾽ ὄψεως ἐπιτηδεύειν ἔρχεσθαι, ἀλλὰ καὶ διὰ τῶν πλαγίων, καὶ κατὰ τοῦ νώτου αὐτῶν ποιεῖσθαι τὴν ἐπέλευσιν, ὡς μοι εἴρηται.

3. Ἐπεὶ δὲ τούρκων ἐμνήσθην, οὐκ ἀδόκιμον κρίνομεν, καὶ ὅπως αὐτοὶ παρατάττονται· καὶ ὅπως αὐτοῖς ἀντιπαρατάξασθαι δέον, διαφῆσαι· διὰ μετρίας πείρας ἀναμαθόντες, ὅτε συμμά-

χοις

312
Adam František Kollár – radca Márie Terézie a expert na uhorské pomery

313a, b
Dielo A. F. Kollára, ktorým sa usiloval inkorporovať Slovákov do uhorských dejín; tu po prvý raz uverejnil aj staré správy byzantských autorov o Slovanoch

314
Lavica na palicovanie nevoľníka (Levoča)

315
Väzenské reťaze so záťažou (Bratislava)

316
Palicovanie poddaného (kresba z roku 1793 od Alavoina)

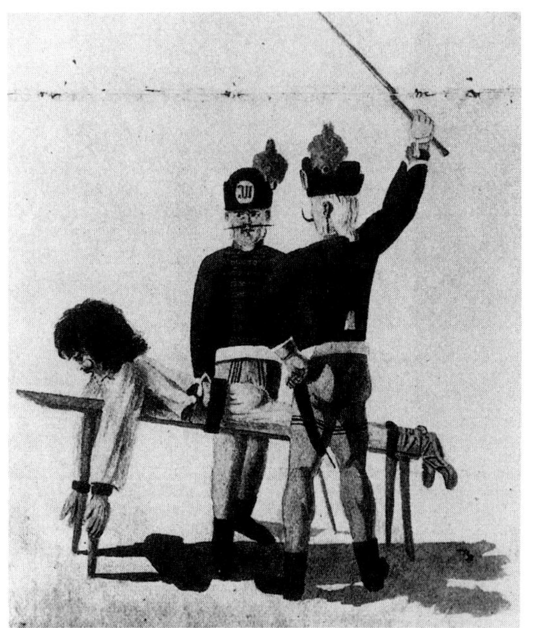

Základným odvetvím života spoločnosti bolo stále poľnohospodárstvo, spútané nevoľníckymi praktikami.

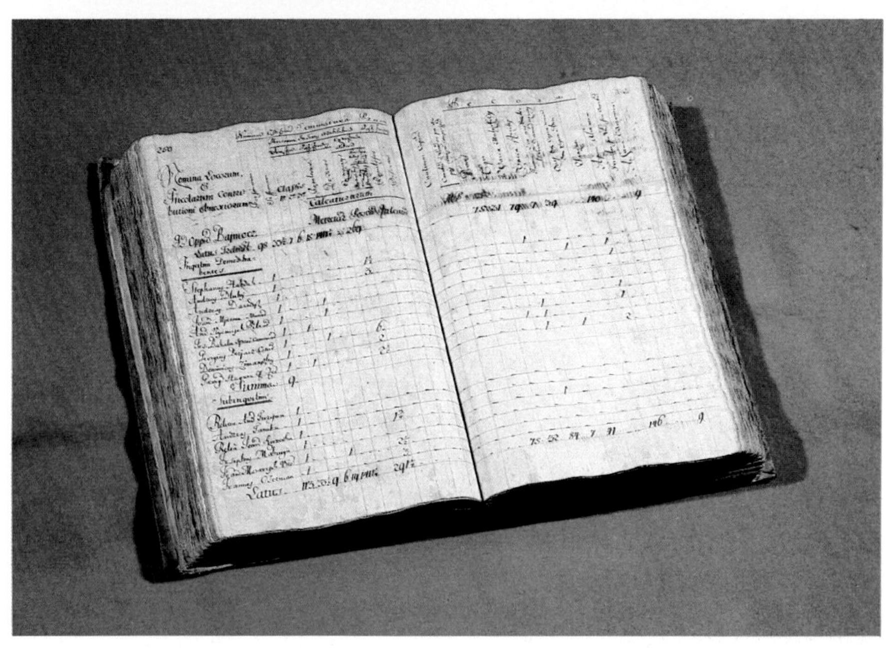

317
Súpis poddaných a ich povinností v Nitrianskej stolici z roku 1753

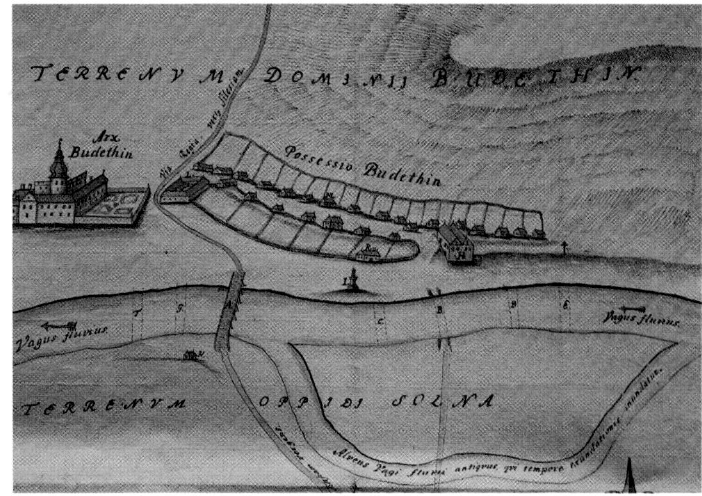

318
Ľudová maľba zobrazujúca, koho všetkého má sedliak svojou prácou živiť

319
Plán poddanskej dedinky Budatín so zámkom (z roku 1749 – Žilina)

320
Slovenskí sedliaci z Trenčianskej stolice (detail obrazu, Bytča)

321
Verbovačka (ľudová maľba, Rimavská Sobota)

322
Symbolom poddanskej revolty bol ľudový hrdina Juro Jánošík. Jeho údajná čiapka, opatrovaná v múzeu v Ružomberku

323
Projekt stavby poddanského domu na Orave (Bytča)

324
Plán domu s valchou na súkno (Bytča)

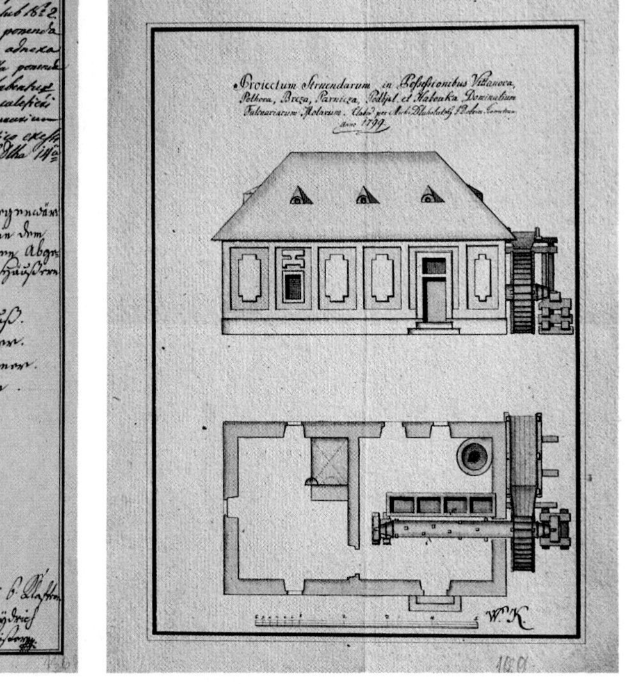

Radcovia osvietenských panovníkov i dvor sa usilovali o pozdvihnutie krajiny a poddanského ľudu.

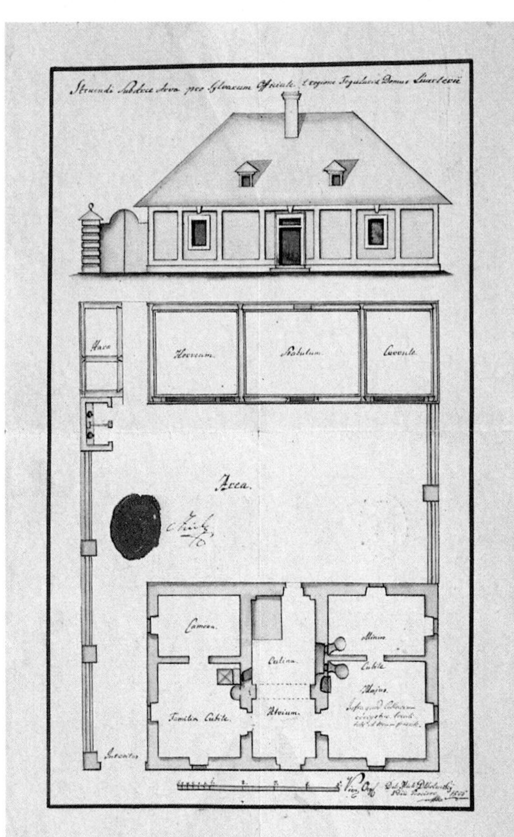

325
Návrh na typový meštiansky dom v mestečku Beluša (Bytča)

326
Projekt veľkej pálenice (Bytča)

327
Most cez rieku Oravu pri Tvrdošíne (plán, Bytča)

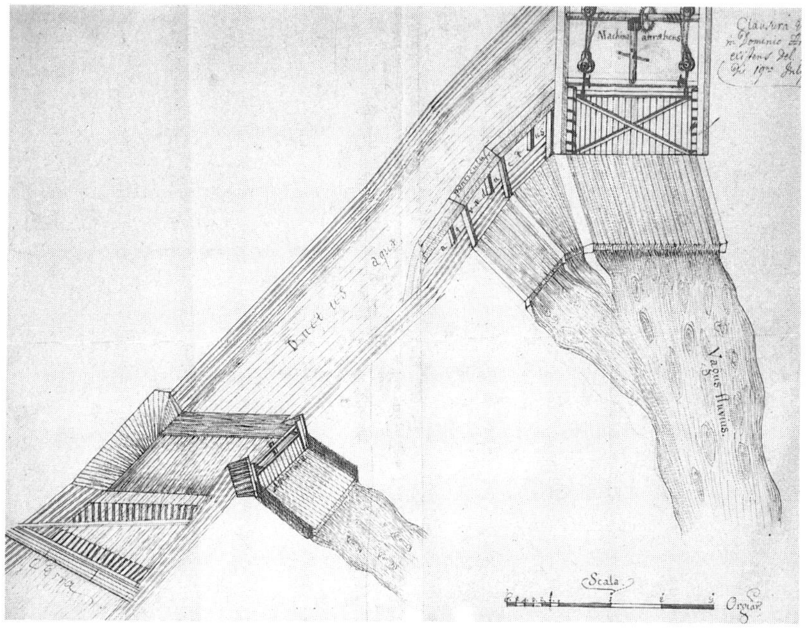

328
Plán mechanického vzdúvadla na Váhu z roku 1784 (Bytča)

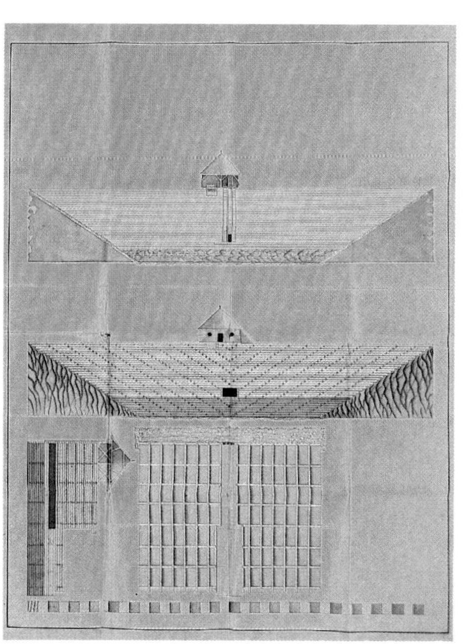

329
Návrh na priehradu na Orave v údolí potoka Jalovec pri Slanici (Bytča)

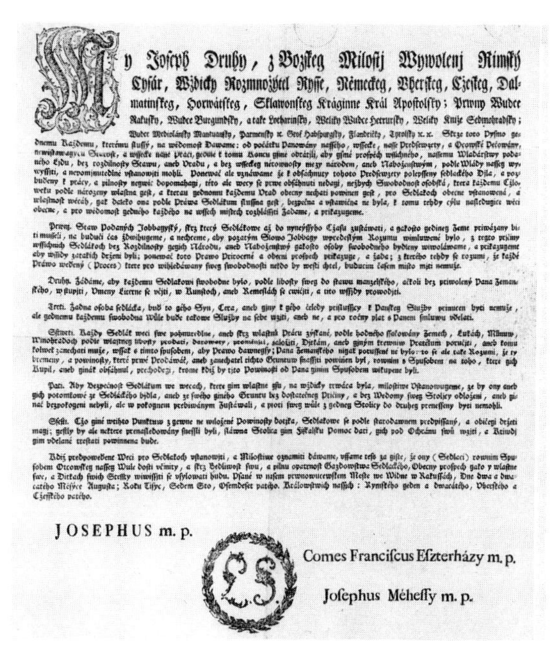

My Joseph Druhy, z Bozkeg Milosij Wywolenj Rimsky Cysár, Wždicky Rozmnožytel Rysse, Německeg, Vherskeg, Czeskeg, Dalmatinskeg, Horwátskeg, Sklawonskeg Kráginne Král Apostolsky; Prwny Wudce Rakusky, Wudce Burgundsky, a take Lotharinsky, Weliky Wudce Hetrursky, Weliky Knize Sedmohradsky; Wudce Mediolánsky Mantuansky, Parmensky ꝛc. Grof Habspurgsky, Flandricky, Tyrolsky ꝛc. ꝛc. Skrze toto Pysmo gednemu každemu, kterému slussý, na wědomost Dawame: od počátku Panowány nasscho, wssecke, nasse Predsewzety, a Otcowské Pečowány, newistawagycu Starost, a wssecke nasse Prácí, gedine k tomu Koncu gsme obrátili, aby gsmé prospěch wssechného, nassemu Wladárstwy podaného Lidu, bez rozdilnosty Stawu, aneb Vradu, a bez wsseckeg nérownosty mezy národem, aneb Nabozenstwým, podle Wlády nasseg wywyssiti, a nevominutedlné vstanowiti mohli. Poneważ ale vznáwame że k obsáchnuty tohoto Predsewzety polepssený sedlackého Djla, a powbudeny k prácy, a pilnosty negwic dopomahagi, této ale wery se prwe obsáhnuti nedagi, nežbych Swobodnost osobská, ktera každemu Człowěku podle nározeny wlastna gest, a kterau gednomu každemu Vrad obecny nechati powinen gest, pro Sedlákoch obecne vstanowená, a wlastnost wěcáh, gak daleko ona podle Práwa Sedlákum slussna gest, bezpečna a vstawičná ne byla, k tomu tehdy cýlu nasledugice wěci obecne, a pro wědomost gedného každého na wssech mistech rozhlássiti Žadame, a prikazugeme.

Prwny. Staw Podaných Jobbagysky, skrz ktery Sedlákowe až do nyněyssyho Czasu zustáwati, a gakosto gedinej Zeme priwázany biti musseli, na buduci čas zdwihugeme, a nechceme, aby pozatým Slowo Jobbagy wpredesslým Rozumu wimluwené bylo, z tegto príčiny wssichnich Sedlákoch bez Rozdilnosty gegich Národu, aneb Nabozenstwý gakosto osoby swobodneho bydleny wiwolávame, a prikazugeme aby wssidy zatakich drženi byli; poneważ toto Prawo Pritoczné a obecní prospech prikazuge, a žada; z kterého tehdy se rozumi, že každé Práwo wedený (Proces) ktere pro wihledáwany sweg swobodnosti nekdo by westi chtel, buducim časem misto miti nemuže.

Druhy. Žádáme, aby každemu Sedlakowi swobodne bylo, podle libosty sweg do stawu manzelského, ačkoli bez priwolený Pana Zemanského, wstupiti, Vmeny Litterne se včiti, w Kunstoch, aneb Remeslách se cwičiti, a tito wssidy prowoditi.

Treti. Žadna osoba sedlácka, bud to gého Syn, Cera, aneb giny k gého čeledy prislussicy k Panskeg Služby prinucen byti nemuže, ale gednemu každemu swobodna Wůle bude takowe Služby na sebe wziti, aneb ne, a pro ročny plat s Panem smluwu vdelati.

Sstwrti. Každy Sedlák weci swe pohnutedlne, aneb skrz wlastnú Prácu získané, podle hodného ssacowány Zemech, Lukách, Mlinuw, Winohradoch podle wlastneg libosty prodati, darowety, proměniti, založiti, Djtkám, aneb giným krewniw Pratelum poručiti, aneb komukolwek zanechati muže, wssak s tímto spusobem, aby Prawo dawnegsy; Pana Zemanského nigak porussené ne bylo: to se ale take Rozumi, že ty bremeny, a powinosty, které prwé Prodáwák, aneb zanechatel richto Gruntuw snassiti powinen byl, rowním s Spusobem na toho, ktere gich Kupil, aneb ginák obsáhnul, prechodezi, krome kdiž by tito Powinosti od Pana ginim Spusobem wikupene byli.

Pati. Aby Bezpečnost Sedlákum we wecach, ktere gim wlastne gsu, na wždicky trwáca byla, milostiwe Vstanowugeme, ze by ony aneb gich potomkowé ze Sedláckého bydla, aneb ze swého giného Gruntu bez dostatečneg Pričiny, a bez Wedomy sweg Stolicy odložení, aneb ginač bezpokogeni nebyli, ale w pokognem prebiwánym Zustáwali, a proti sweg wůle z gedneg Stolicy do druheg prenessený byti nemohli.

Ssesti. Czo giné wtihto Punktuw z gewne ne wložené Powinosty dotyka, Sedlakowe se podle starodawnem predpissaný, a obicegi držeti magi; gestly by ale nektere prenasledowány snessli byli, sláwna Stolica gim Fiskalsku Pomoc dati, gich pod Ochránu swú wziti, a Kriwdi gim vdelané trestati powinnena bude.

Kdiž predpowedene Weci pro Sedlákoch vstanowiti, a Milostiwe oznamiti dáwame, vffame tess za giste, že ony (Sedlaci) rownim Spusobem Otcowskeg nasseg Wule dosti včinity, a skrz Bedliwost swu, a pilnu opatrnost Gazdowstwa Sedlackého, Obecny prospech gako y wlastne swe, a Ditkach swich Stessty wiwissiti se vsylowati budu. Psané w nasem prwnowucewskem Meste we Widne w Rakussách, Dne dwa a dwacatého Měsýce Augusta; Roku Tisýc, Sedem Sto, Osemdeset patého. Králowstwich nassich: Rymského geden a dwacátého, Vherského a Czesského patého.

JOSEPHUS m. p.

L. S.

Comes Franciscus Eszterházy m. p.

Josephus Méheffy m. p.

330
Dekrét o zrušení nevoľníctva v našej krajine, podpísaný Jozefom II. a roku 1785 vytlačený aj v slovenčine

Wir Zech- und andere Meister des ehrsamen Handwerks deren bürgerl. Kirschnern, in der privileg. Stadt St. Nikolau, im Lyptauer Comitat, bescheinigen hiermit: daß gegenwärtiger Gesell, Namens Paulus Lusstyk von Vavrisowo in Lipt. Cottu gebürtig, so 20 Jahr alt, und von

331
Pohľad na Liptovský Mikuláš

Mestá na Slovensku v dobe osvietenského absolutizmu si naďalej udržujú svoj stredoveký svet uzatvorený do mestských hradieb, cechovú výrobu a tradičný spôsob života.

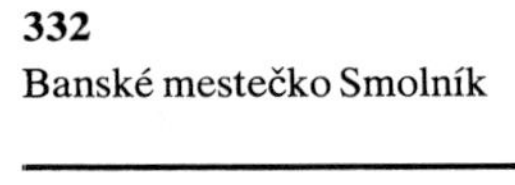

332
Banské mestečko Smolník

333
Rimavská Sobota – pohľad na mesto z roku 1769

335
Medené nádoby – výrobok stredoslovenských remeselníkov (Zvolen)

334
Pečatidlo zlatníckeho cechu v Levoči

336
Cechový džbán obuvníkov z roku 1781 (Bratislava)

337
Odznak cechu debnárov – vyobrazenie na džbáne z roku 1808 (Bratislava)

338
Vinohradníci – mešťania
z Bratislavy; vyobrazenie na sude

341
Hodiny – výrobok bratislavskej dielne

339
Ozdobný pohár na víno (Bratislava)

340
Cínové nádoby na víno (Bratislava)

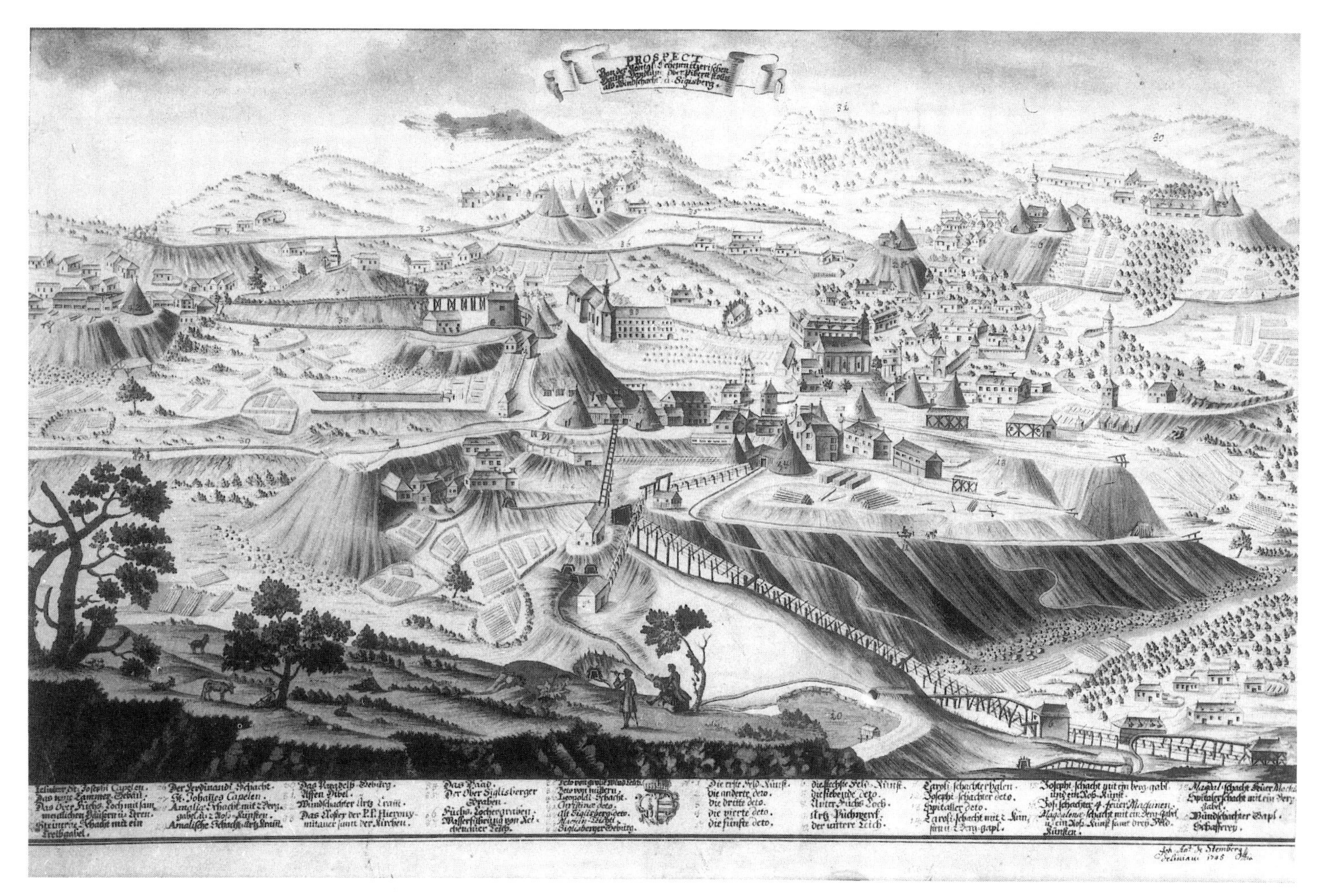

Osvietenský ekonomický racionalizmus významne zasiahol do slovenského baníctva a prispel k novej vlne jeho rozvoja.

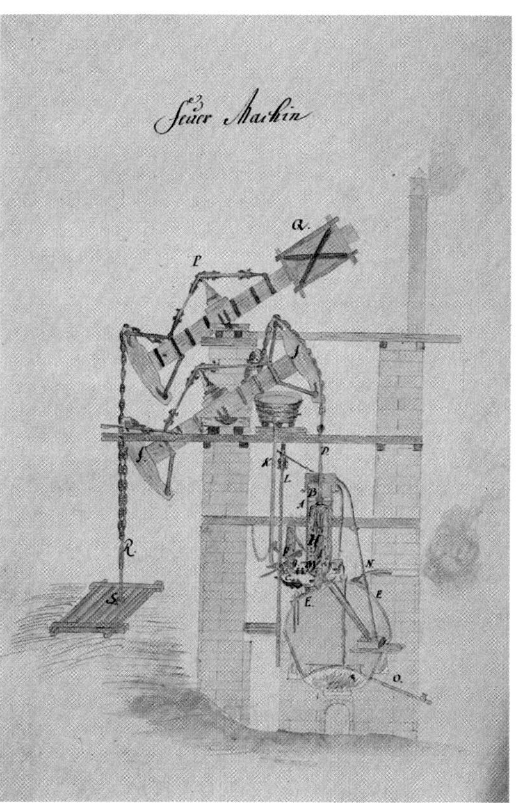

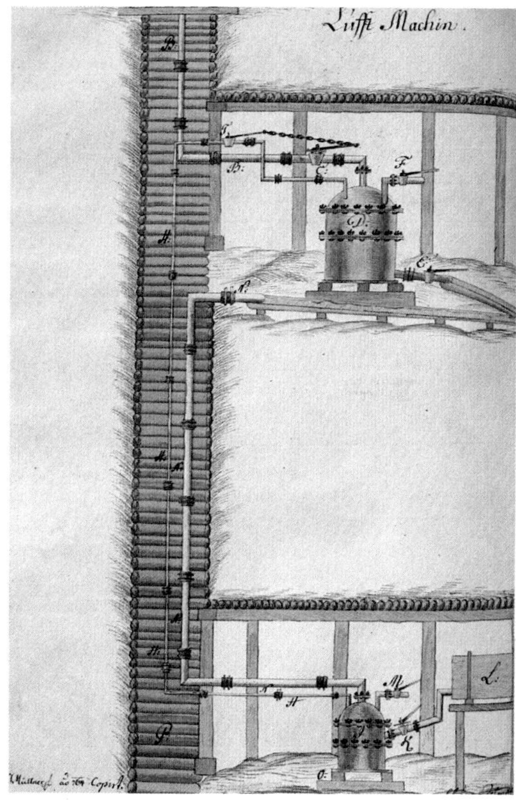

342
Banská Štiavnica – pohľad a prierez baňami (výsek z mapy)

343
Parný stroj na čerpanie vody z baní (Banská Štiavnica)

344
Z hutníckej technológie spracovávania striebra (Banská Štiavnica)

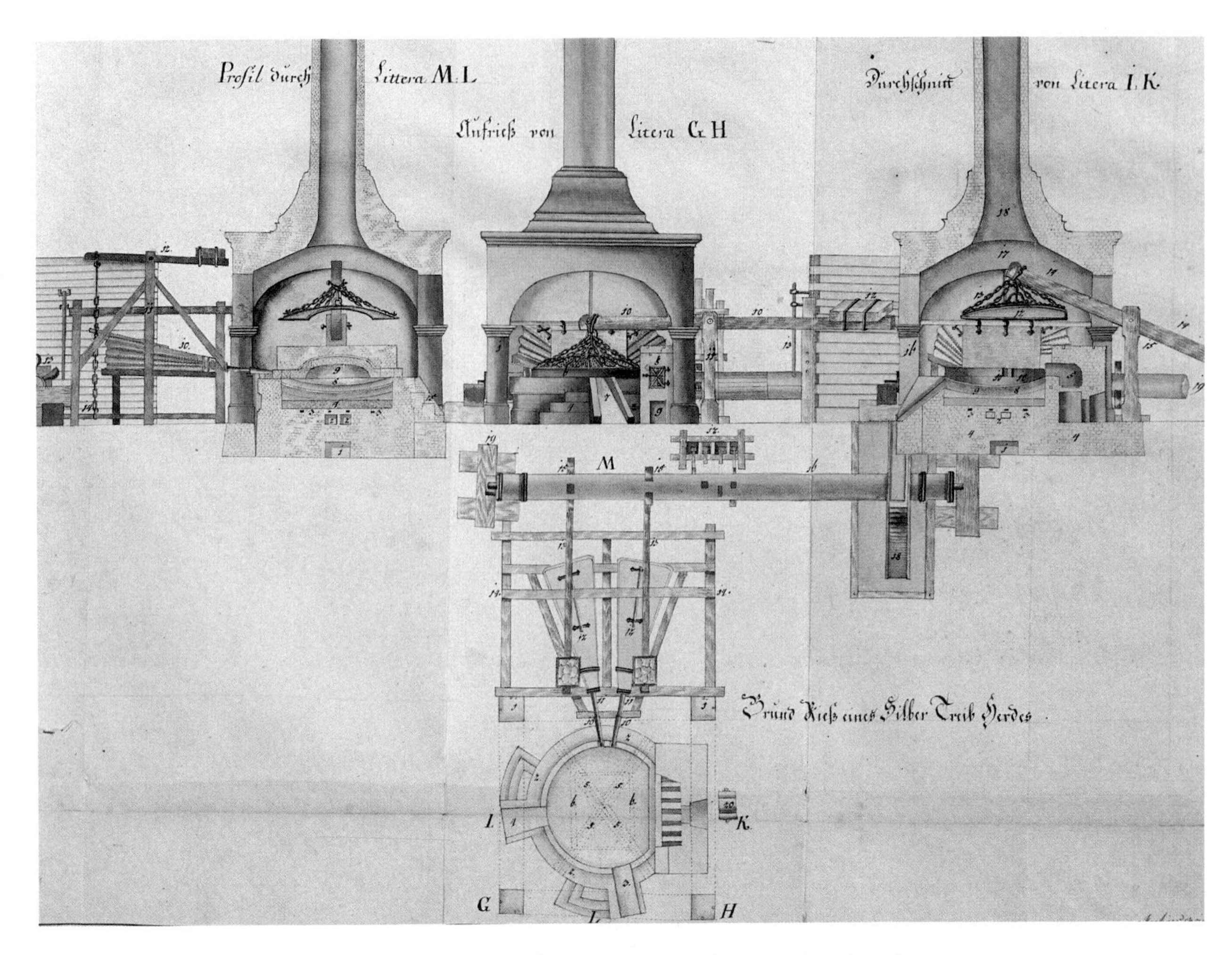

345
Vzduchové čerpacie zariadenie (Banská Štiavnica)

346
Zo života v banskom meste na prelome 18. a 19. storočia (vyobrazenie na terči)

347
Erb hlavného komorského grófa barónа K. Mitrovského z roku 1792. Na obrázku banícky kroj

348a–c
Pečate manufaktúr v Tepličke, Bernolákove a Banskej Bystrici

Prelomovým zariadením v technickom, ale aj hospodárskom a sociálnom živote Slovenska sa stala manufaktúra.

349, 350
Z výrobkov manufaktúry na jemný porcelán v Holíči, okr. Skalica

351
V Bratislave pracovala manufaktúra na výrobu fajok

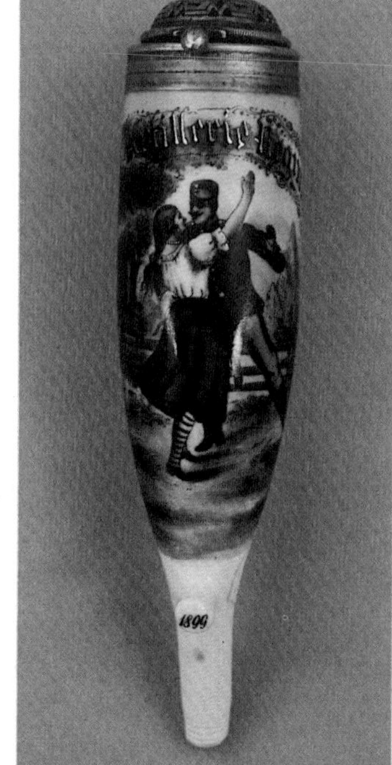

352a, b
Pohľad na vnútorné vybavenie textilnej manufaktúry (Litvínov)

Po vyhlásení tolerančného patentu roku 1781 mnohovrstevnejšou sa stáva i slovenská kultúra. Na východnom Slovensku sa rozvinula svojbytná sakrálna umelecká tvorba.

353
Drevený kostolík v Bardejove

354
Apoštoli – ikona z 18. storočia (Bardejov)

355
Svätý Mikuláš a jeho svet (Bardejov)

356
Kristus s učeníkmi (Bardejov)

357
Ikonostas pravoslávneho kostola v Jedlinke

358
Kupola kaštieľa v Topoľčiankach

359
Nádvorie kaštieľa v Topoľčiankach

360
Knižnica premonštrátskeho kláštora v Jasove

361
Od roku 1737 (obnovene od roku 1762) v Banskej Štiavnici pôsobila banská škola – akadémia, prvá vysoká banská škola na svete

Obrodený národ

Názov „národné obrodenie" sa zaužíval pre tú dobu vývoja národného spoločenstva, keď doň bolo potrebné včleniť široké, pospolité vrstvy obyvateľstva, čím národ dostal celkom novú kvalitu a v neposlednej miere i kvantitu – početnosť. Táto hlboká premena národa ako historického spoločenstva je súbežná s poslednými vývojovými štádiami feudalizmu a zrodením sa novej – buržoáznej spoločnosti. A keďže sociálny prerod nebol v celej Európe rovnorodý, nemohli byť rovnaké ani cesty, ktorými prebiehal vnútorný prerod – obrodenie v národe. Na Západe, kde už od stredoveku spravidla splýval vývoj národa s formovaním a upevňovaním štátu, nevznikali nijaké vážne anomálie a vývoj bol jednoznačný. Inak však bolo v krajinách, kde sa sformovali mnohonárodnostné monarchie, akými bola habsburská, osmanské impérium či ruský štát, kde vývoj bol načisto inakší. Tu sa národ a jeho premena na moderné sociálne spoločenstvo nediala v zhode so štátnou politikou, ale pri mnohých malých národoch vlastne v zložitom boji až proti svojmu štátu, proti vládnúcim národom v ňom.

Slováci a vývoj slovenského moderného národa sa ocitol v tejto druhej, pre jeho osudy nepriaznivej situácii. Je pravda, že aj v uhorskom štáte sa formoval politický „uhorský národ" po celé obdobie stredoveku. Tento sa sám nazýval „natio hungarica" a patrili doň len privilegované, šľachtické vrstvy spoločnosti. Jeho dorozumievacím jazykom po stáročia zostávala internacionálna latinčina a v myslení prevažovala príslušnosť k štátu bez ohľadu na to, z akej národnej dynastie práve sedel na tróne panovník. V rámci takéhoto stavovského národa sa politicky organizovali aj jednotlivé kraje Uhorska. Slovensko však netvorilo osobitnú politickú, kultúrnu, cirkevnú či inak autonómnu jednotku. Preto v národnom obrodení sa Slováci stali nielen objektom centralizácie, ale aj zvláštnej vnútornej polarizácie: šľachta zo Slovenska (alebo i pôvodom slovenská) uprednostňuje svoje triedne záujmy a vstupuje do maďarského nacionálneho vývoja spolu s maďarskou šľachtou, ktorá je v ňom vedúcou národnou silou; naše meštianstvo, ako druhá veľká sociálna sila, je bez politických práv, roztratené, a tým aj málo akcieschopné, takže sa nemôže stať jednoznačným vodcom nového národnoobrodeneckého pohybu ako monolit. Zostáva len pospolitý slovenský ľud, ktorý si po stáročia uchoval svoj slovenský jazyk nielen v každodennom styku, ale aj bohato štrukturovaný v národných piesňach, povestiach a porekadlách. Slovenský ľud si navyše uchoval a vypestoval svojbytný kultúrny charakter, prejavujúci sa vo výtvarnom prejave, zvykoch, obyčajoch či obradoch. Pospolitý ľud však zostal v národotvornom pohybe osihotený, vydaný napospas mocnejším. Úloha národného obrodenia v našich podmienkach bola špecifická a ťažká: zmeniť práve tohto neuvedomelého tvorcu a nositeľa slovenskosti na moderný, uvedomelý a plnoprávny národ. Bola to veľká, no súčasne zložitá historická úloha, ktorá ako v dobre napísanej dráme má svoj prológ, dramatické zauzlenie i následné nájdenie primeraného východiska. Všetko sa to udialo v historicky relatívne krátkom čase konca 18. a začiatku 19. storočia.

Vody sa začali čeriť, keď profesor uhorského práva na trnavskej univerzite Michal Bencsik napadol šľachtu a meštianstvo Trenčianskej stolice. Vyhlásil, že patria k potomkom kráľa Svätopluka, ktorého Maďari porazili, keď už predtým predal svoje kráľovstvo za bieleho koňa a honosný postroj k nemu. Preto sa aj Slováci naveky stali poddanými Maďarov a v krajine nemajú nijaké historické práva, sú tu vlastne len nájomcami. Prenesenie starej podmaniteľskej teórie vypracovanej ešte stredovekými kronikármi do nového nacionálneho zápasu vyvolalo obrovské rozhorčenie. Predstavenstvo Trenčianskej stolice požiadalo učeného dubnického kňaza Jána Baltazára Magina, aby napísal odpoveď na tieto výpady. Tak vzniklo dielo, krátko nazvané *Ostne alebo obrana,* prvá známa obrana historických a súčasných politických práv slovenského národa. Magin totiž už nebráni len Trenčanov, ale správne upozorňuje, že potomkovia Svätoplukovi žijú na celom dnešnom Slovensku a sú hrdí na svojho kráľa, ktorý pohostinne prijal Maďarov do krajiny. Tu spolu s nimi Slováci vytvárali uhorský štát, v ktorom po stáročia žijú a budujú ho, a preto by mali mať i rovnaké práva na vlasť a život v nej. Vzniká zvláštna situácia, ktorá vtlačila charakter celému ďalšiemu národotvornému obrodeneckému zápasu: na čelo obrodeneckého procesu sa stavia slovenská inteligencia, ktorá vzišla zväčša z plebejských vrstiev národa. V agrárnom zaostalom Uhorsku pri narastajúcej vlne vládnúceho hungaro-maďarského nacionalizmu pritom nemá priestor a podmienky na nastolenie eminentných politických práv pre svoj národ. Do popredia preto vysúva znaky kultúrne – medzi nimi najmä historizmus a neskôr jazyk, a to všetko nielen ako aktívny program, ale najmä ako obranu plebejského národa, ktorému v stavovskom štáte upierajú aj najzákladnejšie občianske práva.

V takomto duchu má J. Baltazár Magin mnoho nasledovníkov. Historik S. Timon hlboko prepracováva teóriu o „pohostinnom" prijatí Maďarov do priestorov veľkomoravského štátu. Juraj Papánek píše už programové *Dejiny slovenského národa,* v ktorých obhajuje nielen starobylosť slovenského národa, ale z veľkomoravskej tradície vysoko vyzdvihuje cyrilometodský odkaz. Keď moravský historik J. K. Jordan v diele *O pôvode Slovanov* vyslovil myšlienku o tom, že slovenčina je najčistejší a najzachovalejší jazyk spomedzi ostatných slovanských jazykov, dal tým silný impulz slovenskej inteligencii, aby kolísku všetkých Slovanov hľadala medzi Dunajom a Tatrami a písala chvály a ódy na starobylosť slovenského jazyka i národa. Vysokej autority v týchto otázkach dosiahli diela A. F. Kollára, Mateja Bela, Martina Szentivániho a iných. Takto v zápase o dôstojné miesto Slovákov v uhorskom štáte sa rodia základy ideológie národného obrodenia, formuje sa jeho prológ. Najperspektívnejším výdobytkom prvej vlny národného zápasu je poznanie, že „uhorskí Slovania" – Slováci sú samostatným kmeňom v slovanskom spoločenstve a slovenčina tvorí samostatné „nárečie" v slovanskom jazyku. Tieto výdobytky zápasu a poznania prijímala široká slovenská pospolitosť za svoje a na nich sa formovala už prvá skutočná etapa národného obrodenia, ktorá vznikala v atmosfére jozefínskych reforiem na Bratislavskom hrade a v ktorej vedúcou osobnosťou sa stal Anton Bernolák.

V programe politiky Jozefa II. bola snaha využiť drobné duchovenstvo na šírenie osvietenských dvorských reforiem. Preto výchovu kňazského dorastu vybral z rúk cirkvi a podriadil štátu. Zároveň trval na tom, aby sa osvietenské myšlienky šírili v prvom rade po nemecky, no popri tom aj v reči pospolitého ľudu, a to nielen z kazateľníc, ale aj v školách, ktoré sa masovo zakladali a budovali. V takejto atmosfére sa pokúsil „dláždiť cestu" pre národný jazyk Jozef Ignác Bajza, ktorý sa ako prvý pokúsil o povýšenie slovenčiny na spisovný jazyk. Dokonca v novej norme napísal i prvý slovenský román. Jeho slovenčine však chýbal pevnejší gramatický základ. Túto úlohu splnil až nadaný jazykovedec, rodák z Oravy, vtedy chovanec v generálnom seminári na Bratislavskom hrade – Anton Bernolák. Svojím obdivuhodne rozsiahlym a vyspelým jazykovedným dielom podopretým aj široko koncipovaným slovníkom povýšil kultúrnu západoslovenčinu, v ktorej sa už roky slovenský živel usiloval zachytiť písomnú podobu svojho jazyka, na spisovný jazyk Slovákov. K jeho gramatickej podobe použil i niektoré prvky stredoslovenčiny (napr. mäkčenie hlások) a predostrel tak národu základný nástroj na jeho sebauvedomovanie. Jeho druh Juraj Fándly ako prvý sa pokúsil použiť nový spisovný jazyk nielen na literárne ciele, ale aj pri širokom vzdelávaní pospolitého ľudu. Sprístupňoval mu pokrokové spôsoby poľnohospodárskej výroby, zoznamoval ho s novými plodinami, ktoré v nej začali hrať vážnu úlohu, učil racionálnej živočíšnej výrobe a pod. Fándly tak predstavoval najpokrokovejšie krídlo bernolákovcov, kritizoval nenávidený feudálny spoločenský poriadok, obracal pozornosť k najbiednejším vrstvám slovenskej spoločnosti, v ktorých videl jadro budúceho slovenského národa. V bernolákovskom hnutí práve tento príklon k najširším vrstvám ubiedeného poddanského ľudu predstavuje najdemokratickejšiu zložku, ktorá posunula osudy národa o kus vpred. Na takýto cieľ zriadili aj široko organizovaný spolok Tovaryšstvo, určený nielen na vydávanie literatúry, učebníc, prípadne i novín, ale najmä na to, aby sa všetky tieto výdobytky dostali až k najnižším sociálnym vrstvám formujúceho sa slovenského národa. V tom bernolákovské hnutie zohralo významnú úlohu v našich dejinách, utvorilo demokratickú bázu pre ďalší rozvoj obrodeneckého hnutia.

Priam tragédiou slovenského národného hnutia bola skutočnosť, že krajina bola nábožensky rozčesnutá na dva už dlhodobo znepriatelené tábory. A tak evanjelická inteligencia bernolákovskú jazykovú normu neprijala, čo spôsobilo, že slovenské národné obrodenie sa už od svojho začiatku rozdelilo na dva protichodné prúdy. Slovenskí evanjelickí vzdelanci pod vplyvom tradície češtiny ako písomného prejavu Slovákov stali sa zástancami spoločného jazykového i kultúrno-historického pôvodu Čechov a Slovákov. Umocňovalo to postavenie bibličtiny v náboženskom živote slovenských evanjelikov, pravda, so snahami ju slovakizovať, aby bola ľudu zrozumiteľnejšia. V nej videli hlavný nástroj zachovania národnej existencie. Nezostali však len pri jazyku. L. Bartholemeides vystúpil s názorom, že Slováci v gemersko-novohradskej oblasti sú potomkami českých bratríkov. To dalo impulz českému vedcovi J. Dobrovskému, aby predstúpil s teóriou o kmeňovej jednote Čechov a Slovákov, ktorá sa stala jedným z pevných základov pre protibernolákovský prúd národného obrodenia.

Do slovenskej spoločnosti ju presadzoval dlhoročný spolupracovník Dobrovského Juraj Ribay, ktorý našiel zdatných pokračovateľov v Jurajovi Palkovičovi a najmä učenom Bohuslavovi Tablicovi. Najmä z ich podnetu sa utvorila Katedra řeči a literatúry československé pri evanjelickom lýceu v Bratislave, ale aj program na podobné inštitúcie v Banskej Štiavnici a inde.

Neskôr česko-slovenská orientácia v národnom obrodení dostala významnú ideovú a kultúrno-vedeckú injekciu v dielach dvoch pozoruhodných mužov – Jána Kollára a Pavla Jozefa Šafárika. Tí vniesli do programu myšlienku všeslovanskej vzájomnosti s celoslovanskými integračnými tendenciami, čo silne rezonovalo v mnohých slovanských porobených národoch. Šafárikova vedecká syntéza slovanského dávnoveku zas ukázala nielen silu Slovanstva v minulosti, ale vlievala nádej i do budúceho vývoja.

Za dve desaťročia sa aj v tomto protibernolákovskom krídle slovenského národného obrodenia vystriedala generácia osvietenských demokratov, humanistov a nepochybne aj zanietených národovcov. Objektívne však rozdelenie národného obrodenia na dve skupiny spomaľovalo národotvorný proces Slovákov, komplikovalo cestu k vytvoreniu jednotného moderného národa. Okrem toho pri politickej neslobode, ktorá ho sprevádzala, muselo redukovať svoju činnosť na úzko chápané jazykové či kultúrno-historické a literárne problémy, čo nepochybne ochudobňovalo celkový vývoj slovenskej spoločnosti. Tá v tomto období súbežne prekonávala aj zložitý hospodársko-sociálny vývoj prudko meniaci sociálnu základňu národného obrodenia. V európskom vývoji sa totiž odohrávali také veľké udalosti, akými bola veľká francúzska revolúcia, ktorá rezonovala aj v našom národnom priestore a v povstaní Ignáca Martinoviča stojaceho na čele uhorských jakobínov priam naháňala strach vládnúcej feudálnej triede. Osemnásť rozsudkov smrti zakončilo tento – len náznak programu buržoázno-demokratických premien v našej krajine. Nastúpila moc tajnej polície, cenzúry tlače, obmedzenej slobody konania a spolčovania sa a život sa znova vracal do starých koľají stavovského štátu. Boľavou zostala najmä roľnícka otázka, ktorú vo svojej podstate zrušenie nevoľníctva neriešilo. Sedliacka usadlosť pre seba a na zaplatenie všetkých dávok, daní a poplatkov spotrebovala 4/5 svojej produkcie a len zostatok mohla realizovať na trhu. Preto sa aj život slovenskej dediny menil len v nepatrných kontúrach a bieda poddanstva tvrdo doliehala na väčšinu obyvateľstva. Ani sa nemožno čudovať, že neveľký signál na východnom Slovensku v podobe výkriku „páni nám otrávili studne" začal roľnícke povstanie, aké nemá obdoby v celých dejinách nášho feudalizmu. Povstanie, ako mnoho iných predtým, utopili vládnúce kruhy v krvi. A ani zákony, ktoré sa následne prijímali, nemali veľký účinok. Pôda, na ktorej hospodáril roľník, sa naďalej drobila a zemepán si začal robiť nároky aj na pôdu, ktorú poddaní vyklčovali a skultivovali na kopaniciach. Tú, ak kolonizácia neprebiehala so súhlasom zemepána, mohol poddaným pokojne odobrať. Preľudnené Slovensko stonalo a trápilo sa. V štyridsiatych rokoch pribudli roky neúrody a s nimi nastupujúce obdobia hladomoru. Mnoho bolo tých, čo sa živili plevami, pilinami, kôrou zo stromov a všakovakými trávami. V poddanských chalupách nebola ani štipka soli. Nad krajinou sa vznášala hrôza nového povstania. Ľudia umierali hladom a všetky snahy vlády zmierniť túto situáciu narážali na hluchý odpor majetných skupín obyvateľstva. Riešenie poddanskej otázky sa stávalo nevyhnutným, pričom na povrch nevystupovala žiadna trieda či skupina obyvateľstva, ktorá by na seba vzala úlohu nevyhnutného vodcu v novom sociálnom pohybe. Na krajinu doliehal nielen revolučný kvas domáceho prostredia, ale aj revolta celej Európy.

V novej situácii sa naliehavo pociťovala potreba zjednotiť oba prúdy slovenského národného obrodenia a hľadať i nové formy práce v zostrených policajných pomeroch. Iniciatíva pritom nechýbala ani na bernolákovskej, ani na opačnej strane. Stále viac vyzrievala pritom myšlienka, že hlavnou prekážkou národnej aktivity je nielen jeho roztrieštenosť, ale aj poddanské jarmo roľníctva, feudálny systém ako prežitá a neudržateľná inštitúcia. To si uvedomovala najmä nastupujúca mladá generácia slovenských vlastencov zorganizovaná v tajnom spolku Vzájomnosť, ale aj pri Společnosti česko-slovenskej na bratislavskom evanjelickom lýceu. Vedúcou osobnosťou celého hnutia sa čoskoro stal Ľudovít Štúr, ktorý od roku 1835 začal prednášky o dejinách Slovanov na spomínanom lýceu. Mladá generácia naplnila novou aktivitou dusený národný život. Najmä ľud a jeho sociálna otázka sa stali novým záujmom. Zbierali preto folklórny materiál, organizovali spoločné putovania po Slovensku, aby hlbšie prenikli k širokým vrstvám národa, a tým aj lepšie načúvali a poznali jeho túžby a želania. Aj Štúr sa veľmi usiloval, aby vychovával mládež v protifeudálnom duchu, aby sa zbavovala kollárovského romantizmu, nepolitickosti, aby obrátil jej pozornosť od úzko jazykových otázok obrodzovania spoločnosti k základným cieľom. Všetko podriadil pevnej myšlienke, aby bol oslobodený každý príslušník národa, aby dosiahol plné ľudské práva, aby sa celý slovenský národ stal nezávislým a slobodným. Boli to všetko ciele na hranici revolúcie a mladé štúrovské pokolenie hľadalo v utužujúcom sa metternichovskom absolutizme cesty a prostriedky, ako obsiahnuť i dosiahnuť veľký program národnej a občianskej slobody.

Prelomovými sa stali štyridsiate roky, keď sa národný zápas výrazne posunul dopredu. Dialo sa to nielen vlastným samovývojom, ale aj veľkými zmenami v celom politickom tábore Uhorska. Na scénu vystúpil demokraticky sa tváriaci muž – Lajoš Kossuth, ktorý na jednej strane predložil program vnútorných hospodárskych a sociálnych premien v krajine, no súčasne s ním aj program premeny Uhorska na jednotný maďarský národný štát. Tým sa stala nová maďarská politická reprezentácia aj najnekompromisnejším odporcom národnooslobodzovacieho hnutia nemaďarských národov v Uhorsku. Košútovská opozícia začala otvorený útok aj proti slovenskému národnému pohybu. Obvinila ho z panslavistických sprisahaní a chcela z neho načisto urobiť nepriateľa štátu a postaviť tak mimo zákon. Použila na to všetky prostriedky a už aj cirkev, ktorá ako-tak predsa len v oboch konfesionálnych táboroch dovtedy nachádzala na čelných miestach aj podporovateľov slovenského národného hnutia. Na novú situáciu museli Slováci odpovedať novými činmi, ak nechceli zostať pohltení v mori maďarského nacionalizmu. Nastupuje nová doba národných polemík, obrán, hromadných petícií adresovaných najmä uhorskému snemu, aby slovenský hlas znel aj na najvyšších štátnych ustanovizniach. Ustúpil strach pred políciou a nastala doba hromadných podpisovaní. Najznámejším sa stal Prestolný prosbopis z roku 1842, adresovaný cisárovi Ferdinandovi V. V apologetikách zaznieva nová vlna historizmu ako monument na obranu historických práv Slovákov na krajinu, v ktorej žijú, kde je ich vlasť. Novou tribúnou slovenského hlasu sa stali Štúrove *Slovenské národné noviny* s prílohou *Orol Tatranský,* ktoré po veľkých peripetiách začali vychádzať roku 1845. Vznikol tak vážny politický nástroj bojujúci za práva Slovákov.

Maďarizačný tlak nanovo postavil do popredia otázku jazyka, ktorý sa stále viac a viac z oblasti literatúry presúval na pole širokej ľudovej osvety a politiky. Ako prvý si potrebu nápravy v tejto otázke uvedomoval bystrý J. M. Hurban, pričom oceňoval historickú úlohu bernolákovcov, ktorú zohrali pri objasňovaní Slovákov ako samostatného kmeňa. Štúr a jeho spolupracovníci sa len pozvoľna vzdávali kollárovskej kmeňovej jednoty českého a slovenského národa, hoci aj ich nadchlo národným slovenským duchom precítené básnické dielo Jána Hollého, napísané v bernoláčtine. Jasne však už v tom čase spoznali, že otázkou jazyka sa musia zaoberať veľmi vážne, lebo ona stojí ako stály predel medzi unifikujúcim sa slovenským národným obrodením. Navyše sa ukazovalo, že v mnohonárodnostnom štáte jestvuje hlboká dialektická súvislosť medzi jazykom a národom. Z tohto racionálneho, ale aj prísne vedeckého a politického uvažovania vznikla myšlienka o novom spisovnom jazyku. Na stretnutí v Hlbokom Štúr, Hurban i Hodža vyhlásili stredoslovenské nárečie za spisovný jazyk Slovákov, keď už predtým dostali „požehnanie“ aj od barda bernolákovského hnutia – Jána Hollého. Sledoval sa tým jediný a pevný cieľ: zomknúť slovenské národné sily a čeliť prudko nastupujúcej maďarizácii. Celonárodné zhromaždenie Tatrín v Liptovskom Mikuláši v auguste 1844 už len schválilo vážny krok slovenského národného vedenia. V novom spisovnom jazyku začal Hurban vydávať nový časopis – presnejšie almanach, príznačne nazvaný *Nitra.* Tu potvrdil, že pred slovenskou budúcnosťou nestoja len ciele literárne, ale aj potreba „vlastným nárečím podchytiť a vyrozprávať“ život slovenského ľudu, jeho žiale i potreby. Tento vážny krok ešte v predvečer buržoáznej revolúcie aj vedecky zdôvodnil Ľ. Štúr, ktorý navyše obozretne ubezpečoval český národ, že Slováci sú pripravení aj naďalej zachovávať úzke bratské vzťahy k Čechom. Slovenské národné vedenie takto veľmi umne odhadlo budúce osudy formovania sa slovenského moderného národa v nesvojprávnych politických podmienkach a dobre ho pripravilo na nastávajúci boj v mohutnom ohni revolučného zápasu rokov 1848–1849, ktoré zachvátili celú Európu a logicky neobišli ani naše Slovensko. V revolúcii sa potom začala písať nová kapitola slovenských národných dejín, a preto nie je ani náhoda, že všetci historici a historické školy tu našli prvý veľký medzník našej minulosti.

Slovenský národ si po stáročia uchoval nielen svoj jazyk, ale aj svojbytnú národnú kultúru, ktorá ho odlišovala od inonárodných skupín mnohonárodnostnej monarchie.

362
Slováci z Turca

363
Mladík a dievčina zo Spiša

364
Slovenský sedliak z Karpát

365
Robotníci zo železiarskych hút grófa Andrášiho

366
Stredoslovenskí baníci pri triedení rudy

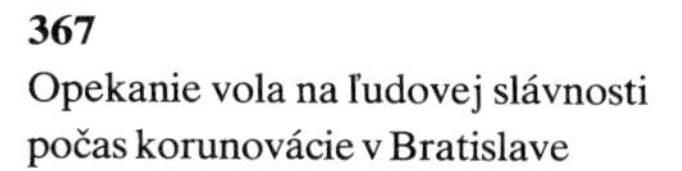

367
Opekanie vola na ľudovej slávnosti počas korunovácie v Bratislave

IMAGO
ANTIQUÆ
HUNGARIÆ,
REPRÆSENTANS
TERRAS, ADVENTUS,
&
RES GESTAS GENTIS
HUNNICÆ.
Hiſtorico genere ſtrictim
perſcripta
à
SAMUELE TIMON,
de Soc. JESU Sacerdote.

CASSOVIÆ, typis Academicis Soc. JESU,
per Joan. Henricum Frauenheim, A. 1733.

304 *Lib. II. De Hunnis, &*

CAPUT XVII.
De geſtis Sventopulchri,
qui aliis Zventibaldus, aliis Svatoplugus, aliis aliter dicitur.

Svatoplugi Regis (hoc enim honore dignantur eum nonnulli) varia nomina.

CElebratiſſimus hic Sclavorũ Princeps, filius Boleslai, nepos Radislai eorundem populorum Ducis, habuit imperium in Moravos, & finitimos; imò verò illos quoq; Sclavos, qui Savum & Dravum accolebant, in ditione ejus fuiſſe, nonnulli putaverunt. Conſiliorum ſocietate cum iis conjunctus certè fuit. Vir erat potens, excelſus, felix; attamen felicitas ejus aliqua ex parte claudicabat. Pendebat enim vectigal Germaniæ Regibus. Quî occaſionem dederit Hunnis tertiò erumpendi, altè repetendum eſt. Auctor poſtremæ partis *Annalium Fuldenſium*, æqualis illorum temporum, rem ab origine deſcribit ad hunc modum: Ludovicus Pius terram Araboni fluvio circumjectam, quæ erat terminus regni Bojarici, dederat duobus fratribus, Vilhelmo & Engiſchal-

368a, b
Dielo Samuela Timona *Imago antiquae Hungariae* hľadalo pre Slovákov nový priestor v dejinách uhorského štátu (titulný list diela, kapitola o Svätoplukovi)

Inteligencia, ktorá vzišla z plebejských vrstiev národa, začala Slovensko a Slovákov brániť i predstavovať súdobej Európe.

COMPENDIATA
HISTORIA
GENTIS SLAVÆ
A. R. D.
GEORGII PAPÁNEK,
PAROCHI OLASZIENSIS, PRESBYTERI
QUINQUE-ECCLESIENSIS,
DE REGNO REGIBUSQUE
SLAVORUM.
QUAM COMPENDIAVIT
A. R. D.
GEORGIUS FÁNDLY
PAROCHUS NAHACZIENSIS, PRESBYTER
ARCHIDIÆCESIS STRIGONIENSIS,
ADNEXIS DISPUTABILIBUS HISTORICIS QUAESTIONIBUS,
ADDITISQUE NOTIS, SIMILES MATERIAS INDICANTIBUS, IN VETUSTISSIMO MAGNAE MORAVIAE SITU,
A. R. AC CL. D.
GEORGII SZKLENAR
PRESBYTERI STRIGONIENSIS,
A. A. L. L. ET PHIL. DOC.,
OLIM IN REGIO POSONIENSI ARCHIGYMNASIO
HUMANIORUM PROFESSORIS PRIMI.

TYRNAVIÆ, TYPIS WENCESLAI JELINEK.
EXPENSIS D.D. PRAENUMERANTIUM, LITERATAE SLAVICAE SOCIETATIS SOCIORUM.
1793.

COMPENDIVM
HVNGARIAE
GEOGRAPHICVM,
AD EXEMPLAR
NOTITIAE HVNGARIAE NOVAE
HISTORICO-GEOGRAPHICAE,
MATTHIAE BEL,
IN PARTES IV.
VTPOTE,
HVNGARIAM CIS-DANVBIANAM, TRANS-DANVBIANAM, CIS-TIBISCANAM, TRANS-TIBISCANAM, ET COMITATVS,
DIVISVM.

Cum Permiſſu Superiorum.

POSONII,
LITTERIS IOANNIS MICHAELIS LANDERER,
TYPOGRAPHI. MDCCLIII.

369
Juraj Papánek píše prvé dejiny počiatkov Slovenska a Slovákov, Juraj Sklenár napísal prácu o polohe Veľkej Moravy, aby ubránil Slovákom kus preduhorských dejín

370
Matej Bel, rodák z Očovej a uvedomelý Slovák, dosiahol úroveň popredného európskeho vedca

371
Základné Belovo dielo podalo historický i súdobý obraz o Slovensku a Slovákoch; žiaľ, len niekoľko zväzkov vyšlo tlačou

372
Bratislava sa v 18. a na začiatku 19. storočia stala centrom slovenského duchovného života

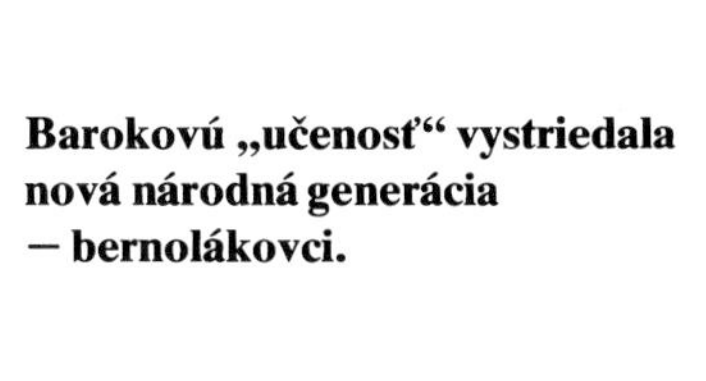

Barokovú „učenosť“ vystriedala nová národná generácia – bernolákovci.

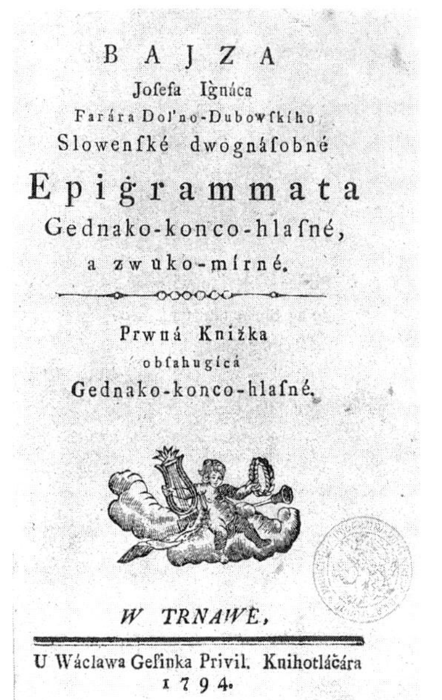

B A J Z A
Jofefa Ignáca
Farára Dol'no-Dubowfkího
Slowenfké dwognáfobné
Epigrammata
Gednako-konco-hlafné,
a zwuko-mírné.

Prwná Knižka
obfahugícá
Gednako-konco-hlafné.

W TRNAWĚ,
U Wáclawa Gefinka Privil. Knihotláčára
1794.

373
Prvý slovenský román napísal Jozef Ignác Bajza, rodák z Predmiera v Trenčianskej stolici. Jeho *Epigramata*

374
Ústrednou postavou slovenského národného života v generálnom seminári na Bratislavskom hrade sa stal Anton Bernolák

ETYMOLOGIA
VOCUM
SLAVICARUM,
ſiſtens
MODUM MULTIPLICANDI
VOCABULA
PER
DERIVATIONEM & COMPOSITIONEM,
AB
ANTONIO BERNOLÁK
CONCINNATA.

TYRNAVIÆ,
Typis WENCESLAI JELINEK 1791.

GRAMMATICA
SLAVICA
AUCTORE
ANTONIO BERNOLÁK
Ad
Syſtema Scholarum Nationalium in Ditionibus Cæſareo-Regiis introductum accomodata.

Editio prima in Pannonia.

Melior poſt aſpera fata reſurgo.

POSONII,
IMPENSIS IOANNIS MICHAELIS LANDERER
PERPETUI IN FÜSKUT.
1790.

Slowár Slowenſkí
Češko· Latinſko· Ňemecko· Uherſkí:
SEU
LEXICON SLAVICUM
BOHEMICO-LATINO-GERMANICO-UNGARICUM
AUCTORE
ANTONIO BERNOLÁK
NOBILI PANNONIO SZLANICZENSI.

TOMUS I.
A—J.

BUDAE,
Typis et Sumtibus Typogr. Reg. Univers. Hungaricae.
1825.

375, 376, 377
Svojím jazykovedným dielom stál A. Bernolák na čele prvej kodifikácie spisovnej slovenčiny (ukážky z jeho diel)

Druhá Stránka
w kterég po Smrti prwňého,
Druhí Pil'ní
Hospodár
Wikládá ňewedomému
Hospodárowi,
a keňiwég
Gazdiňe,
gaké má Práce pres celí Rok w každem
Mesíci, a gakím Spúsobom wikonáwať?
Pridáwá téš ke každému Mesícu
Prognostiku
Wikládagícu z ňebeskích Znakow a s Po-
wetrá, budúce Úrodi, a Časi.
Od Mnohowelebného Pána
Gura Fándlího,
Naháckého Farára spisaní pre
Slowákow.
Witlačení z Utratámi Pánow Predplatitelow w
Trnawe u Wáclawa Gelinka, mestského Kňi-
htlačára, Roku 1792.

378
Juraj Fándly naplno vyskúšal široké uplatnenie bernolákovského spisovného jazyka

Tretá Stránka
pilného domagšého, a polného
Hospodára,
kteru napísal
Mnohowelební Pán
Guro Fándli
Naháčskí Farár
O Planétách, na koľko Wedomosť
a Pozorowáňí o ních, gesť Hospodárowi
potrebné.
S Prídawkom
obsahugícím mnohé užitečné hospodárske
Radi, nowotnég Kesthelskég hospodárskég
Školi,
od
Oswíceného Pána Grófa
Gura Festetiča
zbudowanég.
Z Dowoleňím Wrchnosti.
W TRNAWE,
Witlačená z Utratami Pánow Predplatitelow u
WáclawaGelinka, privil. Kňihtlačára, R. 1800.

O Nemocách
ai o
Wiléčeňú
nezdrawég rožnég Lichwi.
Wídal poprwe
Guro Fándly,
Farár ňekdi Naháčskí.

Druhé Wídáňí.
W Trnawe,
Nákladkem a Litterámi Gelinek Gána Krst. 1829.

379, 380, 381
V osvietenskom duchu Fándly predložil slovenskému pospolitému ľudu mnohé osvetové diela pre každodenné potreby života (ukážky z titulných strán)

382
Ján Hollý – najnadanejší básnik bernolákovskej školy

383, 384
Historizujúce diela J. Hollého silne rezonovali v slovenskej spoločnosti (ukážky z rukopisu diela *Svätopluk* a ilustrácie)

Slovenskí evanjelici pod vplyvom tradičnej češtiny sa stali zástancami spoločného jazykového, ale aj kultúrno-historického pôvodu Slovákov a Čechov.

385
L. Bartholomeides vystúpil s názorom, že Slováci z gemersko-novohradskej oblasti sú potomkami českých bratríkov

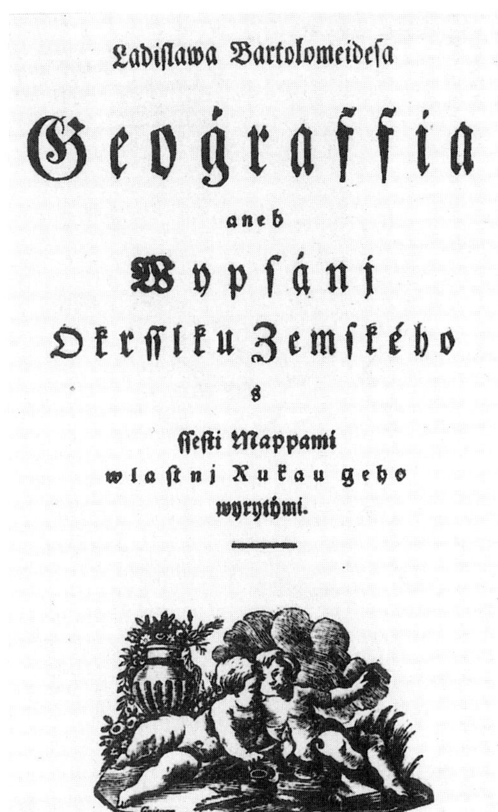

Ladislawa Bartolomeidesa

Geoġraffia

aneb

Wypsánj

Okrsslku Zemského

s

ssesti Mappami
wlastnj Rukau geho
wyrytými.

Wytisstěné w Báňské Bisstřicy
v Jana Sstefanjho, priw. Knihtlačitele. 1798.

386
Titulná strana Bartholomeidesovho diela *Geografia*

Poezye.

od

Bohuslawa Tablice.

Djl prwnj.

S powolenjm cýs. král. censury.

we Wacowě 1805.
v Antonjna Gotjba priw. Knihtlačitele.

387
Bohuslav Tablic vlastnou tvorbou, edičnou i organizačnou prácou sa usiloval o budovanie jednotnej československej kultúry a vzdelanosti (titulný list z diela *Poezye)*

388
Juraj Palkovič stál pri zrode Katedry reči a literatúry „česko-slovenskej" v Bratislave

Týdennjk,

aneb

Presspurské

Slowenské Nowiny,
z obzwlásstnjho cýs. král. dowolenj
prací a nákladem
Girjho Palkowiče
w Presspurku wydaný.

Byls gako dennice v prostřed oblaků. — —

Ssestý ročnj běh
1817.
Čerwenec — Prasynec.

389
J. Palkovič v rokoch 1812–1818 vydával i *Týdenník, aneb prešpurské slovenské noviny* (titulný list)

391
Pomník Jána Kollára v Mošovciach

390
Ján Kollár vniesol do obrodeneckej spoločnosti myšlienku všeslovanskej jednoty

SLÁWY DCERA

WE TŘECH

ZPĚWJCH

od

Jana Kollára.

DRUHÉ WYDÁNJ.

w Budjně 1824,
w Králowské universitecké tiskárně.

392
Ukážka z Kollárovho diela *Slávy dcera*; na mladú generáciu zapôsobilo novým chápaním vlasti a vlastenectva a po novom formulovalo aj ideológiu slovenského národného obrodenia

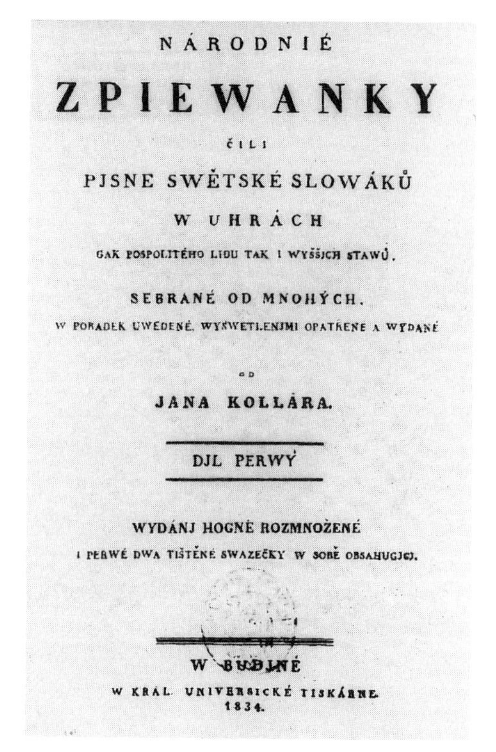

NÁRODNIÉ

ZPIEWANKY

ČILI

PJSNE SWĚTSKÉ SLOWÁKŮ

W UHRÁCH

GAK POSPOLITÉHO LIDU TAK I WYŠŠJCH STAWŮ.

SEBRANÉ OD MNOHÝCH.

W PORADEK UWEDENÉ, WYSWETLENJMI OPATŘENÉ A WYDANÉ

OD

JANA KOLLÁRA.

DJL PERWÝ

WYDÁNJ HOGNĚ ROZMNOŽENÉ

I PERWÉ DWA TIŠTĚNÉ SWAZEČKY W SOBĚ OBSAHUGJCJ.

W BUDJNĚ

W KRÁL. UNIVERSICKÉ TISKÁRNĚ.
1834.

393
Titulný list Kollárovho diela *Národné spievanky*

394
Pavol Jozef Šafárik dal svetu nezabudnuteľné dielo o slovanskom dávnoveku

395
Slovanské starožitnosti (titulný list z 1. vydania z roku 1831)

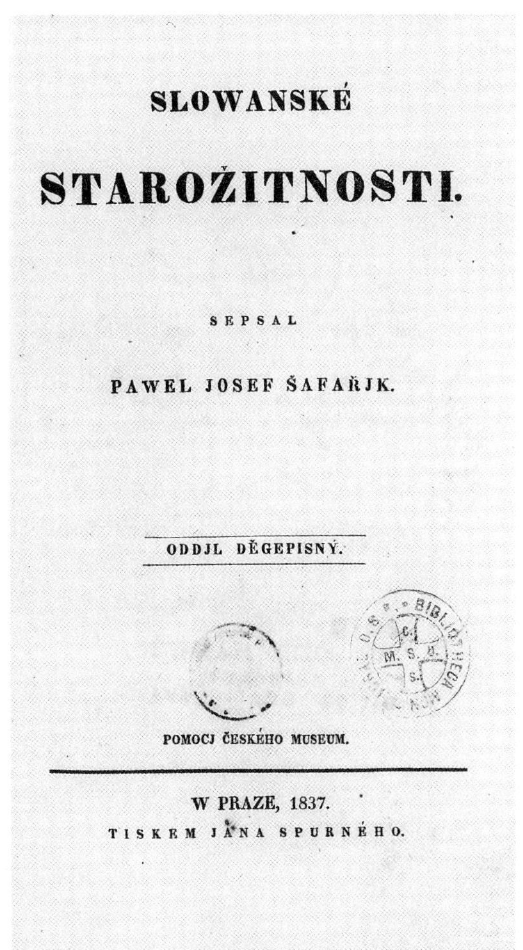

SLOWANSKÉ

STAROŽITNOSTI.

SEPSAL

PAWEL JOSEF ŠAFAŘJK.

ODDJL DĚGEPISNÝ.

POMOCJ ČESKÉHO MUSEUM.

W PRAZE, 1837.
TISKEM JANA SPURNÉHO.

396
Rodný dom P. J. Šafárika v Kobeliarove

397
Vodca uhorských jakobínov – Ignác Martinovič

398
Poprava účastníkov Martinovičovho sprisahania

Európu zachvátili veľké a spaľujúce myšlienky Francúzskej revolúcie, pochovávajúce feudálny spoločenský poriadok. Monarchia sa pred nimi bránila všetkými prostriedkami.

399
Nastupujúce napoleonské vojny neobišli ani Slovensko. Mier uzatvorili v Bratislave. Pohľad na budovu Primaciálneho paláca, kde bol mier uzavretý

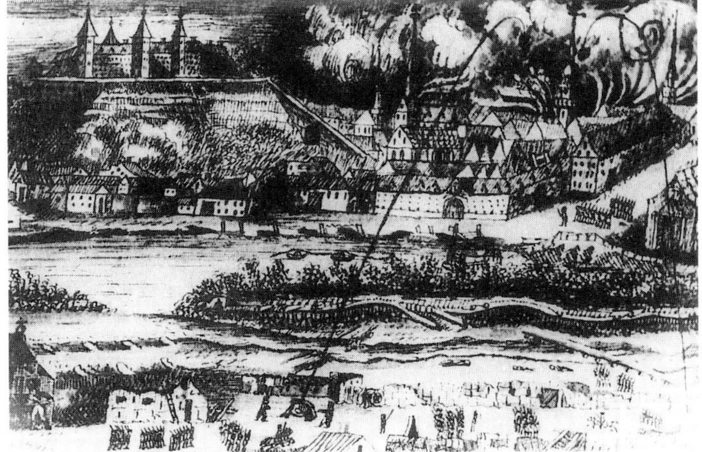

400
Devín ako vojenskú pevnosť vyhodili napoleonské vojská do povetria

401
Napoleonské vojská roku 1809 ostreľovali Bratislavu

402
V pohnutých rokoch (roku 1811) vyhorel aj Bratislavský hrad

Zsofesin Andreas Catholicus, Plebejus	56. Annorum	Krajsocz	4a d°	Provisus	In Coemeterio Krajsockensi	Vendelinus Vilcsek Capellanus Loci
Maria Labancz Catholica, Plebeja	1. Anni 1. Mensis	Richno	d°	Provisionis incapax	In Coemeterio Richnaviensi	Joannes Volny Clericus Dioecesis Cassoviensis
Anna Uhrin Catholica, Plebeja	38. Annorum	Klukno	5a d°	Provisa	In Coemeterio Kluknaviensi	Idem
Mathias Durasko Catholicus, Plebejus	40. Annorum	Richno	d°	Confessionem peregit	Propter homicidia sub tumultu diei 9a Aug. in Klukno patrata, jure Statario ad laqueum damnatus, in agro Dnali sito inter Klukno et Richno suspensus.	
Joannes Hubor Catholicus, Plebejus	20. Annorum	Klukno	d°	d°	Eamdem ob causam, et Jure eodem in agro Dominali sito inter Klukno et Richno suspensus.	
Joannes Hamzak Catholicus, Plebejus	56. Annorum	Idem	d°	d°	Eamdem pariter ob causam et Jure eodem in agro Dominali inter Klukno et Richno sito, suspensus.	
Jacobus Durasko Catholicus, Plebejus	2. Annorum 2. Mensium	Richno	8a d°	Provisionis incapax	In Coemeterio Richnaviensi	Joannes Volny Clericus Dioecesis Cassoviensis
Georgius Harman Catholicus, Plebejus	48. Annorum	Idem	14a d°	Confessionem peregit	Hic qua principalis tumultus diei 9a Aug. Jure Statario ad laqueum damnatus, terrae Educillum Richnaviense in Colle suspensus.	
Joannes Kotsik Catholicus, Plebejus	54. Annorum	Klukno	d°	d°	Eodem in Loco Jure Statario suspensus utpote complex homicidiorum patratorum in Klukno sub tumultu diei 9a Augusti.	
Joannes Schuszta Catholicus, Plebejus	8. Annorum	Idem	9a Augusti	Provisionis incapax	In novo Coemeterio Campestri circa Possessionem sito	=
Paulus Hraszcz Catholicus, Plebejus	20. Annorum	Richno	21a d°	Provisus	In Coemeterio Richnaviensi	Andreas Hornyik Presbyter Scepusiensis

403, 404
Kríza súdobého Slovenska vyústila vo východoslovenskom roľníckom povstaní roku 1831, ktoré otriaslo základmi feudalizmu. Súpis vyšetrovaných povstalcov zo Spiša a rozsudok nad nimi

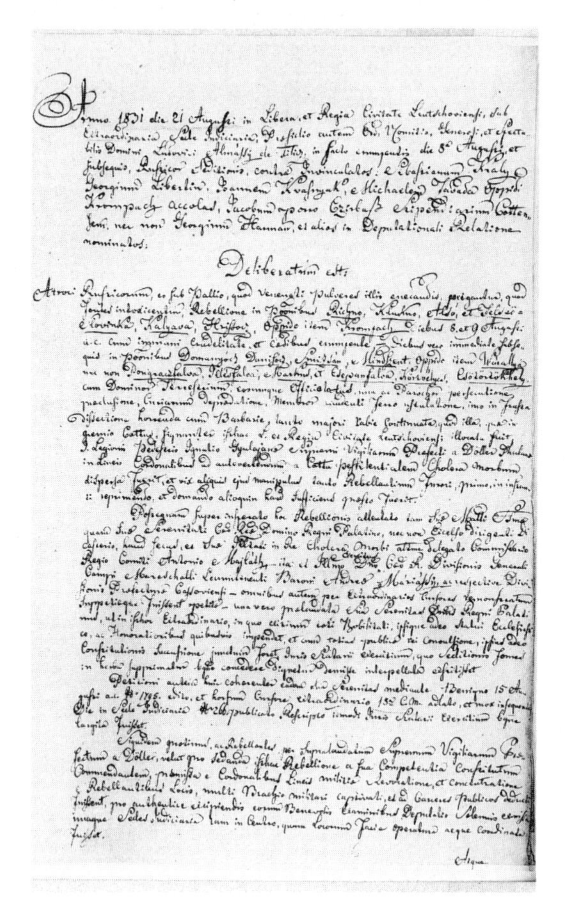

REVOLUTIO RUSTICANA

PER

TERRAS SCEPUSII.

Leutschoviae,
Typis Joannis Werthmüller, C. R. pr. Typogr.
1834.

405
Revolutio rusticana – opis osudov povstalcov

406
Pomník obetiam povstania v Haniske

407
Evanjelické lýceum v Bratislave – nový stánok slovenskej inteligencie

Nastupujúca generácia mladých štúrovcov bola predurčená spojiť oba – konfesionalizmom poznačené prúdy slovenského národného obrodenia do jednej údernej sily formujúcej moderný národ.

408
Rodný dom vedúcej osobnosti hnutia – Ľudovíta Štúra (Uhrovec)

409
Štúrovci v dňoch 11.–16. 7. 1843 na fare v Hlbokom vyhlásili stredoslovenské nárečie za nový spisovný jazyk Slovákov (pamätná doska na fare v Hlbokom)

410
J. M. Hurban začal v novej slovenčine tlačiť almanach Nitra (titulný list 2. ročníka; prvý vyšiel ešte v bibličtine)

411
V Liptovskom Mikuláši vznikol celonárodný spolok Tatrín. Schválil rozhodnutie o novej spisovnej slovenčine a až do roku 1848 bol centrom národno-kultúrnych snáh a podujatí

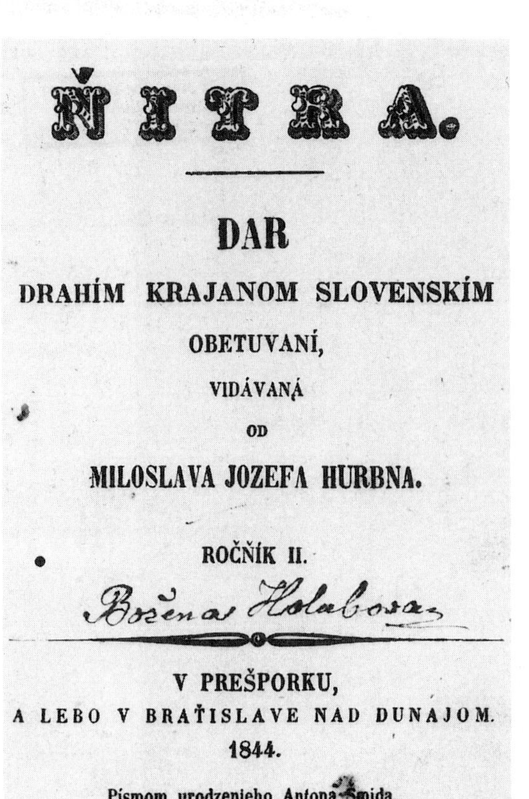

ŇITRA.

DAR
DRAHÍM KRAJANOM SLOVENSKÍM
OBETUVANÍ,
VIDÁVANÁ
OD
MILOSLAVA JOZEFA HURBNA.
ROČŇÍK II.

V PREŠPORKU,
A LEBO V BRAŤISLAVE NAD DUNAJOM.
1844.
Písmom urodzenjeho Antona Šmida.

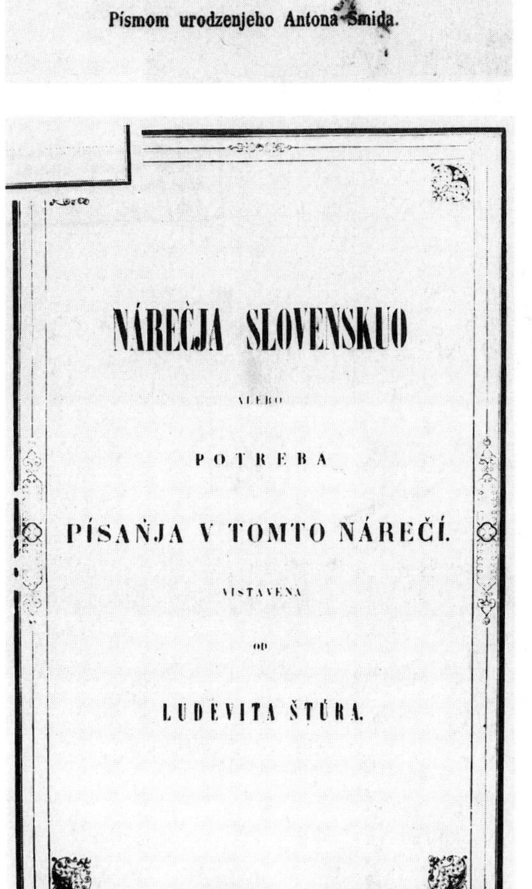

NÁREČJA SLOVENSKUO
ALEBO
POTREBA
PÍSAŇJA V TOMTO NÁREČÍ.
VISTAVENÁ
OD
LUDEVITA ŠTÚRA.

NAUKA
REČI SLOVENSKEJ.
VISTAVENÁ
OD
LUDEVÍTA ŠTÚRA.
NÁKLADOM TATRÍNA ČÍSLO I.

412, 413
Ľ. Štúr vypracoval viacero diel, aby ukázal, že nový spisovný jazyk má zjednotiť Slovákov a položiť ideologické základy budovania novodobého slovenského národa (titulné listy z diel Ľ. Štúra)

414
Klasicistický kaštieľ v Dolnej Krupej (1820–1828)

415
Klasicistický sedliacky dom v Tomášovciach

Národné obrodenie Slovákov od druhej polovice 18. storočia sprevádzal aj nový umelecký smer – klasicizmus. Ovládol život v jeho mnohostrannej podobe.

416
Vnútro evanjelického kostola v Levoči z rokov 1879–1892

417
Na Spiši pracoval maliar J. Czauczig

419
Jozef Božetech Klemens svoje umelecké snaženia zapojil do zápasu o národnú ideológiu

418
Obľúbenou tematikou sa stáva krajinomaľba a lyrizované veduty. Pohľad na Levoču od T. Szent-Istványiho (okolo roku 1840)

420
J. B. Klemens: Konštantín a Metod

V revolučných rokoch 1848–1849

Revolučná vlna, ktorá sa od prvých dní roku 1848 začala valiť Európou, nemohla nezasiahnuť triednymi a národnostnými konfliktmi hlboko podmytý breh habsburskej monarchie. Prehnitý feudálny spoločenský poriadok a despotický policajný režim absolutistickej vlády sa začal otriasať priamo v základoch.

Marcové revolučné búrky vo Viedni, ktoré zmietli nenávideného kancelára Klemensa Metternicha a od vystrašeného cisára Ferdinanda V. vymohli prísľub ústavy, sa takmer súčasne prejavili aj v ostatných častiach monarchie. V Pešti sa búrili ľudové vrstvy a študentská mládež. V Bratislave poznamenali rokovanie uhorského stavovského snemu. Na ňom už niekoľko mesiacov hľadali cesty k hospodárskemu, sociálnemu i politickému prebudovaniu Uhorska. K najdemokratickejším a najradikálnejším predstaviteľom tu patril Ľudovít Štúr, „vyslanec“ za mesto Zvolen. Od svojho prvého vystúpenia sa stal žalobcom za útlak poddaného sedliaka, za odbúrané práva miest, za odopieranie základných práv utláčaným národom. Svojimi demokratickými postojmi a návrhmi na riešenie ťažiskových problémov doby o hlavu predstihol všetkých vtedajších „snemových vyslancov“, vrátane príslušníkov maďarskej liberálnej šľachty, ktorá – mávajúc zástavou s heslami o slobode, rovnosti a bratstve – pasovala sa za vodcu revolučného pohybu v Uhorsku.

Strach z revolučného prívalu a úsilie o jeho vtesnanie do koryta bezpečného pre mocných narýchlo nadiktovali pánom v uhorskom sneme vyše tridsať zákonov a primäli ich za ne hlasovať. A tento strach viedol aj ruku panovníka pri ich podpisovaní. Uhorskej liberálnej šľachte sa dostala do rúk šanca na skutočné hospodárske a sociálne prebudovanie Uhorska. Nevyužila ju však, lebo ju využiť ani nechcela. Uhorský snem sa pousiloval čo najmenej oslabiť hospodársku a politickú moc šľachty a vykonal všetko, aby zakonzervoval jej nadvládu, i keď v čiastočne módnejšom odeve. Prijaté zákony síce podťali hlavné korene feudalizmu a otvorili cestu kapitalistickému vývoju, zostali však na polceste.

Najvýznamnejším spomedzi marcových zákonov bol zákon o zrušení poddanstva. Jeho polovičatosť spočívala najmä v tom, že od služobných povinností oslobodil len časť roľníctva a ani tú nie od všetkých, že šľachte zabezpečil finančné odškodné a zachoval jej obrovské veľkostatky, že nevyriešil užívanie lesov, spoločných pasienkov, neurbárskej pôdy, kopaníc a tzv. zmluvnej pôdy. Polovičaté boli aj ostatné zákony. Napríklad zdanlivo demokratický princíp ľudového zastupiteľstva sa stal iluzórnym, keď zákon priznal volebné právo len piatim-šiestim mužom zo sta a ani jednej žene. Zákon o slobode tlače a prejavu čoskoro zviazala povinnosť zložiť kauciu a predpisy o cenzúre. Jednoznačne nedemokraticky sa postavil snem k požiadavkám nemaďarských národov. Nielenže neriešil národnostnú otázku a nepriznal nemaďarským národom ani základné práva, ale naopak, odhlasoval dva zákony, ktoré upevnili postavenie maďarského národa ako jediného panujúceho národa v Uhorsku.

Zákon o zrušení poddanstva nemohol uspokojiť roľníkov, najmä tú časť, ktorá sa nedostala k pôde. Na Slovensku sa na čelo nespokojných roľníckych más postavili predstavitelia radikálnej demokratickej inteligencie, akými boli revoltujúci básnik Janko Kráľ a „buričský" učiteľ Ján Rotarides. Pod ich vedením sa búril ľud Hontianskej stolice. Pod vedením iných, ale zväčša i bez vedenia, prejavovali nespokojnosť roľnícke masy v Gemeri, Turci, Šariši, Spiši, vo Zvolenskej či Nitrianskej. Vedno so symbolickým pálením derešov zaberali pôdu, lesy a pasienky, odopierali robotovať a odvádzať poplatky. Tak ako poddaní Bojnického panstva, za čo ich na Bojnickom hrade uväznili, „bičovali, palicovali, ba dvaja aj virgase dostali".

V prvom revolučnom roku vstúpil na scénu aj proletariát. Koncom marca sa domáhali sociálnych výdobytkov slovenskí banskí a hutnícki robotníci v Banskej Štiavnici a na okolí. Žiadali zvýšenie mzdy, jej pravidelné dvojtýždenné vyplácanie, zníženie cien potravín, ba i prevzatie banskej správy robotníctvom a utvorenie „baníckej republiky". Hnutie, ktoré ideovo korenilo v myšlienkach francúzskych utopických socialistov, potlačilo vojsko. V Bratislave štrajkovali krajčírski tovariši, vo viacerých mestách sa búrila chudoba.

Na ľudových zhromaždeniach v prvej polovici roka 1848, najmä na západnom Slovensku, spájali požiadavky sociálne s národnými. Tak to bolo na zhromaždeniach v Myjave, vo Vrbovciach a hlavne v Brezovej, kde 28. apríla 1848 na veľkom ľudovom zhromaždení prijali Žiadosti slovenského národa v stolici Nitrianskej.

Najužšie spojenie slovenských národných požiadaviek s požiadavkami všeobecne demokratickými obsahoval najvýznamnejší dokument tých čias – Žiadosti slovenského národa. Pripravili ich na porade 10. mája v Liptovskom Mikuláši a na druhý deň ich aj verejne predniesli na veľkom ľudovom zhromaždení. Maďarská vláda Žiadosti ostro odmietla ako „neslýchaný komunizmus". Krajinský sudca Ľudovít Benický reagoval vydaním zatykača na Jozefa Miloslava Hurbana, Michala Miloslava Hodžu a Ľudovíta Štúra s tým, že „kto nadzmínených buričov lapí a prislúchajúcej vrchnosti odevzdá, dostane 100 zl. v striebre".

Jednoznačne zamietavý postoj vodcov maďarskej revolúcie a vlády voči spravodlivým požiadavkám Slovákov viedol k tomu, že slovenskí predstavitelia museli hľadať iné cesty na ich uplatnenie. Prvá viedla do Prahy na Slovanský zjazd, ktorý sa konal v júni 1848. S nadšením mladých radikálnych demokratov, súčasne s odporom konzervatívnych stúpencov austroslavizmu a tvrdým nepriateľstvom vlády, ktoré pretrvalo roky, sa stretlo Štúrovo vystúpenie na zjazde. Nečudo. Veď skutočných demokratov museli nadchnúť a na druhej strane kolísavých, opatrníckych a trónu vždy poklonkujúcich politikov museli zasa priam zmraziť jeho slová: „Cieľ náš mal by byť zachovať ríšu rakúsku? Náš cieľ je zachovať nás. Najprv musíme slúžiť sebe, potom iným. Doteraz Rakúsko žilo a my sme biedne hynuli... Pádom Rakúska, nepadáme my!"

Po rozohnaní Slovanského zjazdu sa Štúr vedno s ďalšími Slovákmi zúčastnil v bojoch na pražských barikádach. Dostalo sa mu „odmeny" v podobe nového zatykača, tentoraz pre zmenu rakúskeho. Vodcovia slovenského národného hnutia sa opäť museli skrývať a znovu hľadať iné cesty na uplatnenie slovenských práv. Vyhnaní z košiara revolúcie vydali sa na cestu veľkých ústupkov. Využili pozície chorvátsko-dalmátsko-slavónskeho bána Josipa Jelačiča, ktorý ich pomohol „prepašovať" do tábora cisára, a tým, žiaľ, aj na stranu kontrarevolučných síl. Veru, zablúdili na zložitej križovatke ciest. Ale či mohli ísť inými, keď im ich zarúbali?

Začiatkom septembra sa vo Viedni utvorila Slovenská národná rada, po prvý raz v dejinách slovenského národa ako jeho najvyššia politická reprezentácia a súčasne i orgán koordinujúci politické a vojenské akcie. Tvorili ju politickí predstavitelia Jozef Miloslav Hurban, Ľudovít Štúr a Michal Miloslav Hodža, členovia s vojenskými úlohami Bedřich Bloudek, Bernard Janeček a František Zach a tajomníci Bohuš Nosák a Daniel Jaroslav Bórik. Vo Viedni zriadili aj kanceláriu na nábor slovenských dobrovoľníkov. Utvorila sa asi 600-členná jednotka, ktorá sa na ceste Moravou rozrástla o ďalších 150 dobrovoľníkov. O prechode moravsko-slovenského pomedzia 18. septembra zaznamenal kronikár tých rokov priebeh zhromaždenia príslušníkov jednotky a občanov z dedín, ktorí ich prišli sem privítať. Tu, „na návrší rozkošnom, pri dohárajúcej žiare k západu sa skloňujúceho slnka" sa Štúr takto prihovoril k prítomným: „Za tými vŕškami, tam leží Slovensko, rodina naša, národ ubiedený, utláčaný, od tisíc rokov všetkej samostatnosti pozbavený, národ povrheľ... Ale ešte nevyhynul duch národný. Pozbavili nás všetkého, nepriatelia naši, lež túto vôľu nik odobrať nemôže, a táto vôľa nás vedie so zbrojou v ruke za tie vŕšky k národu nášmu".

Vodcom slovenského povstania proti uhorskej vláde ani dobrovoľníkom nechýbali nádeje, odhodlanie, presvedčenie o spravodlivosti tohto boja. Plán povstania rátal najprv s mobilizovaním a vyzbrojením ľudu Myjavy a okolia, odkiaľ sa iskra povstania mala preniesť cez Považie na stredné Slovensko.

Prvé sídlo Slovenskej národnej rady na slovenskom území bolo na Myjave. Tu na ľudovom zhromaždení 19. septembra vyhlásili nezávislosť Slovenska. Odtiaľto vychádzali aj prvé výzvy pre mestá a obce, aby sa zapojili do povstania. Takto sa podarilo zmobilizovať okolo 6000 mužov. Čo však zmôže horúce srdce, keď v rukách sú ako zbraň iba vidly a upravené kosy, keď chýbajú vojenské skúsenosti. Nečudo, že po niekoľkých úspešných zrážkach nakoniec povstalci utrpeli na Poriadí rozhodujúcu porážku. Časť bojovníkov sa rozutekala, časť ustúpila na Moravu, kde ich odzbrojili „vlastní" – cisárske vojsko. Zajatých účastníkov povstania uväznili, týrali, niekoľkých dali popraviť, iní sa zachránili len vďaka zhode náhod alebo za cenu sebaponižujúcich ústupkov.

Onedlho sa však predstavitelia slovenského národného odboja chytili novej slamky. Po novom zostrení vzťahov medzi uhorskou vládou a viedenským dvorom a po novom prísľube panovníka, že prizná rovnaké práva všetkým národom monarchie, uskutočnilo sa druhé a tretie dejstvo slovenského ozbrojeného odporu. Odohralo sa však už výlučne podľa scenára cisárskeho dvora. Novosformovaná slovenská výprava postupovala a bojovala od decembra 1848 na dvoch úsekoch. Jedna časť postupovala Kysucami, Oravou, Turcom, hornou Nitrou, Horehroním, Gemerom, Spišom a končila v Prešove a Košiciach. Druhá skupina mala menší operačný priestor – od Trenčína po Komárno. Ani jedna skupina nezaznamenala chýrne vojenské víťazstvá. Podstatný význam postupu slovenských dobrovoľníckych jednotiek bol v tom, že prebúdzal a posilňoval slovenské národné povedomie i vedomie spolupatričnosti jednotlivých častí Slovenska. Ľudové zhromaždenia, na ktorých vystupovali najmä Hurban, Štúr a Hodža, boli nielen miestami, na ktorých sa agitovalo za vstup do dobrovoľníckych jednotiek, ale najmä príležitosťou na prvé poučenia o právach ľudu a národa na slobodný život. Podobné ciele i priebeh, ale v podstatne menšom rozsahu, plnila tretia slovenská výprava zorganizovaná v lete 1849 Štefanom Markom Daxnerom a Jánom Franciscim.

Medzi týmito výpravami sa konala aj okázalá audiencia. K mladému 18-ročnému na trón nastúpiacemu panovníkovi Františkovi Jozefovi sa 20. marca 1848 dostavila do Olomouca deputácia slovenských politikov vedená Jozefom Kozáčkom. Priniesla prosbopis, aby sa v pripravovanej reorganizácii monarchie nezabudlo na slovenský národ. Bolo to prvé pokľaknutie pred Františkom Jozefom, prvé prijatie jeho „otcovských" prísľubov, aj prvé z celého radu jeho vierolomných vyhlásení o kladnom vzťahu k požiadavkám slovenského národa.

Po dvojročnom úsilí, bojoch, strádaniach a utrpeniach zostali národu len prísľuby a robotnému človeku nedokončené a polovičaté rozhodnutia, odsudzujúce ho na lopotu na cudzom pod inými názvami.

„Nový vek" – tak nadpísal Ľudovít Štúr úvodný článok uverejnený 31. marca 1848 v Slovenských národných novinách. Do „nového veku" vstúpil aj malý národ pod Tatrami. Neveľmi šťastne. V dňoch, keď sa aj „ponad Tatrou zablýskalo", preukázal svoje odhodlanie postaviť sa na barikádu pokroku. Rozhodli však iní, mocnejší. Jedni ho bez viny vyobcovali, iní, tí nepraví, si ho planými sľubmi prisvojili. Jedni i druhí ho však chceli natrvalo prinútiť pokorne kľačať a ešte pokornejšie prosiť.

421
Budova Uhorskej komory v Bratislave, v ktorej v rokoch 1847–1848 zasadali snemy

„Ale v okamihu tomto prebudenia svojho chce národ slovenský zabudnúť na storočia krivdy a zhanobenia svojho, odpúšťa sebe aj svojim ujarmiteľom a nič inšie nehýbe jeho rozradovaným srdcom, ako svätý zápal lásky a horúca túžba po zabezpečení slobody, národnosti a krajiny svojej.“

Zo Žiadostí slovenského národa, 1848

422
Zasadanie Dolnej snemovne, ktorá v marci 1848 prijala zákony ovplyvňujúce vývoj na celé storočie

423
Čítanie marcových zákonov na ľudovom zhromaždení v jednej z liptovských obcí (P. M. Bohúň, olej)

424
Bojnický hrad, miesto väznenia a týrania nespokojných roľníkov, ktorí si roku 1848 po svojom vysvetľovali nové poriadky

Žjadosťi slowenskjeho Národu.

(Pred Jeho c. kr. Jasnosť, pred krajinski Uhorski Sňem, pred Jeho Wisosť Uhorskjeho Palatina králowskjeho Námestňika, pred Ministerstwo Uhorskuo a pred wšetkich prjateľow človečenstwa a národnosťi.)

I.

Slowenski národ w Uhorskeg wlasťi, precíťuje po ďewäťstoročňom snu, akô pranárod krajini tejto, oswedomujúc sa, že swätá zem táto a matka krajina, súc púwoďisko a koliska powesťi o starodáwnej sláwe jeho Predkow a ďiwadlo, na ktorom otcowja jeho a hrďinowja za Uhorskú korunu krew wiljewali, bola do ňedáwna len macochou jeho, zachoďjacou s ňim ňemilosrdňe a držjacou jeho reč a národnosť na reťazach potupi a zhanobeňja.

Ale w okamzeňi tomto prebuďeňja swojho, chce národ slowenski zabudnúť na stoleťja ukriwďenosťi a zhanobenosťi swojej, odpúšťa sebe aj swojim ujarmiťeľom a nič inšje nebibe jeho rozraduwanim srdcom, ako swäti zápal lásky a horúca túžba po ubezpečeňi slobodi, národnosťi a krajini swojej. Za to jako pranárod a ňjekeďajši jeďini majiťel swätej tejto zeme, prewoláwa pod zástawou tohoto weku rownosťi, wšetki Národi Uhorskje ku Rownosťi a Braťinstwu a oswedčuje sa zo swojej strani, že ňechce žjadnu národnosť w Uhorskej ukriwďiť, uraziť, zmenšiť a tim meňej wikoreniť — ale aj žjada od Uhorskich Národow, abi aj oňi z ich strani takimto uhorskim wlasťeňectwom naplňeni boli a uceňim slowenskej národnosťi, národu slowenskjeho prjaťelstwa a lásky hodnimi sa stali. Lebo národ slowenski, ako z jednej strani ňechce utláčať inje národi, tak z druhej ňedozwoli sebä do starjeho jarma zaprjahnuť, a oswedčuje sa teraz i na potom, že sláwno meno **Uhorskjeho wlasťenca** žjadnemu neprisúďi tomu, ktori ňešetri práwa národnosťi druhjeho, pod korunou Uhorskou biwajúceho naroda. Následkom tohoto žjadame:

II.

Abi sa zrjaďiu na základe Rownosťi uhorskich národow, **jeden wšeobecni sňem bratskich národow,** pod korunou uhorskou žijúcich, na ktorom buďe každi národ, ako národ zastúpeni — a každi zástupca národňi zawjazani swojou národňou rečou národ swoj zastupowať a reči národow na sňeme zákonňe zastúpenich znať. Mimo tohoto krajinskjeho wšeobecnjeho sňemu národow, žjadame

III.

Národňje osobitnje sňemi, na ktorich sa powedú radi národňje a to sice jak národňjeho tak wšeobecňe krajinskjeho dobra sa tikajúce, ktorim cjeľom sa majú wiznačiť medze národopisnje, abi každi národ ku swojmu národňjemu strjedku mocňe sa priťahowať mohou a smeu, a ňebola prinúťená menšina Maďarow wäčšiňe slowenskej a menšina slowenská wäčšiňe Maďarow slúžiť a sa poddáwať, a práwe pre toto prisno chráňeňja slobuod a práw národňich žjadame po

IV.

Abi wislancowja wšetkich národow uhorskich zawjazani boli prisahou wo smislu nárowodow, sebe od swojich wisjelaťeľow widanich, na sňeme krajinskom howoriť

425
Žiadosti slovenského národa verejne vyhlásené 11. mája 1848 v kúpeľoch Ondrašová v Liptovskom Mikuláši

426, 427, 428
Vedúce osobnosti slovenského politického života v meruôsmych rokoch a členovia prvej Slovenskej národnej rady Ľudovít Štúr, Jozef Miloslav Hurban a Michal Miloslav Hodža

429
Pečať Slovenskej národnej rady, politickej reprezentantky slovenského národa a riadiaceho orgánu slovenského povstania

„Tým žiadame iba tú zem, čo od pradávneho času obývame, kde naša vlastná reč je domovom a v obyčajnom živote sa výhradne užíva, ktorá bola voľakedy kolískou nášho dejinného vystúpenia a ktorá od nepamätných čias, hoci bola s inými krajinami v politický celok spojená, jednako nikdy neprestala sa nazývať slovenskou zemou, Slovenskom.“

Z prosbopisu panovníkovi, 1848

430
Interiér bytu vdovy Koléniovej na Myjave; rekonštruovaná miestnosť, v ktorej zasadali, rokovali a písali výzvy členovia SNR

431
Zástava slovenských dobrovoľníkov, pod ktorou bojovali v septembri 1848 na západnom Slovensku

432
Výcvik slovenských dobrovoľníkov roku 1849, tentoraz už náročný (P. M. Bohúň, olej, detail)

433
Azda bol čas i na ľúbosť… (P. M. Bohúň, kolorovaná litografia)

434
Dôstojník a vojak slovenského dobrovoľníckeho zboru za druhej slovenskej výpravy naprieč Slovenskom (P. M. Bohúň, kolorovaná litografia)

435
Členovia slovenskej deputácie, ktorá 20. marca 1849 predložila panovníkovi prosbopis požadujúci uznanie samobytnosti slovenského národa a jeho rovnoprávnosti s ostatnými

436
Slávnostné rozpustenie slovenského dobrovoľníckeho zboru 21. novembra 1849 na bratislavskom „firšnáli" (Aleji kniežaťa a primasa)

437
Bratislava, námestie pred Stavovským divadlom (dnes Hviezdoslavovo námestie) v polovici 19. storočia (V. Reim, olej)

Roky nádejí a trpkých sklamaní

Revolúcia bola potlačená. Násilie a moc triumfovali. Všetky sily mocných monarchie, cisára i dvorskú šľachtu, rakúsku buržoáziu i maďarskú liberálnu šľachtu, továrnikov, veľkostatkárov i bankárov zjednotil strach pred možným pokračovaním a rozšírením revolúcie. To umožnilo reakčnému habsburskému dvoru vojenskou diktatúrou, väzením i popravami, likvidovaním všetkých demokratických slobôd, centralizáciou, byrokraciou a germanizáciou obnoviť a upevniť nadvládu nad celou ríšou.

V prvom porevolučnom roku na Slovensku ešte dožívali aké-také nádeje. Boli to nádeje roľníckeho ľudu, že sa čoskoro doriešia všetky otázky ich skutočného sociálneho oslobodenia. Boli to nádeje slovenskej národnej inteligencie, že podpisovými akciami a vpašovaním zopár Slovákov do rôznych funkcií v novo sa tvoriacej verejnej správe sa predsa len podarí presadiť aspoň niektoré slovenské národné požiadavky.

Viedenský dvor, žulovo reakčný a vierolomný, postupoval voči Slovákom veľmi rafinovane. Podarilo sa mu do svojich služieb naverbovať niektorých jednotlivcov. Za ich pomoci sa mal zvrátiť vývoj a roztrieštiť slovenský tábor znovuotvorením otázky slovenského spisovného jazyka. *Slovenské noviny* – oficiálny tlačový orgán – nielenže sa obsahom museli niesť v duchu politiky dvora, ale dostali podmienku, že musia byť písané v kollárovskej slovakizovanej češtine, nazývanej i staroslovenčina, či bibličtina. Obnovenie sporu o spisovný jazyk zasialo semä sváru, ktorý prerástol do osobných sporov, nevraživosti, urážok ba i denuncianstva, čo rozkladalo a oslabovalo aj tak už nepočetné a slabé slovenské národné hnutie.

„Na nás kam diaľ horšie časy prichodia“ – sťažuje sa Ľudovít Štúr začiatkom roka 1851 ruskému priateľovi Izmailovi Ivanovičovi Sreznevskému: „...Rovnoprávnosť vyšla na posmech. ...Ľud sa žaluje na veľké dane a druhé ťarchy. Slovom náš stav je žalostný.“ Štúr bol natoľko rozhľadený, že ho neprekvapila vierolomnosť cisára a jeho stúpencov, sotva však čakal taký rýchly zlom. Polícia na západnom Slovensku snorila za každým krokom Štúra a Hurbana, úrady v Liptove zasa podozrievali Hodžu z organizovania akejsi „panslavistickej strany“, organizovali a podporovali provokácie, až ho vyhnali zo Slovenska. Vratkosť svojho postavenia si čoskoro uvedomili i tí niektorí jednotlivci, ktorým sa ušli úrady v župách a slúžnovských úradoch.

Iba sklamania priniesli tieto roky masám roľníckeho ľudu. Po piatich rokoch čakania a sľubov cisársky patent z 3. marca 1853 mal doriešiť ťažiskovú otázku doby – roľnícku otázku. Mal a aj ju riešil – v neprospech roľníckych más. Byrokraticky precízne vyhotovený dokument len zakonzervoval všetky nedôslednosti a polovičatosti a na mnohé desaťročia poznamenal vývojovú cestu poľnohospodárstva v ére kapitalizmu. Sklamanie roľníkov a bezzemkov na mnohých miestach prerástlo do odporu, vyústilo do vzbúr a nepokojov, najmä pri špekulatívnom uskutočňovaní komasácie pôdy začiatkom 60. rokov. Najväčšie a najostrejšie boje boli na Spiši a v Šariši.

Na obranu svojich existenčných práv aj napriek vojensko-policajnému teroru neraz vystúpili aj robotníci. Najostrejší priebeh mal mzdový boj banskoštiavnických baníkov. Vyvrcholil do otvorenej zrážky baníkov s brachiálnou mocou, po ktorej nasledovalo uväznenie troch desiatok účastníkov.

Drobný slovenský človek tých čias sa musel boriť i s ďalšími dôsledkami nepriazne osudu. Raz to boli povodne, inokedy suchá či holomrazy, ktoré ho okrádali aj o to málo, čo si mohol na drobných políčkach dopestovať. Slovenské mestečká i dedinky pričasto navštevoval nežiadúci hosť – oheň. Nebolo takmer dňa, najmä v letných mesiacoch, aby niekde nehorelo. Mnohé obce neraz vyhoreli do tla a drobné zbierky pre „pohorelcov" nemohli ani len zmierniť ich krutý osud. Aj choroby postihovali skôr chudobu ako pánov. Najhoršie to bolo roku 1866, keď vo veľkom a skoro na celom Slovensku kosila cholera.

V apríli 1859 sa Rakúsko pustilo do vojny, ktorá sa skončila neslávne. Cisár, aby zabránil novému otrasu, obetoval svojho verného ministra Alexandra Bacha a opätovne prisľúbil rešpektovať jazykové práva a ďalšie požiadavky všetkých národov monarchie. Roku 1860 vydal dokument – októbrový diplom –, na ktorom však až príliš bol vidieť rukopis maďarského konzervatívneho aristokrata grófa Antona Szécséna. Národné práva sa mali priznať len tzv. historickým krajinám. Nebolo to po prvý, ani posledný raz, čo sa Slovákom odoprelo právo na plnohodnotný národný rozvoj s odôvodnením, že nie sú „historickým národom", že Slovensko nie je „historickou krajinou". Aj v týchto rokoch tí, čo si stačili upraviť dejiny na svoj aristokratický spôsob, s obľubou delili národy na „historické a nehistorické", aby len tým prvým priznali všetky práva, medzi nimi aj právo tie druhé gniaviť a pohlcovať.

Nové politické vetry prinútili predstaviteľov slovenského národného hnutia konať. Od 19. marca 1861 začali vychádzať *Pešťbudínske vedomosti,* ktoré pod týmto názvom, neskôr pod názvom *Národné noviny,* na niekoľko desaťročí ovplyvňovali slovenský politický život. V nich boli uverejnené hlavné princípy národného programu. Tu bola publikovaná i ponuka mesta Martin prichýliť prvé slovenské celonárodné zhromaždenie.

V dňoch 6. a 7. júna 1861 prežil Martin svoje dovtedy najväčšie dni. V duchu výzvy „kto chce žiť, nech sa kýva do Martina" prišli sem z takmer všetkých kútov Slovenska roľníci, remeselníci, kupci, učitelia, právnici, duchovní a ďalší, aby dopracovali a vyhlásili národný programový dokument. V pracovnej časti memorandového zhromaždenia to priam vrelo počas diskusie o spresňovaní štylizácie dokumentu a pri rozhodovaní, komu ho adresovať. Memorandum malo dva ťažiskové body. Prvým bolo uznanie svojbytnosti slovenského národa a zákonné zabezpečenie jeho rovnoprávnosti s ostatnými národmi v Uhorsku. Druhým bola požiadavka vyznačiť a uznať národné územie – Hornouhorský slovenský dištrikt alebo tiež Slovenské okolie, na ktorom by sa vo verejnom živote, na verejnosprávnych úradoch, súdoch, v školách používal v prvom rade slovenský jazyk. Medzi ďalšími požiadavkami bolo založenie slovenskej právnickej fakulty a katedry reči a literatúry slovenskej na univerzite v Pešti, podporovanie slovenských kultúrnych inštitúcií zo štátnych prostriedkov, právo slobodne zakladať kultúrne spolky a iné. Stanoviská tvorcov dokumentu, na príprave ktorého mal najväčšiu zásluhu Štefan Marko Daxner, sa napokon zjednotili. A tak v druhej časti zhromaždenia, ktorá sa v slávnostnom duchu konala „pod lipami“ na voľnom priestranstve, skoro 5000 účastníkov s nebývalým nadšením a neskrývanými nádejami prijalo národný program – Memorandum národa slovenského. Bol to významný dokument prebúdzajúceho sa národného povedomia. Aj napriek niektorým nedostatkom, ako bolo obídenie sociálnych a všeobecne demokratických požiadaviek, vyjadroval objektívne pokrokové tendencie.

Memorandum sa vydalo na strastiplnú cestu. Osobitná deputácia, zvolená na martinskom zhromaždení, odovzdala dokument podpredsedovi uhorského snemu v čase, keď už takmer dva týždne prebiehala zhora organizovaná bezuzdná kampaň proti Memorandu a jeho právoplatnosti. Napokon o všetkom rozhodlo rozpustenie uhorského snemu. Z možných adresátov zostal už len jediný – panovník. Jemu 12. decembra 1861 odovzdala deputácia vedená Štefanom Moysesom pamätný spis s obsahom Memoranda vedno s návrhom Privilégia o politickej organizácii Slovenského okolia. Okolie malo tvoriť 5 čisto slovenských žúp a 10 žúp so zmiešaným slovensko-maďarským obyvateľstvom. Sídlami okresov mali byť Trnava, Senica, Nové Mesto nad Váhom, Nitra, Trenčín, Žilina, Turčiansky sv. Martin, Dolný Kubín, Liptovský sv. Mikuláš, Banská Bystrica, Bátovce, Zlaté Moravce, Veľká Revúca, Novohrad, Prešov a Košice. Okolie malo mať svoje hlavné mesto – Banskú Bystricu, vlastný snem, autonómne vládne, správne a výkonné orgány.

„Jeho cisársko-kráľovské apoštolské Veličenstvo“ členom slovenskej deputácie „udelilo“ opäť mnoho prívetivých úsmevov a povzbudivých slov, „otcovské požehnanie“ a za plnú priehršť sľubov. Činy, ktoré potom nasledovali, boli už poskromné. Nečudo, že čestný a statočný Štefan Moyses, už po troch rokoch, sklamaný a znechutený napísal: „Zanechal som Viedeň s plnučičkou kapsou daných najpotešiteľnejších výhľadov, o ktorých žiadúcom úspechu som už tam pochyboval, ba pochybovanie moje bez okolkov i vyjadril. Od toho času (som) sa ale dokonale presvedčil, že by pre mňa múdrejšie bolo bývalo pod pecou doma sedieť, nežli zdravie a peniaze, nemajúc ani jedného ani druhého nazbyt, darmo márniť.“

Chudobnému sa i málo zdá byť dosť. A tak slovenskému národnému životu pomohlo i to málo, čo v prvej polovici 60. rokov získal: tri slovenské gymnáziá – v Revúcej (1867), Martine (1867) a v Kláštore pod Znievom (1869), ďalšie gymnázium v Banskej Bystrici, na ktorom sa zvýšil slovenský vplyv, ale najmä založenie Matice slovenskej. Cisár a jeho dvor pridali navyše i niekoľko ďalších politických gest, vymenovanie Jána Francisciho za hlavného župana Liptovskej župy a Štefana Marka Daxnera za podžupana Gemerskej župy, i keď sa ani jeden v kreslách dlho neudržal.

V založení Matice slovenskej videli súčasníci zavŕšenie mnohoročných túžob po utvorení slovenského kultúrneho centra. Už prvé správy o možnosti jeho vzniku vyvolali vlnu nadšenia, ktorá sa odrazila v nesmiernej obetavosti. Keď sa počas niekoľkých mesiacov zozbieralo na Maticu temer 100 tisíc zlatiek, ani sa len veriť nechcelo, že sa ešte našlo toľko v zbedačenom národe. Prvé valné zhromaždenie Matice slovenskej sa uskutočnilo 4. augusta 1863 v slávnostnej atmosfére, ktorá prevýšila i memorandové zhromaždenie. Ciele a úlohy Matice slovenskej vyjadrili stanovy slovami: „Slovenská matica je jednota milovníkov národa a života slovenského a jej cieľ: v členoch slovenského národa mravnú a umnú vzdelanosť budiť, rozširovať a utvrdzovať, slovenskú literatúru a krásne umenia pestovať a podporovať a tým i hmotný dobrobyt slovenského národa napomáhať a na jeho zvelebení pracovať." Matica počas svojho vyše desaťročného pôsobenia plnila svoje úlohy na širokom poli a nielen kultúrne. Stala sa reprezentantkou slovenského národa, demonštrovala jeho svojbytnosť, ale aj životaschopnosť. Stelesňovala jeho jednotu, povýšenú nad stavovské a konfesionálne rozdiely. Stala sa ohniskom kultúrnej, vedeckej, ľudovýchovnej i národnobuditeľskej činnosti. Preto mala podporu v národe. Ale preto sa stala aj terčom šovinistických útokov nepriateľov z radov vládnúcich vrstiev panujúceho národa, ktorí sa napokon postarali o jej násilnú likvidáciu roku 1875.

Rok 1867 znamenal nové usporiadanie vnútropolitických pomerov v krajine. Bol to dôsledok porážky Rakúska v prusko-rakúskej vojne, v ktorej sa pruské vojská dovalili až pred Bratislavu. Rakúsky meštiak, vyradený z boja o vodcovstvo medzi nemeckými štátmi, si uvedomil, že sám nebude schopný udržať znovu otrasené piliere ríše. Vybral si preto partnera – maďarského veľkostatkára, ktorému za hospodárske výhody a politickú podporu uvoľnil ruky na útlak ľudu vlastného národa, ale najmä potlačovaných národov. Dohoda dostala pomenovanie rakúsko-maďarské vyrovnanie a nový dualistický štát názov Rakúsko-Uhorsko. Toto „manželstvo z rozumu" požehnal panovník František Jozef za veľkej pompy 8. júna 1867 v Budíne, kde si dal položiť na hlavu uhorskú kráľovskú korunu.

Rakúsko-maďarské vyrovnanie širšie otvorilo dvere prieniku kapitalistických princípov do ekonomiky Uhorska. Súčasne však veľmi rázne zabuchlo dvere vedúce k nádejám na rozvoj nemaďarských národov, medzi nimi i Slovákov.

438
Komárňanská pevnosť, v porevolučných rokoch väznica, v ktorej od sveta izolovali účastníkov revolučných bojov meruôsmych rokov

439
Cisár František Jozef I. s ministrami, ktorí mu v 50. rokoch pomáhali upevňovať absolutistickú formu vlády

440
Bratislava (Rybné námestie), sídlo jedného z 5 uhorských dištriktov, do ktorého patrili župy zo západného Slovenska

441
Trenčín (pohľad z hradu roku 1853), mesto, v ktorom sa z iniciatívy Ľ. Štúra organizovala petičná kampaň za zavedenie slovenčiny do úradov (F. Baszler, olej)

442
Košice (v popredí kasárne), sídlo dištriktu so župami na východnom a strednom Slovensku.

443
Prvá stanica parnej železnice v Bratislave, postavená roku 1848 na spôsob koncových staníc (V. Reim, olej)

444, 445
Slovenskí roľníci v nie častých chvíľach sviatočnej pohody: mladý muž zo Stupavy a muž so ženou od Zvolena (P. M. Bohúň, litografie podľa akvarelu)

446
Banská Štiavnica, roku 1852 stredisko ostrých mzdových bojov baníkov

447
Levoča (dom Čákiovcov), mesto, v ktorom vyšetrovali a väznili účastníkov protikomasačných vzbúr a nepokojov

V tých rokoch neslobody sa pokúsil drobný slovenský človek, roľník i bezzemok, baník i tovariš, zodvihnúť hlavu a postaviť sa proti zvoli pánov. Končil v okovách a v temniciach.

448
Prešov, sídlo Šarišskej župy, ktorej ľud neraz prejavil nespokojnosť s postupom úradov pri komasácii

449
Vysoké Tatry sa z kraja biedy začali meniť na panské letovisko

Mnoho chýbalo Martinu do typicky mestského charakteru. Nemal bane, ani továrne, nemal hradby, nemal paláce ani veľké kupecké či remeselnícke domy. Žil tu však statočný a pracovitý ľud s mozoľnatými dlaňami a so srdcom bijúcim slovensky. Preto sa na desaťročia mohol stať centrom slovenského národného života.

450, 451
Martin, mesto, v ktorom bol 6. a 7. júna 1861 prijatý prvý národný program Slovákov – Memorandum slovenského národa

452, 453
Štefan Marko Daxner a Ján Palárik, dvaja z neveľkého počtu schopných slovenských činiteľov, ktorým len nepriazeň doby zabránila širšie sa uplatniť

454
Prsteň a náramky – spomienkové predmety na slávne memorandové dni

455
Členovia memorandovej deputácie na uhorský snem do Pešti v júni 1861 už pri odovzdávaní dokumentu pochopili, že nepochodia

456
„Slovenskí výtečníci" – dobové tablo hlavných predstaviteľov slovenského národného hnutia v matičných rokoch

„To je zmluva našej národnej jednoty, pod ktorej ochranou a vplyvom národ slovenský sa zjednotí, vyvinie a rozmnoží svoje duchovné a hmotné dosavaď roztratené alebo v zabudnutej nečinnosti hynúce sily."

Ján Francisci, 1863

457
Banská Bystrica, navrhovaná roku 1861 za hlavné mesto Slovenského okolia

458
Budova štvortriedneho slovenského gymnázia v Kláštore pod Znievom, prvého reálneho gymnázia v Uhorsku

459
Obal na Stanovy Matice slovenskej, „umne a skvostne vyšitý“ manželkou J. Francisciho

460, 461
Štefan Moyses, predseda, a Karol Kuzmány, podpredseda Matice slovenskej symbolizovali jej povznesenie sa nad konfesionálne rozpory

462
Budova odkúpená Maticou slovenskou od obce Martin za grošové zbierky medzi ľudom roku 1865

463
Mätenie voliča a vytláčanie opozičných voličov z volebnej miestnosti počas volieb do uhorského snemu

464
Národnostní poslanci na uhorskom sneme, bezohľadne umlčaní pri prerokovaní a prijatí národnostného zákona roku 1868

Od volieb do uhorského snemu roku 1865 boli tieto po každý raz fraškou, povestnou doma i vo svete ako ukážka nedemokratickosti, podvodov a korupcie. Nerozhodoval obsah volebných vyhlásení ani morálnopolitický profil kandidáta, ale kotle guľášu, fľaše pálenky, zastrašovanie voličov, podvody, teror voči opozícii.

465
Slovensko s pomaďarčenými názvami miest a dedín na mape Uhorska, vydanej roku 1897 s odvolaním sa na údajný stav v 18. storočí

SZILEZIA
MORVAORSZÁG
LENGYELO
BOSZNIA
BIRODALOM
SZERBIA
KIS-OLÁHORS
DEBRECZEN
SZEGED
TEMESVÁR
ARAD
PÉCS
ESZTERGOM
BUDA
PEST
POZSONY
KASSA
EPERJES
Csanádi-ker.
Lippai kerület
Temesvári-ker.
Facseti kerület
Csákovári ker.
Becskereki ker.
Karansebesi kerület
Versecz kerület
Pancsovai k.
Palánkai ker.
Orsovai kerület
BELGRÁD
PÉTERVÁRAD
KARLOCZA
ZALÁNKEMÉN
MITROVICZ
VUKOVÁR
DIAKOVÁR
ESZÉK
VALPÓ
POZSEGA
GRADISKA
REV-KOMÁROM
NAGY-GYŐR
SZÉKES-FEJÉRVÁR
TRENCSÉN
KÖRMÖCZBÁNYA
BESZTERCZEBÁNYA
BREZNÓBÁNYA
SELMECZBÁNYA
LÖCSE

V putách sociálneho a národného útlaku

Pomalým krokom, ale predsa len, sa po rakúsko-maďarskom vyrovnaní upevňoval kapitalistický spôsob výroby v poľnohospodárstve a priemysle Slovenska.

Kapitalistickému vývoju v agrárnej sfére stál v ceste ťažký balvan prežitkov feudalizmu. Hlboko ho poznamenali všetky nedôslednosti a polovičatosť, začínajúc zákonmi z roku 1848, cez cisárske patenty a uhorským snemom prijímané zákony a úpravy, až po zákon z roku 1896, ktorý sa zaoberal postavením tzv. zmluvných roľníkov a majerských želiarov. Všetky tieto zákonné dokumenty koncipovali a odhlasovávali príslušníci vládnúcich vrstiev, preto v prvom rade slúžili ich záujmom. Nedovolili vážnejšie zásahy do hospodárskej a následne i spoločensko-politickej moci bývalých feudálnych zemepánov. Za pôdu, teda za zrušené poddanské povinnosti, im zabezpečili vysoké finančné odškodnenie, čo im umožnilo bez ťažkostí dať sa na cestu kapitalistického podnikania. Z celouhorského pohľadu im zostalo 18 a pol milióna jutár pôdy, kým roľníkom, ktorí tvorili 70 percent z celkového počtu obyvateľstva, sa ušlo len 17 miliónov jutár.

Roľníci, ktorí sa dostali k väčšiemu-menšiemu fliačiku zeme, museli zvádzať dlhý, ťažký, často už vopred prehratý zápas s veľkostatkármi. Tí hospodárili na veľkých plochách pôdy, kvalitou neporovnateľne lepšej, než mali pásiky polí malých a stredných roľníkov, ktorých neľútostná komasácia vytláčala na okraje chotárov a do horších pôd. Ako mohli zastaralé, zväčša ešte drevené pluhy konkurovať moderným, ťahaným koňmi alebo zaveseným za lokomobily? Ako mohli cepy súťažiť s mláťačkami na parný pohon? Veľkostatkár mohol využívať umelé hnojivá, roľník na ne peňazí nemal. Roľník bol nútený odpredávať úrodu hneď po zbere, veľkostatkár, ktorý mal skladové priestory, mohol vyčkať a aj vyčkal, kým ceny „poskočili". Veľkostatkár si mohol dovoliť prepraviť obilie či dobytok do vzdialenejších krajov, pre roľníka to však bolo nehospodárne, a tak sa dostal do rúk špekulantom. Napokon aj daňový systém nahrával tým mocným.

Ak teda v priebehu 20–30 rokov zanikli stovky gazdovstiev, ak ich niekdajší vlastníci stále rozširovali masu bezzemkov, nebolo to len preto, že sa nevedeli prispôsobiť pokroku, že sa dostávali do pazúrov úžerníkov, že stále delili, a tým aj drobili, už aj tak malé majetky, že svoje príjmy prelievali dolu hrdlom. Áno, aj to všetko bola pravda. Nebola to však príčina, ale dôsledok. Príčina korenila v spoločenskom systéme.

Obrovskú masu od pôdy závislého obyvateľstva vyvrhol nastupujúci kapitalizmus do novej éry bez pôdy alebo len s jej omrvinami, za ktoré museli ako nájomcovia tvrdo platiť, zvyčajne, tak ako za feudalizmu, robotou. Prípady šarišských a spišských želiarov, ktorí museli za užívanie 4–5 jutár zeme odpracovať až 150 dní do roka, neboli ojedinelé. Bezzemkovia (ich rady stále doplňovali deti z roľníckych rodín, ktoré vlastná pôda už nevládala uživiť alebo „vyšli na bubon") tvorili stále narastajúcu masu poľnohospodárskeho proletariátu. Hľadali prácu u veľkostatkárov v okolí bydliska a keďže jej nebolo, odchádzali na Dolnú zem, či do iných krajov alebo krajín. Predstavovali najviac zbedačenú masu. Za niekoľko grajciarov lopotili „od nevidna do nevidna". Sezónni robotníci dostávali časť mzdy v naturáliách, medzi ktorými ako povinná časť mzdy pre všetky kategórie robotníctva nikdy nechýbal „špiritus". Ubytovanie troch-štyroch čeľadníckych rodín v jednej tmavej a vlhkej miestnosti, bez základných hygienických prostriedkov, bolo bežné. Zamestnávateľ mohol dokonca „svoju čeliadku" aj fyzicky trestať, ani čo by rok 1848 vôbec nebol. Zákony z rokov 1876 a 1898 neposkytovali čeľadníkom, bírešom a sezónnym poľnohospodárskym robotníkom nijakú sociálnu ochranu. Nestálosť pracovného pomeru a rozptýlenosť pracovísk sťažovali, ba aj znemožňovali kolektívnu sebaobranu tejto najzbedačenejšej masy slovenského ľudu.

Ráznym krokom vstúpila do kapitalistického rozvoja ekonomiky na Slovensku doprava. Najmä železničná. V rokoch 1871 až 1880 sa na Slovensku vybudovalo 1004 kilometrov železničných tratí, medzi nimi i ťažiskové, ako Košicko-bohumínska železnica, Uhorská severná železnica vedúca z Pešti cez Lučenec a Zvolen do Vrútok a Považská železnica medzi Bratislavou a Žilinou, dokončená roku 1883. Železnica prevzala prepravu prevažnej väčšiny poľnohospodárskych produktov, tuhých palív, dreva, stavebného materiálu i priemyselných výrobkov. Tým však prišli o živnosť tisíce povozníkov a pltníkov. Železnica poznamenala prelomovo i osobnú prepravu. Veď napríklad, kým cesta z Bratislavy do Budapešti trvala dostavníkom vyše 30 hodín, paroloďou 14 hodín, železnicou len 9 hodín. Kvalitatívne zmeny zaznamenala aj preprava v mestách. V Košiciach od roku 1891 zaviedli koľajovú prepravu vozmi ťahanými koňmi, o dva roky začala parná tramvaj prepravovať náklady a neskôr aj osoby. Roku 1895 prešla ulicami Bratislavy prvá električka. Vodná doprava naďalej hrala dôležitú úlohu najmä na Dunaji, kde koncom storočia zmodernizovali prístavy v Bratislave a Komárne. Po Váhu, Dunajci, Hrone, Orave, Kysuci i naďalej splavovali drevo pltníci. Bolo ich však čoraz menej. Renesanciu prežívala i cestná doprava, v čom zohral významnú úlohu zákon o cestách z roku 1890.

Symbolom novonastupujúceho veku sa stal fabrický komín. Spriemyselňovanie neobišlo ani Slovensko. Prichádzalo pomaly a oneskorene. Nebolo rozsiahle a nezasiahlo všetky kraje. Ale bolo. Aj v rokoch po rakúsko-maďarskom vyrovnaní boli najdôležitejšími priemyselnými odvetviami baníctvo a železiarstvo. Roku 1873 sa vyťažilo takmer 9 miliónov metrických centov železnej rudy a do konca storočia ešte o milión viac. To predstavovalo 56 percent celouhorskej produkcie. Do konca storočia síce ubudol počet vysokých pecí, ale produkcia železa vzrástla triapolnásobne. Neveľmi sa rozvíjalo strojárstvo. Najväčší závod bol vo Vyhniach, ten však zamestnával iba 150 robotníkov. Najväčší počet robotníkov v tomto sektore – 800 – zamestnávali železničné opravovne vo Vrútkach. Z ďalších odvetví zaznamenal rozvoj drevársky, papiernický a sklársky priemysel. Najmä v južných oblastiach Slovenska sa rozvíjali jednotlivé odvetvia poľnohospodárskeho priemyslu, najviac cukrovary, mlyny, liehovary, továrne na tabak. Liptovský Mikuláš sa stal strediskom garbiarskeho priemyslu.

Priemysel na Slovensku budoval a ovládol cudzí kapitál. To ovplyvnilo i ďalšie črty života na Slovensku. Neslovenského pôvodu boli priemyselníci i finančníci, veľkostatkári i vedúce kádre v štátnej železničnej doprave, úradníci v štátnej správe, policajných a súdnych orgánoch, vysoká cirkevná hierarchia. Slovenský národ, okrem niekoľko stovák príslušníkov národne uvedomelej inteligencie, tvorili vykorisťované pracujúce masy, ktorých údelom bola lopota za biedne mzdy vo fabrikách a na veľkostatkoch, živorenie na malých kúskoch zeme, beznádejné hľadanie práce končiace v masovom vysťahovalectve.

Nedostatok pracovných príležitostí pre ľudí vyhnaných z pôdy a neprijatých do fabrík, zadlženosť, konfiškácie, bieda, zúfalý zápas o holú existenciu, opakujúce sa hladomory zachvacujúce celé kraje a podobné príčiny spôsobili onen tragický proces, „keď sa junač roztratí". Po prvých vysťahovalcoch roku 1873 sa približne od roku 1879 začína masové vysťahovávanie do Ameriky. Postihlo spočiatku najmä východné Slovensko, Spiš, Šariš a Zemplín, neskôr i ďalšie kraje – Horehronie, Oravu, hornú Nitru, západné Slovensko. V niektorých obciach dosiahlo také rozmery, že hrozil ich zánik. Nečudo. Veď na sklonku storočia sa len zo štyroch východoslovenských žúp vysťahovalo takmer 150 tisíc obyvateľov.

„Amerikáni" však neboli jediní, čo odchádzali z rodného kraja, aby našli prácu, a tým aj chlieb pre svoje rodiny. Desaťtisíce poľnohospodárskych robotníkov odchádzalo každoročne na sezónne práce na Dolnú zem. Robotníci zo Slovenska stavali Budapešť. A nebolo ich málo. Sčítanie ľudu roku 1900 zaznamenalo v hlavnom meste krajiny 90 tisíc osôb, ktoré pochádzali zo Slovenska. Bieda vyháňala do šíreho sveta aj stovky či tisícky kysuckých drotárov, valašskobelianskych sklenárov, oravských plátenkárov, turčianskych šafraníkov a hauzírov, horehronských čipkárov a ďalších remeselníkov a podomových obchodníkov.

Tí, čo zostávali doma, neúpeli len pod hospodárskou knutou kapitalistu a veľkostatkára, ale aj pod politickou knutou toho istého utláčateľa, ktorý mal v rukách aj politickú moc. Upieral ľudu základné ľudské práva, medzi nimi aj právo na reč materí.

Po rakúsko-maďarskom vyrovnaní a vydaní národnostného zákona sa začal bezohľadný a stupňujúci sa útok na národné práva, na slovenské národnoobranné hnutie. Začal – ako ináč – na to málo, čo slovenský národ mal, na slovenské gymnáziá a na Maticu slovenskú. Bol to útok cieľavedomý, koordinovaný. Predstavitelia panujúceho národa sa ani nepokúšali tajiť, že ich cieľom je zlikvidovať slovenský národ. Tieto svoje ciele vyjadrovali sfanatizovaní šovinisti v denacionalizačnom spolku FMKE takými istými slovami, aké používali najvyšší politickí predstavitelia na pôde parlamentu, vlády, na stránkach vládnej tlače. Boli opantaní šialenou ideou násilného utvorenia veľkého a jednotného národa, „aby v zemepisných hraniciach Uhorska bola každá duša nielen srdcom a krvou, ale i jazykom čistým Maďarom."

Metódy a formy národného útlaku Slovákov boli rôzne. Boli otvorené, brutálne. A boli rafinované, skryté pod pláštik zákona alebo sociálnych a kultúrnych potrieb. K tým druhým patrilo vytláčanie materinského jazyka zo škôl, najprv z gymnázií, potom z ľudových škôl, zo vznikajúcich materských škôl a detských opatrovní, ďalej zakladanie jednostranne vybavených knižníc, vlastenčiacich spolkov, hungaristických novín a časopisov. Ruka v ruke s týmito formami šli formy násilné – zatvorenie troch slovenských gymnázií a pomaďarčenie štvrtého a Matice slovenskej, vyhadzovanie slovenských žiakov zo stredných škôl, šikanovanie a prepúšťanie „nevlasteneckých" učiteľov, tlačové pravoty a tvrdé tresty redaktorom, autorom článkov i rozširovateľom tlače, volebné podvody a teror voči národným kandidátom a ich voličom, strieľanie do ľudu.

V týchto krutých podmienkach každý, čo i najskromnejší úspešný pokus o udržanie národného povedomia bol činom progresívnym. Vyžadoval si nemálo úsilia, odvahy i sebaobetovania. Medzi také patrilo každé divadelné predstavenie, vystúpenie spevokolu, besiedka či v slovenskom duchu vedená zábava. Sem patrilo každé číslo novín alebo časopisu. Tu mala miesto výstavka ľudových výšiviek usporiadaná Živenou v Martine roku 1887, lebo ňou sa dokazovalo: Sme tu! Žijeme! Úspechom bol každý žiak, ktorý skončil strednú školu, každý mladoň, ktorý získal vysokoškolské vzdelanie, prevažne v českých krajinách. K najväčším výdobytkom doby na národnoobrannom poli patrilo postavenie Národného domu v Martine, založenie národného múzea a najmä utvorenie Muzeálnej slovenskej spoločnosti, lebo vykonávala širšiu činnosť, ako jej úrady dovolili v názve či v stanovách.

Národný útlak bol súčasťou útlaku sociálneho, ako aj naopak. Preto boj proti jednému bol zväčša aj bojom proti druhému. Prvé kroky robotníckeho hnutia v Bratislave mali širší ohlas. Veď robotnícke zhromaždenie 29. marca 1869 v mestskom kasíne bolo prvým verejným robotníckym zhromaždením v Uhorsku vôbec. Boj predstaviteľov bratislavského robotníctva o schválenie stanov spolku Napred vzbudili pozornosť i v zahraničí. S proletárskou odhodlanosťou odolávalo bratislavské robotnícke hnutie všetkým útokom štátnych orgánov na jeho existenciu. Bratislavskí robotníci dôstojne oslávili prvý Prvý máj roku 1890, čomu nedokázali zabrániť vyľakané štátne a mestské orgány ani mobilizáciou vojska a žandárstva, ktoré urobili z Bratislavy doslova obľahnuté mesto. Prvý máj 1890 privítali štrajkom kožiarski robotníci v Liptovskom Mikuláši.

Aj v ďalších rokoch sa prvé máje stávali mobilizujúcim impulzom na zvýšenie aktivity a na nové činy. „Deň prvého mája je deň chudobného ľudu vykorisťovaného, je deň proletárov. Prvý máj je deň jari, je deň prísľubu nového života, našich túžieb, ale aj deň nášho víťazstva" – napísal neznámy autor v letáku rozširovanom na Slovensku v predvečer 1. mája 1895.

Deň jari. S ňou prichádzali aj prvé lastovičky. Svoj príchod zvestovali slovenskému robotníctvu tlačeným slovenským slovom od 1. mája 1897. Boli to prvé slovenské robotnícke časopisy *Nová doba* a *Zora*. Nie, nevydržali ťažký prelet do ešte stále studených krajov. *Zora* zanikla po prvom čísle, *Nová doba* vydržala až do júla 1899. Tie, ktoré prišli o päť rokov neskôr – *Slovenské robotnícke noviny* – však už ľadovec byrokraticko-policajnej mašinérie nedokázal zmraziť.

K Vám, urodzeným
veľkomožným...
mám veľké vážne slovo!
Povedzte, ale stranou mam,
vyznajte jasno, bez obalu,
hej, srdcom všetkej úprimnosti
možným,
čím zaslúžil si ľud ten môj i váš
to položenie zrovna otrokovo,
na väzoch desnú žernova jak tiaž —
tu sudbu čiernu, plnú strastí,
žiaľu,
ten porok — kliatby veno
hanlivé?

P. O. Hviezdoslav

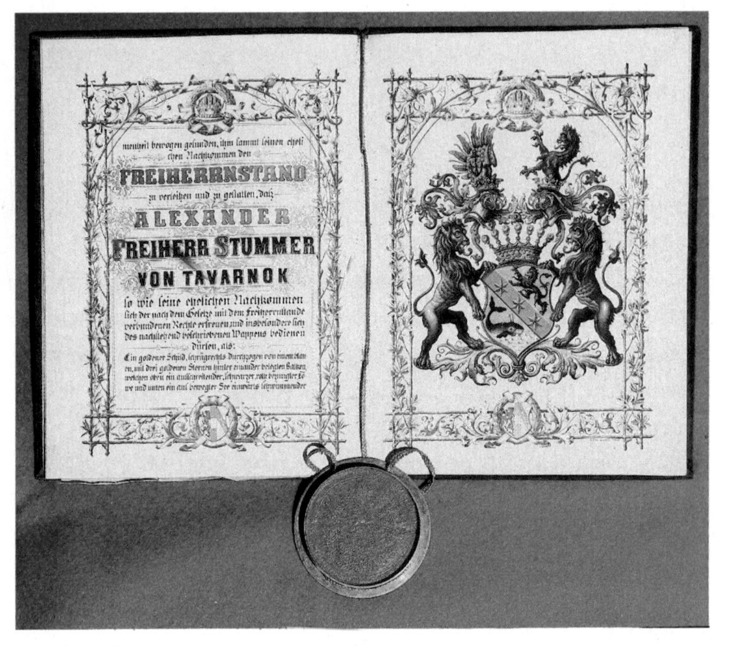

menheit bewogen gefunden, ihm sammt seinen eheli-
chen Nachkommen den
FREIHERRNSTAND
zu verleihen und zu gestatten, daß
ALEXANDER
FREIHERR STUMMER
VON TAVARNOK
so wie seine ehelichen Nachkommen
sich der nach dem Gesetze mit dem Freiherrnstande
verbundenen Rechte erfreuen und insbesondere sich
des nachstehend beschriebenen Wappens bedienen
dürfen, als:
Ein goldener Schild, schrägrechts durchzogen von einem blau-
en, mit drei goldenen Sternen hinter einander belegten Balken,
welchen oben ein aufsteigender, schwarzer, roth bezungter Lö-
we und unten ein auf bewegter See einwärts schwimmender

466
Oravský hrad zostal i naďalej symbolom útlaku oravského ľudu

467
Kaštiel v Betliari, prestavaný roku 1880, sídlo vetvy rodu Andrášiovcov, ktorému zostali obrovské majetky po celom Slovensku i v Maďarsku

468
Zbohatlíci zatúžili i po starých šľachtických tituloch; takáto listina o povýšení do stavu barónov sa dala kúpiť za peniaze

469
Roľník na ceste do biedy po konfiškácii v Liptovskom Jáne, zobrazenej neznámym ľudovým umelcom roku 1873

470
Izba v dome turčianskeho roľníka; v nej sa varilo, jedávalo, spávalo, stretala sa rodina

471
Starci na hornej Orave pamätali na nejeden hladomor (J. Věšín, kresba)

472, 473
Sociálnu diferenciáciu roľníctva odrážalo aj bývanie; dom maloroľníka vo Fričke a hospodárska usadlosť bohatého roľníka v Kračunovciach (okr. Bardejov)

474
Mlátenie obilia na malej mláťačke s pohonom na gepeľ ťahaný koňmi bolo pre stredného roľníka pokrokom

475
Bohatý roľník a statkár mlátil pomocou parnej lokomobily

476
Rázovitý, no neľahký bol život pastierov na salaši, aj týchto v chotári Revúcej

477
Dunaj poskytoval obživu tisícom rybárov; lov rýb pri Komárne

478, 479
Drotár a sklenár, predstavitelia dvoch typických potulných zamestnaní obyvateľov Trenčianskej župy (P. M. Bohúň, olej)

480
Slováci vo svete – dobová fotomontáž z knihy Na krásnom Slovensku zobrazuje sklenára, predavača skla, zberača handier, drotára a predavača klobúkov

481
Na trhoch v slovenských mestečkách nechýbali predavači plátna z Oravy

482
Kremnica, preslávená nielen baníctvom a mincovníctvom, ale aj chýrnymi trhmi

483
Podbrezovské železiarne začali pracovať „pod horou Brezová“ roku 1853 a onedlho patrili k najväčším a najmodernejším závodom svojho druhu v Uhorsku

484
Cukrovar v Šuranoch, jeden z najväčších v Uhorsku, začal prevádzku roku 1854

Oneskorený príchod priemyselnej revolúcie a jej rovnako oneskorené zavŕšenie v poslednom desaťročí 19. storočia negatívne a nadlho poznamenali začiatok a priebeh kapitalistickej industrializácie Slovenska.

485, 486
Z rúk zručných robotníkov sklární v Uhrovci vychádzali prekrásne výrobky

487
Výstavba 368 kilometrov dlhej Košicko–bohumínskej železnice, ktorú odovzdávali do prevádzky postupne v rokoch 1870–1872

488
„Rýchlovlak“ na stanici v Galante, kde začali používať prvé zabezpečovacie zariadenia s elektrickým záverom výmien

489
Plody práce človeka neraz zničil nespútaný živel; žalostný bol pohľad na Prešov po požiari roku 1887

490
Od roku 1892 sa začalo platiť novými peniazmi; namiesto zlatiek, grajciarov a polgrajciarov sa objavili koruny a haliere, nazývané tiež babky

Prostred Ameriky krčma murovaná,
pri nej sa stretajú tí naši krajania.
Keď sa stretávajú, tak sa zhovárajú:
Poďme bratia domov do rodného kraju.
Moja žena doma a ja v Amerike musím ťažko robiť v železnej fabrike.
Keď domov pôjdeme, čo robiť budeme?
Naša vlasť chudobná, všetci zahynieme.

Pieseň slovenských vysťahovalcov

491, 492
Odchod vysťahovalcov loďou Slavónia, začiatok smutnej cesty za chlebom

493
„Ako sa tá naša dedina volá?“ nazval svoj obraz maliar J. Věšín, kritizujúc takto pomaďarčovanie názvov obcí

494
Pochodeň národného uvedomenia si odovzdávali generácie; v rodine Jozefa Miloslava Hurbana ju niesli synovia a dcéry, najvyššie Svetozár Hurban Vajanský

„Celé veľké spolky zakladali k vykynoženiu slovenského jazyka, šovinisti zúrili celý rok proti národným statočníkom, mládež vyhadzovali zo škôl, noviny nám habali na poštách, ba našli sa ľudia, ktorí direktne zakazovali čítanie slovenských časopisov.“

Národné noviny, 1882

495
V rodine Viliama Paulinyho-Tótha, keď nebolo synov, niesli ju dcéry a zaťovia

496
Výstava ľudových výšiviek v Paulinyovskom dome v Martine roku 1887 priniesla oživenie činnosti a povzbudenie

497
Národný dom v Martine, postavený z drobných zbierok v rokoch 1888–1891, prichýlil divadelných ochotníkov, Slovenský spevokol, knižnicu i muzeálne zbierky

498
Andrej Kmeť, obetavý ľudovýchovný pracovník, organizátor slovenského vedeckého života, jeden z hlavných iniciátorov založenia Muzeálnej slovenskej spoločnosti

499, 500
Eduard Nemčík a Karol Hanzlíček, priekopníci socialistického hnutia, organizátori bratislavského robotníctva a spolku Napred

501, 502
František Tupý a Gustáv Švéni, priekopníci slovenského robotníckeho hnutia, spoluzakladatelia časopisov Nová doba a Zora

503
Skupina sociálnodemokratických funkcionárov vypovedaných roku 1898 z Budapešti a postavených pod policajný dozor

504
Červený most pri Bratislave, miesto konania zhromaždení a spoločenských podujatí bratislavského robotníctva

„Neposlúžilo by lepšie záujmom ľudu, keby sa namiesto zbraní a kanónov vyrábali pluhy a iné náradia?“

K. Hanzlíček, 1880

505
Nová budova Banskej a lesníckej akadémie v Banskej Štiavnici, ktorá vďaka náplni, úrovni a tradícii vychovávala študentov z celej Európy

506
Postupne sa sprístupňovalo prírodné bohatstvo Slovenska, medzi ním aj Belianska jaskyňa

Vstup do dvadsiateho storočia

Začiatok nového storočia. Aj keď sa na žiadnom úseku ľudskej spoločnosti z celosvetového, celoštátneho či zo slovenského pohľadu ani vtedy, ani s odstupom času, nezaznamenala taká významná udalosť, aby sa z nej stal hraničný míľnik, predsa zmenu číslice storočia v letopočte súčasníci a neskôr i nasledujúce generácie považovali za medzník. Ak už nie pre iné, tak preto, že 1. január 1900 sa stal dôvodom na zamyslenie sa nad uplynulým storočím a vyjadrením nádejí a želaní do toho nastupujúceho.

Aké boli zisky a aké straty Slovenska v uplynulom storočí? Zem, ktorá kedysi zásobovala svet meďou a železom, krajina s veľkými oblasťami žírnej pôdy, ale i bohatých lesov a vôd, najmä však krajina, v ktorej žil ľud s pracovitými rukami, sa ukázala neschopnou uživiť svoje deti. Museli v húfoch opúšťať rodnú zem a hľadať chlieb a nový život v cudzine. A tí čo zostávali, bedačili. Slovenský národ, prebúdzaný, no neprebudený, bol v historických zlomoch zradený a zapredaný, aby potom bol vystavený takému nivočiacemu tlaku, že vari len zázrakom prežil. Azda len príslovečná zaťatosť slovenského človeka zachránila národ pred zničením.

S čím teda Slovensko a jeho ľud vstupovali do nového storočia?

Pozrime na jeho mestá. Tak ako všade, i tu mesto vábilo, priťahovalo, sľubovalo. Jedným, tým bohatým, sľubovalo ešte väčšie bohatstvo a jeho príjemné mrhanie. Tým druhým, biednym, sa stalo často poslednou záchytnou stanicou na udržanie holej existencie. Splnilo mesto tieto nádeje? Jedným, opäť tým bohatým, zväčša áno. Iným len čiastočne. Boli však premnohí, ktorých tu vlčie zákony doby uvrhli do ešte väčšej biedy, vyhnali do chatrčí na periférie a ruky, určené na prácu, dovolili používať len na žobranie.

Také boli všetky mestá, i tie na Slovensku, hoci boli z celosvetového či z celoštátneho pohľadu rozlohou i počtom obyvateľov malé. Veď v čase, keď svetové metropoly rátali obyvateľov na milióny, keď Budapešť z 270-tisícového mesta roku 1868 dosiahla za 50 rokov takmer 900 tisíc obyvateľov, najväčšie mesto na Slovensku Bratislava prekročila sotva 70-tisícovú hranicu a druhé v poradí, Košice 40-tisícovú. V mnohých mestách na Slovensku boli Slováci v menšine, pričom tvorili prevažnú časť pracujúcej i biediacej časti ich obyvateľstva. Ak sa mohlo hovoriť o slovenských mestách, tak len v relácii: malý národ – malé mestá. Nečudo, že na prelome storočia malo centrum slovenského národného hnutia – Martin – iba 3351 obyvateľov, že najväčším slovenským „mestom" bola „veľká obec" Myjava s 10 630 obyvateľmi. Aj napriek tomu i na Slovensku stali sa mestá hospodárskymi strediskami, politickými centrami, sídlami verejnosprávnych orgánov, strediskami spoločenského a kultúrneho života, ale aj miestami väčších sociálnych zrážok. Z pohľadu národného platilo, že čím menšie bolo mesto či mestečko, čím skromnejšie žilo hospodársky, spoločensky a kultúrne, o to bolo slovenskejšie.

Pozrime na slovenskú dedinu. „Dve tretiny obyvateľstva nášho bývajú v obciach niže 2000 duší, ba takmer polovica býva v obciach niže 1000 duší počítajúcich. Na prvý pohľad vidíme, že u nás dominujú malé obce" – konštatoval roku 1911 štatistik. Roľníctvo zostalo aj na začiatku 20. storočia základnou spoločenskou vrstvou na Slovensku i jadrom slovenského národa. Slovenská dedina však nebola idylickým jednoliatym kolektívom. Boli tu veľkostatky, na ktorých sa len z času na čas objavoval veľkostatkár, ale jeho záujmy tu tvrdo presadzovali úradníci, ktorí sa usilovali čo najviac vyžmýkať za čo najmenší halier od bírešov, deputátnikov a sezónnych robotníkov. Boli tu bohatí gazdovia, ktorí ďalej bohatli nielen zásluhou vlastnej pracovitosti, aj keď ani tá nemohla chýbať, ale hlavne využívaním práce „svojej čeliadky". Boli tu malí a strední roľníci, ktorí zápasili s prírodou o každý kúsok chlebíka či zemiačika a ešte si museli privyrábať výrobou plátna, súkna, keramiky, stružlikovaním výrobkov z dreva, prácou na stavbách, podomovým obchodom a remeslami. A bola tu dedinská chudoba, najbiednejšia jej časť, ktorá stále hľadala a stále menej nachádzala aspoň príležitostnú prácu.

Jedno však dedinu predsa len spájalo. Žila v lone prírody, s ktorou bola spojená ako pupočnou šnúrou. Nebolo veľa dobrých rokov na slovenskej dedine. V jednom prácu a hodnoty vytvorené v jeseni zničili holomrazy. V inom zasa jarné práce pribrzdili dažde a povodne. Každoročne tú či inú oblasť kruto poznamenali letné búrky, záplavy, ľadovec. Ťažkosti prinášala so sebou suchá jeseň a ešte väčšie skorý nástup, dĺžka a tvrdosť zimy. A keď sa tieto pohromy spojili, hlad a psota mali na dedine trvalé prístrešie. Dedina sa triasla i pred inou a častou pohromou – „červeným kohútom" – ohňom, ktorý razom zničil plody neraz mnohoročnej práce a skromný, často generáciami nahonobený majetok. Tragédiou pohorelcov bolo, že svoj majetok zvyčajne nemali „asekurovaný" – poistený. Veď kde by vzali koruny na poistku. A predsa, napriek tomu všetkému, aj na slovenskej dedine boli i dni sviatočné, dni odpočinku, pohody, veselia. Nebolo ich veľa, no o to hlbšie a citovejšie ich dedinský človek prežíval.

Na dedinu, na slovenského roľníka, aj v tomto období, tak ako v predchádzajúcich, obracali zrak pokrokoví slovenskí vzdelanci a ľudovýchovní pracovníci. Nie, svojimi návrhmi a organizačnými činmi nemohli zmeniť postavenie roľníka a najmä nie poľnohospodárskeho robotníka. Ľudovýchovnými spismi, propagovaním nových metód hospodárenia, prednáškami, zakladaním svojpomocných úverových a potravných spolkov a podobnými akciami pomáhali aspoň posúvať progres v poľnohospodárstve a zmierňovať dôsledky bolestnej cesty kapitalistického poľnohospodárstva.

Pozrime do priemyselných závodov a baní i na život robotníkov v nich. Na začiatku storočia bol na prvom mieste priemysel poľnohospodársky, za ním nasledoval železiarsky, kovospracujúci, textilný, drevársky, chemický, papierenský a kožiarsky. Niektoré novovzniknuté priemyselné závody patrili podľa rozlohy, rozsahu a kapacity výroby, výrobnej technológie i počtom zamestnancov k vtedajšej európskej špičke. Medzi „najúčelnejšie zariadené podniky na kontinente" súčasníci zaradili železiarne v Krompachoch. Vysokú úroveň však mali i ďalšie závody: trnavský cukrovar, továreň na výrobu cukríkov a továreň na kefy v Bratislave, bavlnársky závod v Ružomberku a iné. Hlbšie sa v tých rokoch nazrelo i do útrob zeme. K tradičnému rudnému baníctvu pribudla priemyselná ťažba uhlia v Handlovej.

Všetky väčšie priemyselné závody boli v rukách cudzích kapitalistov, ktorí na Slovensku nachádzali nielen bohatý zdroj surovín, ale aj hladom a biedou poháňanú lacnú pracovnú silu. Ak sa slovenská buržoázia pokúsila vydať na cestu väčšieho podnikania, či už to bolo založenie Tatra banky alebo účastinnej továrne na výrobu celulózy v Martine, už to vyvolalo takmer panický ohlas štátnych orgánov a protiopatrenia cudzieho kapitálu a úradov. A tak sa domáci kapitál mohol uplatniť najmä v malovýrobe.

Veľa bolo proletárov na Slovensku. Oveľa viac ako pracovných možností. Preto o práci a živote proletára mohol voľne rozhodovať zamestnávateľ. Rozhodoval o dĺžke pracovného času. Vo väčšine priemyselných závodov „riadny" pracovný čas trval 12 hodín, mohol sa však zvyšovať až na 18. V malých závodoch a u živnostníkov trval od skorého rána do neskorej noci. Rozhodoval aj o mzdách. Na Slovensku si mohol dovoliť platiť za tú istú prácu o tretinu menej ako v maďarských častiach Uhorska. Vo veľkom sa zneužívala málo platená ženská a detská práca. Zaobchádzanie s robotníkmi bolo nedôstojné. Ponižovali ich, urážali, okrikovali, ba i bili. Systém nemocenského a sociálneho zabezpečenia bol ako-tak vyhovujúci v erárnych a v niektorých väčších závodoch, v menších a u živnostníkov sa presadzoval iba veľmi pomaly. Malé príjmy dovoľovali len skromné bývanie. Tisíce rodín obývalo len núdzové príbytky a chatrče alebo živorilo v pivniciach a na zbúraniskách. Väčšie závody začali v tých rokoch stavať robotnícke kolónie. Strava robotníckych rodín bola chudobná, jednotvárna a kaloricky málo hodnotná. Šatstvo a obuv boli také, aké sa dali získať za lacný peniaz alebo vyžobraním, a nosilo sa veľmi dlho.

Aj na Slovensku však pokračoval proces prebúdzania sa proletárov a ich zjednocovanie. Začiatkom storočia sa ohnisko robotníckeho hnutia opäť prenieslo, presnejšie vrátilo do Bratislavy. Okrem nej sa centrami stali všetky spriemyselňujúce sa mestá a väčšie obce na Slovensku: Košice, Krompachy, Podbrezová, Liptovský Mikuláš, Ružomberok, Vrútky, Žilina, Zvolen, Lučenec, Nové Zámky, Komárno, Nitra, Uhrovec, Veľké Uherce, Železník, Žakarovce...

Boj slovenského proletariátu zmocnel v rokoch 1905–1907. Vzrástol počet sociálnodemokratických organizácií a ich členov, množili sa štrajky, viaceré z nich víťazné, častejšie so vztýčenou zaťatou päsťou kráčali robotníci ulicami alebo stáli na zhromaždeniach, dožadujúc sa základných demokratických práv, najmä všeobecného, tajného a priameho volebného práva. Štátna mašinéria zasahovala rýchlo, húževnato, bezohľadne. Využívala všetky mocenské prostriedky, od demagógie slova až po teror olova.

Napokon sa pozrime na postavenie slovenského národa v mnohonárodnostnej rakúsko-uhorskej monarchii a na jeho boj o uchovanie vlastnej existencie. Predstavitelia v Uhorsku panujúceho národa sa ani začiatkom 20. storočia nevzdali plánov vytvoriť v Uhorsku jediný národ „uhorský", v skutočnosti maďarský. Po štvrťstoročí boja za túto chiméru nemohli konštatovať očakávaný úspech. Tvrdohlavo však pokračovali. Naďalej štedro podporovali činnosť odnárodňovacích spolkov typu FMKE. Nepripustili výchovu mladej slovenskej inteligencie na uhorských stredných a vysokých školách. Odnárodňovaciu politiku mali upevniť dva školské zákony schválené parlamentom roku 1907, ktoré siahali na korene národa, na deti v obecných školách, a preto vyvolali oprávnené pobúrenie v Uhorsku i za jeho hranicami. Obmedzovali a prenasledovali slovenskú tlač, jej redaktorov, vydavateľov, prispievateľov, rozširovateľov i čitateľov. Pri voľbách do uhorského snemu, kam opäť po rokoch pasivity kandidovali aj slovenskí politici, takmer sústavne asistovalo vojsko a žandárstvo, keď už nestačili osvedčené volebné praktiky. Do ľudu sa strieľalo nielen počas volieb. Veľký ohlas a pobúrenie vyvolalo strieľanie do ľudu v Černovej 27. októbra 1907, kde žandárske pušky mali presadiť posviacku kostola podľa želania štátnych, župných a cirkevných hodnostárov. Po černovskej masakre, pri ktorej padlo 14 a bolo zranených 70 bezbranných dedinčanov, sa svet dozvedel pravdu o neľudskom utláčaní malého národa pod Tatrami. V Budapešti vychádzajúca sociálnodemokratická *Népszava* (Hlas ľudu), pokrokové sily v českých krajinách, anglický politik a publicista Seton Watson, nórsky spisovateľ a básnik Björnstjerne Björnson i tlač v mnohých krajinách Európy a Ameriky vypovedali svoje „Žalujem!"

V posledných rokoch 19. storočia sa rozhýbali stojaté vody slovenského politického života, ktoré pred novými prúdmi dlho chránili hate „martinského konzervativizmu" a vetrolamy autorít typu Michala Mudroňa, Matúša Dulu, Svetozára Hurbana Vajanského a iných. Prvý zaujal opozičné postoje klerikálny katolícky prúd. Výraznejšia a priebojnejšia opozícia sa utvorila z príslušníkov mladej generácie, odchovanej najmä pražskými vysokými školami. Združila sa okolo časopisu *Hlas,* ktorý začal vychádzať roku 1898. K najaktívnejším členom patrili mladí lekári dr. Vavro Šrobár a dr. Pavol Blaho. „Hlasisti“, aj keď netvorili ucelenú skupinu s pevným politickým programom, priniesli mnoho pozitívneho do sociálneho a politického myslenia na Slovensku, najmä presadzovaním politickej aktivity, zdôrazňovaním ekonomického základu politiky, pozornosťou roľníckej, ba agrárnej otázke ako celku, spoluprácou a robotníckym hnutím. Aktíva sa prejavili vo viacerých smeroch. Bolo to úspešné zmobilizovanie širokých ľudových más na viactisícové zhromaždenia, kde popri heslách „Za tú našu slovenčinu! Za tie naše haleny!“ sa prevolávala i požiadavka všeobecného volebného práva. Úspechy sa dosiahli aj v osvetovej a organizačnej práci medzi roľníkmi, v čom hralo prím západné Slovensko. Po prerušení volebnej pasivity sa podarilo vtlačiť do uhorského snemu i niekoľko slovenských poslancov. Nebolo ich veľa, najviac sedem roku 1906.

Účinnú morálnu, ale aj politickú pomoc nachádzalo slovenské národné hnutie v českých krajinách. Publikácie a novinové články o Slovensku si viac všímajú biedu, pokorenie a utlačovanie slovenského národa. Spočiatku len živoriaci spolok Československá jednota, ktorý si pôvodne vytýčil cieľ „pestovanie kultúrnych záujmov česko-slovanských a podporu chudobnej mládeže, chcejúcej sa vzdelať v ktoromkoľvek odbore“ získaval čoraz väčší vplyv. Z iniciatívy spolku sa organizovali pravidelné porady českých a slovenských zástupcov v Luhačoviciach a toto kúpeľné mestečko sa stalo aj miestom častej prezentácie slovenských kultúrnych hodnôt pred zrakmi českej verejnosti. Citeľnú pomoc dostávali študenti zo Slovenska na českých vysokých školách, roľnícka mládež študujúca na poľnohospodárskych školách, mladíci, ktorí sa remeslu učili na Morave. K svetlým stránkam česko-slovenských pokrokových vzťahov tých rokov patria kontakty na báze robotníckeho hnutia.

Predvojnové česko-slovenské vzťahy, odhliadnuc od niektorých nacionalistických prímesí, mali všeobecne pokrokový charakter. Účinne prispievali k odrážaniu odnárodňovacieho tlaku na Slovákov. Poznanie, že v čase najväčšieho ohrozenia národnej existencie nachádzali Slováci porozumenie, podporu a pomoc v českom národe, mohlo a malo byť cennou devízou do nových dní.

507
Bratislava, Obilné námestie (dnes Kollárovo nám.), miesto významných poľnohospodárskych trhov

Podľa sčítania ľudu roku 1910 najväčšími mestami na Slovensku boli: Bratislava (73 459 obyvateľov), Košice (40 476), Komárno (18 863), Banská Štiavnica s Banskou Belou (17 080), Nové Zámky (16 048), Nitra (15 830), Prešov (14 835), Trnava (14 501), Ružomberok (12 121), Lučenec (11 537).

508
Košice, Hlavná ulica

509
Komárno, centrum s mestskou radnicou

510
Nitra, pohľad na stred mesta

511
Prešov, Hlavná ulica

512
Trnava, centrum mesta z mestskej veže

513
Lučenec, centrum

514
Na rodnej hrude; umelcovo videnie lopoty slovenského roľníka na pásikoch chudobných polí (J. Hanula, olej)

„Koreň národa vidím v roľníctve. Zdravie národa cítim v roľníctve. Roľník je pradedom všetkých stavov. Sedliak je pevnosť mravov.“

dr. P. Blaho, 1906

515
Návrat zo žatvy vo Veľkej Slatine (dnes Zvolenská Slatina), zrežírovaný pre kameru etnografa a fotografa Pavla Socháňa

516
Žatva na cudzom, na jednom z veľkostatkov južného Slovenska

517
Priadka, jedna zo žien a dievčat, pre ktoré pradenie bolo nielen prácou, ale i spoločenskou udalosťou (J. Hanula, olej)

518
Do oravskej obce Jasenová prišiel fotograf, mládež i stárež sa dali zvečniť vo sviatočnom

519
Na jarmoku v Detve po kúpe či predaji nechýbal „oldomáš"

520
Potravný spolok v Borskom Mikuláši (okr. Senica), jeden z mnohých, ktoré zásobovali roľníkov lacnejším potravinárskym a priemyselným tovarom

521
Vysoké Tatry sa rozsiahlou výstavbou menia na vyhľadávané výletné a oddychové miesto boháčov

522
Bardejovské kúpele s ich životodarnou vodou slúžili taktiež iba tým, ktorí si to mohli zaplatiť

523
Automobil bol na začiatku storočia raritou, ale i „potvrdenkou“ o majetnosti a technickej progresívnosti jeho majiteľa

524
Raritou však nebol žobrák, chodiaci z domu do domu či sediaci na schodoch kostola (G. Malý, olej)

525
Cukrovar v Trebišove, postavený roku 1912 s najmodernejším strojovým vybavením

526
Gelety na bryndzu vyrábanú v priemyselnej bryndziarni Makovických v Ružomberku, prvej na Slovensku

527
Továreň na súkno v Žiline

528
Areál železiarní v Krompachoch, jedného z najmodernejších závodov svojho druhu v Európe

529
Robotníci a majstri kotlárne v Krompachoch

530
Handlovské uhoľné bane začali prvú priemyselnú ťažbu uhlia na Slovensku roku 1912

531
Rožňavskí baníci

532
Vojaci a úradníci nasadení na potlačenie štrajku robotníkov v Sirku (okr. Rožňava)

533
Žandári pred obecným domom v Nitrianskom Pravne, mieste konania častých zhromaždení sociálnodemokratickej organizácie

534
Titulná strana prvomájovej brožúry vyjadruje myšlienku boja za demokratické práva

535
Prvomájový odznak sociálnodemokratickej strany Uhorska

536
Členský odznak slovenských sociálnych demokratov po roku 1905

537
Odznak robotníckeho spevokolu Magnet v Bratislave

538
Prví štyria slovenskí poslanci, ktorí po dlhých rokoch neúspechov a volebnej pasivity zasadli do kresiel uhorského parlamentu

„Moc je nás halien a ľudí bez práva a dlho sme v otroctve sklonení boli. Teraz dosť: robíme aktívnu politiku, ideme vŕtať, ideme búrať, klčovať, nahnité duby ideme váľať, činíme si nároky na dedovizeň, sejeme, orieme, aby sme potom mali čo žať."

Slovenský týždenník, 1905

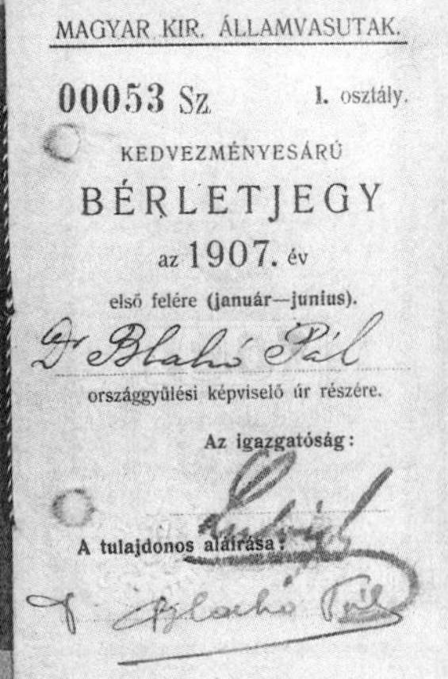

539
Preukaz na voľné cestovanie železnicou poslanca dr. Pavla Blahu, zvoleného roku 1906

540
Milan Hodža, mladý priebojný politik a žurnalista

541
Uhorská zástava, maďarský nápis – symboly pomaďarčenej katolíckej ľudovej chlapčenskej školy v čisto slovenskej obci Moravský Ján (okr. Senica)

544
Björnstjerne Björnson, nositeľ Nobelovej ceny za literatúru, obžalobca politických pomerov v Uhorsku a zástanca Slovákov

542
Matúš Dula, Svetozár Hurban Vajanský, Andrej Halaša, Jozef Škultéty, bratia Cablkovci a ďalší, odsúdení banskobystrickou súdnou stolicou 5. 1. 1900 „pre prečin búrenia“

543
Pozostalí nad hrobmi zavraždených černovských roľníkov, tragický osud ktorých pobúril svetovú verejnosť

545
Pavol Országh Hviezdoslav, bard slovenského národa, bojovník za sociálne a národné práva slovenského človeka

546
Ivan Krasko, básnik sociálneho a národného protestu

547
Spolkový dom v Skalici, postavený roku 1905 podľa projektu Dušana Jurkoviča s výtvarnou výzdobou popredných českých umelcov

548
Východová stanica elektrického vlaku v Bratislave, ktorý ju od roku 1914 spájal s Viedňou

549
Výprava slovenských roľníkov na jubilejnú výstavu do Prahy roku 1908; jej návšteva vyznela ako manifestácia česko-slovenského bratstva

550, 551
Kultúrny program v amfiteátri v Luhačoviciach, na ktorom sa často zúčastňovali ako účinkujúci alebo poslucháči návštevníci zo Slovenska

Vo víre vojny a revolučných búrok

Na deň presne mesiac po zastrelení arcivojvodcu Františka Ferdinanda v Sarajeve podpísal 28. júla 1914 cisár František Jozef, senilný starec na tróne rovnako senilnej rakúsko-uhorskej monarchie, manifest *K mojim národom*. Počas niekoľkých hodín ho na titulných stranách uverejnili všetky noviny, v mestách i mestečkách ním polepili plagátové plochy, aj v najzapadlejších dedinkách ho vybubnovali miestni bubeníci. Cisár sa v ňom usiluje vysvetliť, prečo „po dlhých rokoch mieru vytiahol meč", aby „použijúc krásne právo mocnejšieho... zbrannou silou" dosiahol pokorenie Srbska. Slová. Frázy. V skutočnosti guľky v Sarajeve poslúžili ako rozbuška na celosvetovú detonáciu.

Krajiny na protichodné tábory rozdeleného sveta boli už preplnené puškami, kanónmi, guľkami, granátmi, dynamitom – teda všetkými potrebnými „argumentmi", ktorými sa jednotlivé mocnosti rozhodli presadiť „svoje právo" na znovurozdelenie sveta, ovládnutie porobených národov, získanie nových kolónií, potlačenie nespokojnosti ľudových más vo vlastných krajinách.

Propaganda nacionalizmu, vojenskej sily, práva na pomstu, ako aj prísľubov koristi po víťaznej vojne sa ako lavína šírila hovoreným i písaným slovom, falošným dokumentárnym i pseudoumeleckým obrazom. Pred vypuknutím vojny a najmä v jej prvých dňoch a mesiacoch bola schopná načas opantať hlavy.

Slovenský človek, opustený, oklamaný falošnými heslami, zastrašený výhražnými opatreniami úradov všetkých stupňov, ktoré mu po stáročia naháňali hrôzu, dostal sa do víru nezmyselnej vojny. Priamo či nepriamo postihla každé mesto, mestečko, dedinku i samotu. Surovo zasiahla do osudov takmer všetkých rodín. Odvšadiaľ museli chlapi, živitelia rodín, narukovať na front. Spočiatku len mladí, neskôr však už moloch vojny nepohrdol ani pätnásťročnými mladíkmi, ani päťdesiatnikmi. A späť sa vracali buď invalidi, alebo iba úradné oznámenia o „hrdinskej smrti za vlasť". Povojnová bilancia bola z pohľadu dovtedajších vojen priam neslýchaná. Na rôzne bojiská vyhnali zo Slovenska okolo 450 tisíc mužov, teda sedminu obyvateľstva. Z nich 69 700 padlo alebo zostalo nezvestných. Po nich zostalo 42 714 vdov a 86 462 sirôt. Po prežitých útrapách na frontoch a v lazaretoch sa 61 660 mužov vrátilo ako invalidi. Frontové pustošenie ťažko doľahlo i na časť severovýchodného Slovenska. Jeho dôsledkom boli útrapy evakuovaných rodín a ich návrat do rozrumených mestečiek a dedín.

Nedobre bolo aj v zázemí. V prevádzke zostali hlavne tie priemyselné závody, ktoré slúžili potrebám vojny. Zápasili s nedostatkom surovín, energie, ale najmä pracovných síl. Na väčšine pracovísk museli mužov nahradiť ženy a na viacerých aj neplnoleté deti, 12–15-roční chlapci a dievčence. Muži, ktorí zostali pracovať v zmilitarizovaných závodoch, boli celkom vydaní napospas bezohľadnému vykorisťovaniu a úplnému bezpráviu. Takzvaní „sprisahaní" robotníci nemali slobodu pohybu. Platili pre nich zákony vojenskej disciplíny i tresty. Nesplnenie plánu alebo neplnenie tvrdých pracovných noriem sa pokladalo za nesplnenie rozkazu, štrajk zasa za vzburu. Hoci zákon stanovoval v priemyselných závodoch pracovný čas na 12 hodín, mohol sa pod zámienkou nevyhnutnosti svojvoľne predlžovať. Pracovný čas v poľnohospodárstve „od nevidna do nevidna" bol úplnou samozrejmosťou. Metlou na malých a stredných roľníkov boli bezohľadné rekvirácie, po ktorých im často nezostávalo obilie ani na vlastnú skromnú potrebu, nie to ešte na siatie na budúcu úrodu. Za vojnové peniaze, rýchlo strácajúce hodnotu, násilne vykupovali najprv kone, potom kravky, ošípané, ovce, hydinu.

Zhoršené pracovné podmienky boli súčasťou mimoriadne ťaživých životných podmienok vôbec. Prudko rástla drahota, zvyšovali sa ceny, chýbali najzákladnejšie životné potreby, najmä múka, chlieb, zemiaky, mäso, slanina, cukor, ale aj šatstvo, obuv, palivo, mydlo, petrolej a mnohé ďalšie. Nedostatkom trpeli najmä rodiny, ktorých živitelia boli na frontoch alebo už pod zemou. Nikde nenašli zastania. Notár, kramár, krčmár a podobní príživníci ich okrádali aj o skromné prídely, ktoré im patrili na základe lístkového systému. Život kruto poznamenával hlad, nedostatok, tvŕdza, žiale.

Vyše dva roky sa vojnou zbedačený slovenský človek neodvážil zodvihnúť hlavu, vztýčiť päsť. Ojedinelé prejavy odporu na fronte sa surovo trestali, od mučivého vyväzovania za ruky až po rozsudky smrti a popravy. Ako-tak sa darili spočiatku len individuálne, neskôr i skupinové úteky do zajatia. Ani tam však nečakal zbehov ľahší život. Tvrdo sa trestali aj prejavy nespokojnosti v zázemí, za aké sa pokladali sťažnosti jednotlivcov i skupín na úrady a vedenia závodov, ojedinelé pokusy o štrajk, demonštrácie, najmä žien, proti nedostatku životných potrieb a drahote.

Bolo však akoby pred búrkou. V hustých mrakoch vojensko-policajného teroru boli skryté výboje napätia medzi hladujúcim ľudom a „pánmi" v palácoch i na úradoch, medzi utláčanými a panujúcimi národmi, medzi prirodzenými túžbami po mieri, slobode, ľudských právach a krutou realitou nezmyselnej vojny na druhej strane.

Mocipáni Rakúsko-Uhorska a ich štátny aparát neskrývali obavy z blížiacich sa dní. Od mája 1917 sa začalo šíriť štrajkové hnutie, pričom sa mnohé štrajky uskutočnili aj v závodoch dôležitých pre vedenie vojny. Štrajkovali robotníci železničných dielní v Nových Zámkoch a vo Zvolene, priemyselní robotníci v Lučenci, Krompachoch, Podbrezovej, Rožňave, Košiciach, baníci v Handlovej, poľnohospodárski robotníci v Trenčianskych Bohuslaviciach. Odpor proti vojne a hladu vyjadrili účastníci demonštrácií, hlavne ženy, v Bratislave, Banskej Štiavnici, Trenčianskych Tepliciach a v Košiciach, kde sa v septembri začal štrajk robotníčok tabakovej továrne demonštráciou.

Rast ľudovej revolty bol obojstranne spojený s aktivizáciou sociálnodemokratických organizácií, obnovením činnosti tých, ktoré existovali už pred vojnou, a vznikom nových. Do konca vojny najčulejšiu činnosť vyvíjali organizácie vo Vrútkach, Podbrezovej, Hronci, Krompachoch, Gelnici, Rudňanoch, Žakarovciach, Smolníckej Hute, Komárne, Banskej Bystrici, Zvolene, Žiline, Nitre. Mimoriadne významnú úlohu zohrala na jar 1918 sociálnodemokratická organizácia v Liptovskom Mikuláši.

K radikalizácii más významnou mierou prispeli správy o revolučných udalostiach v Rusku. Okrem informácií v tlači zvlášť účinné boli osobné skúsenosti a idey, ktoré prinášali vojaci vracajúci sa domov po uzavretí brest-litovského mieru z ruského frontu a z ruského zajatia. Uhorské ministerstvo vnútra sa oprávnene obávalo ich revolucionizujúceho vplyvu, lebo „boli priamymi očitými svedkami ruských revolučných udalostí, teda nielenže sú nasiaknutí ruskými revolučnými myšlienkami, ale poznajú aj rozvratné prostriedky a spôsoby, ktorými ruskí proletári uskutočnili svoje revolučné ciele.“

Na sklonku roka 1917 štrajkovali robotníci v Krompachoch, Žakarovciach a Rudňanoch. Za mier a demokratické práva, ako aj na podporu revolučného Ruska demonštrovali robotníci vo Vrútkach, Bratislave, Lučenci a v Košiciach. Značné rozmery a dosah mal generálny štrajk, ktorý v januári 1918 prebehol v celej monarchii. Na Slovensku sa doň zapojili robotníci vrútockých dielní, železničiari v Nových Zámkoch, robotníci výhrevne a valcovne vo Zvolene, baníci v Handlovej, robotníčky tabakovej továrne v Banskej Štiavnici. V nasledujúcich mesiacoch pokračovali mzdové štrajky. V apríli sa prehnala vlna demonštrácií za všeobecné volebné právo. Významné miesto v tejto fáze revolučných pohybov proletariátu zaujímajú prvomájové zhromaždenia, ktoré prebehli vo viacerých slovenských mestách. Najvýznamnejšie z nich sa uskutočnilo v Liptovskom Mikuláši, kde sa po prvý raz verejne žiadalo priznať právo na sebaurčenie aj pre Slovákov. Slovenský proletariát sa zapojil aj do celouhorského štrajku v júni 1918, a to vo Vrútkach, Zvolene, Podbrezovej, Slovinkách, Handlovej, Nových Zámkoch, Košiciach, Bratislave a na ďalších miestach. Tieto i nasledujúce boje proletariátu potvrdili vnútorný rozklad režimu, ktorý siahal k čoraz brutálnejším metódam ich potláčania. Ukázalo to aj krvavé potlačenie vzbury baníkov a žien 22. júla v Handlovej, kde žandári dve ženy a dvoch mužov zabili a 17 osôb ťažko zranili.

V roku zvýšeného revolučného boja proletariátu v zázemí sa prejavil aj neudržateľný rozklad armády. Prudko vzrástol počet dezercií, v horách, najmä na západnom Slovensku, sa z dezertérov tvorili tzv. zelené kádre. Otvorené vzbury vojenských jednotiek na Slovensku vypukli v Bratislave, Trenčíne a v Rimavskej Sobote, i za hranicami Slovenska. Krvavou stopou sa do vedomia zapísala najmä vzbura „drotárskeho" 71. pešieho pluku v Kragujevci v júni 1918, ktorej 44 účastníkov skončilo na popravisku.

Tvoriaca sa revolučná situácia, prudký vzostup protivojnových a protihabsburských nálad zvýšil aj aktivitu slovenskej národnej reprezentácie. Vavro Šrobár ochotne prijal možnosť vystúpiť na prvomájovom zhromaždení v Liptovskom Mikuláši. V máji odišla na oslavy 50. výročia Národného divadla v Prahe 22-členná slovenská delegácia na čele s Pavlom Országhom-Hviezdoslavom, ktorú tam okázalo prijali. Dňa 24. mája na dôvernej porade Slovenskej národnej strany na podnet Karola A. Medveckého prijali návrh ukončiť „tisícročné manželstvo s Maďarmi" a utvoriť spoločný štát s Čechmi. Na pôde uhorského snemu vtedy jediný činný slovenský poslanec Ferdiš Juriga 19. októbra vyjadril požiadavku Slovákov na rozchod s Rakúsko-Uhorskom.

Revolučný boj slovenského ľudu vedno s politickou aktivitou národnej reprezentácie bol súčasťou boja vo všetkých častiach rakúsko-uhorskej monarchie. To výraznou mierou prispelo k jej oslabeniu, vnútornému rozkladu a napokon i k zániku. Vlády víťaziacich imperialistických štátov Dohody si na sklonku vojny čoraz jasnejšie uvedomovali, že nebudú môcť čeliť prenikaniu revolučných ideí do strednej Európy tým, ak sa budú usilovať udržať pri živote rozknísanú rakúsko-uhorskú ríšu. Zmena ich postojov k Rakúsko-Uhorsku však nebola nijako ľahká a bezproblémová. Veď ešte v januári 1918 tak americký prezident Woodrow Wilson, ako aj britský ministerský predseda Lloyd George sa zhodli v názore, „že rozčlenenie Rakúsko-Uhorska nie je časťou našich vojenských cieľov..." Až pod vplyvom zjavných dôkazov o vnútornom rozklade rakúsko-uhorskej monarchie dohodové mocnosti menili svoje postoje v prospech myšlienky utvorenia nových štátov v strednej a juhovýchodnej Európe.

Vznik spoločného štátu Čechov a Slovákov zvlášť významne ovplyvnila aj činnosť a spolupráca krajanského hnutia, ktorá v rokoch vojny nadobudla charakter národnooslobodzovacieho hnutia v zahraničí. Posilnili a usmernili ho politickí emigranti z Čiech a Slovenska na čele s Tomášom Garrigue Masarykom, Edvardom Benešom a Milanom Rastislavom Štefánikom. Najmä T. G. Masaryk, ktorý stál na čele zahraničného odboja, ovplyvnil jeho obsah, formy a napokon i charakter nového štátu. Predstavitelia česko-slovenského zahraničného odboja na početných zhromaždeniach a intervenciami u vedúcich politických činiteľov štátov Dohody poukazovali na útlak a nedôstojné postavenie Čechov a Slovákov v Rakúsko-Uhorsku a zdôrazňovali nevyhnutnosť utvorenia samostatného česko-slovenského štátu. Toto úsilie viedlo už na jar 1916 k významnému organizačnému kroku – utvoreniu Česko-slovenskej národnej rady so sídlom v Paríži a s odbočkami v ďalších krajinách Európy. V Rusku, Francúzsku, Taliansku vznikli česko-slovenské vojenské jednotky – légie, ktoré bojovali po boku štátov Dohody. Okolo 150 000 mužov v zbrani bolo pre Česko-slovenskú národnú radu argumentom na uznanie nárokov Čechov a Slovákov na štátnu samostatnosť, ale aj poistkou na mocenské ovládnutie vznikajúceho česko-slovenského štátu a ovplyvnenia jeho sociálno-politického charakteru.

Pod vplyvom vnútropolitického, medzinárodného a vojensko-strategického vývoja v prvej polovici roku 1918 sa v českých krajinách i na Slovensku utvorila priaznivá situácia uplatniť ideu politického osamostatnenia. Jej reprezentantom v českých krajinách (s neskorším dopadom však i na Slovensko) sa stal Národný výbor. Od svojho ustanovenia 13. júla 1918 sa otvorene hlásil k protirakúskemu programu T. G. Masaryka a jeho skupiny, k programu reprezentovanému v zahraničí Česko-slovenskou národnou radou, ktorého cieľom bolo utvorenie samostatného česko-slovenského štátu.

Keď sa 28. októbra 1919 rozšírila správa, že Rakúsko-Uhorsko prijalo podmienky amerického prezidenta Woodrowa Wilsona na prímerie, v Prahe a v ďalších mestách Čiech a Moravy prepuklo spontánne nadšenie ľudu, ktorý jednoznačne dával najavo, že nemieni už ďalej žiť v rakúsko-uhorskom žalári národov a vyhlasoval utvorenie česko-slovenského štátu. Českí politici, ktorí pochopili, že ide o rozhodujúce hodiny zabezpečenia moci, v ten deň v mene Národného výboru oficiálne vyhlásili česko-slovenskú samostatnosť, čo potvrdili prijatím zákona o utvorení česko-slovenského štátu.

Nezávisle od udalostí v Prahe a bez informácií o nich sa v dňoch 30. a 31. októbra 1918 zišli v Martine takmer všetci predstavitelia slovenského politického života. Najvýznamnejším výsledkom rokovaní bolo utvorenie Slovenskej národnej rady ako jedinej oprávnenej reprezentantky slovenského národa, prerokovanie a prijatie Deklarácie slovenského národa na valnom zhromaždení 30. októbra, konanom v tzv. obchodnej sieni Tatrabanky. V dejinnom slede v poradí druhá Slovenská národná rada mala 23 členov, na čele s Matúšom Dulom. Martinská deklarácia, vypracovaná na základe návrhu Samuela Zocha, v mene SNR požadovala právo slovenského národa na sebaurčenie a okamžité uzavretie mieru. V konečnom zmysle vyjadrila rozhodnutie slovenského národa utvoriť vedno s bratským českým národom samostatný česko-slovenský štát.

Tak sa v posledných októbrových dňoch roku 1918 zavŕšilo mnohoročné úsilie celých generácií o národné oslobodenie českého a slovenského národa a bratské spolužitie v spoločnom štáte. Tak malý národ pod Tatrami vstúpil do novej éry svojho žitia – nadšene, plný očakávaní a nádejí.

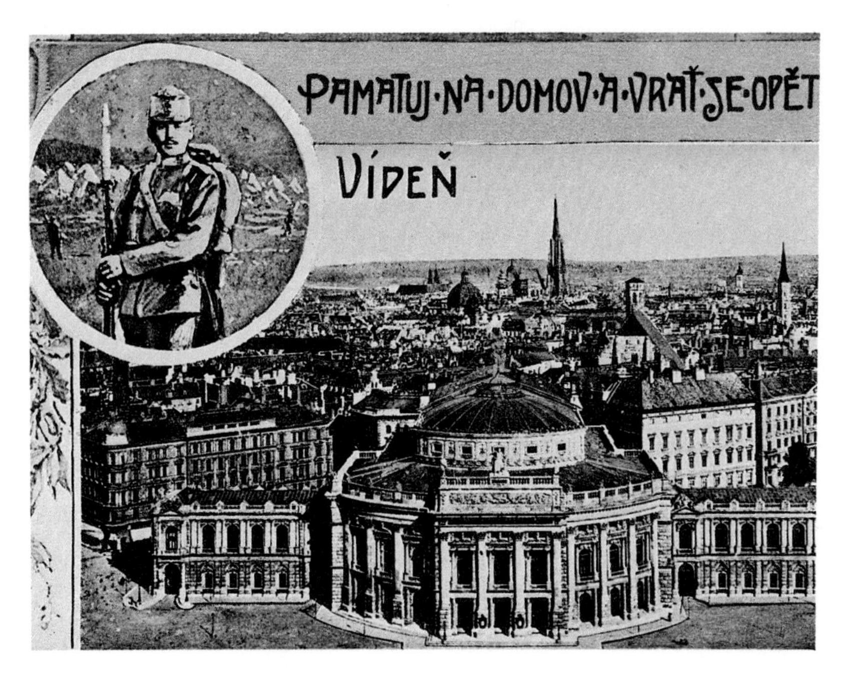

I hučí válka – Ako krútňava
sa vrtí, gúľa – váľa, rozohnaná,
plutvami trepe jak by leviatana
a v bezdný hrtan s chvatom
strháva,
požiera, nenásytná, hltavá,
tak ľudské životy jak ľudské
mania,
vždy tlamu dokorán ni Sitna
brána,
a trosky sú, čo na breh vydáva.

P. O. Hviezdoslav

552
Pohľadnice s naivnou vojnovou propagandou udržovali styk vojakov s domovom

553
Končí sa jeden ľudský život, jeden z miliónov obetí nezmyselného krviprelievania

554
Po vojne vyrástli po slovenských mestách a dedinách pomníky s menami padlých na rôznych bojiskách vojny; pomník v Sliači, časť Rybáre

555
Na front odchádzali mladí zdraví muži, vracali sa invalidi, kruto poznamenaní na celý život

556
Vo vojenskom lazarete v Kroměříži pomáhal zmierňovať utrpenie ranených MUDr. Pavol Blaho

557
Tisíce obyvateľov východného Slovenska muselo pred blížiacim sa frontom opustiť svoje domovy

558
Po návrate našli ruiny, podobné týmto v Zborove, jednej z najťažšie postihnutých obcí Šariša

559
Ťažko padlo obyvateľom slovenských mestečiek a dedín, keď z veží sťrhali zvony, aby ich pretavili na delá a náboje

560
Zriaďovanie jedného zo zajateckých táborov na východnom Slovensku; ani tento nebol schopný izolovať ruských a srbských zajatcov od miestneho obyvateľstva

561
Bratanie sa vojakov Rakúsko-Uhorska a Ruska na ruskom fronte roku 1917

562
Príslušníci 8. streleckého pluku československých légií v Rusku roku 1918

563, 564
Na prvomájovom zhromaždení a všeľudovej demonštrácii roku 1918 v Liptovskom Mikuláši prijali rezolúciu požadujúcu uzavrieť spravodlivý mier, právo na sebaurčenie pre Slovákov a ďalšie sociálne a demokratické práva

565
MUDr. Vavro Šrobár, hlavný rečník a pôvodca mikulášskej rezolúcie

566
Robotnícka rada vo Vrútkach, ktorá 26. 10. 1918 zosadila starý štátny aparát, prevzala politickú moc, odzbrojila žandárov a vyzbrojila robotnícku gardu

567
Historický význam pre vzťah Čechov a Slovákov v novom štáte mala Pittsburská dohoda, ktorá určovala platformu pre demokratický vývoj na Slovensku

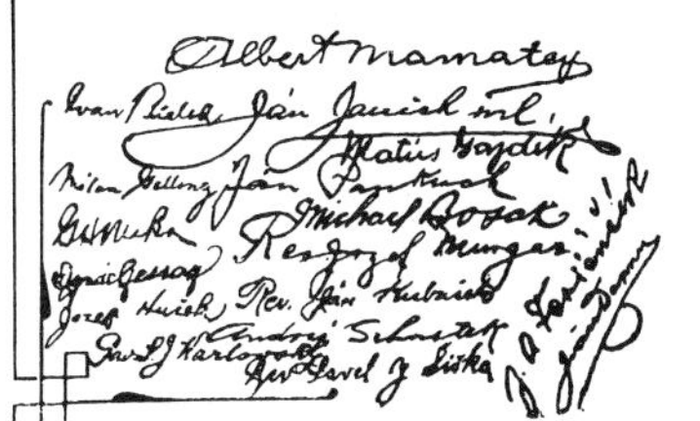

Česko-Slovenská Dohoda,
uzavrená v Pittsburghu, Pa., dňa 30. mája, 1918.
"Predstavitelia slovenských a českých organisácií vo Spoj. Štátoch.
Slovenskej Ligy, Českého Národného Sdruženia a Sväzu Českých Katolíkov,

porokovali za prítomnosti predsedu Česko-Slovenskej Nár. Rady, prof. Masaryka, o česko-slovenskej otázke a o našich posavádnych programových prejavoch a usniesli sa nasledovne:

"Schvalujeme politický program usilujúci sa o Spojenie Čechov a Slovákov v samostatnom štáte z Českých Zemí a Slovenska.

"Slovensko bude mať svoju vlastnú administratívu, svoj snem a svoje súdy.

"Slovenčina bude úradným jazykom v škole, v úrade a vo verejnom živote vôbec.

"Česko-slovenský štát bude republikou, jeho Konštitúcia bude demokratická.

"Organisácia spolupráce Čechov a Slovákov vo Spoj. Štátoch bude podľa potreby a meniacej sa situácie, pri spoločnom dorozumení, prehlbená a upravená.

"Podrobné ustanovenia o zariadení česko-slovenského štátu ponechávajú sa osvobodeným Čechom a Slovákom a ich právoplatným predstavitelom."

568, 569
Prejavom solidarity a podpory krajanských spolkov počas vojny boli rôzne finančné zbierky

570
Tomáš Garrique Masaryk v tábore
československých dobrovoľníkov
v USA roku 1918

571
M. R. Štefánik s poprednými organizátormi krajanského hnutia vo Washingtone

572
Generál Milan Rastislav Štefánik roku 1918

573
Pohľadnica s portrétmi
T. G. Masaryka
a W. Wilsona z roku 1918

574
Praha-mesto, v ktorom za neopísateľného nadšenia ľudu bol 28. októbra 1918 vyhlásený samostatný česko-slovenský štát

575, 576
Budova bývalej Tatra banky v Martine, v ktorej sa rozhodovalo o utvorení Slovenskej národnej rady a kde sa pripravil historický dokument vyjadrujúci želanie slovenského národa žiť s národom českým v spoločnom štáte

Deklarácia Slovenského Národa!

Zastupitelia všetkých slovenských politických strán,

shromaždení dňa 30. oktobra 1918 v Turčianskom Sv. Martine a organizovaní v Národnú Radu slovenskej vetvy jednotného česko-slovenského národa, trvajú na zásade samourčovacieho práva národov prijatej celým svetom. Národná Rada vyhlasuje, že v mene česko-slovenského národa, bývajúceho v hraniciach Uhorska, je jedine ona oprávnená hovoriť a konať.

Nie je na to oprávnená uhorská vláda, ktorá za celé desaťročia nepoznala vážnejšej úlohy, ako potlačovať všetko, čo je slovenské, nepostavila a nedovolila nášmu národu ani jedinej školy, nedovolila, aby sa slovenskí ľudia dostali do verejnej správy a úradov, náš ľud majetkove ničila a vykorisťovala svojou stredovekou feudálnou sústavou a politikou.

Nie sú oprávnené na to, aby v mene slovenského ľudu hovorily, ani tie tak zvané zastupiteľské sbory, ktoré sú sostavené na základe úzkeho volebného práva, nedopúšťajúceho prejaviť vôľu národa, a pozostávajúce z ľudí, ktorí vzdor nariadeniu zákona ned:pustili na výboroch čisto slovenských stolíc ani len slovenského slova.

Nie sú na to oprávnené ani také ľudové shromaždenia, ktoré vynášajú uzavretia pod tlakom cudzieho násilia.

V mene slovenského národa na Slovensku **oprávnená je teda hovoriť jedine Slovenská Národná Rada.**

Národná Rada česko-slovenského národa v Uhorsku obydleného osvedčuje:

1. Slovenský národ je čiastka i rečove i kultúrno-historicky jednotného česko-slovenského národa. Na všetkých kultúrnych bojoch, ktoré viedol český národ a ktoré ho urobily známym na celom svete, mala účasť i slovenská vetev.

2. Pre tento česko-slovenský národ žiadame i my neobmedzené samourčovacie právo na základe úplnej neodvislosti. Na základe tejto zásady prejavujeme svoj súhlas s tým novoutvoreným medzinárodným právnym položením, ktoré dňa 18. oktobra 1918. formuloval predseda WILSON a ktoré dňa 27. oktobra uznal rakúsko-uhorský minister zahraničia.

3. Žiadame okamžité uzavretie pokoja a síce na všeľudských kresťanských zasadách, aby pokoj bol taký, že by medzinárodnoprávnymi zárukami znemožňoval ďalšiu vojnu a ďalšie zbrojenie.

Sme presvedčení, že náš snaživý a nadaný slovenský národ, ktorý vzdor neslýchanému útisku dospel na taký stupeň národnej kultúry, nebude vylúčený z požehnania pokoja a zo spolku národov, ale i jemu bude popriate, aby sa dľa svojho rázu mohol vyvíňovať a dľa svojich síl prispel ku všeobecnému pokroku človečenstva.

Zo zasadnutia Slovenskej Národnej Rady
V Turčianskom Sv. Martine, 30. oktobra 1918.

Karol A. Medvecký v. r.
tajomník Slovenskej Národnej Rady

Matúš Dula v. r.,
predseda Slovenskej Národnej Rady.

Bratia! Rodáci!

V tomto ohlase slovenský národ vyslovil svoje žiadosti.

Toho sa držte všetci! A zachovajte sa, ako to veľké udalosti terajšie vyžadujú, dôstojne, aby nijaké výtržnosti ďalší pokojný vývin veci neprekazily. Oprávnené sťažnosti a žiadosti oznámte nášmu výboru, ktorý nakoľko len bude možno, postará sa, aby sa im odpomohlo.

Vrchnosti idú nám po ruke a preto vyzývame Vás, aby Ste i vo všeobecnom i vo vlastnom záujme vrchnostenským nariadeniam zadosť urobili.

V Liptovskom Sv. Mikuláši, 1. nov. 1918.

Liptovský výbor Slovenskej Národnej Rady.

577–582
Hlavní aktéri deklaračného zhromaždenia v Martine 30. októbra 1918: Matúš Dula, Andrej Hlinka, Ferdiš Juriga, Karol A. Medvecký, dr. Emil Stodola, Samuel Zoch

Deklarácia Slovenského Národa

Zástupitelia všetkých slovenských politických strán, shromaždení dňa 30. okt. 1918 v Turčianskom Sv. Martine a organizovaní v Národnú Radu slovenskej vetvy jednotného československého národa, trvajú na zásade samourčovacieho práva národov, prijatej celým svetom. Národná Rada vyhlašuje, že v mene československého národa bývajúceho v hraniciach Uhorska, je jedine ona oprávnená hovoriť a konať. Nie je na to oprávnená uhorská vláda, ktorá za celé desaťročia nepoznala vážnejšej úlohy, ako potlačovať všetko, čo je slovenské, nepostavila a nedovolila nášmu národu ani jedinej školy, nedovolila, aby sa slovenski ľudia dostali do verejnej správy a úradov, náš ľud majetkove ničila a vykorisťovala svojou stredovekou feudálnou sústavou a politikou.

Nie sú oprávnené na to, aby v mene slovenského ľudu hovorily, ani tie tak zvané zastupiteľské sbory, ktoré sú sostavené na základe úzkeho volebného práva, nedopúšťajúceho prejaviť vôľu národa, pozostávajúce z ľudí, ktorí vzdor nariadeniu zákona nedopustili na výboroch čisto slovenských stolic ani len slovenského slova.

Nie sú na to oprávnené ani také ľudové shromaždenia, ktoré vyriešajú uzavretie pod tlakom cudzieho násilia.

V mene slovenského národa na Slovensku oprávnená je teda hovoriť jedine Slovenská Národná Rada.

Národná Rada česko-slovenského národa v Uhorsku obydleného osvedčuje:

1. Slovenský národ je čiastka i rečove i kultúrnohistoricky jednotného česko-slovenského národa. Na všetkých kultúrnych bojoch, ktoré viedol český národ a ktoré ho urobily známym na celom svete, mala účasť i slovenská vetev.
2. Pre tento česko-slovenský národ žiadame i my neobmedzené samourčovacie právo na základe úplnej neodvislosti. Na základe tejto zásady prejavujeme svoj súhlas s tým novo utvoreným medzinárodným právnym položením, ktoré dňa 18. okt. 1918 formuloval predseda Wilson a ktoré dňa 27. okt. 1918 uznal rakúsko-uhorský minister zahraničia.
3. Žiadame okamžité uzavretie pokoja a síce na všeľudských kresťanských zásadách, aby pokoj bol taký, že by medzinárodnoprávnymi zárukami znemožňoval ďalšiu vojnu a ďalšie zbrojenie.

Sme presvedčení, že náš snaživý a nadaný slovenský národ, ktorý vzdor neslýchanému útisku dospel na taký stupeň národnej kultúry, nebude vylúčený z požehnania pokoja a zo spolku národov, ale i jemu bude popriate, aby sa dľa svojho rázu mohol vyvíňovať a dľa svojich síl prispel ku všeobecnému pokroku človečenstva.

Zo zasadnutia Slovenskej Národnej Rady
v Turčianskom Sv. Martine, 30. októbra 1918.

Karol A. Medvecký v. r.
tajomník Slovenskej Národnej Rady

Matúš Dula v. r.
predseda Slovenskej Národnej Rady

583
Martinská deklarácia v slávnostnej grafickej úprave so slovenskými ľudovými motívmi

584
Napred (olejomaľba J. Alexyho) s myšlienkou novej cesty slovenského národa

585–587
Malý, stredný a veľký štátny znak Česko-slovenskej republiky, schválené zákonom č. 252 dňa 30. marca 1920

РЕЗЮМЕ

История Словакии занимает особое место в европейской истории. Трудно найти другой такой народ, который в весьма сложных и неблагоприятных условиях смог сформироваться в полноправное этническое и политическое целое, народ, который сегодня занимает свое достойное место на карте Европы. После короткого периода собственной государственности, после падения Великоморавского княжества в начале X века словацкий народ вошел в состав многонационального формирующегося венгерского государства, где в течение всей его истории этому народу не удалось добиться никакой политической, территориальной, культурной или хотя бы религиозной автономии. Скорее наоборот, с середины XIX века начинается программное давление господствующих слоев венгерского народа с целью стирания словацкого народа с политической карты страны, еще полнее подчинить его правящим классам в Венгрии. В Словакии закрыли самые необходимые очаги культуры, школы, общества, словацкий народ оказался на грани своего исчезновения.

Все это превращает словацкую историю в увлекательнейший учебник исторической силы и способности этнического целого сформироваться в совершенно неблагоприятных условиях в современный европейский народ который благодаря своей созидательности, силе и энтузиазму вносит все более и более весомый вклад в сокровищницу европейской и мировой культуры, науки и исскуства. В этом смысле история словацкого народа уникальный образец творческой силы человеческого трудолюбия и усердия.

„Словакия в иллюстрациях" – том „История" ставит цель показать картину этой сложной исторической судьбы словацкого народа. Специфичность предлагаемой публикации заключается в том, что оба автора – д-р. Матуш Кучера, доктор исторических наук, профессор философского факультета Университета им. Коменского в Братиславе, который подготовил период до 1848 года, и д-р. Богумир Костицкий, кандидат исторических наук, сотрудник Государственного центрального архива в Братиславе, который подготовил вторую часть предлагаемой книги, – собственно впервые в словацкой исторической литературе вынуждены были создать такой тип книжной публикации, где реконструкция исторического развития создавалась при помощи иллюстрации. Текст, представленный вступительной главой и описательными текстами под иллюстрациями, имеет дополнительную функцию, как и принято в иллюстрированных историях. Необходимо сразу же предупредить читателя, что в иллюстрированной части не удалось охватить все самое лучшее, что оставила после себя словацкая история и прошлое, несмотря на повторное тщательное изучение хранилищ словацких музеев, галерей и архивов. Вызвано это прежде всего обстоятельством, что многое из движимого культурного наследия Словакии и ее народа с конца XVII века, а особенно в XIX веке оказалось в зарубежных собраниях, в самой Словакии еще не было условий для коллекционирования и собирания своего национального культурного наследства. Новейшие исследования в зарубежных собраниях внесут несомненно весомый вклад в улучшение иллюстрированной истории Словакии и словацкого народа в будущем.

По своей концепции картина словацкого прошлого создана на этническом принципе, но учитывается и территориальность в изложении. Поэтому изложение истории начинается со времен, когда появился первый человек на нашей территории и кончается в самое последнее время наших дней. Установленное количество иллюстрированного материала не предоставило возможность уделять равномерное и одинаковое внимание всем аспектам исторического развития, поэтому в некоторых разделах преобладает взгляд на культурно-политические аспекты, в некоторых более подробно представлено материальное производство и социальное движение словацкого народа в прошлом.

В каждом случае, и текст, и выбор иллюстраций в творческом согласии стремятся представить последние результаты научных исследований, правду, испытанную историей, сложной судьбой народа, который прошел нелегкий исторический путь к своему настоящему. Сохраняя профессиональный критический подход, авторы не таятся любовью к своему народу, родине, отчизне, где родились и живут, все свои чувства стремятся вселить как в текст, так и в отбор иллюстрированного материала при реконструкции истории своего народа.

ПЕРВЫЕ ЛЮДИ И МИР ИХ ТРУДА

Перелом, выделивший человека из мира животных, был вызван сознательным трудом. С него начинается история человеческого общества. Труд вместе с другими факторами развития изменил биологический статус человека, развил его мышление, членораздельную речь, заставил его принимать решения, заложив тем самым фундамент человеческой культуры. Словакия, в отличие, например, от Америки или Австралии, входила в этот процесс формирования цивилизации человечества. Уже в двернекаменном веке, на заре цивилизации, человек здесь умел изготовлять примитивные орудия, использовать дар природы огонь и, кочуя в стаях, охотиться и собирать, чем была богата природа. Новой, буквально революционной эпохой в развитии человеческой цивилизации стал период неолита (новокаменный век), а также энеолита – переходный период, наступивший вслед за ним. В этот период на нашей территории человек в жестокой схватке с природой впервые становится победителем. Своим трудом он заставил природу работать на себя, предоставлять ему основное пропитание. Человек начинает выращивать сельскохозяйственные растения, а позднее заставил и зверей служить и помогать в работе. Он уже не кочует по стране, усаживается на одном месте. В это время начинается регулярное заселение Словакии, этот процесс становится необратимым: нога человека уже никогда не покидает этот край, руки человека уже не перестают превращать ее в культурную страну. Тогда человеку помогали и климатические условия: даже на высоте 650 м н. у. м. (Попрад–Матейовце) сумели женские руки вырастить зерновые, бобовые и масляничные растения, а на востоке Словакии даже виноградную лозу. С материальным прогрессом связано и строительство жилища, формируется надстроечный мир человека, искусство, культура, его художественное восприятие.

Сплав меди и олова раскрыл человеку тайну бронзы – металла, из которого получались лучшие инструменты и оружие. Так как в Словакии находились крупнейшие в Европе месторождения меди, она стала важным регионом в средней Европе. Освоение полезных ископаемых, искусство горняков и металлургов разделили общество на имущих и неимущих, у людей появилась необходимость торговать. Кроме ремесел, развивается сельское хозяйство, демографически общество растет и созревает. В инвентарь домашних животных прибывает и лошадь – животное всестороннего использования, которое помогло человеку сократить расстояния, быстро перемещаться и путешествовать. В VII–III вв. до нашей эры цивилизация в нашей стране подошла вплотную к порогу грамотности. В гальштатскую эпоху человек начинает изготовлять предметы из железа. Умение плавить железо проникло в наши края откуда-то из Греции. Однако местное население не начало строить города, как приморские народы, оно и далее оставалось сельским. Обществом управляли богатые вожди племен с дружиной. Создаются прочные основы классово разделенного общества.

Все „народы", которые вплоть до этих времен, причем непрерывно, проживали на нашей территории, не имеют своего этнического названия. Лишь археологи присвоили им „рабочие" названия в соответствии с характерными признаками изготовляемой керамики или же других признаков материальной культуры. С позднего железного века (латенского) в нашей стране поселяется народ, имя которого известно – это кельты, которых римляне называли и галлами. В юго-восточные и восточные области Словакии проникают дакийцы и фракийцы. Однако важнейшую культуру, которая оказала самое большое влияние на нашу страну, причем в самых различных сферах жизни, создали кельты. Продвинулось вперед сельское хозяйство и в области совершенствования сельскохозяйственной техники, и в области переработки продуктов. Интересна, например, находка вращающихся каменных жерновов для помола зерна. Изменения в сельском хозяйстве, основном виде трудовой деятельности, так велики, что можно говорить об „аграрной революции". Заметные перемены произошли и в ремеслах, транспорте, торговле. Кельты пользовались уже металлическими деньгами в качестве эквивалента обмена. В Братиславе чеканилось несколько видов кельтских монет. Среди них наиболее известны монеты с надписью BIATEC и NONNOS. Их чеканили из серебра, иногда из золота, чеканка не являлась исключительным явлением, монеты были в обращении относительно длительное время.

После падения кельтского государства Словакия распадается по крайней мере на три ограниченные области: на востоке все еще существует кельско-дакийская цивилизация, в средней Словакии, как и во всем рудоносном регионе страны живут потомки кельтских котинов, смешавшиеся с другими этническими группами, а на западе Словакии усаживаются германские племена квадов и маркоманов, с которыми непрестанно вела войны за сферы влияния Римская империя. Римляне укрепили свои границы на Дунае, но римские легионы проникали далеко на север, в среднее Поважье и Погронье. Марк Аврелий, один из известнейших римских императоров, писал на Гроне и свои философские произведения; другой император – Валентиан I кончил свою жизнь в лагере под Комарно. В 179–180 гг. римские легионеры зимовали под Тренчином – Лаугарицием. Таким образом первые четыре столетия нашей эры были заполнены контактами и взаимосвязями с развитым римским миром, которому была противопоставлена варварская германская цивилизация. Этот период традиционно называется эпохой великого переселения народов, в которой последняя глава представлена прибытием наших предков и их поселение в Словакии.

СЛАВЯНЕ И ПОИСКИ НОВОЙ РОДИНЫ

Все еще точно не известно, когда Словакия стала нашей новой родиной, новой отчизной. Когда славянами начали интересоваться византийские историки в начале VI века, наши предки уже были в Словакии, даже воевали в качестве наемников в византийской армии и сражались за захват Рима. Очевидно, где-то перед 500 годом нашей эры в славянской прародине, раскинувшейся в степях между Волгой и Днепром, наступил период большой перенаселенности, и славяне по образцу других народов отправились из стесненного пространства в поход. Славянское заселение проходило в три заметные потоки. Через Карпатские перевалы заселялись восточные и северо-восточные области Словакии, западная Словакия заселялась теми славянами, которые проникали через Моравские ворота, и, очевидно, многочисленным был и третий поток, который заселял Карпаты и направлялся на средний Дунай. Здесь поток славянских переселенцев раздваивался. Одна часть заселила Болгарию, Македонию и пробилась к стенам афинского Акропля, вторая часть повернула против течения Дуная и заселила современную южную и среднюю Словакию. Именно эти переселенцы дали очевидно, передали своеобразный характер нашему современному литературному языку – словацкому языку средней Словакии. Переселение славян в поисках новой родины носило одну отличительную черту: оно проходило без шумного бряцанья оружием и крика. Лишь так можно объяснить, почему европейские историки-летописцы были застигнуты врасплох, как быстро и умело заняли славяне новые пространства в Европе. Неожиданно было установлено, что их здесь столько много, будто все ими „заброшено“. Словакия составляет лишь небольшую часть славянского расширения, которое ни в коем случае нельзя характеризовать атрибутами миролюбивого голубиного народа. Как и их предшественники, славяне в мужественных сражениях и проявляя выдержку заняли все области, где была плодородная почва, выгодные источники воды, хорошие пути для связи с собратьями. В таких областях и в Словакии, будучи земледельцами, они начали пахать, построили дома и уселись, чтобы никогда в истории уже отсюда не уйти. Словакия становится новой родиной славян, где новое население своей численностью значительно превышает оставшиеся поселения кельтов и германских племен. Наши предки придали этой стране особый колорит, своим трудом начали создавать новый дом и родину. К сегодняшнему дню известно около 160 мест в Словакии, где науки удалось найти свидетельства о новых жителях. Словацкая наука, особенно археология обладает большим количеством свидетельств образа жизни новых поселенцев, их надстроечных представлений, эстетического мира, обычаев.

Перелом в жизни наших предков наступает где-то после 568 года, когда в придунайские равнины вторгается из азиатских степей новое кочевое племя – авары. Таким образом наши предки приобрели соседей, с которыми не всегда удавалось жить в дружбе и мире, особенно тогда, когда авары хотели превратить придунайских славян в налогоплательщиков. Мелкие схватки переходили в военные конфликты, а в начале VII века в большое „всенародное“ восстание. Во времена, когда уже шла жестокая военная схватка, к славянам приходит франкский купец Само, приходит из страны, которая уже длительное время поставляет славянам добротное оружие из западноевропейских мастерских. Вместе с караваном торговцев Само становится на сторону воюющих славян. Его ловкость и смекалка позволили славянам избрать его королем. Так образовалось первое славянское государство „регнум“ (королевство), которое вошло в историю современной Европы. Он вел целый ряд успешных походов не только против аваров, он встретился в бою и поразил Дагоберта, главного полководца короля франкской империи – самого могущественного государства в Европе того времени. Битва проходила под Фогастисбургом.

Историки долго искали место, где зародилось легендарное государство Само. В науке существовало множество гипотез, ибо письменные источники описывающие интересующие нас события, скупы и немногословны. Но в последние пятьдесят лет археологии удалось добыть много новых источников об аварах и о придунайских славянах, которые жили по соседству, а поэтому и в определенном симбиозе с аварским каганатом. Эти многочисленные свидетельства доказывают, что образующее ядро государства Само необходимо искать при слиянии Дуная и Моравы, у Братиславских ворот, которые являются не только важным для всей средней Европы стратегическим пунктом – на этом месте известно множество погребений времен государства Само, причем все на очень небольшой площади в несколько десятков квадратных километров. Такой большой человеческий потенциал мог сосредоточиться лишь в действительном центре обширной империи, которая в европейскую историю вошла в качестве первой попытки славян политически организоваться на основе государства. Тем самым современная словацкая наука продвинула вперед и решение одной из важнейших проблем истории славянской древности.

ФОРМИРОВАНИЕ ГОСУДАРСТВЕННОСТИ

В 791 году франки разбили и разнесли в пух и прах аварское государство на среднем Дунае. Тем самым создались благоприятные условия для политической организации придунайских славян. Пока еще не известно, существовала ли связь организационного характера между государством Само (Само умер в 658 или в 659 году) и становлением власти князей, появляющимися в конце VIII – в начале IX вв. Однако точно известно, в Нитре с выгодным стратегическим и географическим местоположением правил князь Прибина, который смог присоединить к своему княжеству почти всю Словакию, не исключая Спиш. Он приветствовал и новую идеологию, которая сопровождала формирование государств – крестьянство: князв построил на своей усадьбе костел, который в 828 году освятил зальцбургский архиепископ Адальрам. В нижнеморавской расщелине сформировалось другое княжество, во главе которого стоял князь Моймир. В 830 году Моймир напал на Нитру, выгнал Прибину с женой, сыном и всей дружиной из края. Это не была война лишь двух амбициозных правителей, настоящее военное нашествие сопровождалось погромами: Моймир до основания сжег и разрушил все прибиновские замки, жизнь в них уже никогда не возобновилась. Так в результате объединения моравского и нитрианского княжеств возникло более прочное государственное формирование, которое позднее историки назвали Великой Моравией. В крови и пепеле, братоубийственных войнах рождалось новое славянское государство. Здесь не было ничего необычного для Европы той поры.

После изгнания карьера Прибины не кончается. После длительных странствий по различным дворам он получает от восточнофранкского правителя Людовита Немца имение среди балатонских славян, где после его смерти успешно правил его сын Коцель, родившийся еще в Нитре.

Политическая история Великоморавского княжества очень богата, по большей части она наполнена войнами против Восточнофранкской империи, последняя стремилась превратить Нитру в зависимое васальское государство. Великоморавские правители, особенно Растислав и Святоплук, мужественно защищались от восточнофранских государей, вели целый ряд сражений как на поле ратном, так и на дипломатическом.

Растислав, стремясь стать независимым от баварских церковных центров в Зальцбурге и Пассау, управляющих церквью в Великой Моравии, обратился к папе, а позднее к византийскому императору Михаилу III с просьбой создать независимую церковную организацию. По этой причине в Великоморавское княжество была послана византийская миссия во главе с просвещенными уроженцами Салоники Константином и Мефодием. Константин был учителем академии, Мефодий был юристом, чиновником на государственной службе. Для потребности великоморавского христианства они создали славянский алфавит, до них ни один из славянских народов не имел своего письма. Это была эпохальная разработка, положившая начало славянской письменности и обширной литературе, которая после изгнания учеников Мефодия распространилась во многих славянских странах и означала собой настоящую культурную революцию у славян. Во время правления Святоплука Великоморавская держава в результате продуманных военных и политических решений настолько расширила свои владения, что стала настоящей средневропейской империей, культура которой непосредственно была связана с дипломатическим центром тогдашнего мира – Римом. После смерти Святоплука кратко и в распрях правили его сыновья Моймир II и Святоплук II. Под постоянным давлением франкской державы, военных наездов новопереселенцев – древних венгров, в результате внутриполитического кризиса, в котором оказалось формирующееся феодальное государство, Великоморавское княжество в начале X века распадается. С политической карты Европы исчезло сильное государство, но осталась своеобразная материальная и духовная культура, традиции которой перешли в новообразующиеся государства: чешское, польское и венгерское. Собственно Моравия постепенно попадает в союз чешского княжества, словаки попали под власть древневенгерских кочевых племен, а после усаживания древних венгров в формирующееся венгерское государство, с которым вместе прошли почти по тысячелетнему историческому пути.

В ОКОВАХ ВЕНГЕРСКОГО ГОСУДАРСТВА

Древневенгерский племенной союз начал усаживаться в Потисье по согласию великоморавских государей. Последние видели в нем потенциональный буферный мост против Волгарского государства, с которым Великая Моравия граничила на востоке. Однако союзники вскоре превратились в противника, вместе с войсками восточнофранского короля Арнуэта они осаждали Великоморавское княжество с востока и запада. После распада Великой Моравии венгерские кочевники еще не думали о том, чтобы превратить Малую и Большую венгерскую низменность в свою постоянную родину. Для кочевых пастухов это пространство не было удобным для зимовки скота. Кризис, в котором оказалось венгерское сообщество, сначала решался за счет грабительских наездов к соседям, будучи умелыми воинами, они длительное время одерживали победы. Но в 955 году под Аугсбургом они потерпели поражение, после которого венгры уже никогда не опомнились, им остался лишь один путь: по образцу живущих здесь славян перейти к пашенному осевшему образу жизни. Необыкновенно большое количество славянских, а часто и словацких слов в венгерском языке из области сельскохозяйственной деятельности и жизни на селе является ярким тому доказательством. Так создавались предпосылки для формирования нового государства, которое в начале имело два или даже три центра. Решающим для дальнейшего развития стал регион за Дунаем (бывшее княжество Прибины и Коцеля), а так же Нитрианская область – важнейшая в Великоморавской державе. Таким образом венгерское государство стало собственно наследником Великой Моравии, а первый известный властитель из рода Арпадов Штефан I перенес во внутреннюю структуру нового государства многое из того, что было разработано в великоморавском обществе. Словакией как регионом вначале управляли из того же центра Нитры, которая стала местопребыванием удельного князя.

Политическая судьба венгерского государства была связана со сложной борьбой внутри и за его пределами. Государству очень помогло, что оно оказалось под непосредственной охраной Рима, а папа вручил Штефану I королевскую корону. Курс на Византию и Киевскую Русь не был постоянным, венгерское государство постепенно вошло в западноевропейскую культурную сферу, что оставило свои следы в письменной и материальной культуре романского периода. Ход событий в стране, которая приближалась к феодальной анархии во время правления Андрея II, был прерван еще большей опасностью, которую представляли татары. Войска этого евро-азиатского государства в 1247 году вторглись в Венгрию, разбили королевскую рать, страну опустошили и покорили себе. Их власть однако не продолжалась долго, татарские войска вернулись к себе домой, чтобы избрать нового главного властителя. Вторжение татар повлияло на развитие Словакии, хоть и не в такой степени как остальные области Венгрии. Королю пришлось уступить требованиям усиливающегося дворянства. Им разрешено было строить могучие готические замки на стратегически важных местах, позднее вместе с политическими привилегиями, предоставленными королем Андреем II в 1222, дворяне получили и военную независимость. Поэтому в стране вырастал мощный слой олигархов, которые выходят на арену политической борьбы после смерти последнего Арпада – Андрея III. После татарского нашествия страна обезлюдила и была открыта для целых потоков домашних и заграничных колонистов, которые приезжали сюда из Италии, Голландии, но чаще всего из немецких краев. С их переселением связана эра хозяйственного расцвета, заимствование западноевропейского опыта в хозяйствовании и управлении как на селе, так и в городе.

Словакией XIII–XIV вв. овладели два рода сильных магнатов: юг; запад и север страны почти комплектно попали в руки Матуша из Тренчина, восточная Словакия Омодею из рода Аба, которые соединились в борьбе за короля, в которой выдвигали на трон кандидатуру чешского короля Вацлава III. Вацлава III очень быстро сменил Карл из неапольского рода Анжоу. Большую роль в выдвижении Карла на венгерский трон сыграла курия папы римского, которая не жалела денег для венгерских магнатов. Карлу Роберту удалось отнять у Матуша из Тренчина несколько замков и городов, но его политическую мощь королю ликвидировать не удавалось вплоть до смерти Матуша в 1321 г.

Словацкая романтическая историография ввела в легенду образ Матуша из Тренчина. В действительности он являл собой тип хищного феодала, сформировавшегося в период феодальной монархии в стране. Истиной однако остается, что владения находились почти исключительно на территории современной Словакии с резиденцией в Тренчине или в Топольчанах. И родственники и войска, которые вознесли Матуша на пьедестал, происходили все из Словакии. Это все укрепляло территориально-политическое ограничение нашей страны как целого, которая получила и свое название – ,,Земля Матушова‘‘ – которое сохранялось несколько столетий. Матуш превратил Словакию в своего рода небольшое королевство с королевским двором и урядниками. Однако собственные монеты, как считала старая историография, не чеканил. Проводил своеобразную внутреннюю и внешнюю политику, ориентируясь прежде всего на Польшу и сопротивляюшуюся Моравию. Словацкий народ, несмотря на этот феодальный эпизод, где обнаруживаются черты самоуправления и самобытности, оставался и далее в Венгрии угнетаемым народом, что сказалось на всех последующих исторических судьбах.

ЦИВИЛИЗАЦИЯ ГОРОДОВ

Города в качестве особых социотопографических, урбанистических и юридических формирований возникают в Словакии на тех же самых основах как и в остальной Европе. Лишь хронологическое несовпадение – опоздание по сравнению с Европой – ощутимо. Из аграрного мира выделилась особая группа мастеров – ремесленников, которые сумели в необходимом количестве и качестве выпускать изделия на продажу – т. е. товар. С ремеслом, организованным таким образом, тесно связана торговля, куда втягивается не только зарождающаяся городская община, но и сельское население широких окрестностей. Ремесла и широко организованная торговля представляют собой два экономических компонента, которые в средневековье породили к жизни города. При этом ремесло у нас возникает на местном, еще великоморавском фундаменте и из городищ, слобод постепенно переходит в более свободно организованные сообщества. Ремесленник освобождается от панской зависимости и переселяется в географически выгодно расположенные города.

А торговец – это путешественник, не знающий границ народа или государства, он везде дома, если процветает свободный рынок, где есть что продать или купить. Капитал – это его бог и господин. После татарского нашествия, когда страна опустела, когда короли предоставляют новым пришельцам большие свободы и выгоды, поселяется в наших городах множество новых переселенцев, передающих поселениям такую правовую организацию, какую они, как правило, приносят из своих краев, которая испытана и проверена жизнью. После введения новых городских привилегий завершается формирование города в полноправный хозяйственный и социальный организм с самоуправлением. На небольшой площади, формируясь в улицы, возникает большое количество каменных домов, а в центре и большая площадь, где идут торги. Это место торгов, а отсюда и общее название, которое получают новые жилищные агломерации – mesto, т. е. город. Вскоре возникают пышные ратуши – помещения, где избирается городской староста и городской совет, откуда городские власти управляют всеми важнейшими вопросами своего населения. Когда город получает право строить вокруг себя стены и замыкаться воротами, возникает не только новая, совершенно отличающаяся от деревни урбанистская форма, но одновременно и военная крепость, способная влиять на вопросы власти в стране.

Экономическая конъюнктура, наступившая с XIII века, благоприятствует развитию городов. Если в XIII веке в Словакии имеется около 30 городов, в следующем столетии их уже более 100. Росту и хозяйственному расцвету способствует ряд промышленных реформ, проводимой во время правления династии Анжоу, во дворе которых находятся советники, часто опытные заграничные хозяйственники и финансисты. Развитию городов, новому элементу в структуре феодального общества, способствует и завершение феодальной монархии, войн и политической нестабильности. Международные контакты важны прежде всего для внешней торговли. Среди западнословацких городов контакты направлены на Далмацию и Италию, а также на Чехию и Германию. Восточнословацкие города обеспечивают торговые связи на великой магистрали, ведущей от Средиземного моря к Балтике. В наших условиях это прежде всего торговое обслуживание на линии Кошице–Краков со всеми ее разветвлениями.

В области средней Словакии, богатой полезными ископаемыми, вырастают могущественные шахтерские города во главе с Банска-Штьявницей, Банска-Бистрицей, Кремницей и др. В период максимальной производительности словацкие серебряные рудники поставляли ежегодно сто тысяч кг серебра, что составляет почти четвертую часть общеевропейской добычи. Словакия дает ежегодно почти четверть тонны золота, особенно послее пуска в Кремнице вращающейся мельницы для размолота кремня, в котором было „заколдовано“ золото. Мельница приводилась в движение водой. Возрастает и добыча меди. Дома не успевают весь металл переработать, часть меди отвозится на рынки в Венеции, Регенсбурге и Нюремберге, а также в более отдаленные Стокгольм, Антверпен и Лондон. При этом в XV–XV вв. эра словацкой меди только начинается. В горном деле и металлургической промышленности сказывается технический прогресс, возникают новые технологии, концентрируется капитал в металлодобывающих объединениях – это все представляет собой источник настоящего и будущего хозяйственного расцвета.

Золотой век в истории словацких городов в XIV–XV вв. объясняется и сильным пульсом жизни за укреплениями городов. Богатые горожане, связанные со всем современным им европейским миром, стремятся украсить свое место жительства пышными домами в готическом стиле, интересными изобразительными артефактами, особенно художественного ремесла, а также письменной культуры.

В городской среде постепенно расширяются идеи общности словаков как этнического целого в их борьбе за защиту своих прав. Документ об этом принадлежит Людовиту из Анжоу, изданный 7 мая 1381 года для словаков в Жилине. Темпы урбанизации Словакии способствуют тому, что Словакия становится одной из наиболее развитых областей великовенгерского государства, прямой, соединяющей польское и венгерское королевство, объединенных личной унией. Если учесть особенно эти факты, становится ясно, почему в последующих веках борьбы и войн наша страна является таким значительным объектом интересов, таким важным узлом на политических весах всех общегосударственных событий.

Европа XV века приближается к первому большому средневековому кризису с весьма примечательными признаками, характерными как для деревни, так и города. Внутренние волнения усилены эпидемиями чумы, в европейском сообществе вспыхивает целая серия восстаний. Это социальные сражения наемных работников в городах, факела восстаний горят и на селе. Они постепенно захватывают Италию, Фламандию, Францию и Англию, вскоре перемещаются и в среднюю Европу. Признаки кризиса, вылившиеся в бесконечные войны, постигли соседнюю страну – Чехию, что позднее в различных формах и подобии коснулось и нашей Словакии.

Чешское общество было высокоструктурированным сообществом, где создались узлы обостренного напряжения между отдельными классами и прослойками. Из самых низких крепостных слоев и слоев городской бедноты раздавались даже голоса, призывающие к свержению несправедливого феодального общественного порядка. Однако эти голоса не представляли собой реальной общественной силы, которая смогла бы такие преобразования осуществить. Но в одном привилегированные и подчиненные слои и классы были общи – это типично чешское явление – в ненависти по отношению к церкви, которая превратилась в одного из могущественных землевладельцев, моральный образ которого совершенно потерял облик первоначальной бедной церкви Христа. Эта могущественная организация стала не только авторитетом в делах веры, но и заметным образом вмешивалась в политические и хозяйственные проблемы общества. Она была монопольным защитником и блюстителем государственной идеологии, без последней же не может существовать ни королевская канцелярия, ни какой другой культурный институт. Поэтому люди XV века еще не смогли представить себе устранение церкви из жизни общества. Они направили свою критику на ее богатство и мораль. Стремление усовершенствовать церковь исходило из рядов мелкого духовенства, которому приходилось расплачиваться за интриги и капризы двора папы римского – когда в церкви правили три папы, которые находились друг против друга в состоянии войны и занимались вымагательством денег у верующих. Возникал справедливый вопрос, может ли такой испорченный и аморальный институт привести человека к спасению.

Произведения английского монаха Джона Виклефа вскоре проникли и за стены Карлова университета в Праге, разделив преподавателей на два противоположные лагеря. Во главе „исправительного движения" оказался Ян Гус, который благодаря своему естественному авторитету и мастерству проповедника вызывает к критике и широкие слои мелкого пражского ремесленного люда, городской бедноты. Высокие церковные власти вызывают Гуса на консилиум в Констанце (сегодня в ФРГ), здесь его объявляют еретиком, приговаривают к смерти на костре, а пепел разбрасывают, чтобы после него не осталось и памяти. Огонь в Констанце разжег в чешском обществе пожар революции, который нельзя было потушить.

Среди первых распространителей гуситской идеологии в Словакии были студенты Карлова университета. Один из них – Лукаш из Нове-Место-на-Ваге не отрекся от своей веры и идеалов даже на костре, так же как его учитель Я. Гус. Второго, Матея Словака, который стал гуситским проповедником в Кутна-Горе, противники выбросили с башни и убили. Те, кто из Праги попал в Словакию, не имели достаточно благоприятных условий для своей работы. Словакия не имела такого культурного центра, каким был Карлов университет. Таким образом отдельные гуситы становятся мишенью для высоких церковных органов. Тем более распространяется народная ересь, которая приобретает питательную почву во многих словацких городах и городках.

В Венгрии в это время правит король Сигизмунд из чешской королевской династии Люксембургов, ярый и неутомимый противник гуситов и гуситства. Словакия была превращена в плацдарм для наступлений в войне против таборитов, в войсках которых сражаются многие словацкие феодалы и обедневшие дворяне. Они с удовольствием воспринимают идеи гуситства хотя бы потому, что ожидают разделения богатых землевладений, принадлежащих в Словакии церкви. Гуситские полководцы – особенно во времена Прокопа Великого – отвечают Сигизмунду войнами, отправляясь неоднократно в большие военные походы на Словакию. В замках и городах, завоеванных гуситами, оставляются постоянные военные гарнизоны, которые служат опорными пунктами для дальнейших боевых действий. Так возникают гуситские гарнизоны в Трнаве, Жилине, Топольчанах, в замках Ликава, Ледница в Поважье и др. Родственный язык гуситов лучший мост, посредством которого идеи гуситского возрождения распространяются и в словацкой деревне. Эти отношения и контакты отметили и процесс народоформирования словаков. Везде, где остановились гуситы, немецкий патрициат убежал, в городских советах засели словаки. Не только эти горожане, но мелкое словацкое дворянство для своего письменного объяснения пользовались более развитым, испытанным в литературе чешским языком, в который совершенно закономерно все более и более проникали элементы словацкого разговорного языка. Словакизированный чешский язык позднее длительный период собственно выражает один из характерных признаков формирующегося словацкого народа.

И еще раз в нашей истории зазвучали идеи гуситского города Табор. Это случилось во времена, когда войска, завербованные в Чехии, под командованием Яна Искры из Брандиса защищали наследственные права восхождения на престол для несовершеннолетнего Ладислава Погробока. Их боевая деятельность характерна для нашей истории 1447–1467 гг., когда после роспуска армии Искры организуют чешские войска по образцу гуситских воинов полевые лагеря и величают друг друга „братишками". Из их рядов взошло множество смелых командиров, в войска братьев входило и много словаков. Длительный период власти „братьев" завершил новый венгерский король Матей Корвин в битве под Вельке-Костоляны.

БОРЬБА ПРОТИВ ОСМАНСКОГО ПОЛУМЕСЯЦА

Тюркские племена под правлением Османа осели в Малой Азии и оттуда начали предпринимать военные нашествия на Европу. Впервые против них словаки сражались уже в 1396 году в войсках Сигизмунда Люксембургского в неудачном сражении под Никополем в Болгарии. Второй крупной победой османских турков стало сражение под Могачем в 1526 году, где пал и венгерский король Людовит II Ягеловский. Тогда османские войска впервые показались и на южных границах Словакии. Тогда никто не знал, что наша страна почти на 150 лет обзаведется новым очень неприятным и весьма ненасытным соседом – османской империей. Османская держава позднее включилась и в гражданскую войну, которая велась за право на престол Венгрии между Яном Запольским и Фердинандом Габсбургским. В этой войне, в которую турки включались не только политически, но и боевыми действиями, их могущество на среднем Дунае возросло. В 1541 году турки захватили Буду и превратили город в центр своего расширяющегося правления. Страна разделилась. Семигородье осталось в руках потомков Яна Запольского. Словакия вместе с областями западной Венгрии сформировалась в так наз. венгерское королевство в руках габсбургской династии. Братислава стала столицей этой части, Трнава церковным центром после переселения Остригомского капитула.

Османское владычество в направлении на Словакию продвигалось медленно, но систематически. Оно захватило южные и юго-восточные области и продвигалось к среднесловацким горнодобывающим городам, где турков манили не только драгоценные металлы, но и стратигическое сырье для погрессивного оружия – пушек. Вскоре турки учредили в Словакии пять административных округов – санджаков, просадив везде своих наместников, следящих прежде всего за сбором даней. Причем пограничные беги собирали подати, дани, взымали плату и с территорий, которые еще и не захватили. Именно сюда были направлены их запугивающие и разбойничьи набеги, сопровождавшиеся захватом в плен людей для рабовладельческих рынков и детей для воспитания янычаров. Война со всей жестокостью и тяжестью легла на плечи сельского человека, которому пришлось с оружием в руках пахать и сеять, ежедневно переживать страх из-за своей семьи и имущества.

Быстрое продвижение армии османской империи на север и на запад мобилизировали на оборону многие европейские народы. Оборону начала организовывать габсбургская империя, сосредотачивая финансовые средства на строительство наемной профессиональной армии, строительство новых пограничных крепостей, соответствующих новой технике. Таким образом возникает тип ренессансной крепости, построенной уже не на скалистом утесе, а на равнине, окруженный угловыми бастионами, пушками, водными рвами и т. д. (например, Комарно, Нове-Замки и др.), фортификационный облик получают многие города и замки. Словакия становится боевой границей Европы, на которую обращено внимание публицистики и политики современного мира.

Османские войны сложным образом проникли в социальную стратификацию общества. Самые худые и бедные люди становятся нищими, но богатство части горожан растет, они пользуются коньюнктурой военных заказов. Более всего во время войны богатеет дворянство, ориентированное на снабжение армий. Дворянство основывает большие усадьбы – майеры – где хозяйствует в собственном режиме, включаясь таким образом в европейский процесс товарно-денежных отношений. Так как дворянство покидает территории, занятые турками, направляясь на север, Словакия принимает почти половину венгерского дворянства, которое стремится обзавестись имуществом не только в деревне, но и начинает нарушать структуру городских сообществ. Строя свои дворцы в городах, дворянство завершило и оказало влияние на ренессансное оформление наших городов.

Словакия в те времена переживает и первый всплеск волнений наемных рабочих. Это шахтерское восстание, центром которого стала Банска-Бистрица и которое стало крупнейшим свидетельством классовой борьбы в нашей средневековой истории. Четкого идеологического облика восстание не имело, однако проходило оно параллельно с процессом распространения реформатских идей в наших городах. Реформация в Словакии охватывает постепенно все социальные слои во всех идеологических подобиях – от умеренного до радикального крыла анабаптистов – габанов. Наиболее сильна реформация лютеранского типа, которая кроме горожан удовлетворяла и дворян. Она нашла в Словакии хорошо подготовленную почву, так как страна и ее церковная организация была в глубоком кризисе и хаосе. Со второй половины XVI века мобилизируется и католическая церковь, чтобы построить барьер быстро распространяющейся реформации, которая уже преобладает. Центром антиреформации становится Трнава, во главе стоит ордер просвещенных езуитов. Борьба за душу верующего, которую ведут оба направления в религии, служит на пользу дела повышения и распространения просвещения, укрепления национального языка. Этому в большой степени способствует быстро развивающееся новое достижение – печать. Книгопечатание способствует распространению не только религиозных произведений, но и учебников и книг со светской тематикой, предназначенных для широких слоев общества. Кроме научной литературы возникает и обширное народное творчество, в котором словацкий народ выражает свои боль и горечь, воспевает бескрайнее мужество, проявляемое ежедневно в защите своего дома, своей страны. Понятия „родина“, „народ“, „взаимосвязанность“ приобретают новое содержание.

В ОГНЕ ВОССТАНИЯ

В сложный период XVII – начала XVIII вв. происходит коренной перелом в европейской истории, феодализм терял свою мощь и позиции, зарождался новый мир капитала. Словакия, как и многие другие народы средней и восточной Европы, оказывается за рамками прогресса. Наоборот, по сравнению с европейским развитием Словакия отстает, что было вызвано разрушительными войнами с Османской империей и последствиями этих воин. Но в те времена никто еще не осознавал, что это отставание будет длительным и повлияет на развитие нашего края вплоть до XIX–XX вв.

Период войн с Османской империей переплетен борьбой венгерских дворян за свои дворянские свободы. Вызвано это было резкими изменениями в структуре венгерского, а тем самым и словацкого общества. Крепостные, особенно в южных районах Словакии, покидают разоренные и сожженные деревни, разграбленные амбары, побитый скот. Горожане тоже с недовольством относятся к постоянным военным угрозам, постоянно держат сторожевые части, живут в неуверенности, время не благоприятствует ни взрослому, ни малому, препятствует производству. В этой ситуации более всего везет дворянству. Дворянин XVII века уже не средневековый рыцарь с лоском, который рвется в „честный и праведный" бой. Это новый хозяйственник и предприниматель, хищно врывающийся в европейскую торговлю, чувствующий силу и мощь денег. Стремясь к выполнению своих амбициозных интересов, он усиливает эксплуатацию крепостных, прикрепляет их крепостными законами к земле, превращая крестьянина в раба нового времени. При этом дворянин с большой неохотой переносит вмешательство централизированного абсолютистского государства, которое вторгается между феодалом и крепостными, защищая крепостного от излишнего эксплуатирования и оставляя последнему место и время для работы на благо государства.

Дворянство в Венгрии защищается от требований абсолютизированного централизированного государства, стремясь сохранить для себя все свои старые, буквально неограниченные дворянские права и свободы. Исходя из таких противоположных представлений о будущем государства зарождается серия дворянских восстаний венгерских феодалов. Почти все исходят из Семигородья, но местом, где происходят военные столкновения с габсбургскими частями, является Словакия – край от Кошице до Братиславы. Все вопросы классово-политических интересов перепутаны идеологической стороной этой борьбы. Габсбурги оставались верными сторонниками Рима, поэтому восставшее дворянство логически и закономерно становилось на сторону венгерского и европейского протестантизма. Именно внешне эти восстания приобретали форму серии религиозных войн. В действительности же дворянство не отступало от принципа времени „cuius regio, eius retigio" (кого край, того и религия), причем и католическое, и протестантское дворянство. Крепостные были из этой „демократической" борьбы совершенно исключены. В Словакии XVII века сменяли друг друга восстания: Штефана Бочкая, Габриэля Бетлена, Юрая Ракоци, неудачное приведение к присяге Ф. Веселени, восстание кежмарокского магната Имриха Текели, а также опоздавшее выступление Франца Ракоци. Большинство этих восстаний находилось в тесной связи с самой реакционной властью среднеевропейского мира того времени – с Османской империей. Это большое пятно на характере этих восстаний, которые часто использовали лишь в интересах феодалов недовольства народных масс, которые ставали союзниками в борьбе за дворянские права и свободы. Наиболее ярко это проявилось в восстании Франца Ракоци, которое действительно началось как большое волнение народных масс, направленное против невыносимого феодального общественного порядка. В самом начале восстание нуждалось в широкой европейской поддержке, что не удалось осуществить, поэтому оно завершилось крутым поражением.

Вместе с восстанием дворян волнения охватывают и словацкое крестьянство, которые не были направлены ни на национальные интересы, ни на интересы дворян. Подобно взрыву разразилось в 1631–32 гг. в восточной Словакии восстание под предводительством Петра Часара, или же восстание на Ораве под предводительством Г. Пики. Лихая година порождает и тип непокорившегося крепостного – разбойника. Разбойники пользуются покровительством людей и природы, люди в нем по праву видят своего героя, который сражается против своеволия панов и бесправия, поэтому разбойников оберегают. Самой популярной личностью, ставшей почти национальным героем, был Юро Яношик. В его лице олицетворялось сопротивление народных масс против ненавистного крепостничества.

Несмотря на мятежные а неспокойные времена Словакия как целое живет весьма мобильной культурной и общественной жизнью. В максимальной степени используется каждая минута мира и затишья, общество самореализуется и в культуре. Свидетельством того является интенсивное строительство в ренессансном стиле, где доминирует дворянство со своим богатством, процветает и литература, многие произведения выходят на родном словацком языке, который все еще не организован, без порядка. Большую издательскую работу здесь проводит типография, организованная при университете в Трнаве. В культурную жизнь Словакии тех времен включилась и чешская интеллигенция, представители которой из-за своих убеждений были вынуждены покинуть свой край и искать родину в других местах. Один из них – Якуб Якобеус, написал первую программную историю Словакии и словацкого народа, которая до нас, к сожалению, не дошла.

Глубокий след в создании общества XVIII века оставило просвещение. Эпоха просвещения отвергла время барочного и готического средневекового засилия тьмы и обескровливающей веры, на высокий пьедестал был поставлен человеческий разум с его способностями и силой изменять мир и решать его проблемы. Лишь глубокие знания о природе и человечестве могут проложить дорогу для разумной и рациональной реформаторской деятельности, найти путь к новому – идеальной модели общества. К движению просвещения, которое зародилось во Франции, принадлежали как отчаянные революционеры, так и кроткие реформаторы, не редко и из рядов помазанных властителей. В наших краях наступил мир „монархистских просвещенческих реформ", когда на престол взошла первая женщина в средней Европе – Мария Терезия, дочь Карла VI. Несмотря на то, что ей пришлось в многочисленных войнах защищать свою корону и страну, где правила, императрица не отказалась от идеии провести в жизнь габсбургской монархии ряд необходимых просвещенческих реформ. Вместе со своим советом Мария Терезия поняла, что современное государство может правильно управляться лишь после тщательного изучения количества продуктивного и непродуктивного населения в государстве, причем тех, на плечах и труде которых покоится мощь государства, необходимо всячески охранять от чрезмерной эксплуатации. Поэтому она сразу же оказалась в противоречии с дворянством, а когда в 1764 году выступила в парламенте с предложением обложить дворянство налогом, произошел ненаправимый разрыв между троном и господствующим классом. Особенно венгерское дворянство с трудом понимало, что кончается век средневековых привилегий, что наступает новый государственный бюрократический аппарат и что феодализм, если желает хотя бы некоторое время сохраниться при жизни, нуждается в целом ряде реформ.

Целых пять лет с 1767 года проходила жестокая борьба за реформу в главной сфере жизни общества – в сельском хозяйстве. Урбарий Терезии – так назывался проект реформы – ставил цель переписать все крепостные почвы, разделить их по категориям плодородия и установить максимальную степень податей, которыми феодал может облагать своего подневольного. Особое внимание было уделено самой тяжелой крепостной обязанности – барщине на господском. Урбарий определял, что один двор в год должен отработать на барщине 52 дня с конем или 104 дня на ручных работах. Урбарий был переведен на национальные языки, предоставлен на хранение в селе и превратился в правовой документ, защищающий подневольного от господского своеволия вплоть до 1848 года. Курс на аграрные реформы продолжал и сын Марии Терезии, позднее самостоятельный правитель Йозеф II, который приступил к полной отмене крепостного права – тормоза любого прогресса в обществе. В Венгрии это случилось 22. 8. 1785 года. Крепостной снова стал человеком. Он мог свободно выбирать партнера для супружества, решать судьбу своих детей, переселяться от своего барина и свободно распоряжаться своим имуществом. Вместе с аграрными реформами устранялась застаревшая сельскохозяйственная техника и технология, вводились новые полеводческие культуры, прежде всего кукуруза и везде применимого картофеля, перестраивалась кормовая база и росло поголовье скота, выращивалось сырье для текстильной промышленности, включая разведение шелкопряда. Все это способствовало развитию словацкой деревни, увеличению населения, но, к сожалению, и демографическому перенаселению, что вело к первым волнам переселения и миграций, пока еще в рамках земель монархии.

Изменения охватили и ремесленное производство, которое тоже покидает границы средневековья. Характерной чертой времени является мануфактура, которая и в наших краях традиционно ориентируется на текстильное производство. В этой области крупным предпринимателем является сам супруг М. Терезии Франц Лотринский, который основал крупнейшую в Европе мануфактуру в Шаштине, которая ежегодно выпускала сто тысяч метров продукции. Возникали и мануфактуры по производству кухонной посуды (майолики, английского фарфора, керамики), мануфактуры по переработке кожи, бумаги и стекла. Однако словацким мануфактурам недостает для успешного развития двух серьезных условий: достаточное количество куплеспособного населения и хотя бы немного благожелательная политика венского двора, который программно перемещает всю Венгрию на позиции аграрной страны. Несмотря на это в среде мануфактурного производства зарождается новое чудо прогресса – промышленная революция, т. е. введение водяных и паровых машин в процесс производства. Словакия находится на пороге индустриального века.

Отнюдь не последнее место среди просвещенческих реформ занимает закон об обязательном школьном обучении, принятый в 1774 году, а также разработка целой системы школьного обучения и воспитания. Тем самым область, которая по века находилась под властью церкви, частично попадает в руки государства, школа начинает обслуживать потребности государства. Словакия и ее народы в многих сферах жизни вступают в действительно новый, хоть и нелегкий и небеспроблемный этап исторического развития.

ВОЗРОЖДЕННЫЙ НАРОД

Понятие „национальное возрождение" начало использоваться для той эпохи развития национального сообщества, когда в него необходимо было включить широкие слои населения, тем самым народ как категория приобретает новое качество и количество. Превращение словацкого народа в современное социальное сообщество несло с собой ряд внутренних и внешних проблем.

В многонациональном венгерском государстве в средневековье формировался лишь один политический народ – „natio hungarica", в который могли входить и входили лишь лица дворянского происхождения. Этот политический „венгерский народ" во время национального возрождения слился с этнически и политически господствующим венгерским народом, поэтому и по происхождению словацкое дворянство постепенно перешло в венгерский народ. Городское население в качестве второй социальной силы в городских структурах было рассеяно и разброшено, национально не достаточно сформировавшееся, поэтому тоже не могло стать проводником словацкого национально-освободенческого движения. В качестве монолита оставался лишь словацкий сельский люд, который в течение столетий сохранял свой словацкий язык, свою своеобразную высокоструктурированную народную культуру. Именно он стал объектом национальновозрожденческого процесса, причем прослойка интеллигенции (субъект этого процесса), происходящая именно из этих плебейских слоев, стала ведущей силой национального возрождения. Ее роль отнюдь не являлась легкой: ей необходимо было превратить народ – несознательного творца и носителя словацкого – в сознательную и полноправную нацию, причем в сложных условиях отсталой феодальной страны, без соответствующих политических прав, государственности, или хотя бы какой либо автономии.

Прологом национально-освободительной борьбы являются различные типы „защит" (апологеи), которые должны был венграм и немца, всем недоброжелателям доказать древность словаков в стране, где они живут, доказать абсурдность летописных „легенд" о том, что якобы Святоплук продал венграм страну за белого коня, богатую узду и т. д., найти достойное место для словаков среди других народов венгерского государства, указывая на заслуги словаков в строительстве и расцвете венгерского государства. Апологеи Й. Б. Магина, С. Тимона, М. Бела, Й. Папанка, Й. Скленара (хоть все они и несут уже в названии обычный акцент на „защиту") остаются все еще верными „мадяризму", лишь с большим трудом они достигают понимания политической самобытности словацкого народа, несмотря на то, что народу они отдают все свои силы, ум и пристрастие.

Новые черты национального возрождения появляются в группе словацких интеллектуалов, которые были собраны в генеральной семинарии в Братиславском замке по инициативе самого императора Иосифа II. Молодые люди, готовящиеся к работе в приходах с простым словацки людом, установили, что словакам недостает и основной цемент объединения – единый литературный язык. За трудную работу взялся А. Бернолак со своими соратниками. Была выбрана версия культурного западного словацкого языка, который длительное время использовался в среде университета в Трнаве, причем с некоторыми признаками среднесловацких наречий эта версия языка стала литературным языком словаков. Эти усилия А. Бернолака опирались на весьма солидные языковедческие труды и достаточно разработанный словарь. Его соратники, особенно неутомимый Й. Фандли, издают на новом литературном языке литературу, учебники, просветительские работы, распространяют их среди народа. Все это с помощью общества „Товарищество". Словацкий народ получает могучее оружие своего самосознания, причем на естественной демократической основе.

Религиозно-мировоззренченское разделение Словакии вызвало, однако, что часть протестантской интеллигенции и народа не приняли литературную норму Бернолака, придерживаясь древнечешского языка – языка библии и богослужб словацких евангелистов, причем в представлениях на происхождение Словаков тоже не было единой точки зрения. Эта часть интеллигенции считала словаков лишь племенем единого чехословацкого народа, в чем имела поддержку крупнейших чешских ученых. Протестантское крыло движения возрождения получило и свой институт после основания кафедры речи и литературы чехословацкой в евангелическом лицее в Братиславе, которая воспитала целое поколение словацких деятелей просвещения и патриотов в своем духе. К ним относятся и выдающиеся личности славянской науки и культуры, например, Ян Коллар и Павел Йозеф Шафарик. Объективно разделение национального движения возрождения на две группы замедляло процесс народоформирования словаков, ограничивало его узкими рамками языковых или культурно-исторических и литературных проблем, причем в эпоху, когда по Европе шествовали идеи Великой французской революции, эхо которой докатилось и до нашей страны. Но сторонники идей революции были потоплены в крови. Всемогущая тайная полиция, цензура, политические ограничения деятельностей и объединений превратились позднее в новый барьер национального развития. На поверхность снова с большой настоятельностью выходят социальные и экономические проблемы отставания страны, прежде всего иго крепостного права, легшее на плечи обедневшего крестьянства.

В новой ситуации ощущалась необходимость объединить оба течения национального возрождения и искать новые формы работы в усиленных полицейских условиях. Эту задачу взяло на свои плечи молодое поколение, подрастающее в братиславском евангелическом лицее, руководителем которого стал Людовит Штур. Штур понимал, что борьбу за национальные права необходимо объединить с борьбой за социальный прогресс, за свободу. Поэтому он воспитывал молодежь в антифеодальном духе, предлагал ей освободиться от колларовского романтизма и аполитичности. Объединению национального процесса объективно способствовало и венгерское национальное движение под руководством Л. Кошута, начавшее открытое наступление против словаков, обвинив их в панславянизме, и стремившееся поставить движение славян вне закона. Наступает новая волна национальной защиты, петиций. Важной стала всенародная Простольная челобитная 1842 года, направленная императору Фердинанду У. Новой трибуной словацкого голоса стала газета „Словенске народне новины" – политический орган, а также ее литературное приложение „Орел Татранский".

Оказалось, что в многонациональном государстве имеется прочная связь между народом и его языком. Прогрессирующая венгеризация выдвинула тоже на первый план вопросы единства литературного языка словаков. Поэтому штуровцы тщательно взвесили достижения бернолаковцев в области языка и критически подошли к собственной евангелической возрожденческой составляющей, опирающейся на чешском языке. Они не ограничились стремлением сделать ее более понятной для словаков. После углубленного анализа на встрече в Глбоком Л. Штур, М. Годжа и Й. Гурбан объявили среднесловацкое наречие литературным языком словаков. В этом их решении они получили поддержку у крупнейших представителей бернолаковского движения, а на всенародном съезде в Липтовски-Микулаше в 1844 году произошло лишь одобрение этого важного шага со стороны руководства словацкого национального движения. Еще накануне буржуазной революции 1848 года Л. Штур уверял чешский народ, что словаки не изменили им, что будучи самобытным народом, они и в дальнейшем будут поддерживать с чехами тесные связи.

Наступающая революция уже начала писать новую главу в истории словацкого народа и Словакии.

РЕВОЛЮЦИОННЫЕ 1848–1849 ГОДЫ

Революционная волна, валившаяся по Европе с начала 1848 года, охватила и габсбургскую монархию, раздираемую острыми классовыми и национальными конфликтами. Мартовские революционные события в Вене докатились и до недалекой Братиславы. В Пеште проходили волнения народных масс и учащейся молодежи.

В это время в Братиславе заседает венгерский сейм, где к наиболее радикальным депутатам принадлежал Людовит Штур, избранный за город Зволен. Страх перед революцией заставил депутатов сейма, в основном членов венгерской либеральной группировки дворян, принять более 30 законов, направленных на реформу. Наиболее важным был закон об отмене крепостного права, который несмотря на свой непоследовательный характер потряс основами феодального общественного устройства. Однако закон освободил от служебных обязанностей лишь часть крестьянства. Дворянству была обеспечена финансовая компенсация, ему были оставлены огромнейшие имения и возможность частично, другими формами и в дальнейшем эксплуатировать массы народа, связанные пожизненно с сельским хозяйством. Непоследовательными и половинчатыми были и другие вновьпринятые законы, например, о так наз. народном представительстве, о свободе печати и действий и т. п.

Закон об отмене крепостного права не мог удовлетворить массу крестьян, которые на многих местах бунтовали, отнимали землю, леса и пастбища, отказывались ходить на барщину и платить подати. В революционном 1848 году требовали улучшения социального положения и рабочие горнодобывающей и металлургической промышленности в Банска-Штьявнице и окрестностях, в Братиславе подмастерья-швейники.

Венгерский сейм не решил национального вопроса. Наоборот, принял два закона, направленные против невенгерских народов. Наиболее тесно проявилась связь словацких национальных требований и всеобщедемократических требований, которая была выражена прежде всего в Требовании словацкого народа, подготовленном и принятом 10 и 11 мая в Липтовски-Микулаше. Венгерское правительство Требование отвергло, на руководящих деятелей словацкого национального движения издала ордера на арест. Такая однозначно отрицательная позиция руководителей венгерской революции и правительства по отношению к справедливым требованиям словаков заставило руководителей словацкого национального движения искать другие пути реализации своих требований. В конце концов, не имея других возможностей добиться национальных прав, они использовали позиции хорватско-далматийско-словинского предводителя Йосифа Елачича, и хоть и не верили особенно заявлениям и обещаниям императора, встали на его сторону.

В начале сентября 1848 года в Вене был создан словацкий национальный совет, впервые в словацкой истории в качестве верховного политического представительства и одновременно органа, координирующего политические и военные действия. Под его руководством была сформирована и часть словацких добровольцев, которая после марша через Моравию в окрестности Миявы возросла приблизительно на 6 000 бойцов. После нескольких успешных столкновений с противником часть потерпела поражение под Порьяди недалеко от Миявы.

В конце 1848 года была сформулирована вторая словацкая добровольная экспедиция, которая в качестве отряда императорского войска прошла почти через всю северную Словакию от Кисуце до Кошице, а вторая ее часть от Тренчина до Комарно. Значение этого войска было не столько военное, как политическое, прежде всего потому, что оно будило и укрепляло словацкое национальное самосознание и сознание взаимосвязанности между столетиями разделенными областями. Такие же цели были достигнуты и третьей словацкой экспедицией летом 1849 года.

После восхождения на престол Франца Иосифа к нему явилась депутация словацких политиков 20 марта 1849 года с просьбой предоставить справедливые права словацкому народу при готовящейся реорганизации монархии, чтобы территория, заселенная словацким народом выделилась административно под собственным политическим названием (Словакия, Словацкая земля).

В новое время вступил и словацкий народ, но неуспешно. Стремился к борьбе на стороне прогресса, но оказался не по своей вине в противоположном лагере. После двух лет устремлений, сражений и страданий словацкому народу достались лишь пустые обещания и невыполненные половинчатые решения.

ГОДЫ НАДЕЖДЫ И ГОРЬКИХ РАЗОЧАРОВАНИЙ

После подавления революции в Венгрии реакционный двор Габсбургов встал на крутой контрареволюционный курс, который проявлялся в военной диктатуре, тюрмах и казнях для участников революции, в создании абсолютистского режима, ликвидации всех политических свобод, в централизации, бюракратии, германизации. По отношению к словацкому народу венское правительство действовало по-хитрому, с явным стремлением посредством небольших уступков расколоть словацкое национальное движение.

Императорский патент от 3 марта 1853 года вызвал у крестьян большое разочарование. Ключевой вопрос – крестьянский вопрос – патент решал не в пользу крестьянских масс. На целые десятилетия он ознаменал собой развитие сельского хозяйства в эпоху капитализма. Разочарование и неудовлетворенность крестьян проявились во многих местах, особенно на Спише и в Шарише, где начались восстания и волнения, особенно против проходившей переписи земли в начале 60-х годов. Эти проявления борьбы были подавлены, так же, как и волнения банскоштьявницких рабочих-горняков, направленные на борьбу за повышение заработной платы.

Падение абсолютистского правления и издание так наз. октябрьского диплома государем в 1860 году вызвали новые надежды и активность представителей словацкого национального движения. Кульминацией такого оживления стало народное собрание в Мартине 6 и 7 июня 1861 г. На собрании почти 5 000 участников из многочисленных словацких деревень и городов приняли Меморандум словацкого народа. В этом важном документе пробуждающегося национального самосознания было установлено требование признания самобытности словацкого народа, правового обеспечения его равноправия с другими народами Венгрии и определения национальной территории, так наз. словацкой среды, где бы в полной мере действовали словацкие политические, культурные и др. права.

Самым большим успехом активности тех лет стало открытие трех словацких гимназий – в Ревуце, Мартине и Клашторе под Зневом, а также основание Матицы словацкой, чем завершается многолетнее усилие создать словацкий культурный центр. Матица словацкая в течение более десяти лет работы выполняла задачи в области национальной культуры широкого диапазона, она стала представителем народа, его самобытности и жизнеспособности. Поэтому вместе с гимназиями, которые готовили на национальном языке словацкую интеллигенцию, она стала мишенью шовинистических выпадов Венгрии, которая в 1874–1875 гг. постепенно закрыла все эти учреждения.

После поражения Австрии в войне с Пруссией в 1867 году австрийские и венгерские господствующие классы вступают в „брак по расчету", что выразилось в австрийско-венгерской регуляции. После этого открываются более широкие возможности для развития капиталистического производства в экономике Венгрии. Одновременно невенгерские народы были обречены к многолетнему национальному гнету, санкционированному в законе о национальностях от 1868 года.

В ОКОВАХ СОЦИАЛЬНОГО И НАЦИОНАЛЬНОГО ГНЕТА

Капиталистическое развитие в аграрной сфере было отмечено пережитками феодализма. Большинство земли осталость в руках земепанов, которые благодаря высокому финансовому вознаграждению за ущерб, вызванный реформами, сразу же перешли к капиталистическому предпринимательству. Крестьяне, образующие 70 % всего населения Венгрии, должны были вступить в тяжелую конкурентную борьбу с крупными землевладельцами, на стороне которых были все выгоды: хозяйство на больших площадях, на более плодородных почвах, использование все более современных сельскохозяйственных машин, применение искусственных удобрений, строительство складских помещений, позволяющих продавать сельскохозяйственные продукты за более выгодные цены и т. д.

Крестьянин не имел таких возможностей, поэтому удержаться на поверхности он мог лишь благодаря своей скромности и трудолюбию. Но несмотря на это в течение 20–30 лет разорились сотни хозяйств.

Масса населения, зависимого от сельского хозяйства, вступила в новую эру без почвы, или же с минимальными площадями. Безземельные искали поэтому работу в крупных поместьях, а когда такие поместья не находились вблизи, они уходили в поисках сельскохозяйственного трудоустройства в Нижние земли, в иные области и страны. Их социальное положение было бедное, законы им не предоставляли почти никакой социальной защиты.

Наступление капитализма сопровождалось постепенной индустриализацией, которая не обошла и Словакию. Однако она не была экстенсивной и не покрыла все области. И в эти годы самыми важными отраслями промышленности были горная и металлургическая. Развивалась промышленность деревообрабатывающая, бумажная и стекольная, а также отдельные отрасли переработки сельскохозяйственных продуктов, прежде всего сахарные заводы, мельницы, спиртоперегоночные заводы и табачная промышленность.

Экономическое и общественное развитие отражалось и в транспорте, прежде всего в железнодорожном. В 1831–1880 гг. в Словакии было построено более 1 000 км железных дорог, среди них и наиболее важные из Кошице в Богумин, из Пешта через Зволен до Вруток, а позднее из Жилины в Братиславу. Изменения произошли в сети дорог и в водном транспорте.

Несмотря на определенный экономический расцвет продолжал расти и дефицит мест трудоустройства, что приводило к массовому выселению в основном в государстве северной Америки. За работой ушло и несколько десятков тысяч рабочих в Будапешт. Ежегодно покидали дом и отправлялись в близкие и далекие края тысячи дротарей-ремесленников, стекольщиков, бродячих торговцев полотном, маслом и кореньями, других торговцев на дому.

Во второй половине XIX века и в Словакии ускоряется процесс самосознания пролетариата и его организации. В Братиславе возникло одно из первых рабочих обществ „Напред", а в 1869 г. здесь впервые в Венгрии вообще состоялось первое открытое рабочее собрание. Классовое самосознание с самого начала было связано с убежденным интернационализмом. Важной вехой стало издание первого словацкого рабочего журнала „Нова доба" в 1897 году и активизация в рамках социал-демократической партии Венгрии.

После австрийско-венгерской регуляции господствующие слои венгерского народа усиливают наступление на национальные права невенгерских народов в Венгрии с целью их венгеризации. При этом использовались различные методы: закрытие школ, изгнание национальных языков из народных школ, шантаж и увольнения учителей „непатриотического" профиля, печать и кампании, жестокие наказания для редакторов и авторов статей, избирательские махинации и террор против национальных кандидатов и их возможных избирателей. Использовались и формы, прикрытые плащем социальных и культурных необходимостей.

Национальное самосознание в трудных условиях порабощения поддерживалось благодаря заслугам горсточки энтузиастов, благодаря экономически нерентабельной периодической печати а книжному издательству, благодаря театральным представлениям и культурным вечерам, ежегодно устраиваемым августовским торжествам в Мартине, деятельности Словацкого музеологического общества и др.

ВСТУПЛЕНИЕ В ДВАДЦАТОЕ СТОЛЕТИЕ

В первом десятилетии XX века и в Словакии продолжалась миграция населения из села в город, хотя этот процесс не имел такой интенсивности как в индустриально развитых странах. В 1910 году крупнейшими городами Словакии были Братислава (73 459 жителей), Кошице (40 476 жителей), Комарно (18 863 жителей), Банска-Штьявница и Банска-Бела (17 080 жит.), Нове-Замки (16 048 жит.), Нитра (15 830 жит.), Прешов (14 835), Трнава (14 501), Ружомберок (12 121), Жилина (11 537). С другой стороны, центр словацкого национального движения имел всего лишь 3 351 жителей. Почти половина жителей и населения все еще жила в селах с количеством населения менее 1 000 жителей.

Крестьянство составляло основу общества в Словакии и ядро словацкого народа. Социальные различия в словацкой деревне углублялись. Уровень жизни, мышление и поступки крестьянина были диаметрально противоположны от жизни батрака, наемного, сезонного рабочего. На словацкого крестьянина обращали внимание словацкие просветители. Их воспитательные книги, пропаганда новых методов хозяйствования, закладывание кооперативных кредитных и пищевых обществ, борьба против алкоголизма способствовали прогрессу и смягчали неблагоприятные последствия капитализма в сельском хозяйстве.

Продолжалось строительство и модернизация промышленных предприятий. Многие из них (металлургический завод в Кромпахи, сахарный завод в Трнаве, текстильная фабрика в Ружомбероке, кондитерская фабрика в Братиславе) имели мировой стандарт. Традиционная добыча руд пополнилась и промышленной добычей в Гандлове.

Все промышленные предприятия и финансовые учреждения Словакии находились в руках иностранного капитала, который все еще находил здесь не только богатый источник сырья, но и дешевую рабочую силу. Попытки использовать словацкий капитал (Татрабанк, бумажная фабрика в Мартине) осуществлялись с большим трудом.

Социальное положение рабочего класса соответствовало большему спросу на рабочие места. Для него были характерны продолженное рабочее время, низкая зарплата, низкооплачиваемый женский и детский труд, недостойное обращение с рабочими, неудовлетворительное состояние системы социального обеспечения на большинстве предприятий, гигиенически вредные условия пребывания на квартирах, недостаточно калорийная и питательная пища, недостатки в обуви и одежде. Такие социальные условия стали определяющим фактором для роста самосознания и организованности словацкого пролетариата. Центром рабочего движения стала Братислава, возникли и другие центры, особенно в городах с развивающейся промышленностью (Кошице, Кромпахи, Подбрезова, Липтовски-Микулаш, Ружомберок, Врутки, Жилина, Лученец, Нове-Замки, Комарно, Нитра, Угровец и т. д.). Повышенная активность, проявляющаяся в забастовках, манифестациях, борьбе за основные демократические права, особенно за всеобщее, тайное и прямое избирательное право, характерна прежде всего для 1905–1907 гг., а также для 1912–1913 гг.

Продолжающееся Национальное угнетение характеризуют также репрессионные акции, например, переселение группы политиков из Мартина в 1900 г., агрессивные действия венгерских шовинистических обществ, процессы с печатью, террор во время выборов, особенно против словацких национальных кандидатов, расстрел в Чернове в 1907 году, законы о школе, принятые в том же году и т. д. Против жестокого порабощения словацкого народа протестовали не только представители словацкого национального движения, но и трезво рассуждающие венгерские политики и представители других угнетенных народов в Венгрии, прогрессивные силы в чешских землях, за рубежом, особенно Бьернштьерн Бьернсон и Сетон Вотсон.

В словацком политическом лагере на рубеже двух веков происходит заметная дифференциация сил и взглядов. Прогрессивную роль сыграли прежде всего деятели, сплоченные вокруг журнала „Глас“.

Эффективную моральную и практическую помощь находило словацкое национальное движение в чешских землях. Политики, публицисты, литераторы выступали против угнетения словаков. Возрастал интерес к Словакии, который проявляется в усилившемся туристском движении, прежде всего в Татрах, причем через Мартин. Чешские школы, прежде всего высшие, принимают на учебу все больше и больше студентов словацкой национальности. На учебы в чешские земли отправлялись сотни словацких юношей. Предприниматели из Чехии проявляли повышенный интерес к инвестициям капитала в Словакии. К позитивным контактам прибавляется и рабочее движение, где чешские социалдемократы помогают в агитации, прежде всего в западной Словакии, материально в поддержке словацких рабочих газет, помогают кадрами (например, приезд публициста Э. Борека).

В КРУГОВОРОТЕ ВОЙНЫ И РЕВОЛЮЦИОННЫХ БУРЬ

Последствия мировой империалистической войны легли тяжелым бременем на словацкий народ. На различные участки фронта из Словакии выгнали 450 тысяч мужчин, из которых погибло или пропало без вести около 70 000, а свыше 60 000 человек вернулись инвалидами. Северо-восточная часть Словакии стала на время и фронтовой стороной, где были разорены десятки населенных пунктов.

В тылу усилилась эксплуатация рабочих, которых режим заставлял работать в военизированных фабриках, важных для ведения войны. Несчастьем для бедных и средних крестьян стали беспощадные реквирации сельскохозяйственных продуктов и скота. Поэтому росла дороговизна, возрастали цены, проявлялся недостаток продуктов питания и других жизненно необходимых продуктов.

Сыщики и военно-политический террор сначала помогали подавлять проявления недовольства. Первый прорыв наступает на третьем году войны, когда обостряются все противоречия, а в Австро-Венгрию проникают вести о революционных событиях в России. Фронт раскладывался, умножались диверсии, в лесах скрывались тысячи членов так наз. „зеленых кадров", возвращенцов из русского плена, непосредственных свидетелей революционных событий, распространялись правдивые сведения, многие из возвращенцев стали организаторами и участниками военных волнений в Словакии (Братислава, Тренчин, Римавска-Собота) и за ее границами (Крагуевац).

Борьба за повышение заработной платы, против дороговизны, за демократические права, против голода и главное за немедленное заключение мира, стали основанием для борьбы пролетариата и других трудящихся, которая отражалась в забастовках, демонстрациях, волнениях и даже местных восстаниях. Печать революционной обстановки несли и первомайские митинги 1918 года, особенно манифестация в Липтовски-Микулаше, где в резолюции впервые было высказано требование признания права на независимость словацкого народа.

В конце войны в повышенной мере проявилась и активность представителей словацкого национального движения, которые встали за требование самоопределения словацкого народа и за общее государство чехов и словаков.

Важную роль во время войны сыграли земляческие общества и организации чехов и словаков, оказывая моральную и материальную поддержку национально-освободительной борьбе из-за рубежа. Эта поддержка усиливалась и направлялась благодаря политической и дипломатической активности виднейших представителей нашего движения сопротивления за рубежом, прежде всего Томаша Гарика Масарика, Эдуарда Бенеша и Милана Растислава Штефаника. Возникновение 150-тысячного чехословацкого войска за границей – легионов, созданных в России, Франции, Италии стало для Чехословацкого национального совета аргументом по отношению к государствам-членам Антанты в пользу создания самостоятельного общего государства чехов и словаков.

Несмотря на значительные усилия господствующих классов доминирующих народов за счет обещаний склонить на свою сторону влиятельных политических представителей угнетаемых народов с целью сохранения целостности Австро-Венгрии, империя в конце октября и в начале ноября 1918 года распалась. Самостоятельное чехо-словацкое государство было провозглашено 28 октября 1918 года в Праге. Независимо от этого решения 30 числа того же месяца в Мартине заявили о вступе словацкого народа в общее государство с чешским народом.

ZUSAMMENFASSUNG

Die slowakische Geschichte nimmt in der historischen Entwicklung Europas einen besonderen Platz ein. Es gibt wohl kaum eine andere Nation, die sich unter so komplizierten und ungünstigen Verhältnissen zu einem vollberechtigten ethnischen und politischen Ganzen geformt hat, das heute seinen würdigen Platz auf der Landkarte Europas einnimmt. Nach einer kurzen Epoche der Eigenstaatlichkeit, nach dem Zerfall des Großmährischen Reiches zu Beginn des 10. Jahrhunderts, gerieten die Slowaken als ein Teil in den sich bildenden ungarischen Vielvölkerstaat, in dem sie im Laufe seiner ganzen Entwicklung keine politische, territoriale, kulturelle oder wenigstens religiöse Autonomie für ihr Volk erringen konnten. Ja im Gegenteil: von der Mitte des 19. Jahrhunderts an setzt ein programmäßiger Druck der herrschenden Schichten des madjarischen Volkes ein, die Slowaken aus dem politischen Leben des Landes zu eliminieren und sie voll und ganz in die politische Nation der herrschenden Klasse einzugliedern. Den Slowaken wurde selbst die fundamentalsten Kulturinstitutionen, die Schulen und die Vereine aufgelöst; sie gerieten an den Rand ihres nationalen Untergangs.

Dies alles macht aus der slowakischen Geschichte geradezu ein interessantes Lehrbuch der historischen Kraft und Fähigkeit eines ethnischen Komplexes, sich unter derart schwierigen Bedingungen, ohne jegliche Eigenberechtigung, als neuzeitliche europäische Nation durchzusetzen, die mit ihrer schöpferischen Kraft und ihrem Enthusiasmus immer mehr und mehr zur Schatzkammer der europäischen und der Weltkultur, der Wissenschaft und Kunst beiträgt. In dieser Hinsicht ist die Geschichte der Slowaken ein geradezu einzigartiges Musterbeispiel der schöpferischen Kraft der Gemeinschaft, der menschlichen Arbeit und des menschlichen Strebens.

Die Publikation „Die Slowakei in Bildern – Band GESCHICHTE“ hat den Zweck, ein Bild über die komplizierte historische Anabasis des slowakischen Volkes zu entwerfen. Das Spezifikum dieses Werkes besteht darin, daß seine beiden Autoren – PhDr. Matúš Kučera, DrSc., Professor der Philosophischen Fakultät der Komenský-Universität in Bratislava, der den Zeitraum bis zum J. 1848 bearbeitete, und PhDr. Bohumír Kostický, CSc., Mitarbeiter des Staatlichen Zentralarchivs in Bratislava, der den zweiten Teil des Werkes ausarbeitete, sich gezwungen sahen, in der slowakischen historiographischen Literatur eigentlich zum erstenmal einen solchen Typ einer Publikation zu schaffen, in der es erforderlich war, ein Bild der historischen Entwicklung mit Hilfe der Ikonographie zu konstruieren. Der Text, der die einleitenden Kapitel bildet, sowie die anderen beschreibenden Texte haben nur die Funktion, dem Werk die endgültige Form zu verleihen, wie dies in Geschichtsbildern üblich ist. Schon an dieser Stelle ist es notwendig, den Leser darauf aufmerksam zu machen, daß wir im Bildteil keinesfalls all das Beste erfassen konnten, was die slowakische Kulturvergangenheit und Geschichte hinterlassen hat, und das trotz des neuerlichen gewissenhaften Studiums der Depositarien der slowakischen Museen, Galerien und Archive. Verursacht wurde dies besonders dadurch, daß ein wesentlicher Teil des mobilen Kulturerbes der Slowakei und der Slowaken, seit dem Ende des 18. und vor allem im 19. Jahrhundert in viele ausländische Sammlungen geriet, denn die Slowaken hatten zu dieser Zeit noch keine Möglichkeit, ihre kulturellen und nationalen Besitztümer zu sammeln und zu retten. Neuere Studien in den ausländischen Sammlungen werden daher in Zukunft gewiß zur Verbesserung der bildlichen Geschichte der Slowakei und der Slowaken beitragen.

Unserer Konzeption gemäß konstruierten wir unser Bild von der slowakischen Vergangenheit auf dem ethnischen Prinzip, doch verzichteten wir auch nicht auf die territoriale Komponente der Darlegung. Deshalb beginnt auch unsere historische Darstellung schon von der Zeit an, als der erste Mensch auf unserem Gebiet auftauchte, und sie endet mit der allerneuesten Gegenwart. Der festgelegte Umfang des Bildmaterials ermöglichte es nicht immer, sich allen Komponenten der historischen Entwicklung gleichmäßig zu widmen und so überwiegt in manchen Kapiteln des Werkes der Blick auf politisch-kulturelle Aspekte, in anderen Abschnitten wird mehr die materielle Produktion und die sozialen Bewegungen des slowakischen Volkes in der Vergangenheit dargestellt.

In jedem Fall sind wir bemüht, in voller schöpferischer Übereinstimmung sowohl im Text als auch in der Bilderauswahl die neuesten Ergebnisse der Erkenntnis und der wissenschaftlichen Forschung zu bringen, die von der Geschichte verifizierte Wahrheit über die komplizierte

Entwicklung unseres Volkes, das einen nicht leichten historischen Weg zu seiner Gegenwart zurückgelegt hat. Bei allem professionellen Kritizismus verbergen wir jedoch nicht die Liebe zu unserem Volk, zum Vaterland und zur Heimat, in der wir leben. Wir waren bestrebt, alle diese Empfindungen und Gefühle sowohl in den Text als auch in die Bilderauswahl einzukomponieren, mittels derer wir die Geschichte unseres Volkes darstellen.

DIE ERSTEN MENSCHEN UND DIE WELT IHRER ARBEIT

Der Wendepunkt, der den Menschen vom Tierreich absonderte, war die bewußte Arbeit. Mit ihr begann die Geschichte der menschlichen Gesellschaft. Die Arbeit veränderte im Verein mit weiteren Entwicklungsfaktoren den biologischen Habitus des Menschen, sie entwickelte sein Denken, brachte ihn zur artikulierten Sprache, zwang ihn zu denken und legte damit die Grundlagen der menschlichen Kultur. Zum Unterschied, z. B. von Amerika oder Australien, war die Slowakei in diesen Prozeß der Hominisierung der Menschheit einbezogen. Schon von den ältesten Epochen der Steinzeit, dem Paläolithikum, an war der Mensch bei uns imstande, sich primitive Werkzeuge anzufertigen, er nutzte das Feuer, ein Geschenk der Natur, und zog in Horden durch das Land um zu jagen und zu sammeln, was ihm die Mutter Natur bescherte. Eine neue, geradezu revolutionäre Epoche in der Entwicklung der menschlichen Zivilisation ist die Epoche des Neolithikums, der jüngeren Steinzeit, sowie das Eneolothikum, einer Übergangsetappe, die nach ihr folgte. In dieser Zeit siegte der Mensch auch in unserem Land zum erstenmal über die Natur: er zwang sie durch seine Arbeit ihm zu dienen, ihm die Hauptnahrungsmittel zu gewähren. Er beginnt Feldfrüchte anzubauen und zwingt auch schon manche Tiere, ihm zu dienen und bei der Arbeit zu helfen. Er streift nicht mehr durch das Land, sondern läßt sich an einem festen Ort nieder. In dieser Zeit beginnt die regelmäßige Besiedlung der Slowakei, sie ist bereits so stabil, daß sie der Fuß des Menschen nie mehr verließ und die Hand des Menschen nie mehr aufhörte, sie in ein Kulturland zu verwandeln. Es waren ihm auch die damaligen Klimaverhältnisse günstig, denn selbst in einer Höhe von 650 m über dem Meer (Poprad-Matejovce) vermochte eine weibliche Hand Getreide, Hülsenfrüchte und Ölpflanzen zu bauen, ja im Osten der Slowakei auch die Weinrebe zu kultivieren. Mit dem materiellen Fortschritt geht auch der Hausbau Hand in Hand, es formt sich der Überbau des Menschen, die Kunst, die Kultur, sein bildnerisches Empfinden.

Mit dem Legieren des Kupfers mit Zinn entdeckte der Mensch die Bronze, ein Metall, das sich besser zum Verfertigen von Werkzeugen, aber auch von Waffen eignete, als das reine Kupfer. Da die Slowakei bedeutende Kupfererzvorkommen besaß, wurde sie zu einem wichtigen Land in Mitteleuropa. Der Besitz mineralischer Rohstoffe, aber auch die Kenntnis des Bergbaus und des Hüttenwesens, zerteilte die Gesellschaft besitzmäßig und die Menschen empfanden auch ein neues Bedürfnis – Handel zu treiben. Neben dem Handwerk entwickelte sich auch die Landwirtschaft; die Gesellschaft wächst demographisch und entfaltet sich. Zum bisherigen Inventar der Haustiere kam das Pferd als vielseitig verwendbares Tier hinzu, es half dem Menschen die Entfernungen zu verkürzen, den Transport und das Reisen zu erleichtern. Im 7. – 3. Jahrhundert v. u. Z. war die Zivilisation in unserem Land fast soweit fortgeschritten, daß sie an der Schwelle der Kenntnis des Schreibens und Lesens stand.

In der Hallstattzeit begann der Mensch Geräte aus Eisen zu verfertigen. Die Kenntnis dieser Produktion gelangte aus den griechischen Gebieten zu uns. Doch unser Mensch begann nicht Städte zu erbauen, wie es die Völker am Meer taten, sondern blieb weiterhin ein Dorfbewohner. Die Gesellschaft wurde von reichen „Stammesfürsten" mit ihren Kampfgefolgen beherrscht. Es werden feste Grundlagen der in Klassen geteilten Gesellschaft gelegt.

Alle „Völker", die bis zu diesem Zeitpunkt – und zwar ununterbrochen – auf unserem Gebiet lebten, haben keine ethnischen Namen. Nur die Archäologen erfanden für sie originelle Benennungen nach den charakteristischen Merkmalen der von ihnen erzeugten Keramik oder nach anderen Kennzeichen ihrer materiellen Kultur. Von der jüngeren Eisenzeit, der La-Tène-Zeit an, besetzt unser Land jedoch ein Volk, das wir schon nach seinem Namen kennen: es sind die Kelten, die von den Römern auch Gallier genannt wurde. In die südöstlichen und östlichen Gebiete der Slowakei dringen neben den Kelten auch Dazier und Thraker ein; die Kelten sind jedoch die Träger der markantesten Zivilisation, die das Leben in unserem Land in vielen Lebensbereichen kennzeichnete. Es entfaltete sich die Landwirtschaft, und zwar sowohl in der Vervollkommnung der primären landwirtschaftlichen Techniken als auch in der Verarbeitung der Agrarprodukte. Bemerkenswert ist besonders die Erfindung der Drehmühlsteine zur Mehlerzeugung. Die Veränderungen in der Landwirtschaft als dem fundamentalen Lebensbereich waren so groß, daß wir von einer „Agrarrevolution“ zu sprechen pflegen. Markante Veränderungen traten jedoch auch im Handwerk, im Transportwesen und im Handel ein. Die Kelten erreichten bereits eine Zivilisationsstufe, auf der sie Metallgeld als Tauschmittel brauchten. In Bratislava wurden mehrere Arten keltischer Münzen geprägt; die bekanntesten tragen die Inschrift BIATEC oder NONNOS. Sie wurden aus Silber, seltener auch aus Gold geprägt. Das Prägen von Münzen war nicht nur eine gelegentliche Erscheinung, sondern erhielt sich eine verhältnismäßig lange Zeit.

Nach dem Verfall der keltischen Macht zerfiel die Slowakei in mindestens drei ausgeprägtere Umkreise: im Osten dauert die keltisch-dazische Zivilisation weiter, die Mittelslowakei sowie die erzhaltige Region des Landes bewohnen Nachkommen der keltischen Kotiner, vermischt mit anderen Ethnien, und in der westlichen Slowakei lassen sich die germanischen Quaden und Markomannen nieder, mit denen das weltbeherrschende römische Imperium Kriege führen mußte. Das Römerreich befestigte die Grenze seiner Herrschaft an der Donau, doch die römischen Legionäre drangen bis weit in den Norden vor, bis ins mittlere Waag- und Hrongebiet. Marcus Aurelius, einer der bekannten römischen Kaiser, verfaßte auch seine philosophischen Schriften am Fluß Hron, ein anderer – Valentinianus I. – beendete sein Leben im Lager bei Komárno. In den J. 179–180 überwinterten römische Legionäre sogar bei Trenčín, dem damaligen Laugaricio. So waren die ersten vier Jahrhunderte unserer Zeitrechnung erfüllt von Kontakten und Beziehungen mit der entwickelten römischen Welt, der die barbarische germanische Zivilisation gegenüberstand. Es war die Zeit, die traditionell die Zeit der Völkerwanderung genannt wird, in der die Ankunft unserer slawischen Vorfahren und ihre Ansiedlung in der Slowakei gewissermaßen die letzte Welle bildet.

DIE SLAWEN UND IHRE SUCHE NACH EINER NEUEN HEIMAT

Noch immer wissen wir nicht genau, wann die Slowakei zu unserer Heimat, zum neuen Vaterland wurde. Als sich die byzantinischen Gelehrten zu Beginn des 6. Jahrhunderts für unser Volk zu interessieren begannen, waren unsere Vorfahren bereits in der Slowakei, ja sie kämpften als angeworbene Soldaten im byzantinischen Heer und eroberten Rom. Offenbar irgendwann vor dem J. 500 u. Z. entstand in der slawischen Urheimat, die in den weiten Ebenen zwischen der Weichsel und dem Dnjepr lag, eine große Übervölkerung, und die Slawen machten sich nach dem Beispiel früherer Völker auf den Weg. Sie besiedelten die Slowakei in mindestens drei markanten Strömen. Über die Karpatenpässe kommend besiedelten sie die östlichen und nordöstlichen Gebiete der Slowakei, die Westslowakei besiedelten wahrscheinlich jene Slawen, die durch die Mährische Pforte ins Land kamen, und offenbar zahlreich war auch der dritte Strom, der die Karpaten umging und auf die mittlere Donau zu gerichtet war. Hier teilte sich der Strom der slawischen Siedler. Ein Zweig besiedelte Bulgarien, Mazedonien und gelangte bis zur Akropolis Athens, ein anderer Teil wandte sich dem Donaustrom entgegen und besiedelte die heutige Süd- und Mittelslowakei. Gerade sie verliehen offenbar dem Mittelslowakischen, unserer heutigen Schriftsprache, seinen Charakter.

Die gesamte Bewegung der Slawen auf ihrer Suche nach einer neuen Heimat trägt einen unwiederholbaren charakteristischen Zug: sie verlief ohne großes Waffenklirren und ohne lautes Geschrei. Nur so läßt es sich erklären, daß die europäischen historischen Berichterstatter überrascht waren, wie rasch und geschickt die Slawen die neuen Räume in Europa besetzten. Plötzlich stellten sie fest, daß die Slawen in einer solchen Menge da waren, als ob sie „ausgesät“ worden wären. Die Slowakei stellt nur einen kleinen Teil der slawischen Expansion dar, die keinesfalls die Attribute eines friedliebenden „Taubenvolkes“ hat. So wie ihre Vorgänger besetzten die Slawen durch tapferen Kampf und stetige Ausdauer alle Gebiete, in denen es fruchtbaren Boden, ausreichende Wasserquellen, gute und zugängliche Verbindungen zu ihren Mitbrüdern gab. In solchen Gebieten gruben sie als Landwirte ihre Hakenpflüge in den Boden, erbauten Häuser und ließen sich in ihnen nieder um nie mehr in der Geschichte von da wegzugehen. So wurde auch die Slowakei zu einer neuen slawischen Heimat, in der die neuen Bewohner mit ihrer Anzahl die alten Siedlungsreste sowohl der Kelten als auch der Germanen überdeckten. Unsere Vorfahren drückten dem Lande ihr besonderes Kolorit auf und durch ihre Arbeit begannen sie ein neues Vaterland, eine neue Heimat aufzubauen. Bis zum heutigen Tag kennt die Wissenschaft in der Slowakei bereits an die 160 Lokalitäten, die Zeugnis von den neuen Bewohnern des Landes ablegen. Die slowakische Wissenschaft, besonders die Archäologie, erbrachte auch eine Menge von Belegen über den Lebensstil der neuen Einwohner, über ihre geistigen Vorstellungen, ihr ästhetisches Empfinden und ihre Bräuche.

Eine Wende im Leben unserer Vorfahren trat irgendwann nach dem J. 528 ein, als die Awaren, ein neues Hirtenvolk aus den asiatischen Steppen, in die Ebenen an der Donau einzogen. So erhielten unsere Ahnen einen Nachbarn, mit dem es sich nicht immer in Freundschaft und Frieden leben ließ, besonders von der Zeit an, seit die Awaren versuchten, die Donauslawen zinspflichtig zu machen. Die anfänglichen kleinen Scharmützel gingen alsbald in kriegerische Zusammenstöße über, ja am Anfang des 7. Jahrhunderts brach auch ein großer „gesamtvölkischer" Aufstand der Slawen gegen die Awaren aus. Zu einer Zeit, da bereits erbittert gekämpft wurde, kam der fränkische Händler Samo zu den Slawen. Er kam aus einem Land, das schon längere Zeit die Slawen mit guten Waffen aus den westeuropäischen Werkstätten belieferte. Samo stellte sich mit seiner Händlerkarawane auf die Seite der kämpfenden Slawen und war ihnen mit seiner Tapferkeit und seinem Mut so zu Diensten, daß sie ihn selbst zum König wählten. So entstand das erste slawische „regnum", das erste slawische Königreich, das in die zeitgenössische Geschichte Europas einging. Samo führte nämlich nicht nur eine Reihe siegreicher Kriege gegen die Awaren, sondern stieß im Krieg auch mit dem mächtigsten Staat im damaligen Europa, mit dem Fränkischen Reich, zusammen und besiegte die Hauptstreitkräfte des Königs Dagobert bei Vogastisburg.

Die Historiker suchten lange nach dem Gebiet, in dem sich das legendäre Reich Samos formte. In der Wissenschaft wechselten einander viele Hypothesen ab, denn die schriftlichen Quellen über die ganze Begebenheit sind spärlich und wortkarg. In den letzten fünfzig Jahren erbrachte jedoch die Archäologie eine Menge neuer Quellen sowohl über die Awaren als auch über die Donauslawen, die in Symbiose mit den Awaren und in der Nachbarschaft des awarischen Chaganates lebten. Aus diesen zahlreichen neuen Belegen geht hervor, daß der Kristallisationskern des Reiches Samos an der Mündung der March in die Donau, im Raum des Bratislavaer Tors, zu suchen ist, das nicht nur ein wichtiger strategischer Punkt in Mitteleuropa ist, sondern in dem auch eine große Anzahl von Grabstätten aus der Zeit des Reiches Samos aufgefunden wurde, die alle auf einem sehr kleinen Raum von wenigen Quadratkilometern liegen. Ein so großes Menschenpotential konnte sich nur im wirklichen Zentrum eines ausgedehnten Reiches konzentrieren, das in die europäische Geschichte als erster Versuch der Slawen, eine politische Organisation staatlichen Typs zu konstituieren, eingegangen ist. Damit hat die slowakische Wissenschaft zugleich auch die Lösung eines der wichtigen Probleme in der Geschichte der slawischen Vorzeit nähergerückt.

DER AUFBAU DES STAATES

Im J. 791 zerschlugen und zerstreuten die Franken die awarische Macht an der mittleren Donau. Dadurch entstand ein freierer Raum für die politische Organisierung der Donauslawen. Vorläufig ist noch nicht bekannt, ob es zwischen dem Reich Samos (er starb im J. 658 oder 659) und den neuentstehenden Fürstentümern, die sich am Ende des 8. und zu Beginn des 9. Jahrhunderts herausbildeten, eine kontinuierliche Organisation gegeben hat. Wir wissen jedoch genau, daß in der strategisch und geographisch günstig gelegenden Lokalität Nitra der Fürst Pribina herrschte, der zu seinem Fürstentum fast die ganze Slowakei, samt der Zips in der Ostslowakei, vereinigen konnte. Er kam sogar der neuen Ideologie entgegen, die die Entstehung der Staaten begleitete, dem Christentum, und ließ auf seinem Besitz eine Kirche erbauen, die ihm im J. 828 der Salzburger Erzbischof Adalram einweihte. Am Unterlauf der March entstand ein anderes Fürstentum, an dessen Spitze Fürst Mojmír stand. Dieser fiel um das J. 830 mit Heeresgewalt in das Gebiet von Nitra ein und vertrieb Pribina mit seiner Gemahlin, seinem Sohn und seinem ganzen Gefolge aus dem Land. Dieser Konflikt war jedoch nicht nur ein Krieg zwischen zwei ambitiösen Herrschern, sondern ein richtiger Kriegsraubzug, im Laufe dessen Mojmír alle Burgstätten Pribinas bis in die Fundamente niederbrannte und so gründlich zerstörte, daß das Leben in ihnen nie mehr erneuert wurde. So entstand durch die Vereinigung des mährischen mit dem Nitraer Fürstentum ein festeres Staatsgebilde, das von späteren Geschichtsschreibern Großmährisches Reich genannt wurde. In Blut und Asche, in einem brudermörderischen Kampf, wurde so ein neuer slawischer Staat geboren. Das war jedoch in der damaligen europäischen Welt nichts Außergewöhnliches.

Die Laufbahn Pribinas war jedoch mit seiner Vertreibung aus Nitra nicht beendet. Nach einer langdauernden Wanderung durch mehrere Herrscherhöfe erhielt er vom ostfränkischen König Ludwig dem Deutschen eine Herrschaft unter den Slawen am Plattensee zum Besitz, in der nach seinem Tod sein Sohn Koceľ, der noch in Nitra geboren war, erfolgreich herrschte.

Die Geschichte Großmährens ist sehr wechselreich, meist erfüllt von Kämpfen gegen das Ostfränkische Reich, das danach trachtete, Großmähren zu seinem Vasallenstaat zu machen. Die großmährischen Herrscher, vor allem Rastislav und Svätopluk, wehrten sich tatkräftig gegen die ostfränkischen Könige, sie führten eine Reihe von Kriegen sowohl auf dem Schlachtfeld als auch auf dem Feld der Diplomatie. Um sich von den bayrischen Kirchenzentren in Salzburg und Passau, die die Kirche in Großmähren verwalteten, unabhängig zu machen, wandte sich Rastislav an den Papst und später an den byzantinischen Kaiser Michael III. mit dem Gesuch, in seinem Fürstentum eine unabhängige kirchliche Organisation aufzubauen. Das war der Anlaß zur Entsendung einer diplomatischen Mission aus Byzanz, die von zwei gebildeten Männern aus Saloniki, Konstantin und Methodius, geleitet wurde. Konstantin war ein Hochschullehrer, Methodius ein Staatsbeamter, ein Rechtsgelehrter. Für die Bedürfnisse des großmährischen Christentums schufen sie ein slawisches Alphabet, denn bis dahin besaß kein slawisches Volk für seine Sprache eine Schrift. Es war dies eine epochale Tat, durch welche die Grundlagen für das slawische Schrifttum und für eine umfangreiche Literatur gelegt wurden, die sich nach der Vertreibung der Schüler des Methodius aus Großmähren in vielen slawischen Ländern verbreitete und eine wahrhafte Kulturrevolution bei den Slawen bedeutete. Unter der Herrschaft Svätopluks dehnte Großmähren durch wohldurchdachte kriegerische und diplomatische Schritte seine Grenzen so weit aus, daß es zu einer wirklichen mitteleuropäischen Macht wurde, die in kultureller Hinsicht direkt mit dem diplomatischen Zentrum der damaligen Welt, mit Rom, verbunden war. Nach dem Tod Svätopluks herrschten kurze Zeit in Uneinigkeit seine Söhne Mojmír II. und Svätopluk II. Unter dem äußeren Druck der fränkischen Macht und der kriegerischen Einfälle eines neu eingedrungenen Volkes, der alten Madjaren, sowie infolge der inneren Krisen, in die der sich formende feudale Staat geriet, ging das Großmährische Reich zu Beginn des 10. Jahrhunderts unter. Von der politischen Landkarte Europas verschwand ein starker Staat, doch es blieb seine eigenständige materielle und geistige Kultur, an die die neu entstehenden Staaten, der böhmische, der polnische und der ungarische, anknüpften. Das eigentliche Großmähren ging in den Verband des böhmischen Staates ein, die Slowaken gerieten unter die Oberherrschaft der altmadjarischen nomadischen Stämme und nach ihrer Seßhaftwerdung in den sich bildenden ungarischen Staat, in dem sie eine fast tausendjährige historische Epoche verbrachten.

IM EISERNEN REIFEN DES UNGARISCHEN STAATES

Der altmadjarische Stammesverband begann sich mit Zustimmung der großmährischen Herrscher im Theißgebiet niederzulassen. Großmähren hoffte in den Madjaren einen potentiellen Puffer gegen den bulgarischen Staat zu gewinnen, der im Osten an sein Gebiet grenzte. Aus den Verbündeten wurden jedoch bald Feinde, die im Verein mit den Heeren des ostfränkischen Königs Arnulf den Großmährischen Staat von Osten und von Westen her angriffen. Nach dem Untergang Großmährens dachten die madjarischen Hirten noch nicht daran, daß die Kleine und Große Ungarische Tiefebene ihre dauernde Heimat werden könnte. Für eine Hirtengemeinschaft war dieser Raum zur Überwinterung der Herden nicht geeignet. Die Krise, in der sich die madjarische Gemeinschaft befand, suchte sie anfangs durch räuberische Einfälle in die umliegenden Länder zu lösen, und als tüchtige Krieger waren sie auch verhältnismäßig lange Zeit siegreich. Im J. 955 erlitten sie jedoch bei Augsburg eine vernichtende Niederlage, von der sie sich nicht mehr erholten und so blieb ihnen ein einziger Ausweg: nach dem Vorbild der hier lebenden Slawen zur seßhaften Lebensweise überzugehen und sich der Landwirtschaft zu widmen. Die außerordentlich große Anzahl slawischer, aber auch rein slowakischer Wörter in der madjarischen Sprache aus dem Leben der landwirtschaftlichen

Dorfbevölkerung ist bis heute ein beredtes Zeugnis darüber. So waren die Voraussetzungen für die Entstehung eines neuen Staates gegeben, der anfangs zwei oder drei Zentren hatte. Entscheidend für seine weitere Entwicklung war das Gebiet Transdanubiens (das ehemalige Fürstentum Pribinas und Koceľs) sowie das Gebiet von Nitra als eines wichtigen Teils des Großmährischen Reiches. So wurde der ungarische Staat eigentlich ein Nachfolgerstaat Großmährens und der erste bedeutende Herrscher aus dem Geschlecht der Arpaden, Stephan I., übernahm in die innere Struktur des neuen Staates viele Errungenschaften, die sich die großmährische Gemeinschaft erarbeitet hatte. Die Slowakei als Land wurde anfangs von demselben Zentrum aus verwaltet, das zum Sitz eines Teilfürstentums wurde.

Die politische Entwicklung des ungarischen Staates verlief unter komplizierten inneren und internationalen Kämpfen. Es kam dem Staat zugute, daß er sich unter den direkten Schutz Roms stellte und daß der Papst dem ungarischen Herrscher Stephan I. auch die Königskrone verlieh. Die Orientierung auf Byzanz und auf das Rußland von Kiew war nicht von Dauer und der ungarische Staat integrierte sich allmählich in die westeuropäische Kultursphäre, was Spuren in der schriftlichen und materiellen Kultur der romanischen Epoche hinterließ. Die Entwicklung im Lande, das einer feudalen Anarchie unter König Andreas II. zusteuerte, wurde durch eine noch größere Gefahr unterbrochen, durch den Einfall der tatarischen Horden. Die Heerscharen dieses großen euro-asiatischen Staates brachen im J. 1247 in Ungarn ein, besiegten das königliche Heer, verwüsteten das Land und bemächtigten sich seiner. Ihre Herrschaft war jedoch nicht von langer Dauer, denn die tatarischen Krieger kehrten zur Wahl eines neuen zentralen Herrschers in ihr Land zurück. Der Tatareneinfall berührte auch die Entwicklung in der Slowakei, obwohl sie von ihm in geringerem Maß betroffen wurde, als die anderen Gebiete Ungarns. Der Herrscher sah sich gezwungen, den Forderungen des erstarkenden Adels nachzugeben. Er erlaubte ihm, an strategisch wichtigen Orten mächtige gotische Burgen zu erbauen und so errangen die Adligen mit den politischen Vorrechten, die sie in der Goldenen Bulle aus dem J. 1222 von König Andreas II. gewonnen hatten, auch die militärische Unabhängigkeit. So erwuchs im Land eine mächtige Schicht von Oligarchen, die besonders nach dem Tod des letzten Arpaden Andreas III. in den politischen Kampf eingriff. Zur gleichen Zeit stand das durch den Tatareneinfall entvölkerte Land dem Zustrom einheimischer und ausländischer Kolonisten offen, die aus Italien und aus den Niederlanden, hauptsächlich aber aus den deutschen Ländern zu uns kamen. Mit ihrer Tätigkeit war eine Ära des wirtschaftlichen Aufschwungs verbunden sowie die Übernahme westeuropäischer wirtschaftlicher und administrativer Erfahrungen sowohl in der dörflichen als auch in der städtischen Umwelt.

Die Slowakei wurde im 13.–14. Jahrhundert von zwei mächtigen Magnatengeschlechtern beherrscht: der Süden, Westen und Norden des Landes geriet fast vollständig in die Gewalt des Magnaten Matthäus Čák von Trenčín, die Ostslowakei unter die Herrschaft der Adelsfamilie Omodej aus dem Geschlecht der Aba, die sich mit Matthäus Čák von Trenčín verband. Im Kampf um die ungarische Königskrone protegierten sie den böhmischen König Wenzeslaus III., der alsbald und für immer von Karl Robert aus der neapolitanischen Adelsfamilie der Anjous abgelöst wurde. Großen Anteil an der Durchsetzung Karl Roberts von Anjou als ungarischen König hatte die päpstliche Kurie, die die ungarischen Magnaten eifrig bestach. Karl Robert gelang es zwar, Matthäus Čák von Trenčín einige Burgen und Städte zu entreißen, doch war er nicht imstande, die politische Macht dieses Oligarchen bis zu dessen Tod im J. 1321 zu liquidieren.

Die slowakische romantische Historiographie glorifizierte die Gestalt Matthäus Čáks von Trenčín. In Wirklichkeit war er der Typ eines raubgierigen Feudalen, wie ihn die feudale Anarchie im Land hervorgebracht hatte. Wahr bleibt jedoch, daß sich seine Herrschaft fast konsequent auf das Gebiet der heutigen Slowakei mit dem Zentrum in Trenčín oder in Topoľčany erstreckte. Auch die Angehörigen des Familienklüngels und das Militär, die Matthäus auf den Piedestal emporgehoben hatten, stammten insgesamt aus der Slowakei. Das alles festigte die territorial-politische Definition unseres Landes als eines Ganzen, das auch seinen Namen – „Land des Matthäus" – trug; diese Benennung erhielt sich mehrere Jahrhunderte hindurch. Matthäus Čák von Trenčín schuf sich aus der Slowakei eine Art kleines „Königreich" mit einem Herrscherhof und herrschaftlichen Beamten. Eigene Münzen – wie dies die frühere Geschichtsschreibung annahm – prägte er jedoch nicht. Er bemühte sich jedoch um eine eigenständige Innen- und Außenpolitik, besonders in bezug zu Polen und zum widerspenstigen Mähren. Trotz dieser feudalen Episode, in der man Züge einer Selbstverwaltung und Eigenständigkeit finden wollte, blieben die Slowaken auch weiterhin in Ungarn ein unterjochtes Volk, was alle ihre weiteren Schicksale bezeichnete.

DIE STÄDTISCHE ZIVILISATION

Die Städte als besondere sozio-topographische, urbanistische und juristische Gebilde entstanden in der Slowakei auf denselben Grundlagen, wie im übrigen Europa. Nur die zeitliche Verschiebung – die Verspätung hinter der Entwicklung in Westeuropa – ist erfaßbar. Von der Agrarwelt sonderte sich im Laufe der Zeit eine besondere Gruppe von Spezialisten – Handwerkern ab, die imstande waren, qualitäts- und mengenmäßig Erzeugnisse zu produzieren, die für den Markt bestimmt waren, nämlich Waren. Mit dem so organisierten Handwerk ist der Handel eng verknüpft, an dem nicht nur die entstehende städtische Kommunität teilnimmt, sondern auch die Landbevölkerung aus der weiten Umgebung. Das Handwerk und der breit organisierte Handel sind zwei ökonomische Komponenten, die die Notwendigkeit der mittelalterlichen Stadt begründeten. Dabei entwickelte sich das Handwerk bei uns auf der heimischen, noch aus der großmährischen Zeit stammenden Grundlage; aus der Welt der Burgstätten und der Dienstleutesiedlungen geht es nur allmählich in eine freier organisierte Gemeinschaft über. Der Handwerker macht sich von der herrschaftlichen Abhängigkeit frei und übersiedelt in die geographisch günstig liegenden Städte. Im Gegensatz zu ihm ist der Händler ein Weltläufer, der keine Volks- oder Staatsgrenzen kennt, der überall dort zuhause ist, wo der freie Markt blüht, wo es etwas zu kaufen oder zu verkaufen gibt. Das Kapital ist sein Herr und Gott.

Besonders nach dem Tatareneinfall, als das Land entvölkert war und die Herrscher den neuen Ankömmlingen große Freiheiten und viele Vorrechte gewährten, lassen sich in unseren Städten viele neue Siedler nieder und drücken ihnen den Charakter einer solchen juristischen Regelung auf, wie sie sie in der Regel aus ihrer ursprünglichen Heimat mitgebracht hatten und die bereits erprobt und vom Leben verifiziert worden war. Durch die Verleihung städtischer Privilegien entwickelt sich die Stadt zu einem vollberechtigten Wirtschafts- und sich selbst verwaltenden Organismus. Auf einem nicht großen Raum entstehen viele, zu Gassen geformte gemauerte Häuser, in der Mitte liegt ein großer Stadtplatz, auf dem Handel abgewickelt wird. Das ist die Markt**stätte** und von ihr bekommen die neuen Siedlungsagglomerationen auch die allgemeine Benennung **Stadt.** Später wachsen auf den Plätzen prunkvolle Rathäuser empor, von denen aus der gewählte Schultheiß oder Bürgermeister alle lebenswichtigen Fragen der Einwohnerschaft regelt und das Stadtwesen verwaltet. Wenn die Stadt das Recht erhält, sich mit Schanzen zu umgeben und mit Stadttoren abzuschließen, entsteht nicht nur ein neuer, vom Dorf ganz verschiedener urbanistischer Komplex, sondern gleichzeitig auch eine militärische Festung, die fähig war, auch in die Machtfragen des Landes einzugreifen.

Die Wirtschaftskonjunktur, die im 13. Jahrhundert einsetzte, war der Entwicklung der Städte günstig. Während es im 13. Jahrhundert in der Slowakei nur dreißig Städte gab, zählte man im folgenden Jahrhundert bereits über hundert. Ihr Wachstum und ihre wirtschaftliche Prosperität wird durch eine Reihe wohldurchdachter Reformen unterstützt, die von der Hofpolitik der Dynastie der Anjous ausgehen und hinter denen häufig erfahrene ausländische Ökonomen und Finanzleute als neue Ratgeber stehen. Zur Entfaltung der Städte als einem neuen Element in der Struktur der feudalen Gesellschaft trägt auch die Beendigung der feudalen Anarchie, der Kriege und der politischen Unsicherheit bei. Internationale Garantien sind besonders für den Außenhandel erforderlich. Aus den westslowakischen Städten richtet er sich nach Dalmatien und Italien, aber auch nach Böhmen und Deutschland. Die ostslowakischen Städte sichern die Handelsverbindungen auf der großen Handelsmagistrale, die vom Mittelmeer zur Ostsee führt. In unseren Verhältnissen steht vor allem die Handelsaktivität auf der Linie Košice – Kraków mit allen ihren Seitenzweigen an erster Stelle.

Auf der mineralischen Rohstoffbasis der Mittelslowakei wachsen reiche Bergbaustädte empor, wie Banská Štiavnica, Banská Bystrica, Kremnica u. a. In der Zeit ihrer größten Produktion liefern die slowakischen Silberbergwerke jährlich hunderttausend Kilogramm Silber, was fast ein Viertel der europäischen Produktion ausmacht. Darüber hinaus lieferte die Slowakei jährlich fast eine Vierteltonne Gold, besonders seit in Kremnica mit Wasserkraft betriebene Rotationsmühlen zum Mahlen des Quarzes eingeführt wurden, in dem das Gold „verwunschen“ war. Es entfaltet sich auch eine umfangreiche Erzeugung von Kupfer, das nicht alles zuhause verbraucht wird, sondern auf die Märkte in Venedig, Regensburg und Nürnberg wandert, ja auch in weitentfernte Städte, wie Stockholm, Antwerpen und London. Und dabei hatte die Ära des slowakischen Kupfers im 14.–15. Jahrhundert erst begonnen. Im Bergbau und Hüttenwesen entfaltet sich der technische Fortschritt, es entstehen neue Technologien, das Kapital verbindet sich zu Fördergesellschaften, dies alles bildete die Quelle der damaligen und auch der künftigen Prosperität.

Das „goldene Zeitalter“ in der Entwicklung der slowakischen Städte rief auch ein pulsierendes Leben hinter den Stadtmauern hervor. Das reiche Bürgertum, mit der gesamten zeitgenössischen europäischen Welt verbunden, ist bestrebt, seine Umwelt mit monumentalen Bauten im gotischen Stil, mit beachtenswerten Kunstwerken, vor allem mit Erzeugnissen des Kunsthandwerks, zu schmücken, aber auch mit Werken der Schriftkultur zu verschönern.

In der städtischen Umwelt kam es mit der Zeit auch zur Proklamierung der Zusammengehörigkeit der Slowaken als Ethnikum und zu Kämpfen zur Verteidigung ihrer Rechte. Ein Beleg dafür ist die Urkunde, die Ludwig von Anjou am 7. Mai 1381 für die Slowaken in der Stadt Žilina erließ. Die rasche Urbanisierung der Slowakei trug dazu bei, daß die Slowakei zu einer der höchstentwickelten Gebiete des großen ungarischen Staates wurde, zu einer Brücke zwischen dem ungarischen und dem polnischen Königreich, die durch eine Personalunion miteinander verbunden waren. Wenn wir uns dieser Tatsachen bewußt sind, dann können wir wohl verstehen, daß unser Land in den folgenden Jahrhunderten der Kämpfe und Kriege ein so wichtiges Objekt des Interesses, ein entscheidendes Zünglein an der politischen Waage aller gesamtstaatlichen Ereignisse war.

UNTER DER FAHNE DER REVOLUTION

Das Europa des 15. Jahrhunderts treibt der ersten großen mittelalterlichen Krise mit sehr ausgeprägten Anzeichen entgegen, die die Entwicklung sowohl auf dem Land als auch in der Stadt verzögerte. Die inneren Unruhen werden durch Pestepidemien gesteigert und in der europäischen Gesellschaft entbrennt eine ganze Serie von Aufständen. Es sind die sozialen Kämpfe der Lohnarbeiter in den Städten, aber auch auf dem Land lodern die Feuer des Aufstandes. Nacheinander erfassen sie Italien, Flandern, Frankreich und England, um sich alsbald auch nach Mitteleuropa auszubreiten. Anzeichen der Krise und ihr Einmünden in langwierige Kriege ergriffen bald auch das Nachbarland Böhmen, um in verschiedenen Formen und Gestalten auch die Slowakei zu berühren.

Die böhmische Gesellschaft ist eine hochstrukturierte Gemeinschaft, in der sich eine ganze Reihe gegenseitiger Spannungen zwischen den einzelnen Klassen und Schichten zu einem Knoten schürzte. Aus den niedersten Schichten der Leibeigenen und der städtischen Armut werden sogar Stimmen laut, die nach einer Stürzung der ungerechten feudalen Ordnung rufen. Diese Stimmen repräsentieren jedoch noch keine reale gesellschaftliche Macht, die solche Veränderungen hätte durchführen können. Wenn die herrschenden und beherrschten Gruppen und Klassen der Gesellschaft in einem Punkt übereinstimmten – und das ist eine typisch tschechische Erscheinung – dann war es der Haß gegen die Kirche, die zu einem der mächtigsten Grundbesitzer herangewachsen war und die sich mit ihrem unsittlichen Leben meilenweit von der ursprünglichen Armut und Reinheit der Kirche Christi entfernt hatte. Diese mächtige Organisation wurde nicht nur zu einer Autorität in Angelegenheiten des Glaubens, sondern griff erheblich auch in die politischen und wirtschaftlichen Probleme der Gesellschaft ein. Sie ist auch der monopolistische Beschützer der Staatsideologie und ohne sie kann keine Herrscherkanzlei und keine Kulturinstitution auskommen. Der Mensch des 15. Jahrhunderts war noch nicht bis zu Erwägungen über eine Beseitigung der Kirche aus dem Leben der Gesellschaft gelangt. Er richtete seine Kritik auf ihren Reichtum und auf ihr unsittliches Leben. Die Bestrebungen zur Verbesserung der kirchlichen Verhältnisse ging von den Reihen des niederen Klerus aus, der obendrein schwer am päpstlichen Schisma trug, als in der Kirche auf einmal gar drei Päpste herrschten, die einander bekriegten und dafür von den Gläubigen Geld eintrieben. Es tauchte die berechtigte Frage auf, ob eine so verdorbene und unmoralische Institution den Menschen zum Heil führen könne.

Das Werk des englischen Mönchs John Wiclef wurde auch in den Mauern der Karlsuniversität bekannt und spaltete das Professorenkollegium in zwei ausgeprägte Lager. An der Spitze der „Verbesserungsbewegung" stand Jan Hus, der mit seiner Autorität und Meisterschaft im Predigen auch breite Schichten der Prager Kleinhandwerker und der städtischen Armut zur Kritik mitriß. Die kirchliche Obrigkeit lud Hus zum Konzil nach Konstanz ein und hier erklärte sie ihn zum Ketzer, verurteilte ihn zum Flammentod und ließ seine Asche in alle Winde zerstreuen, damit nicht einmal eine Spur von ihm übrig bleibe. Die Flammen des Scheiterhaufens in Konstanz aber lösten in der tschechischen Gesellschaft eine Revolutionslawine aus, die nicht mehr aufzuhalten war.

Unter den ersten Verbreitern der hussitischen Ideologie in der Slowakei waren Studenten der Prager Karlsuniversität. Einer von ihnen – Lukas aus Nové Mesto nad Váhom – erlitt für seine Ideale den Feuertod, so wie sein Meister Jan Hus. Ein anderer, Matthias Slovák, der hussitischer Prediger in der Stadt Kutná Hora geworden war, wurde von seinen Widersachern vom Turm herabgestürzt und erschlagen. Diejenigen, die aus Prag in die Slowakei kamen, fanden hier keine allzu guten Bedingungen für ihr Wirken. Die Slowakei besaß kein solches Kulturzentrum, wie es die Karlsuniversität in Böhmen war. Und so wurden einzelne von ihnen alsbald zur Zielscheibe des hohen Klerus. Umso mehr verbreitet sich das Ketzertum im Volk, da es in vielen slowakischen Städten und Städtchen einen Nährboden fand.

In Ungarn herrscht zu dieser Zeit König Siegmund aus dem böhmischen Herrscherhaus der Luxemburger, ein permanenter und unnachgiebiger Feind der Hussiten und des Hussitentums. Er machte die Slowakei zum Aufmarschgebiet zur Bekämpfung der Taboritenheere, in denen viele slowakische Landedelleute und Angehörige des verarmten Adels kämpften. Diese nehmen mit Freuden die Ideen des Hussitentums an, auch darum schon, weil sie sich auf die Parzellierung des Großgrundbesitzes freuen, den die Kirche auch in der Slowakei besitzt. Besonders von der Zeit Prokops des Großen an vergelten die Hussiten die Angriffe Siegmunds auf Böhmen und unternehmen eine Reihe großer Kriegszüge auch in die Slowakei. In den Burgen und Städten, die sie erobern, lassen sie eine dauernde militärische Besatzung zurück als Stützpunkte für den weiteren Krieg. So entstehen die hussitischen Besatzungen in den Städten Trnava, Žilina und Topoľčany sowie auf den Burgen Likava, Lednica im Waagtal und in anderen. Die nahverwandte Sprache dieser Krieger war die beste Brücke, über die sich die Ideen der hussitischen Wiedererneuerung auch unter dem slowakischen Landvolk verbreiteten. Diese Kontakte und Beziehungen beeinflußten auch den Volkswerdungsprozeß der Slowaken, denn überall dort, wo sich die Hussiten festsetzten, floh das deutsche Patriziat und die Slowaken zogen in den Rat der Stadt ein. Nicht nur diese Bürger, sondern auch der slowakische Kleinadel verwendet von nun an für seine schriftlichen Äußerungen die hochentwickelte, literarisch erprobte tschechische Sprache, in die gesetzmäßig immer mehr und mehr Elemente der gesprochenen slowakischen Sprache eindringen. Dieses slowakisierte Tschechisch supplierte dann eigentlich eine lange Zeit hindurch eines der wichtigsten Attribute des sich formenden slowakischen Volkes, nämlich seine Schriftsprache.

Noch einmal tauchten in unserer Geschichte die Ideen der hussitischen Taboriten auf. Dies geschah zur Zeit, als die in Böhmen angeworbenen Heere unter der Führung Jan Jiskras von Brandýs die Nachfolgerrechte des minderjährigen Thronerben Ladislaus Posthumus verteidigten. Mit ihrer Kampftätigkeit erfüllten sie unsere Geschichte in den Jahren 1447–1467, als die tschechischen Heere nach der Auflösung der Truppen Jiskras nach der Art der hussitischen Krieger feste Feldlager organisierten und sich untereinander „Böhmische Brüder" zu nennen begannen. Aus ihren Reihen gingen viele tapfere Heerführer hervor und in die Heere der Böhmischen Brüder traten auch viele Slowaken ein. Die Macht der Böhmischen Brüder in der Slowakei wurde vom neuen ungarischen Herrscher Matthias Corvinus in der Schlacht bei Veľké Kostolany beendet.

DER KAMPF GEGEN DEN OSMANISCHEN HALBMOND

Unter der Herrschaft Osmans faßten mongolische Stämme türkischer Rasse in Kleinasien Fuß und unternahmen von hier aus eine Folge von Kriegszügen nach Europa. Zum erstenmal kämpften Slowaken gegen sie schon im J. 1396 im Heer Siegmunds von Luxemburg in der verlorenen Schlacht bei Nikopol in Bulgarien. Mit einem weiteren, sehr bedeutsamen Sieg der osmanischen Türken endete die Schlacht bei Mohács im J. 1526, in der auch der ungarische König Ludwig II. Jagiello ums Leben kam. Damals tauchten die osmanischen Heerscharen zum erstenmal an der südlichen Grenze der Slowakei auf. Wohl kaum jemand ahnte damals, daß unser Land auf fast 150 Jahre die osmanische Macht zum neuen Nachbarn haben wird, einen äußerst unangenehmen und unersättlichen Nachbarn. Der osmanische Staat mischte sich dann in den Bürgerkrieg ein, der zwischen Johann von Zápolya und Ferdinand von Habsburg um die Nachfolge auf dem ungarischen Thron entbrannte. Aus diesem Kampf, in den die Osmanen nicht nur politisch, sondern auch militärisch eingriffen, erwuchs ihre Machtstellung an der mittleren Donau. Im J. 1541 eroberten sie Buda und machten diese Stadt zum Zentrum ihrer sich ausdehnenden Herrschaft. Ungarn wurde dadurch in zwei Teile geteilt. Siebenbürgen blieb in den Händen der Nachkommen Johann von Zápolyas, die Slowakei mit den westlichen Gebieten Ungarns bildete das sog. „Königreich Ungarn" in den Händen der habsburgischen Monarchie. Bratislava wurde zur Hauptstadt dieses Teiles von Ungarn, die Stadt Trnava wurde nach der Übersiedlung des Kapitels von Esztergom zum kirchlichen Zentrum.

Die osmanische Herrschaft rückte in das Gebiet der Slowakei zwar langsam, aber systematisch vor. Sie besetzte die südlichen und südöstlichen Gegenden des Landes und drang zu den mittelslowakischen Bergbaustädten vor, die sie nicht nur wegen ihrer Edelmetalle anlockten, sondern auch wegen der strategischen Rohstoffe zur Herstellung der sich neu durchsetzenden Waffen – der Kanonen. Sehr früh errichteten die Osmanen in der Slowakei sogar fünf administrative Umkreise – Sandschaks – und setzten überall ihre Beamten ein, die vor allem die Eintreibung der Steuern beaufsichtigten. Dabei erpreßten die osmanischen Begs an der Grenze Steuern, Abgaben und Gebühren auch von solchen Gebieten, die sie nicht direkt erobert hatten. In diese Gebiete richteten sich auch ihre Abschreckungs- und Raubüberfälle, zu deren Begleiterscheinungen auch die Verschleppung gefangener Menschen auf die Sklavenmärkte und geraubter Knaben zur Erziehung von Militärnachwuchs – der Janitscharen – gehörte. Der Krieg mit all seiner Grausamkeit bedrängte das tägliche Leben besonders der Dorfbewohner, die nur mit der Waffe in der Hand ihre Äcker bestellen konnten und täglich um ihre Familien und um ihr Hab und Gut fürchten mußten.

Das rasche Vordringen der osmanischen Heere nach Norden und Westen mobilisierte viele mitteleuropäische Völker zum Schutz der bedrohten Gebiete. Die habsburgische Monarchie begann die Verteidigung besonders dadurch zu organisieren, daß sie finanzielle Mittel zur Aufstellung einer professionellen Söldnerarmee sammelte, aber auch zum Bau neuer Grenzfestungen, die der neuen Kriegstechnik angepaßt waren. So entsteht der Typ der Renaissancefestungen, die sich nicht mehr auf steilen Felsen erheben, sondern in der Ebene liegen und mit Eckbasteien, Kanonen, Wassergraben usw. ausgestattet sind, wie z. B. die Fortifikationen in Komárno, in Nové Zámky u. a. Eine neue Festungsform erhalten auch viele Burgen und Städte. So wird die Slowakei zu einer neuen europäischen Kampfgrenze, auf die sich das Augenmerk der Publizistik und Politik der zeitgenössischen Welt richtet.

Die osmanischen Kriege griffen auf verschiedene Weise auch in die soziale Stratifikation der Gesellschaft ein. Die ärmsten Menschen verelendeten ganz, dem gegenüber wuchs der Reichtum eines Teiles der Bürgerschaft, der die Konjunktur der Produktion für die Armee ausnutzte. Am meisten bereicherte sich jedoch der Adel am Krieg, der sich auf die Verproviantierung der Armee orientierte. Er gründete Meierhöfe und Großgüter, die er in eigener Regie bewirtschaftete und schaltete sich so in den Prozeß der europäischen Waren- und Geldbeziehungen ein. Dadurch, daß die Adligen aus den von den Türken besetzten Gebieten nach Norden flohen, hatte die Slowakei fast die Hälfte des ungarischen Adels zu versorgen, der danach strebte, nicht nur auf dem Land Fuß zu fassen und Besitz zu erwerben, sondern begann, auch die Struktur der städtischen Kommunitäten zu zersetzen. Durch den Bau seiner Paläste beeinflußte er auch den Renaissanceurbanismus unserer Städte.

In dieser Epoche hat die Slowakei auch den ersten Ausbruch der Unzufriedenheit der Lohnarbeiter zu verzeichnen. Es war der Aufstand der Bergarbeiter, zu dessen Mittelpunkt die Stadt Banská Bystrica wurde, und der der größte Klassenkampf in unserer mittelalterlichen Geschichte war. Er trägt kein ausgeprägtes ideologisches Gesicht, doch scheint es, daß er parallel zum Prozeß des Eindringens der Reformationsideen in unsere Städte verläuft. Die Reformation erfaßt nach und nach alle sozialen Schichten und äußert sich in allen ideologischen Formen, angefangen von der gemäßigten Form bis zum radikalen Flügel der Anabaptisten, den Habanern in der Slowakei. Das Übergewicht gewann die Reformation vom lutherischen Typ, die nicht nur dem Bürgertum, sondern auch dem Abel genehm war. Sie fand in der Slowakei einen wohlvorbereiteten Boden, denn das Land und die Kirche befand sich in einer schweren Krise und war tief zerrüttet. Von der zweiten Hälfte des 16. Jahrhunderts an mobilisiert sich jedoch auch die katholische Kirche, um die sich rasch verbreitende Reformation, die bereits im Übergewicht ist, einzudämmen. Zum Zentrum der Gegenreformation wird die Stadt Trnava und an ihrer Spitze steht der gebildete Jesuitenorden. Der Kampf um die Seele des Gläubigen, den beide Religionsbekenntnisse gegeneinander führen, gereicht auch der Verbesserung und Verbreitung der Bildung zum Nutzen, ebenso fördert er auch die Durchsetzung der nationalen Sprache. Dazu trägt in hohem Maß besonders eine sich rasch verbreitende neue Errungenschaft bei – der Buchdruck. Mit seiner Hilfe werden nicht nur religiöse Werke vervielfältigt und verbreitet, sondern auch Lehrbücher und Werke mit weltlicher Thematik, die für die breiten Schichten der Gesellschaft bestimmt sind. Neben dem gelehrten Schrifttum entsteht auch eine umfangreiche volkstümliche Literatur, in der das slowakische Volk seine Leiden und Schmerzen beklagt, aber auch die grenzenlosen Heldentaten besingt, die es alltäglich bei der Verteidigung seiner Heimat, seines Landes vollbrachte. So gewinnen die Begriffe wie „Vaterland", „Volk", „Zusammengehörigkeit" einen neuen Inhalt.

IM FEUER DER AUFSTÄNDE

Im stürmischen 17. und am Anfang des 18. Jahrhunderts begann in der europäischen Entwicklung ein Umbruch, bei dem der Feudalismus seine Machtstellung und Perspektive verlor und im Laufe dessen die neue Welt des Kapitals geboren wurde. Die Slowakei nahm jedoch, ebenso wie mehrere andere Völker in Mittel- und Osteuropa, an dieser Entwicklung nicht teil. Im Gegenteil: die Slowakei blieb hinter der europäischen Entwicklung zurück, was durch die verheerenden Kriege gegen das osmanische Imperium verursacht wurde, aber auch eine der von ihnen hervorgerufenen Folgen war. Damals war sich jedoch noch niemand dessen bewußt, daß diese Rückständigkeit eine langdauernde Erscheinung sein und die Entwicklung unseres Landes bis ins 19.–20. Jahrhundert kennzeichnen wird.

Die Kriege gegen das osmanische Reich sind verflochten mit den Kämpfen der ungarischen Stände um ihre Adelsfreiheiten. Hervorgerufen wurde dies von den jähen Veränderungen in der Struktur der ungarischen und in ihrem Rahmen auch der slowakischen Gesellschaft. Die leibeigene Bevölkerung besonders in den südlichen Komitaten verläßt die verwüsteten und niedergebrannten Dörfer, die ausgeraubten Getreidespeicher, das erschlagene Vieh. Die Bürgerschaft ist beunruhigt wegen der ständigen Bedrohung durch die Türken, schwer lastet der aufwendige Unterhalt der Sicherungstruppe auf ihren Schultern und mit Besorgnis erträgt sie die ungewissen Zeiten, die weder dem Klein- noch dem Großhandel, noch der Produktion und Wirtschaft förderlich sind. Aus dieser mißlichen Lage geht der Adel als Klasse am günstigsten hervor. Der Adlige des 17. Jahrhunderts ist kein glanzvoller mittelalterlicher Ritter mehr, der in „ehrenvolle Kriege" stürmt, sondern bereits ein neuer Wirtschaftsunternehmer, der sich gierig in den europäischen Handel stürzt, der die Macht des Geldes schon zu spüren bekam. Um seine ambitiösen Interessen befriedigen und seine anspruchsvollen Wünsche erfüllen zu können, steigert er die Ausbeutung der Leibeigenen, er kettet sie durch Gesetze an den Boden und macht sie zu neuzeitlichen Sklaven. Dabei erträgt er nur mit großem Unwillen Eingriffe des zentralisierten absolutistischen Staates, der sich zwischen ihn und die Leibeigenen stellen will, um die Hörigen vor übermäßiger Ausbeutung zu schützen und einen Teil ihres Arbeitsertrags auch zum Nutzen des Staates zu behalten.

Der Adel in Ungarn wehrt sich gegen die Forderungen des absolutistischen zentralisierten Staates und sucht sich alle seine alten, geradezu unbeschränkten Standesrechte und Freiheiten zu erhalten. Aus diesen unterschiedlichen Ansichten von der weiteren Entwicklung des Staates geht eine Reihe von ständischen Rebellionen des ungarischen Adels gegen den habsburgischen Hof in Wien hervor. Fast alle entbrennen in Siebenbürgen, doch das Gebiet, auf dem die militärischen Treffen mit der habsburgischen Macht ausgetragen werden, ist die Slowakei, das Gebiet von Košice bis Bratislava. Das ganze Problem des Ringens um klassen-politische Interessen wird von der ideologischen Komponente dieses Kampfes verwirrt und verschleiert. Die Habsburger bleiben nämlich musterhafte Anhänger Roms und deshalb stellt sich der widerspenstige Adel logischerweise und konsequent auf die Seite des ungarischen und des europäischen Protestantismus. Und so erscheint die äußere Seite dieses Ringens wie eine Serie von Religionskriegen. In Wirklichkeit beharrte der Adel hartnäckig auf dem zeitgenössischen Prinzip „cuius regio, eius religio“ (wessen das Land ist, dessen ist auch die Religion) – und zwar sowohl der katholische als auch der protestantische Adel. Der Leibeigene war aus diesem sich „demokratisch“ gebärdenden Kampf völlig ausgeschlossen. Im 17. Jahrhundert zogen über die Slowakei folgende Aufstände des ungarischen Adels hinweg: Stephan Bocskays, Gabriel Bethlens, Georg Rákóczis, die mißglückte Verschwörung Franz Wesselénys, der Aufstand des Kesmarker Magnaten Emmerich Thököly und der verspätete Aufstand Franz Rákóczis. Der größte Teil dieser Aufstände stand in enger Verbindung zu der reaktionärsten Macht der damaligen mitteleuropäischen Welt, zum osmanischen Imperium. Das ist ein großer Makel am Charakter dieser Aufstände, die häufig bloß die Unzufriedenheit der Volksschichten ausnützten, um in ihnen Verbündete zu finden, die für die Vorrechte und Freiheiten des Adels kämpfen sollten. Am markantesten zeigte sich das am Aufstand Franz Rákóczis, der als eine große Erhebung der Volksmassen gegen die unerträgliche feudale Gesellschaftsordnung begann. Deshalb suchte der Aufstand anfänglich nach einem breiteren europäischen Hinterland, was er schließlich nicht fand, so daß er mit einer schweren Niederlage endete.

Neben den Rebellionen der Stände führte auch das slowakische Bauerntum seinen Kampf, der jedoch weder nationale noch ständische Ziele verfolgte. In den Jahren 1631–1632 brach in der Ostslowakei mit voller Macht ein Bauernaufstand unter der Führung Peter Császárs aus, im Orava-Gebiet unter der Führung von G. Pika. Diese stürmischen Zeiten brachten auch den Typ des rebellischen Leibeigenen, des Räubers, hervor. Dieser nützt das Land und.das Volk, das ihn schützt und in ihm mit Recht einen Helden sieht, der für das Volk gegen die Willkür und das Unrecht der Herren kämpft. Zur populärsten Persönlichkeit dieser Art, die bis zu einem Volkshelden emporwuchs, wurde der Räuber Juro Jánošík. In seiner Gestalt personifizierte sich der Widerstand der Volksmassen gegen das verhaßte System der Leibeigenschaft.

Trotz der unsicheren und bewegten Zeiten lebt die Slowakei als Gesamtheit ein sehr mobiles kulturelles und gesellschaftliches Leben. Geradezu begierig nützt sie jede noch so kurze Zeitspanne des Friedens und der Ruhe, in der sich die Gesellschaft auch auf dem Feld der Kultur realisieren kann. Ein Beweis dafür ist die Baukunst der Renaissancezeit, in der der Adel mit seinem Reichtum dominiert, aber auch ein umfangreiches Schrifttum, in dem bereits viele Werke in der angestammten slowakischen Sprache erscheinen, freilich immer noch unorganisiert und ohne Ordnung. Viele davon gibt die Druckerei heraus, die an der Universität in Trnava eingerichtet worden war. In das Kulturleben der Slowakei griff zu dieser Zeit auch die tschechische Intelligenz ein, die wegen ihrer religiösen Überzeugung das Land verlassen und sich eine neue Heimat suchen mußte. Einer ihrer Angehörigen, Jakob Jakobeus, verfaßte auch die erste programmatische Geschichte der Slowakei und der Slowaken, die uns leider nicht erhalten blieb.

AN DER SCHWELLE DES INDUSTRIEZEITALTERS

Die Aufklärung bedeutete im Denken der Gesellschaft des 18. Jahrhunderts einen tiefen Einschnitt. Dieses Jahrhundert verwarf das gotische und barocke Mittelalter mit seiner übermäßigen Macht des Glaubens völlig und erhob den menschlichen Verstand mit seiner Fähigkeit, die Welt zu verändern und ihre Probleme zu bewältigen, auf ein hohes Piedestal. Nur eine umfassende und tiefe Kenntnis der Natur und Menschheit können den Weg für eine vernünftige und verstandesmäßige Reformtätigkeit bereiten, den Weg zu einem neuen, idealen Modell der Gesellschaft finden. Zur Aufklärungsbewegung, die in Frankreich begann, gehörten sowohl eingefleischte Revolutionäre als auch zahme „Reformatoren“, nicht selten selbst aus den Reihen der Herrscher. In unseren Ländern war die Welt für die „monarchischen Reformen der Aufklärung“ bereits vorbereitet, als die erste Frau in Mitteleuropa den Herrscherthron bestieg. Es war Maria Theresia, die Tochter des Kaisers Karl VI. Obwohl sie ihren Herrscherposten und das Land, in dem sie regierte, in zahlreichen Kriegen verteidigen mußte, gab sie den Gedanken nicht auf, in der habsburgischen Monarchie auch eine Reihe notwendiger Reformen im Geiste der Aufklärung durchzuführen. Im Verein mit dem Kollegium ihrer Ratgeber schlußfolgerte sie richtig, daß man einen modernen Staat nur aufgrund der vollkommenen Kenntnis der produktiven und unproduktiven Menschen im Staat erfolgreich regieren kann, wobei die, auf deren Schultern und Arbeit die Macht des Staates ruht, vor übermäßiger Ausbeutung zu schützen sind. Dadurch kam sie zwangsläufig in Konflikt mit dem Adel und als sie überdies im J. 1764 im Landtag den Antrag stellte, den Adel zu besteuern, kam es zu einem dauernden Zerwürfnis zwischen dem Thron und der herrschenden Klasse. Besonders der ungarische Adel konnte nur schwer begreifen, daß die Zeit der mittelalterlichen Privilegien vorbei ist, daß ein neuer bürokratischer Staatsapparat im Entstehen begriffen ist und daß der Feudalismus, wenn er wirklich noch einige Zeit am Leben bleiben will, eine ganze Reihe grundlegender Reformen benötigt.

Ganze fünf Jahre lang, vom J. 1767 an, dauerte der erbitterte Kampf um die Reform in der Landwirtschaft, dem fundamentalen Zweig des Lebens der Gesellschaft. Das Theresianische Urbarium – so hieß das Reformprojekt – hatte die Aufgabe, den gesamten Bodenbesitz der Leibeigenen aufzuschreiben, in Bonitätskategorien einzuteilen und das Höchstmaß an Abgaben festzusetzen, die die Grundherrschaft von ihren Untertanen fordern kann. Besondere Aufmerksamkeit wurde einer der schwersten Pflichten der Leibeigenen gewidmet, dem Frondienst, der Robot auf dem herrschaftlichen Grundbesitz. Im Urbarium wurde festgelegt, daß jedes leibeigene Anwesen jährlich 52 Tage Spann-oder 104 Tage Handfronen zu leisten habe. Das Urbarium wurde in der Nationalsprache abgefaßt und in der Gemeinde hinterlegt, es wurde zu einer öffentlichrechtlichen Urkunde, die den Leibeigenen bis zum J. 1848 vor der Willkür der Grundherrschaft schützte. In den Agrarreformen fuhr auch Kaiser Joseph II. fort, zuerst als Mitregent seiner Mutter Maria Theresia, später als selbständiger Herrscher. Er schritt zur völligen Aufhebung der Leibeigenschaft als einem Hemmschuh jeglichen Fortschritts im Staat. In Ungarn wurde die Leibeigenschaft erst am 22. August 1785 aufgehoben. Dadurch wurde der Leibeigene wieder ein Mensch. Er konnte frei seinen Ehepartner wählen, selbst über das Schicksal seiner Kinder entscheiden, von seinem Grundherrn wegziehen und frei über seine persönliches Eigentum verfügen. Hand in Hand mit den Agrarreformen verlief auch die Überwindung der veralteten landwirtschaftlichen Systeme, die Einführung neuer Feldfrüchte, besonders des Maises und der allgemein nützlichen Kartoffel, der Umbau der Futterbasis und die Erweiterung der Viehhaltung, der Anbau von Textilpflanzen, ja es wurden auch Versuche mit der Seidenraupenzucht unternommen. Dies alles trug viel zum Aufschwung des slowakischen Dorfes bei und zum Anwachsen der Einwohnerzahl, aber auch zur Entstehung erster demographischer Überschüsse und zu den ersten Wellen der Auswanderung und Verschiebung der Bevölkerung, vorderhand freilich nur im Rahmen der Länder der Monarchie.

Ähnliche Veränderungen betrafen auch die handwerkliche Produktion, die ebenfalls die Grenzen des Mittelalters verließ. Ein neues Kind dieser Zeit ist die Manufaktur, die in unseren Ländern traditionell auf die Textilerzeugung ausgerichtet war. Ein großer Unternehmer auf diesem Gebiet war der Gemahl Maria Theresias, Franz von Lothringen, selbst, der in Šaštín eine große Kattunfabrik gründete, die jährlich 100 000 Meter Kattun erzeugte. Es entstanden Manufakturen auch zur Erzeugung von Küchengeschirr (Majolika, englisches Porzellan, Steingut), Manufakturen zur Verarbeitung von Leder, Papier und Glas. Den slowakischen Manufakturen fehlten jedoch zwei wichtige Voraussetzungen zu einer gedeihlichen Entwicklung: genug kaufkräftige Bevölkerung und eine günstigere Wirtschaftspolitik des Wiener Hofes, der programmgemäß ganz Ungarn in die Position eines Agrarlandes verwies. Trotzdem wurde im Schoße der Manufakturen ein neues Wunder der Entwicklung geboren: die industrielle Revolution, d. h. die Einführung von Maschinen, die mit Wasserkraft oder mit Dampf betrieben wurden, in den Produktionsprozeß. Die Slowakei stand tatsächlich an der Schwelle des industriellen Zeitalters.

Nicht an letzter Stelle unter den Reformen der Aufklärungszeit steht die Einführung der Schulpflicht im J. 1774 sowie die Ausarbeitung eines ganzen Systems für den Schulunterricht und die Schulerziehung. Damit gelangt dieser Bereich, der ganze Jahrhunderte lang unter der Vormundschaft der Kirche gestanden hatte, teilweise in die Hände des Staates und hatte vor allem seinen Bedürfnissen zu dienen. Die Slowakei und das slowakische Volk betrat so in vielen Lebensbereichen einen wirklich neuen, wenn auch keinesfalls leichten und problemlosen historischen Weg in ihrer Entwicklung.

Die Bezeichnung „nationale Wiedergeburt" hat sich für jene Epoche der Entwicklung eingebürgert, in der es erforderlich war, breite Schichten der Bevölkerung in die Gemeinschaft des Volkes einzugliedern. Damit erhielt der Begriff „Nation", „Volk" als Kategorie eine neue Quantität, aber auch eine andere Qualität. Die Umwandlung des slowakischen Volkes in eine moderne soziale Gemeinschaft umfaßte eine Reihe innerer und äußerer Probleme.

Im multinationalen ungarischen Staat formte sich im Mittelalter nur eine politische Nation, die „natio hungarica", der nur Mitglieder des Adels angehören konnten und auch angehörten. Diese politische „ungarische" Nation verschmolz in der nationalen Wiedergeburt mit der herrschenden ethnischen und politischen madjarischen Nation und so ging allmählich auch der seiner Herkunft nach slowakische Adel in der madjarischen Nation auf. Das Bürgertum als zweite große soziale Gruppe war in den städtischen Strukturen zerstreut und zersplittert, national wenig ausgeprägt und konnte daher auch nicht zum Führer der nationalen Wiedergeburt der Slowaken werden. Und so blieb als Monolith nur das slowakische gemeine Volk übrig, das sich Jahrhunderte hindurch seine slowakische Sprache bewahrt hatte, ebenso seine eigenständige hochstrukturierte volkstümliche Kultur. Dieses einfache Volk wurde zum Objekt des Prozesses der nationalen Wiedergeburt, wobei die Schicht der Intelligenz (das Subjekt dieses Prozesses), die ebenso aus diesen Schichten stammte, auch zur führenden Kraft der nationalen Wiedergeburt wurde. Ihre Aufgabe war wahrlich nicht leicht: sie sollte das Volk – diesen national unbewußten Schöpfer und Träger des Slowakentums – zu einer bewußten und vollberechtigten Nation umformen, und dies alles unter den komplizierten Verhältnissen eines rückständigen feudalen Landes, ohne entsprechende politische Rechte, ohne Staatlichkeit und ohne jegliche Autonomie welcher immer Art.

Den Prolog des Kampfes um die nationale Wiedergeburt bildeten verschiedene „Verteidigungsschriften" (Apologien) die den Madjaren und Deutschen gegenüber, aber auch allen anderen Mißgünstigen, die Altangesessenheit der Slowaken in dem von ihnen bewohnten Land beweisen sollten. Auch sollten sie den Unsinn in den von den Chronisten verbreiteten Märchen widerlegen, daß Svätopluk das Land den Madjaren für einen Schimmel, für eine verzierte Kandare u. ä. verkauft habe, und den Slowaken einen würdigen Platz unter den anderen Völkern des ungarischen Staates erringen im Hinblick auf die Verdienste der Slowaken um den Aufbau und das Aufblühen der ungarischen Heimat. Die Apologien von J. B. Magin, S. Timon, M. Bel, J. Papánek und J. Sklenár (auch wenn alle schon den üblichen Akzent auf die „Verteidigung" in ihrem Titel führen) sind immer noch dem Hungarismus zinspflichtig. Ihre Autoren ringen sich nur sehr schwer zur Auffassung der politischen Eigenständigkeit des slowakischen Volkes hindurch, obwohl sie ihm alle ihre Kräfte, ihren Verstand und ihre Zuneigung widmen.

Neue Züge verlieh der nationalen Wiedergeburt eine Gruppe slowakischer Intellektueller, die sich auf Anregung des Kaisers Joseph II. selbst im Generalseminar auf der Burg von Bratislava versammelt hatten. Die jungen Leute, die sich auf die pastorale Tätigkeit unter dem gemeinen slowakischen Volk vorbereiteten, stellten fest, daß den Slowaken bisher selbst das grundlegendste Bindemittel zu ihrer Einigung fehlt – eine einheitliche Schriftsprache. Die schwere Aufgabe, eine solche zu schaffen, übernahm Anton Bernolák mit seinen Genossen. Sie wählten dazu das kultivierte Westslowakisch, das schon jahrelang in der Universität zu Trnava gepflegt wurde, und diese Sprache mit einigen Merkmalen der mittelslowakischen Mundart erhoben sie zur Schriftsprache der Slowaken. Dabei stützten sie sich auf ein sehr solides sprachwissenschaftliches Werk und auf ein höchst notwendiges Wörterbuch. Die Genossen Bernoláks, vor allem der unermüdliche Júr Fándly, geben in der neuen Schriftsprache literarische Werke, Lehrbücher, aufklärende Schriften heraus und mit Hilfe des literarischen Vereins „Učené tovaryšstvo" (Gelehrte Gesellschaft) verbreiten sie sie unter dem Volk. So gewann das slowakische Volk ein machtvolles Instrument zur Bewußtwerdung seiner selbst, und zwar auf einer natürlichen demokratischen Basis.

Die konfessionelle Spaltung der Slowaken in Katholiken und Protestanten hatte jedoch zur Folge, daß ein Teil der protestantischen Intelligenz und mit ihr auch ein Teil des slowakischen Volkes die Schriftnorm Bernoláks, der ein katholischer Priester war, nicht akzeptierte, sondern beim alten Tschechisch, der Sprache der Kralitzer Bibel, der gottesdienstlichen Sprache der slowakischen Evangelischen, blieb. Auch in den Ansichten über den Ursprung der Slowaken vertraten sie keinen eindeutigen Standpunkt. Sie betrachteten die Slowaken nur als einen Zweig der einheitlichen tschechoslowakischen Nation, worin sie auch von bedeutenden tschechischen Wissenschaftlern unterstützt wurden. Der protestantische Flügel der Bewegung der nationalen Wiedergeburt erhielt auch eine institutionelle Form im Lehrstuhl für tschechoslowakische Sprache und Literatur am evangelischen Lyzeum in Bratislava, das eine ganze Generation slowakischer Intelligenzler und Patrioten in diesem Geist erzog. Zu ihnen gehören auch die großen Persönlichkeiten der slowakischen Wissenschaft und Kultur, wie Ján Kollár und Pavol Jozef Šafárik. Diese Spaltung der nationalen Wiedergeburt in zwei Lager verzögerte den Volkswerdungsprozeß der Slowaken. Sie reduzierte ihn auf eng aufgefaßte sprachliche, kulturhistorische und literarische Probleme, und dies auch zur Zeit, da sich die Ideen der Großen Französischen Revolution in ganz Europa verbreiteten und auch in unserem Land einen Widerhall fanden. Die Verkünder und Bekenner dieser Ideen wurden allerdings in Blut ertränkt. Die Macht der Geheimpolizei und die Zensur, die politische Unfreiheit zu handeln und sich zu Vereinen zu verbinden, wurden dann zu Barrieren in der nationalen Entwicklung. Von neuem und immer dringlicher tauchten die sozialen und wirtschaftlichen Probleme des rückständigen Landes auf, die pauperisierte Bauernklasse litt besonders unter dem Joch der Leibeigenschaft.

In der neuen Situation empfand man das Bedürfnis, die beiden Ströme in der nationalen Wiedergeburt zu vereinen und unter den verschärften politischen Verhältnissen neue Formen der Arbeit zu suchen. Diese Aufgabe nahm die neue Generation auf ihre Schultern, die am evangelischen Lyzeum in Bratislava heranwuchs und in der Ľudovít Štúr zur führenden Persönlichkeit wurde. Er war sich dessen bewußt, daß man den Kampf um die nationalen Rechte der Slowaken mit dem Kampf um sozialen Fortschritt, um die Freiheit, verbinden muß. Er erzog die Jugend im antifeudalen Geist und ermahnte sie, sich des Romantismus Kollárs und der apolitischen Einstellung zu entledigen. Zum nationalen Vereinigungsprozeß der Slowaken trug ungewollt auch die madjarische nationale Bewegung unter der Führung von Ludwig Kossuth bei, die einen offenen Angriff gegen die Slowaken startete, sie des Panslawismus bezichtigte und danach trachtete, sie außer Gesetz zu stellen. Es beginnt eine neue Welle der nationalen Apologien und Petitionen. Von Bedeutung war auch die gesamtslowakische, an den Herrscher gerichtete Bittschrift aus dem J. 1842, die dem Kaiser Ferdinand V. überreicht wurde. Zur neuen Tribüne der slowakischen Stimmen wurde die Zeitung „Slovenské národné noviny“ (Slowakische Nationalzeitung), ein politisches Organ, und seine literarische Beilage „Orol Tatranský“ (Der Tatraadler).

Es erwies sich, daß es in einem multinationalen Staat zwischen dem Volk und seiner Sprache ein festes Band gibt. Auch die beginnende Madjarisierung rückte die Frage der Einheitlichkeit der Schriftsprache der Slowaken in den Vordergrund. Die Genossen Štúrs anerkannten verantwortungsbewußt die Bemühungen der Mitarbeiter Bernoláks um die Schaffung einer slowakischen Schriftsprache. Selbst gegenüber ihren eigenen evangelischen Repräsentanten in der nationalen Wiedergeburt, die auf der Verwendung des Tschechischen als Schriftsprache beharrten, vertraten sie einen kritischen Standpunkt. Sie gaben sich nicht damit zufrieden, das Tschechische für die Slowaken verständlicher zu machen. Nach reiflicher Überlegung proklamierten Ľudovít Štúr, Michal Miloslav Hodža und Jozef Miloslav Hurban auf einer Zusammenkunft in der Gemeinde Hlboké den mittelslowakischen Dialekt als Schriftsprache der Slowaken. Bei diesem Schritt wurden sie auch von den bedeutendsten Repräsentanten der Bewegung Bernoláks unterstützt. Auf einer gesamtslowakischen Versammlung in Liptovský Mikuláš im J. 1844 wurde dieser wichtige Schritt der Führer der slowakischen nationalen Bewegung eigentlich nur noch gebilligt. Noch am Vorabend der bürgerlichen Revolution von 1848 versicherte Ľudovít Štúr das tschechische Volk, daß es sich nicht um einen Verrat handle und daß die Slowaken als eigenständige Nation auch weiterhin mit den Tschechen enge Verbindungen aufrecht erhalten wollen.

Die Revolution von 1848 begann bereits ein neues Kapitel in der Geschichte der Slowakei und der Slowaken zu schreiben.

Die Revolutionswelle, die vom Anfang des J. 1848 an durch Europa rollte, erreichte auch die habsburgische Monarchie, die von heftigen Klassen- und nationalen Kämpfen geschüttelt wurde. Die revolutionären Märzereignisse in Wien beeinflußten auch das nahe Bratislava. In Pest rebellierte das Volk und die studierende Jugend.

In dieser Zeit tagte in Bratislava der ungarische Landtag, auf dem Ľudovít Štúr, Abgeordneter für die Stadt Zvolen, zu den radikalsten Rednern gehörte. Die Angst vor der Revolution bewog die Landtagsabgeordneten, zumeist Angehörige des ungarischen liberalen Adels, dazu, über 30 Reformgesetze anzunehmen. Das wichtigste war das Gesetz über die Aufhebung der Leibeigenschft, das trotz seiner Halbheit die Fundamente der feudalistischen Gesellschaftsordnung erschütterte. Das Gesetz befreite jedoch nur einen Teil der Bauernschaft von den Frondienstpflichten. Es garantierte dem Adel eine finanzielle Entschädigung, überließ ihm riesigen Großgrundbesitz und gab ihm die Möglichkeit, zum Teil in anderen Formen auch weiterhin die Massen des Volkes auszubeuten, die mit ihrer Existenz an die Landwirtschaft gebunden waren. Inkonsequent und halb waren auch weitere neu beschlossene Gesetze, z. B. die Gesetze über die Volksvertretung, über die Pressefreiheit und andere.

Das Gesetz über die Aufhebung der Leibeigenschaft konnte die Massen der Bauern nicht zufriedenstellen, sie rebellierten in vielen Orten, besetzten den Boden, Wälder und Wiesen, lehnten es ab, Frondienst zu leisten und Abgaben zu entrichten.

Im Revolutionsjahr 1848 forderten auch die Berg- und Hüttenarbeiter in Banská Štiavnica und in der Umgebung der Stadt eine Verbesserung ihrer sozialen Lage, dasselbe verlangten auch die Schneidergesellen in Bratislava.

Der ungarische Landtag löste die nationale Frage nicht. Er verabschiedete im Gegenteil zwei Gesetze, die gegen die nichtmadjarischen Nationen gerichtet waren. Die enge Verbindung der slowakischen nationalen Forderungen mit allgemein demokratischen Ansprüchen kam besonders in den „Forderungen des slowakischen Volkes" zum Ausdruck, die am 10. und 11. Mai 1848 in Liptovský Mikuláš ausgesprochen und beschlossen wurden. Die ungarische Regierung wies diese Forderungen scharf ab und erließ gegen die führenden Personen der slowakischen nationalen Bewegung einen Haftbefehl. Diese eindeutig ablehnende Haltung der Führer der ungarischen Revolution und Regierung gegenüber den berechtigten Forderungen der Slowaken zwang ihre Vertreter dazu, andere Wege zu ihrer Durchsetzung zu suchen. Schließlich, als sie keine anderen Möglichkeiten sahen, ihre nationalen Rechte durchzusetzen, nützten sie die Position des kroatisch-dalmatinisch-slawonischen Bans Josif Jelačić aus und schlugen sich – obwohl sie den Proklamationen und Versprechungen des Kaisers nicht sehr trauten – auf die Seite des Wiener Hofes.

Anfang September 1848 konstituierte sich in Wien ein Slowakischer Nationalrat, zum erstenmal in der Geschichte der Slowaken als höchste politische Vertretung und zugleich als Organ zur Koordinierung der politischen und militärischen Aktionen des Kaisers gegen die ungarischen Revolution. Unter der Leitung des Slowakischen Nationalrates formierte sich eine Einheit slowakischer Freiwilliger, die nach ihrem Durchzug durch Mähren in die Umgebung der Stadt Myjava auf etwa 6 000 Mann anwuchs. Nach einigen erfolgreichen Treffen gegen die ungarischen Truppen erlitt sie jedoch bei Poriadie in der Nähe von Myjava eine Niederlage.

Am Ende des Jahres 1848 formierte sich eine zweite Freiwilligenexpedition, die als Teil des kaiserlichen Heeres fast durch die ganze Nordslowakei, vom Kysuce-Gebiet bis nach Košice zog, während ihre zweite Abteilung von Trenčín bis Komárno marschierte. Die Bedeutung dieser Expedition lag nicht so sehr auf militärischem, als vielmehr auf politischem Gebiet, besonders dadurch, daß sie das slowakische Nationalbewußtsein weckte und stärkte sowie das Wissen um die Zusammengehörigkeit zweier slowakischer Regionen, die Jahrhunderte lang voneinander isoliert waren. Ähnliche Ziele hatte auch die dritte slowakische Expedition in Sommer 1849.

Nach der Thronbesteigung des Kaisers Franz Josephs II. suchte ihn am 20. März 1849 eine Deputation slowakischer Politiker auf und überreichte ihm eine Bittschrift mit dem Ersuchen, bei der vorbereiteten Reorganisierung der Monarchie auch dem slowakischen Volk entsprechende Rechte zu gewähren und das von ihm bewohnte Gebiet unter einem eigenen Namen „Slowakei", „Slowakisches Land" administrativ auszugliedern.

So trat das slowakische Volks in die „neue Zeit" ein, doch ohne Erfolg. Es wollte auf seiten des Fortschritts kämpfen, doch geriet es – nicht durch eigene Schuld – in das entgegengesetzte Lager. Nach zweijährigen Bemühungen, Kämpfen und Leiden erhielt es nur leere Versprechungen, unvollständige und halbe Entscheidungen.

DIE JAHRE DER HOFFNUNGEN UND BITTEREN ENTTÄUSCHUNGEN

Nach der Unterdrückung der Revolution in Ungarn schlug der habsburgische Hof einen scharfen kontrarevolutionären Kurs ein. Dies äußerte sich in der Errichtung einer Militärdiktatur, in der Einkerkerung und Hinrichtung mancher Teilnehmer an der Revolution, in der Berufung einer absolutistischen Regierung, in der Liquidation aller demokratischen Freiheiten, in einer straffen Zentralisierung, Bürokratisierung und Germanisierung. Den Slowaken gegenüber ging die Wiener Regierung raffiniert vor mit dem offenen Bestreben, die slowakische nationale Bewegung durch kleine Zugeständnisse zu spalten.

Das kaiserliche Patent vom 3. März 1853 brachte dem bäuerlichen Volk eine große Enttäuschung. Die wichtigste Frage dieser Zeit – die Bauernfrage – regelte es zuungunsten der bäuerlichen Massen. Auf ganze Jahrzehnte hinduch beeinflußte es so die Entwicklung der Landwirtschaft in der kapitalistischen Epoche. Die Enttäuschung und Unzufriedenheit der Bauern äußerte sich in mehreren Orten, besonders in den Komitaten Zips und Šariš, in Unruhen und Rebellionen, die sich besonders gegen die zu Beginn der sechziger Jahre durchgeführte Kommassation des Bodens richtete. Diese Äußerungen des widerstandes wurden ebenso unterdrückt, wie vorher der erbitterte Lohnkampf der Bergleute in Banská Štiavnica.

Der Rücktritt der absolutistischen Regierung und der Erlaß des sog. Oktoberdiploms durch den Kaiser erweckten neue Hoffnungen und eine neue Aktivität auch bei den Repräsentanten der slowakischen nationalen Bewegung. Sie mündeten in der Veranstaltung einer nationalen Versammlung, die am 6. und 7. Juni in Martin abgehalten wurde. Auf dieser Versammlung von fast 5 000 Teilnehmern aus vielen slowakischen Städten und Gemeinden wurde ein „Memorandum des slowakischen Volkes" beschlossen. In diesem wichtigen Dokument des erwachenden Nationalbewußtseins wurde besonders die Anerkennung der Eigenständigkeit des slowakischen Volkes, die gesetzliche Gewährleistung seiner Gleichberechtigung mit den anderen Nationen Ungarns und die Bezeichnung seine nationalen Gebietes als „Slowakischer Umkreis" gefordert, in dem die politischen, kulturellen und anderen Rechte der Slowaken volle Geltung haben sollten.

Die wichtigste Errungenschaft der Aktivität dieser Jahre war die Einrichtung dreier slowakischer Gymnasien – in Revúca, Martin und Kláštor pod Znievom – sowie die Gründung der Matica slovenská, womit die langjährigen Bemühungen um die Schaffung eines slowakischen Kulturzentrums erfüllt wurden. Mit ihrem länger als zehn Jahre dauernden Wirken erfüllte die Matica slovenská nicht nur nationale und kulturelle Aufgaben von einer erheblichen Reichweite, sondern wurde auch zu einer Repräsentantin der slowakischen Nation, ihrer Eigenständigkeit und Lebensfähigkeit. Deshalb wurde sie zusammen mit den slowakischen Gymnasien, die eine slowakische Intelligenz mit Mittelschulbildung in der nationalen Sprache heranbildeten, zur Zielscheibe chauvinistischer Angriffe der ungarischen Regierung, die nicht eher ruhte, bis sie nicht schließlich nacheinander alle slowakischen Kulturinstitutionen in den Jahren 1874–1875 liquidiert hatte.

Nach der Niederlage Österreichs im Krieg gegen Preußen im J. 1867 kam es zwischen der österreichischen und madjarischen herrschenden Klasse zu einer „Ehe aus Vernuft", die ihren staatsrechtlichen Ausdruck im österreichisch-ungarischen Ausgleich fand. Danach eröffnete sich zwar ein breiterer Raum für das Eindringen kapitalistischer Produktionsmethoden in der Ökonomik Ungarns, zugleich wurden jedoch die nichtmadjarischen Völker zu einer vieljährigen Knechtschaft verurteilt, die durch das Nationalitätengesetz von 1868 sanktioniert wurde.

IN DEN FESSELN DER NATIONALEN UND SOZIALEN BEDRÜCKUNG

Die kapitalistische Entwicklung in der Agrarsphäre war durch Überlebsel des Feudalismus gekennzeichnet. Der größte Teil des Bodenbesitzes blieb in den Händen der ehemaligen

Grundherren, denen die hohe finanzielle Entschädigung die Möglichkeit bot, ohne Schwierigkeiten zum kapitalistischen Unternehmertum überzugehen. Die Bauern, die 70 % der gesamten Bevölkerung Ungarns ausmachten, mußten mit den Großgrundbesitzern einen schweren Konkurrenzkampf führen. Der Großgrundbesitzer hatte alle Vorteile auf seiner Seite: er wirtschaftete auf großen Flächen, auf besserem Boden, er benützte immer moderner werdende Maschinen und verwendete künstliche Düngemittel, er erbaute für sich Lagerräume für die Agrarprodukte, was einen Verkauf dieser Produkte zu einer günstigeren Zeit und dadurch zu höheren Preisen ermöglichte. Der Bauer hingegen hatte all diese Möglichkeiten nicht und konnte deshalb nur dank seiner Arbeitsamkeit und Genügsamkeit bestehen. Trotzdem gingen im Laufe von 20–30 Jahren Hunderte von Bauernwirtschaften zugrunde.

Die Masse der von der Landwirtschaft abhängigen Bevölkerung betrat die neue Ära ohne oder nur mit einem minimalen Bodenbesitz. Sie war daher gezwungen, Arbeit auf den Großgütern zu suchen und wenn es in der Umgebung keine Arbeit gab, zogen sie ins Tiefland, in andere Gegenden, ja auch in andere Länder auf Landarbeit. Ihre soziale Lage war elend, die Gesetze gewährten ihnen fast keinen sozialen Schutz.

Der Beginn der kapitalistischen Epoche war begleitet von einer fortschreitenden Industrialisierung, die auch die Slowakei nicht ausließ. Sie war jedoch nicht von großem Umfang und betraf auch nicht alle Gebiete. Auch in diesen Jahren waren der Bergbau und das Eisenhüttenwesen die wichtigsten Industriezweige in der Slowakei. Einen Aufschwung konnten auch die Holzverarbeitungs-, die Papier-, und die Glasindustrie sowie manche Zweige der landwirtschaftlichen Industrie, besonders die Zuckerfabriken, Getreidemühlen, Spiritusbrennereien und die Tabakfabriken verzeichnen.

Die ökonomische und gesellschaftliche Entwicklung spiegelte sich auch im Verkehrswesen ab, hauptsächlich im Eisenbahnverkehr. In den Jahren von 1831 bis 1880 wurde in der Slowakei über tausend Kilometer Eisenbahnstrecken erbaut, unter anderen auch die wichtige Strecke Košice–Bohumín, die Strecke von Budapest über Zvolen nach Vrútky und später von Žilina nach Bratislava. Erhebliche Veränderungen gab es auch im Straßen- und Wasserverkehr.

Trotz eines gewissen Aufschwungs dauerte der Mangel an Arbeitsgelegenheiten weiter an, ja er vertiefte sich noch, was eine Massenauswanderung hauptsächlich in die Staaten Nordamerikas zur Folge hatte. Auf der Suche nach Arbeit zogen Zehntausende von Arbeitern auch nach Budapest. Aus ihren Heimatorten wanderten alljährlich Tausende von Rastelbindern, Glasern, Leinwandhändlern, Olitäten- und Safranhändlern sowie Hausierern in nähere und entferntere Länder.

In der zweiten Hälfte des 19. Jahrhunderts wächst auch in der Slowakei das Klassenbewußtsein des Proletariats und seine politische Organisiertheit. In Bratislava entstand einer der ersten Arbeitervereine „Napred“ (Vorwärts) und im J. 1869 wurde hier die erste öffentliche Arbeiterversammlung in Ungarn abgehalten. Die Klassenbewußtwerdung war von Anbeginn an mit dem internationalen Empfinden verbunden. Ein bedeutsamer Schritt in der Geschichte der slowakischen Arbeiterbewegung war das Erscheinen der ersten slowakischen Arbeiterzeitschrift „Nová doba“ (Neue Zeit) im J. 1897 und die Aktivisierung der Arbeiterklasse im Rahmen der Sozialdemokratischen Partei Ungarns.

Nach dem österreichisch-ungarischen Ausgleich steigerten die regierende madjarische Gentry ihre Angriffe auf die nationalen Rechte der nichtmadjarischen Nationen mit dem Ziel, sie zu madjarisieren. Sie wendeten dabei verschiedene Methoden an: Schließung der nichtmadjarischen Schulen, Verdrängung der Muttersprache selbst aus den Volksschulen, Schikanieren und Entlassen „unpatriotischer“ Lehrer, Presseprozesse, harte Strafen für Redakteure und Autoren, die den amtlichen Stellen nicht genehm waren, Schwindeleien und Fälschungen bei den Wahlen, Terror gegen nationalbewußte Kandidaten und ihre potentiellen Wähler. Sie wendeten jedoch auch Formen an, die sich unter dem Mantel einer Befriedigung sozialer und kulturellen Bedürfnisse verbargen.

Unter diesen schwierigen Verhältnissen erhielt sich das nationale Bewußtsein nur durch das Verdienst einer Handvoll Einzelner, besonders mit Hilfe der mit finanziellen Verlusten verbundenen periodischen Presse und der Bücherproduktion, durch Veranstaltung von Theatervorstellungen und Kulturabenden, durch die alljährlich stattfindenden Augustfeierlichkeiten in Martin, durch die Tätigkeit der Slowakischen Musealgesellschaft und andere kulturelle Aktivitäten.

Im ersten Jahrzehnt des 20. Jahrhunderts dauerte auch in der Slowakei die Abwanderung der Bevölkerung aus den Dörfern in die Städte an, wenn auch nicht in einem derartigen Umfang, wie in den industriell entwickelten Ländern. Die größten Städte in der Slowakei im J. 1910 waren Bratislava (73 459 Einwohner), Košice (40 476 Einwohner), Komárno (18 863 Einwohner), Banská Štiavnica mit Banská Belá (17 080 Einwohner), Nové Zámky (16 048 Einwohner), Nitra (15 830 Einwohner), Prešov (14 835 Einwohner), Trnava (14 501 Einwohner), Žilina (11 537 Einwohner). Im Gegensatz dazu hatte die Stadt Martin, das Zentrum der slowakischen nationalen Bewegung, damals nur 3 351 Einwohner. Fast die Hälfte der Bevölkerung lebte jedoch auch weiterhin in Gemeinden mit weniger als 1 000 Einwohnern.

Die Bauernschaft war auch weiterhin die fundamentale Gesellschaftsschicht und das Kernstück des slowakischen Volkes. Soziale Differenzierung im slowakischen Dorf schritt weiter fort. Der Lebensstandard, das Denken und Handeln des Bauern, unterschied sich diametral von dem des Landarbeiters auf dem Großgrundbesitz, des Deputatlöhners und des Saisonarbeiters. Die slowakischen Intelligenzler richteten ihre Aufmerksamkeit auf den slowakischen Bauern. Durch volkserziehende Schriften, die Propagierung neuer Wirtschaftsmethoden, durch Gründung von Kredit-, Konsum- und Selbsthilfsvereinen, durch den Kampf gegen den Alkoholismus halfen sie den Fortschritt vorantreiben und die schlimmen Folgen der kapitalistischen Entwicklung in der Landwirtschaft zu mildern.

Der Aufbau neuer und die Modernisierung bereits bestehender Industriebetriebe schritt weiter fort. Viele von ihnen (die Eisenwerke in Krompachy, die Zuckerfabrik in Trnava, die Baumwollspinnerei in Ružomberok, die Süßwarenfabrik in Bratislava) hatten Weltniveau. Zum traditionellen Erzbergbau kam die industrielle Kohlenförderung in Handlová hinzu.

Alle Industriebetriebe und Geldinstitute in der Slowakei befanden sich jedoch in den Händen des fremden Kapitals, das hier nicht nur eine reiche Rohstoffquelle, sondern auch billige Arbeitskräfte fand. Versuche, das slowakische Kapital zur Geltungs zu bringen (die Tatrabank, die Zellueosefabrik in Martin) konnten sich nur schwer durchsetzen.

Die sozialen Verhältnisse der Arbeiterschaft beeinflußte der chronische Mangel an Arbeitsgelegenheiten. Charakteristisch für die damaligen sozialen Bedingungen waren lange Arbeitszeit, niedere Löhne, Mißbrauch der Frauen- und Kinderarbeit, unwürdige Behandlung der Arbeiter, in den meisten Betrieben ein unzureichendes System der Sozialversicherung, hygienische Mängel im Wohnen, kalorisch wenig nahrhafte Kost, unzureichende Bekleidung und Beschuhung. Diese schlechten sozialen Bedingungen waren die Ursache, daß das Klassenbewußtsein und die Organisiertheit des slowakischen Proletariats wuchs. Das Zentrum der Arbeiterbewegung war Bratislava, es entstanden jedoch auch weitere Zentren, besonders in den industrialisierten Städten (Košice, Krompachy, Podbrezová, Liptovský Mikuláš, Ružomberok, Vrútky, Žilina, Lučenec, Nové Zámky, Komárno, Nitra, Uhrovec usw.). Die gesteigerte Aktivität äußerte sich in der wachsenden Organisiertheit der Arbeiter, in Streiks, Demonstrationen, im Kampf um die demokratischen Grundrechte, vor allem um das geheime und direkte Wahlrecht. Diese Aktionen sind besonders in den Jahren 1905–1907 zu verzeichnen, doch auch in den Jahren 1912–1913.

Die zunehmende nationale Bedrückung charakterisieren besonders solche Aktionen, wie die Massenverurteilung einer Gruppe von Politikern aus Martin im J. 1900, die Aggressvität der Madjarisierungsvereine, wie des Vereins FMKE, Prozesse gegen Presseleute, Terror bei den Wahlen, besonders gegen slowakische nationale Kandidaten und ihre Wähler, die Schießerei ins Volk in der Gemeinde Černová im J. 1907, die im gleichen Jahr erlassenen Schulgesetze u. ä. Gegen die brutale Bedrückung des slowakischen Volkes protestierten nicht nur die Vertreter der slowakischen nationalen Bewegung, sondern auch nüchtern denkende madjarische Politiker, Vertreter anderer unterdückter Nationen in Ungarn, fortschrittliche Kräfte in den böhmischen Ländern, im Ausland besonders Björnstjerne Björnson und Seton Watson.

Im slowakischen politischen Lager tritt seit der Jahrhundertwende eine markantere Differenzierung der Kräfte und Anschauungen ein. Eine progressive Rolle spielten besonders einzelne Persönlichkeiten, die sich um die Zeitschrift „Hlas“ (Stimme) scharten.

Tatkräftige moralische und praktische Unterstützung fand die slowakische nationale Bewegung in den böhmischen Ländern. Politiker, Publizisten, Schriftsteller rüttelten das tschechische Volk gegen die Bedrückung der Slowaken auf. Das Interesse für die Slowakei wuchs, was sich auch in einer zunehmenden Touristik äußerte, die sich hauptsächlich auf die Tatra richtete, in die man gewöhnlich über Martin reiste. Die tschechischen Schulen, vor allem die Hochschulen, nahmen eine immer größere Anzahl slowakischer Studenten auf. Hunderte slowakischer Burschen gingen in die böhmischen Länder in die Lehre. Die Unternehmer aus Böhmen zeigten ein gesteigertes Interesse dafür, Kapital in die Slowakei zu investieren. Positive Kontakte gab es auch in der Arbeiterbewegung.

IM WIRBEL DES KRIEGES UND DER REVOLUTIONSSTÜRME

Die Folgen des Weltkriegs lasteten schwer auch auf den Schultern des slowakischen Volkes. Aus der Slowakei wurden an die 450 000 Männer auf verschiedene Kriegsschauplätze getrieben, von denen gegen 70 000 fielen oder vermißt blieben und über 60 000 als Invaliden zurückkehrten. Der nordöstlichen Teil der Slowakei wurde zeitweilig zum Frontgebiet, in dem viele Gemeinden zerstört wurden.

Im Hinterland steigerte sich die Ausbeutung der Arbeiter, die das Regime zur Arbeit in den militarisierten kriegswichtigen Betrieben zurückgestellt hatte. Eine Geißel der kleinen und mittleren Bauern waren die rücksichtslosen Requirierungen landwirtschaftlicher Produkte und Schlachtvieh. Die Teuerung wuchs rapid, die Preise stiegen, der Mangel an Nahrungsmitteln und anderen Lebensbedürfnissen nahm zu.

Durch Bespitzelung und militärpolizeilichen Terror gelang es, Äußerungen des Widerstandes der Bevölkerung gegen den Krieg zu unterdrücken. Zum ersten Durchbruch dieser Stimmungen kam es im dritten Kriegsjahr, in dem sich alle Widersprüche verschärften und Nachrichten über die revolutionären Ereignisse in Rußland auch nach Österreich-Ungarn gelangten. Die entscheidende Wende in dieser Entwicklung hing mit der Großen Sozialistischen Oktoberrevolution und mit der Entstehung des ersten Staates des Proletariats zusammen, dessen erste beschlossene Dokumente über den Frieden, über den Boden und über das Selbstbestimmungsrecht der Völker einen positiven Widerhall an den Fronten und auch im Hinterland der Monarchie weckten. Die Front fiel auseinander, es mehrten sich die Diversionen und Desertionen, in den Wäldern versteckten sich Tausende der sog. grünen Kader. Die Rückkehrer aus der russischen Gefangenschaft, meist direkte Zeugen der revolutionären Ereignisse, verbreiteten wahre Informationen über die Revolution in Rußland, die meisten wurden zu Organisatoren und Teilnehmern an den Militärrevolten in der Slowakei (in Bratislava, Trenčín, Rimavská Sobota) und auch außerhalb ihrer Grenzen (Kragujevac in Serbien).

Der Kampf der Arbeiter um höhere Löhne, um eine bessere Versorgung, gegen Hunger und Teuerung, für die demokratischen Rechte und besonders für einen augenblicklichen Friedensschluß außerte sich in Streiks, Unruhen, ja sogar auch in lokalen Rebellionen. Einen revolutionären Charakter hatten auch die Versammlungen zum 1. Mai 1918, besonders die Versammlung in Liptovský Mikuláš, auf der zum erstenmal in einer Resolution gefordert wurde, auch den Slowaken das Selbstbestimmungsrecht zu gewähren.

Am Ende des Weltkriegs entfalteten auch die bürgerlichen Repräsentanten der slowakischen nationalen Bewegung eine größere Aktivität. Sie stellten sich hinter die Forderung nach Selbstbestimmungsrecht für die Slowaken und erklärten sich für einen gemeinsamen tschechoslowakischen Staat.

Eine wichtige Rolle spielten während des Krieges Landsmannsvereine und patriotische Organisationen der Tschechen und Slowaken im Ausland, sie unterstützten moralisch und materiell den Volksbefreiungskampf im Ausland. Dabei stärkte und leitete sie die politische und diplomatische Aktivität der führenden Repräsentanten des tschecho-slowakischen Widerstandskampfes im Ausland, besonders die Tätigkeit Tomáš Garrigue Masaryks, Eduard Benešs und Milan Rastislav Štefániks. Die Entstehung einer 150 000 Mann starken tschechoslowakischen Armee im Ausland – der in Rußland, Frankreich und Italien gebildeten Legionen – wurde für den tschechoslowakischen Nationalrat ein schwerwiegendes Argument bei den Verhandlungen mit den Ententemächten um das Recht der Tschechen und Slowaken auf einen selbständigen gemeinsamen Staat.

Trotz nicht geringer Bemühungen der modifizierten Regierungsgarnitur um die Erhaltung der Integrität Österreich-Ungarns fiel dieses Staatsgebilde Ende Oktober und Anfang November 1918 auseinander. Unter der ungeheueren revolutionären Begeisterung des Volkes wurde am 28. Oktober 1918 in Prag der selbständige tschecho-slowakische Staat ausgerufen. Unabhängig davon nahmen die leitenden Repräsentanten des slowakischen politischen Lebens am 30. Oktober 1918 in Martin eine „Deklaration des slowakischen Volkes" an, in der sie den Entschluß ausdrückten, mit dem tschechischen Volk in einem gemeinsamem Staat leben zu wollen. Der selbständige tschechoslowakische Staat war zur Wirklichkeit geworden. Für das slowakische Volk begann eine neue Ära in seinem Leben.

SUMMARY

Slovak history occupies a specific place within the historical development of Europe. There is hardly any other nation that would have, under such complex and such unfavourable conditions, formed itself into a fully-fledged, fully-qualified ethnic and political entity, one that today has its worthy, respectable place on the map of Europe. After a short-lived independent statehood, following the downfall of Great Moravia – back in the early 10th century – the Slovaks found themselves as part of an evolving multi-nationality Magyar State in which, during the entire course of its development, they were prevented from enjoying any political, territorial, cultural, or even religious autonomy. Rather the contrary, from the mid-19th century a programmed pressure was devised and applied by the ruling strata of the Hungarian nation aimed at eliminating the Slovaks from the political life of the country and fully to incorporate them politically into the nationality of the ruling class. The Slovaks had their most elementary cultural institutions – schools, clubs, associations – suppressed by the Hungarians and found themselves on the brink of their national annihilation. And all this was perpetrated on them by a nation that had originally absorbed and assimilated the civilisation and culture precisely of the Slovaks.

And all this goes to make of Slovak history an interesting manual of the historical strength and ability of an ethnic unit to hold its own and assert its claims under such extremely illiberal conditions to a modern European nation, one which, through its creativity, vigour and enthusiasm, contributes more and more into the treasure-house of European and world culture, science and art. From this point of view, the history of the Slovaks represents a practically unique example of the creative force of a group, of human toil, labour and industry.

The series Slovakia in Pictures – section HISTORY has for aim to present pictures of this complex historical anabasis of the Slovak nation. A specific feature of such a work is the fact that, as authors – PhDr. Matúš Kučera, DrSc., a professor at the Philosophical Faculty Comenius University in Bratislava, who processed the period up to the year 1848, and PhDr. Bohumír Kostický, CSc., a member of the staff of the State Central Archives in Bratislava, who processed the second part of this publication – both of us had to elaborate for the first time in Slovak historiography a type of book work in which the image of historical development had to be constructed with the help of iconography. The text, made up of the introductory chapters, as well as the remaining descriptive texts have but a finishing function, as is customary with picture history. The reader should be told right at the start that in the illustrated section we did not encompass all the best that Slovak cultural past and history have left behind, and this despite a new conscientious, meticulous study of the depositaries of Slovak museums, galleries and archives. The reason is that numerous items from the mobile cultural patrimony of Slovakia and Slovaks were moved, towards the end of the 18th, but particularly during the 19th century, into foreign collections abroad, for at that time Slovaks had as yet no facilities for gathering and protecting their cultural and national possessions. Hence, a new study in collections abroad will certainly contribute to improve the picture history of Slovakia and the Slovaks at some future time.

Our conception of the picture about the Slovak past rests on an ethnic principle, though we did not restrict ourselves to a territorial element of the explication. Hence also the historical processing goes back to the times when man first appeared on our territory and ends in the very present. The stipulated number of the picture material did not always permit us to give equal treatment to all the components of the historical development, and thus in some sections a view of the political-cultural considerations predominates, while elsewhere the material production and social movements of the Slovak people in the past are underlined.

In any case, in the text as well as in the illustrated selection, we endeavour to present in a creative balance the latest results of knowledge and of scientific research, the truth verified by history on the unusually complex development of a nation that has travelled over a very thorny road to its present. Alongside our strict professional criticism, we do not hide our love for our nation, our homeland, the country in which we live, and we strive to interpolate these sentiments both into the text and into the illustrated selection with which we structure the history of our nation.

PRIMEVAL PEOPLE AND THE WORLD OF THEIR WORK

The breakthrough which set man apart from the rest of the animal kingdom was conscious work. It is the point off which the history of the human society begins to unwind. Work, together with further developmental factors, has altered man's habits, promoted his thinking, led him to articulated speech, forced him to reflect and thus to lay the basis of human culture. Slovakia, in contrast to say, America or Australia, is drawn into this hominoid process of mankind. Already back in the early Paleolithic, man on this territory was able to produce primitive tools, to make use of the natural gift of fire, and moved in groups across the country to hunt and gather what mother nature offered. A new, a downright revolutionary period in the development of human civilization is that of the Neolithic (the most recent period of the Stone Age), and also of the Aeneolithic – a transitional period between the Neolithic and the Bronze Age. During this period, also in our country man for the first time came out as the victor in his harsh struggle with nature. By his work he forced it to serve him, to provide him with basic foodstuffs. He began to cultivate agricultural plants, crops, and had by then constrained some animals to do his bidding and help him at work. He had stopped wandering across the country, and settled down at a fixed spot. This period marks a regular settlement of Slovakia and by then it proved so firm that human foot has never since left it and human arm has never ceased to shape it into a cultural country. The then prevailing climatic conditions, too, were in his favour for even at an elevation of 650 m above sea level (Poprad–Matejovce) women's hands succeeded in cultivating cereals, pulses and oil-plants, and even the vine in Eastern Slovakia. Hand in hand with this material advance goes also the contruction of the house, man's superstructural world is being shaped, his sense of the artistic, his culture and his creative feeling.

By alloying copper and tin, man discovered bronze – a metal suitable for improved tools, but also arms. Since Slovakia had important localities rich in copper, it became an important country in Central Europe. Control of mineral resources, but also the mining and metallurgical craft divided the society in terms of property, and men also felt a new need – that of trading. Alongside crafts, also agriculture developed and the society grew demographically and matured. The horse came to swell the inventory of domesticated animals as an all-round beast that helped man to overcome great distances, assure transportation, travelling. In the 7th–3rd century B. C. civilisation in our country had almost achieved the threshold of literacy. In the Hallstatt period man began to make objects of iron. This knowledge had come into our country somewhere from Greek regions. Our man did not begin to build houses the way maritime nations did, but continued to be a villager. The society came under the sway of "clan kings" with their warrior association.

The „nations" that had lived until that period – and this uninterruptedly – on our territory, have no ethnic denomination of their own. However, archaeologists invented for them original designations according to characteristic signs of the ceramic ware they produced, or according to other marks of their material culture. Nevertheless, from the Upper Iron Age, (La Tène) our country began to be settled by a people whom we know also by name, the Celts, whom the Romans also called the Gauls. Next to them, also further tribes, Dacians and Thracians, pushed forward into the southeastern and eastern regions of Slovakia. The Celts, however, are the most salient civilisation that impressed a seal on the life in many directions in this country. Agriculture advanced and this both as regards improvement of the primary farming technique and the processing of the products. Especially significant is their invention of rotating millstones for grinding wheat grains into flour. The changes in agriculture as the basic pursuit in life are so enormous that we have come to speak of an "agricultural revolution". Nevertheless, striking changes took place also in crafts and trades, transportation, commerce. The Celts recognized the need of metal coins as a means for carrying on trade. Several types of coins were struck in Bratislava – the best known bear the inscription BIATEC and NONNOS. They were struck of silver, less frequently even of gold, and their minting was not any incidental phenomenon, but one that continued over a relatively long period of time.

Following the decline of Celtic ascendency, Slovakia came to be broken down into at least three more or less defined circuits: Celtic-Dacian civilisation persisted in Eastern Slovakia, the descendants of Celtic Cottini intermixed with other ethnics, occupied Central Slovakia and the entire ore-bearing region, while Germanic tribes of the Quades and the Marcomanni with whom the world-ruling Roman empire waged wars, began to settle in Western Slovakia. That empire fortified the frontier of its holdings on the Danube, but Roman legionaries penetrated deep to the north, into the middle of the Váh and the Hron river basins. Marcus Aurelius, one of the prominent Roman emperors, wrote his philosophical treatise on the banks of the Hron; another one – Valentinian I – ended his life in a camp near Komárno. In 179–180, Roman legionaries spent the winter as far north as Trenčín – at Laugaritio. Thus, the first four centuries of our era were filled in with contacts and relations with the advanced Roman world, then confronted by the barbarian Germanic civilisation. This period is traditionally termed as the Migration of Nations, in which, so to say, the last wave was formed by the arrival of our ancestors and their settling down in Slovakia.

THE SLAVS AND THEIR SEARCH FOR A NEW HOMELAND

We still ignore when Slovakia exactly became our home, our new fatherland. When Byzantine scholars began to show interest in us early in the 6th century, our forefathers were already settled in Slovakia, nay, by then they had already fought as mercenaries in the Byzantine army and had attacked Rome. Evidently, some time before the year 500 A. D., an unbearable overpopulation had taken place in the Slavonic primeval country, spreading in the expanses between the Vistula and the Dnieper, and the Slavs, after the example of preceding nations, set out on a march from the overcrowded space. They settled Slovakia along at least three conspicuous streams. Through Carpathian passes they settled the eastern and northeastern regions of Slovakia; Slavs probably coming through the Moravian Gate reached western Slovakia, and evidently numerous was also the third prong which bypassed the Carpathians and went towards the middle Danube region. Here, the stream of Slav settlers split. One part settled Bulgaria, Macedonia and reached as far as the Athenian Acropolis; the second part turned upstream of the Danube and settled the present-day southern and central Slovakia. Evidently precisely these imparted a specific character to our present literary language – Central-Slovakian dialect. The entire movement of the Slavs in their search for a new homeland carried a unique characteristic trait: it took place without any major sabre rattling, clanking of swords or much noise. This is the only way we can explain the surprise of European reporters at the Slavs'quick and adroit settling of new European spaces. Suddenly they realized that the Slavs are in such multitudinous numbers as if they "had been sown". Slovakia represents but a very minor part of the Slavonic expansion and it could under no circumstances be given the attributes of a peace-loving "dove-like" nation. Like their predecessors, through honest fighting and perseverance they occupied all the regions where the soil was fertile, with abundant sources of water and a convenient, accessible connection with their other brethren. In such regions, also in Slovakia they, as agriculturists, sank their ploughshares into the soil, put up houses and settled down never to leave from here in history. In this way also Slovakia became a new Slav homeland where the new inhabitants, by their numerical superiority overlapped the ancient settlement remnants of both the Celts and the Germanic tribes. Our ancestors impressed on the country a specific colouring and by their diligent work began to build for themselves a new fatherland, a new home. To this day, science knows about 160 localities in Slovakia which give testimony of their new inhabitants. Slovak science, particularly archaeology, has brought forward numerous documents also about the life style of these new inhabitants, their notions and concepts of superstructure, their aesthetic feeling, their customs.

A turn in the life of our ancestors took place sometime around the year 568 when a new pastoral nation – the Avars – migrated from the Asian steppes into the Danubian plains. In this manner, our ancestors had a neighbour with whom it was not always possible to live in friendship and peace, particularly when the Avars tried to make the Danubian Slavs into their taxpayers. Minor skirmishes led to military encounters, nay early in the 7th century even to a great "general" uprising. At a time when the fighting had grown fierce, a Frankish merchant by the name of Samo came among the Slavs. He hailed from a country which had for some time past supplied the Slavs with first-quality weapons from West-European armouries. Samo with a whole caravan of merchants joined the strife on the side of the Slavs and by his bravery and advice rendered them such a service that they chose him to be their king. That is how the first Slav "regnum" (kingdom) entered the history of the then Europe. And Samo had not only led a series of successful wars against the Avars, but even encountered on the battlefield also the then mightiest State of Europe – the Frankish Empire and defeated the main army of king Dagobert near Vogastisburg.

Historians searched for long the place where the legendary Samo's empire had been formed. Science has proposed numerous hypotheses, for written sources on the entire phenomenon are rather modest. Over the past fifty years, however, archaeology has brought to light a great quantity of new sources about the Avars, as well as the Danubian Slavs who lived in a symbiosis with and in the neighbourhood of the Avar 'Kaganate'. These numerous new documents imply that the crystalizing core of Samo's empire is to be sought at the confluence of the Danube and the Morava rivers, in the space of the Bratislava Gate which is not merely an important strategic point in the whole of Central Europe, but is now known as the site of numerous burial grounds from the times of Samo's empire and all this on an extremely restricted space of only a few score of square kilometers. Such a great human potential could have been concentrated solely in the real centre of an extensive empire which has entered European history as the first attempt on the part of the Slavs at setting up a political organisation of the statehood type. Slovak science has thereby contributed to the solution of one of the important issues in the history of Slav antiquity.

THE SETTING UP OF A STATE

In 791, the Franks demolished and scattered the Avar power in the region of central Danube. Conditions were thereby created for a freer political organisation of Danubian Slavs. It is not as yet known whether a continuous organisation existed between Samo's empire (Samo died in 658 or 659) and the newly evolving principalities that came to be formed towards the end of the 8th or early 9th century. But we know for certain that the strategically and geographically well-situated Nitra was the seat of prince Pribina who had by then succeeded in uniting in his principality practically the whole of Slovakia, including also Spiš. He even welcomed the new ideology which accompanied the birth of new States – Christianity, and had a church built on his estate, which was consecrated by the Salzburg archbishop Adalram in 828. Another principality was formed in the Lower-Moravian valley, with prince Mojmír at its head. About the year 830, the latter invaded the Nitra principality, drove Pribina and his wife with their son and the entire retinue out of the country. However, this was no mere struggle between two ambitious rulers, but a regular military ravage in which Mojmir had all Pribina's hill-forts burnt to the ground and demolished so that life in them was never again renewed. Through this union of the Moravian and Nitran principalities there ensued a stronger State formation which subsequently came to be known as Great Moravia. Blood and ashes, a fratricidal struggle gave rise to a new Slavonic State. That of course, was nothing unusual in the then European world.

Pribina's career did not end with his expulsion. Following his prolonged peregrinations to various courts, the East-Frankish ruler Louis II the German (cca 804–876) granted him sway over the Balaton Slavs, where his son Koceľ, born in Nitra, successfully continued ruling after Pribina's death.

The political history of Great Moravia is very colourful, filled for the most part with struggles against the East-Frankish empire which endeavoured to subdue it into a vassal State. Great Moravian rulers, particularly prince Rastislav and prince Svätopluk energetically defended their independence against East-Frankish rulers and waged numerous wars on the battlefield, but also through diplomacy. Rastislav, in order to get free from Bavarian ecclesiastic centres in Salzburg and Passaw which administered the Church at Veľká Morava, turned to the Pope and later to the Byzantine ruler Michael III with a request for setting up an independent ecclesiatical organization. This resulted in a Byzantine diplomatic mission being sent to Great Moravia which was led by two scholars from Salonica, the brothers Methodius and Constantine (later Cyril). The latter was a university teacher, Methodius a high state official and lawyer. For the needs of Moravian Christianity they prepared a Slavonic alphabet, for until then no Slav nation had a writing for its language. This was an epochal achievement which laid the foundations of Slavonic literature that spread to numerous Slav countries following the expulsion from Great Moravia of Methodius's pupils and which marked a true cultural revolution among the Slavs. During Svätopluk's rule, Great Moravia, through well-thought out military and diplomatic steps, extended its frontiers to such an extent that it became a real Central-European power, culturally in direct contact with the diplomatic centre of the then world – Rome. After Svätopluk's death, his two sons Mojmír II and Svätopluk II ruled for a short time in mutually spiteful discord. Under the external pressure of the Frankish power, the military incursions by a newly-arrived nomadic population – old Magyars – as well as the inner crisis events that pestered the evolving feudal State, Great Moravia declined and ultimately became totally disrupted. A powerful State disappeared from the politocal map of Europe, however, a specific, distinctive material and spiritual culture remained, contact with which was taken by the succession States, viz, Czech, Polish and Magyar or Hungarian. Moravia proper became successively incorporated into the Czech State, while the Slovaks came under the domination of the old Magyar nomad tribes and, following their settling down, into the evolving Magyar State in which they survived practically a one-thousand-year old historical odyssey.

IN THE IRON FETTERS OF THE HUNGARIAN STATE

Magyar tribes began to settle down in the valley of the Tisza river with the consent of Great Moravian rulers. The latter sought in them a potential buffer bridge against the Bulgarian State bordering on Great Moravia. These allies, however, soon turned into enemies and together with armies of the East-Frankish king Arnulf (c. 850.899 – the last Carolingian emperor) attacked the Great Moravian State from the east and west. After the downfall of Great Moravia, Hungarian shepherds were not as yet thinking seriously of the Danubian plain as being their permanent home. This space was not suitable to shepherd associations for wintering their flocks. Initially, the Hungarian or Magyar clans tried to deal with the crisis in which they found themselves by predatory raids into the surrounding world, in which, as adroit marauders, they were often victorious. However, in 955, they suffered a rout from which they did not recover and they were left only one alternative: after the pattern of the Slavs living here, to turn to an agricultural, settled way of life. The immense quantity of Slavonic, but also purely Slovak words from the life of village farming population constitutes to this day an eloquent testimony to this. That is how conditions were created for the formation of a new State which initially had two or even three centres. Decisive for further development was the so-called Trans-Danubian territory (former Pribina's and Kocel's principality), as also that of Nitra, as a significant part of the Great Moravian Empire. The Hungarian State thus became in fact a succession State of Great Moravia and the first significant ruler from the Árpád family, St Stephen I, took over into the inner structure of the new State numerous items and gains achieved by the Great Moravian society. Slovakia as a country was at first administered from the same centre as before – viz. from Nitra which became a permanent seat of an appanage princedom.

The political fortunes of the Hungarian State evolved amid complex inner and international struggles. It proved propitious to the State that it submitted itself under the direct protection of Rome, and pope Sylvester II (pope 999–1003) gave its ruler the royal crown. The orientation to Byzantium and to Kiev Russia was not lasting and the Hungarian State gradually integrated itself into West-European culture of the Roman period. The development in the country which headed toward feudal anarchy under Andrew II (d. 1235) was disrupted by an even greater threat, represented by the Tatars. Armies of this powerful Euro-Asian State invaded Hungary in 1247, defeated the king's army, devastated the country and set up their domination over it. Their rule, however, was short-lived, for the Tatar hordes returned to their country for the election of their new central ruler. The Tatar incursion also left its mark on the development in Slovakia, although its impact was of a smaller degree than in the other regions of Hungary. In consequence of these events, the ruler was constrained to give in to the demands of the nobility growing in power. He allowed them to construct mighty Gothic forts at strategically important sites and thus, in virtue of the political privileges granted to them by Andrew II in 1222, they soon achieved also military independence. In this way, a powerful stratum of oligarchs grew up in the country, who joined in the political fray especially after the death of the last ruler from the Arpád line – Andrew III. At the same time the country, left depopulated as a result of the Tatar invasion, remained open to a stream of home and foreign colonists who arrived here from Italy, the Netherlands, but principally from German lands. Their skill and activity ushered in an era of economic advance and ensured a West-European know-how in economy and public administration, both in the rural and the urban environment.

In the 13th–14th century, Slovakia came to be dominated by two powerful magnate bodies:

the south, west and the north of the country came practically wholly under the sway of Matthias of Trenčín, while eastern Slovakia was under the domination of the Omodeys from the Aba family, who allied themselves with Matthias. In the struggle for the Hungarian crown, they supported the claims of the Czech ruler Wenceslaus III, who however, was soon and for good replaced by Charles I and his dynasty (Charles Robert of Anjou, founder of the Hungarian branch of the Angevin – 1288–1342) from the Naples family of the Anjous. A considerable share in pushing through Charles's candidature to the Hungarian throne went to the Papal Curia which zealously bribed Hungarian magnates. Charles Robert succeeded in conquering a few castles from Matthias of Trenčín, but failed to liquidate his political power till the latter's death in 1321.

Slovak romantic historiography used to make a legend of the person of Matthias of Trenčín. In reality, however, he was the type of a rapacious feudal lord, made such by feudal anarchy in the land. However, the truth remains that his dominions extended almost exactly on the territory of present-day Slovakia with Trenčín, or Topoľčany as the centre. Also the popularity and the army that raised Matthias to the pedestal of power came entirely from the territory of Slovakia. All that went to strengthen the territorial-political demarcation of our country as a whole, which was also given the designation – "Matthias's Land", and this designation persisted for several centuries. Matthias made of Slovakia some sort of a diminutive "kingdom" with a sovereign's court and administrators. However, he did not strike his own coins as purported by earlier historiography. He strove to pursue an independent interior and external policy, particularly towards Poland and toward insubordinate Moravia. Despite this short-lived feudal episode in which Slovaks searched for traits of self-government and autonomy, they remained in Hungary an oppressed nation, a fact that left a mark on all their subsequent historical fortunes and peripeteia.

URBAN CIVILIZATION

Towns as a specific socio-topographic, urbanistic and legal organisation, were set up in Slovakia on the same bases as in the rest of Europe. Nothing but a temporal shift – retardation with regard to Western Europe – is palpable. A particular group of specialists – craftsmen – came from the agrarian world, who succeeded in producing for the market goods of good quality and in sufficient quantities. Closely related to such an organized production was commerce in which was involved not merely the urban community, but also the farming population from the adjacent and the more distant environs. Artisans'trades and a widely ramified commerce represent two economic components which brought to life the need of a medieval town. And it should be noted that trade as handicraft had evolved in this country earlier, still on a Great-Moravian basis, and from the environs of hill-forts and soccage settlements it gradually achieved a more freely organised association. The artisan became free of seigneurial dependence and moved into geographically favourably situated towns. The merchant, on the contrary, was a globe-trotter who knew no frontiers of either a nation or a State; he was everywhere at home, wherever free trade flourished, where there were things to be sold and bought. Capital was his god and his master. Especially following the Tatar incursion when the country was depopulated and when rulers granted considerable liberty and privileges to new-comers, a large number of immigrants settled down in our towns and in general, imparted to these a character of legal organisations similar to those in vigour in their country of origin, or such as had already been tested and verified in life. New urban privileges granted to towns helped these to become legally fully-fledged social and self-governing organisms. Large numbers of stone- and brick-built houses, arranged in lanes and streets, were put up on a restricted space, with a large place in the centre for business transactions. That is the market place and from it, the word town is derived in the Slovak language (ie. **miesto** trhu = market place – **mesto** = town). Later, ostentatious town halls were constructed on squares where the elected mayor and the town council dealt with questions relating to the life of the citizens. When a town was given the right to surround itself with ramparts and enclose itself within gates, we witness the appearance not only of a new urbanistic formation, totally different from the village, but simultaneously of a military fortress, capable of intervening into the country's power politics.

An economic conjecture that set in during the 13th century favoured the development of towns. While in the 13th century Slovakia counted some 30 towns, in the next one they numbered over 100. The economic boom and the accompanying growth were aided by a number of judicious reforms emanating from the court policy of the Anjou dynasty behind which stood new councillors and experienced foreign economists and financiers. The development of towns as a new element in the structure of the feudal society, was also promoted by an end to feudal anarchy, cessation of wars and political instabilities. International safeguards have always been of importance to foreign trade. The latter was directed from west-Slovakian towns to Dalmacia, and Italy, but also to Bohemia and Germany. East-Slovakian towns ensured trade contacts along the grand route running from the Mediterranean to the Baltic shores. In our conditions this involved principally business activity on the lap Košice–Cracow with all its branchings.

The abundance of mineral resources of Central Slovakia gave rise to wealthy mining towns, headed by Banská Štiavnica, Banská Bystrica, Kremnica. At the peak of production Slovak mines yielded one hundred thousand kg of silver annually, which represented practically one-fourth of the then European production, and in addition, about one-quarter ton of gold annually, especially after water-driven rotating mills had been introduced at Kremnica for grinding gold-bearing quartz. Production of copper, too, took an upward swing; and what was not utilised at home, went to foreign markets in Venice, Regensburg and Nuremberg, but also to distant Stockholm, Antwerp and London. And the 14th–15th century in fact marked only the beginning of the era of Slovak copper. Technical progress was continuously promoted in mining and metallurgy, new technologies were introduced, capital became associated in mining companies – all of which represented the source of the period and future economic prosperity.

"The Golden Age" in the development of Slovak towns in the 14th–15th century promoted a throbbing life also inside ramparts of towns. Their wealthy burghers, in contact with the entire contemporary European world, endeavoured to embellish their environment by showy buildings in the Gothic style, remarkable creative artifacts especially of artistic crafts, but also by written culture.

In the urban environment there gradually comes to an awareness and proclamation of unity, solidarity of Slovaks as an ethnic, and to a struggle for defending their rights. A document to this effect was issued by Louis I (of Anjou) for Slovaks at Žilina already on May 7, 1381 (one year before his death). An intense urbanisation contributed to Slovakia's becoming one of the most developed regions of the greater Hungarian State, a connecting link between Poland and Hungary, allied through personal union. An awareness of these facts will facilitate us to understand why in the subsequent centuries of struggles and wars, our country came to be such a significant object of interests, such a sensitive pointer on the political balance of all Centra-European State events.

UNDER THE REVOLUTIONARY BANNER

15-century Europe was heading for the first great mediaeval crisis with very striking signs slowing down development both in the countryside and in the urban milieu. Internal unrest was reinforced by epidemies of the plague, followed by numerous outbursts of uprisings. Those were social struggles of wage-earners in towns, but insurgent fires burned also in the countryside. Gradually they seized Italy, the Flanders, France and England, and soon shifted also into Central Europe. Symptoms of crisis and its passing into protracted wars affected also the neighbouring country – Bohemia and in various forms and shapes touched also our Slovakia.

The Czech society was a highly structured community in which a series of mutual tensions had become knotted among the various strata and classes. Among the lowest strata of serfs and urban poor, voices were even heard demanding the overthrow of the unjust social feudal order. However, those voices did not as yet represent any real societal strength that would have been capable of carrying out such changes. If there was one thing in which the governing and the governed groups and classes agreed – and this is a typical Czech phenomenon – it was in a hatred of the Church which had grown into one of the most powerful land owners, and in its moral life had moved miles away from the poverty of Christ's primitive Church. This mighty organization had become not only an authority in matters of faith, but significantly intervened also into political and economic problems of the society. It was also a monopolistic protector of State ideologies and no sovereign's chancellery or other cultural institution could do without it.

Hence, 15th-century man had not yet come to consider the possibility of excluding the Church from the life of the society. However, he focused his criticism on its wealth and its moral life. Efforts at a redress came from the ranks of the lower clergy which, moreover, bore with pain the papal schism – when as many as three popes reigned in the Church, mutually waging wars, and exacting the necessary money on their faithful. A justified question arose, whether such an institution could lead man to salvation.

The work of the English religious reformer John Wycliffe had soon reached Charles University in Prague and split the professorial staff into two clear-cut camps. At the head of the "reformed" movement stood John Huss (1369?–1415) who, by his natural authority and rhetoric mastery, promoted criticism also among the small traders and the poor of Prague. Emperor Sigismund (1368–1437) and the Church authorities summoned John Huss to defend his views at the council of Constance, but he was unfairly declared a heretic, condemned and burned at the stake despite an imperial safe-conduct, and his ashes were scattered so that no memory of him would remain. The fire at Constance triggered an avalanche of revolutions which it was no longer possible to stem.

Among the first propagators of Hussite ideology in Slovakia were students at Charles University. One of them – Lucas of Nové Mesto nad Váhom suffered the same fate as his master J. Huss – he was burned at the stake. Another one, Matthew Slovák who became a Hussite preacher at Kútna Hora, was seized by his opponents and hurled to his death from the church tower. Hussites who had come to Slovakia from Prague, had no favourable conditions for their work here. There was no such a cultural centre in Slovakia as was Charles University in Prague. And thus, individuals soon came to be the targets of the high clergy. But popular heresy spread all the more and found a nutrient soil in many Slovak townlets and villages.

Sigismund's marriage to Mary, daughter of Louis I of Hungary, brought him the Hungarian crown in 1387. He came from the Czech ruling family of Luxemburg (Wenceslaus IV was his brother) and remained an unrelenting, stubborn enemy of the Hussites and Hussitism. He made of Slovakia his bridgehead for fighting against Taborite armies which were joined by numerous Slovak yeomen and members of the impovershied nobility. These received with joy the Hussite ideas also because they looked forward to the parcellation of the great land holdings possessed by the Church in Slovakia. Hussite leaders – especially from the times of Procopius the Great (d. 1434) – retaliated Sigismund's wars and carried out a number of large-scale military expeditions to Slovakia. In forts and towns which they conquered, they left permanent military garrisons as supporting points for further fighting. In this way, Hussite garrisons were set up at Trnava, Žilina, Topoľčany, but also at castles of Likava, Lednice in the Váh valley, and elswehere. The closely related language of these warriors constituted the most convenient bridge across which ideas of the Hussite renewal spread across the Slovak countryside. These contacts and relations left a mark also on the national-forming process of the Slovaks. As a matter of fact, wherever the Hussites gained a footing, German patriciate ran away and Slovaks sat in urban councils. And not only these burghers, but also the petty Slovak nobles and squires chose Czech, a mature language, tested in literature, for their written expression, and into which elements of Spoken Slovak penetrated more and more. Slovakized Czech then stood in for a long time as one of significant attributes of the evolving Slovak nation.

Ideas of Hussite Tábor sounded once again in our history. It was at the time when Czech mercenaries under the leadership of John Jiskra of Brandýs defended the succession rights of Ladislaus Pohrobek, in his minority. By their fighting activity they filled in our history during the period 1447–1467; Jiskrá's armies having subsequently been disbanded, these Czech soldiers organized field camps after the manner of Hussite fighters and began to call themselves "Little Brethren". Many brave commanders came out of their ranks and also numerous Slovaks joined the Brethren's army. An end to their rule was put by Matthias Corvinus at the battle near Veľké Kostolany.

STRUGGLE WITH THE OTTOMAN CRESCENT

Mongol tribes from the Turkic race found a footing under the rule of Othman I (1259–1326) in Asia Minor, from where they began to undertake a series of wars into Europe. Slovaks first fought against them in 1396 in Sigismund of Luxemburg's army in the unsuccessful battle near

Nikopol in Bulgaria (the Ottomans were then led by Bajazet I). A second signal victory carried by Ottoman Turks was at the battle of Mohacs in 1526 at which Suleiman I inflicted a disastrous defeat on Hungary and at which also king Louis II Yagellow perished with most of his army. Then, Ottoman armies appeared for the first time also on the southern borders of Slovakia. At that time hardly anyone would have thought that this new power would remain a new neighbour – an extremely nasty and insatiable one – of Slovakia for 150 years. Soon after, the Ottomans intervened both politically and militarily into the civil war which had broken out over succession claims to the Hungarian throne between John Zapolya and Ferdinand Habsburg (later Emperor Ferdinand I), and of course, they exploited this strife to consolidate their power in the middle Danube region. In 1541 the Ottomans took Budin and made it into the centre of their expanding rule. The country was then split up: Transylvania fell into the hands of John Zapolya's son (John Sigismund Zapolya or John II), while Slovakia, together with provinces of western Hungary were formed into the so-called "Hungarian kindgdom" in the hands of the Habsburg dynasty. Bratislava became the capital of this part, while Trnava was the ecclesiastical centre after the Esztergom Chapter had moved there.

The Ottomans in their advance into Slovakia proceeded slowly but systematically. They took over the southern and southeastern regions, then pressed forward towards the Central-Slovakian mining towns to which they were lured not solely by precious metals, but also by strategic raw materials for making the new weapon – cannons. In a very short time the Ottomans had set up as many as five administrative districts – sanjaks and everywhere appointed their officials to supervise especially collection of taxes. At the same time, sanjak beys extorted taxes, payments and tributes also from territories which they had not directly conquered: these were the targets of intimidating and plundering raids, one concomitant mark of which was also carrying away of people for sale on slave markets and of children for military training – janissaries. The war with all its cruelties weighed heavily especially on the daily life of the countryfolks who had to till their fields with a weapon in their hands and be daily anxious about their family and property.

The quick shift of the Ottoman armies northwards and to the west finally mobilised many Central-European nations for defense. Such a defense was begun to be organized by the Habsburg monarchy; it began to concentrate financial means for building up a mercenary professional army, but also for the construction of new border fortresses adequate to the new military technique. And thus, a new type of renaissance fortress came into being, one set up not on rocky cliffs, but on the plain, equipped with corner bastions, guns, moats etc. (e. g. at Komárno, Nové Zámky, and elsewhere). A new fortification pattern was also given to numerous castles and towns, and Slovakia thus became a European front-line border on which the attention of publicists and politicians was focused.

Ottoman wars intervened in a very complex manner into the social stratification of the society. The poorest became absolutely destitute, on the other hand, a part of town dwellers exploiting the conjucture of production for the army, grew rich. But the greatest war profits went to the nobility, engaged in providing for the army. Its members put up manors, large-scale farms which they managed at their own costs, thereby participating in the European process of commodity-financial relations. As the nobles from the Turk-occupied territories fled to the north, Slovakia fed practically half of Hungarian nobility and the latter endeavoured to get a hold not solely in the countryside, but began to disrupt also the structure of urban communities. Through the construction of palaces in towns, it affected the renaissance designing of urbanism in our towns.

Slovakia of that period also recorded the first outburst of dissatisfaction on the part of wage-earning workers. It was a miners' uprising, the centre of which was Banská Bystrica and which still represents the most radical class struggle in our mediaeval history. It had naturally no clear ideological outline, but seems to have run in parallel with the course of the reformation ideas in our towns. Reformation in Slovakia gradually gripped all the social strata and in all the ideological forms – from moderate, up to radical wings of Anabaptists – Hutterians (here known as Habans). Reformation of the Lutheran type gained predominance, as it suited not only the bourgeoisie, but also the nobility. It found a well-prepared soil in Slovakia, for the country and its ecclesiastical organisations were going through a deep crisis and were disrupted. However, in the second half of the 16th century, the Catholic Church, too, began mobilizing itself in order to put up a barrier to the fast spreading reformation which by then had the ascendency. The centre of the ensuing counter-reformation was Trnava with the erudite order of the Jesuits taking the lead. The struggle for the souls of believers which the two religious movements waged between them proved a boon in raising and spreading education, in the assertion of the national language. This was enormously aided especially by the fast-spreading new gain – the press. Book printing helped to spread not solely religious treatises, but also manuals, textbooks and works with secular topics destined to the masses at large. Besides learned writings, there appeared also folk literature in which the Slovak people related their sorrows and pains, but also underlined the boundless heroism with which day after day they defended their homeland. In this way, a new content became imparted also to such terms as "homeland", "nation", "mutualism".

IN THE FIRES OF UPRISINGS

During the complex 17th and early 18th century, European development witnessed an upheaval during which feudalism was losing its power and its prospects, while a new world, that of capitalism was being born. This, however, did not affect Slovakia nor many other countries of Central and Eastern Europe. Quite the contrary, Slovakia lagged behind European advance due principally to the destructive wars with the Ottoman empire and their dire, ruinous sequelae. Nobody then, of course, realized that this lagging would be a long one and would mark the development of our country right into the 19th–20th century.

As a matter of fact, the era of wars against the Ottomans was intertwined with those of the Hungarian Estates for their liberties as nobles. This was brought about by a violent change in the structure of the Hungarian and, within this frame of reference, also the Slovak society. Feudal tenants, particularly in the southern provinces of Slovakia abandoned their depopulated, devastated villages, their plundered granaries, their cattle slaughtered and taken away by the Turks. Town inhabitants, too, bore with anxiety the constant military threat, the upkeep of security forces, the uncertainty of the times unfavourable to trade, whether on a small or a large scale. The nobility as a class came out best from this situation. A noble of the 17th century was no longer the flashy mediaeval knight eagerly dashing into "jousts of honour". Now he was a new investor, a businessman who hurled himself wildly into European commerce, one who had already sensed the strength and the might of money. And in order to meet and satisfy his ambitious interests, he stepped up the exploitation of his vassal, fettered him with feudal laws to the soil and made him into a modern slave. At the same time he bore with ill will any intervention on the part of the centralist absolutist State intent to step in between him and the serf in order to protect the latter from excessive exploitation and to save part of his labour – soccage – for the State.

The nobility in Hungary resented these demands of the absolutist State and endeavoured to defend all its ancient, practically unlimited Estate rights and liberties. This difference of views on the further development in the State subsequently led to Estate risings of the Hungarian nobility. Practically all of them originated in Transylvania, but the place of the encounters with the Habsburg power was Slovakia – the region from Košice to Bratislava. The whole issue about the class-political interests is obscured by the ideological aspect of this struggle. The Habsburgs were exemplary adherents of Roman Catholicism and consequently the insurgent nobility logically and of necessity sided with Hungarian and European protestantism. And thus, the outward aspect of the entire conflict appears as a series of religious wars. In reality, the nobility firmly insisted on the period principle – "cuius regio, eius religio" – and this both the Catholic as well as the Protestant nobility. The serf was simply eliminated, left out of count from this "democracy-shamming" contest. In the 17th century, half a dozen rebellions swept across Slovakia: – those fomented by Štefan Bočkaj, Gabriel Bethlen, Juraj Rákoczi, F. Wešeléni's unsuccessful rising, that by the Kežmarok magnate Imrich Tököli, as also the belated rising by František Rákoczi. Most of these uprisings were in full alliance with the most reactionary power of the then Central-European world – the Ottoman empire. This remains a nasty stain on the nature of those uprisings which often exploited the dissatisfaction of popular masses in order to find in them an ally to fight for the rights and liberties of the nobles – which ultimately amounted to their fighting against their own interests. This became most conspicuously evident in the uprising by František Rákoczi which truly started as a general uprising of popular masses against the unbearable feudal social order. Initially, this uprising sought a broader European hinterland, ultimately without success, and ended in a crushing débacle.

Alongside the Estate risings, also the Slovak agricultural population was carrying out its struggle which, however, followed neither nationalist, nor Estate aims. It is thus that a full-blooded rebellion broke out in 1631–32 in Eastern Slovakia under the leadership of Peter Császár, or one at Orava led by G. Pik. The movemented times gave birth also to the outlaw type of serf – the bandit. The latter made use of the country and the people who protected him and justifiably saw in him a social hero fighting against the wilfulness, wantonness and lawlessness of the powers that be. The most popular personality in this respect, one that attained the status of a national hero, was Juro Jánošík. He personified in himself the resistance and revolt of the masses against the hated vassal system.

Yet, despite the uncertain and movemented times, Slovakia as a whole lived a very mobile cultural and social life. It eagerly made use of every moment of peace and calm for its cultural self-realization. Evidence of this resides in the extensive renaissance building activity in which the nobility predominates with its wealth, but also in the extensive literature, a considerable part of which was published in the native Slovak language – of course, as yet in a nonorganised order, without any system. Much of this was published by the printing shop set up near the University at Trnava. At that time, also Czech scholars intervened into the cultural life of Slovakia of that time, as they had to leave their land because of their convictions, and look for a new homeland. One of them – Jakub Jakobeus wrote also the first programmed history of Slovakia and the Slovaks, which unfortunately has not been preserved.

ON THE THRESHOLD OF THE INDUSTRIAL AGE

A deep furrow in the way of thinking of 18th century society was that of "Enlightenment". It completely refuted the baroque and Gothic of the mediaeval Dark Age with its exaggerated strength of faith, and set up on a high pedestal human reason with its abilities and its capacity to change the world and to resolve its problems. A deep knowledge of nature and humanity alone can create the way for a rational and a reasonable reforming activity, can find the way to a new, an ideal model of society. The enlightenment movement, which was born in France, included both staunch, fiery revolutionaries, and tame "reformers", often even from the ranks of rulers. In our country, conditions for "monarchistic enlightenment reforms" were ready when the first woman ascended the throne in the Central-European space. She was Maria Theresia (1717–80) daughter of Emperor Charles VI. Although she had to defend her right to rule in numerous wars (Austrian Succession, Seven-years Wars), she did not abandon her purpose to bring to life in the Habsburg monarchy also a number of enlightening and much needed reforms. Together with her body of councillors and advisers, she rightly judged that a modern State could be successfully governed solely when the numbers of productive and nonproductive persons in the State is known, and at the same time those on whose shoulders and work the power of the State rests, must be protected from excessive exploitation. She thereby necessarily came into conflict with the nobility, and when on top of it all she came up in 1764 with a project to tax the nobles, the split with the throne and the ruling class became permanent. The Hungarian nobility, in particular, realized that their world of mediaeval privileges had come to an end, that a new State bureaucratic apparatus had come, and that feudalism, if it was really to survive for some time, needed a whole series of fundamental reforms.

A tenacious fight lasted full five years from 1767 to introduce reforms into the basic branch of the society's life, viz. agriculture. The Theresian Land-Register as her reform project was called, had for task to draw up a list of all feudal land, assign it into value categories and fix the highest measure of taxing which the landlord could exact from his serfs. Especial attention was devoted to one of the most onerous feudal duties – stint of work on the lord's land – socage. The Land-Register stipulated that one farmstead could be required to work 52 days on the estate with a team (of draught animals), or provide 104 days of manual work. The Land-Register was written in the various national languages, deposited in the village and thus became a public legal document protecting the serfs from a lord's despotism, in vigour until 1848. The agrarian reforms were continued also by her son and co-ruler, later independent ruler Joseph II, who abolished totally all vassalage as a brake to any social progress in the State. This took place in Hungary on

August 22nd 1785. The serf again became man. He was free to choose a partner for marriage, could decide on the career of his children, move away from his former lord and freely dispose of his property. Going hand in hand with the agrarian reforms were also an overhauling of outdated, old-fashioned farming techniques, introduction of new farm plants – especially maize and the versatile potato, a restructuring of the fodder base, and an extension of cattle breeding, cultivation of fibre plants not excluding mulburry silkworm culture, etc. All that contributed to the growth of the Slovak village, to an increase of the population, but also to demographic surpluses leading to the first waves of migration or shifts, of course as yet within the framework of the monarchy.

Changes affected also artisan production which likewise abandoned the bonds of the Middle Ages. The new child of the era came to be manufacture, which also in our countries was traditionally oriented to textile production. A great enterprise in this domain was M. Theresia's consort Francis of Lorraine (later Emperor as Francis I) who founded a large calico factory at Šaštín that produced one hundred thousand meters of this fabric yearly. Manufactures were set up also for the making of kitchen utensils (majolica, English porcelain, stoneware), for leather processing, paper mills and glass works. However, Slovak manufactories lacked two important conditions for a successful development, viz. a population with spending power, and a more generous, ungrudging policy on the part of the Viennese court which shoved in a programmed manner the whole of Hungary into the position of an agrarian country. Despite this policy, the new miracle of development – industrial revolution – was born within the bosom of manufactories, i. e. introduction of water and steam-driven machines into the production process. Slovakia truly stood on the threshold of the industrial age.

A prominent place among the enlightenment reforms went to the introduction of compulsory school attendence in 1774, along with an elaboration of the entire system of school syllabuses and education. This domain which had for centuries been under the trusteeship of the Church, thereby came partly under the control of the State and was meant to serve primarily its needs. In this way Slovakia and its people really set out in many walks of life on a new historical road, though not a light one, nor problem-free.

THE NATIONAL REVIVAL

The expression "National Revival" has come to be applied to that developmental period of the national community when it became imperative to incorporate into it the popular masses at large. The term "nation" thereby acquired a new quantity, but also a different quality. The transformation of the Slovak nation into a social association or community carried within it a number of internal and external problems.

During the Middle Ages, only one political nation – "natio hungarica" was formed in the multi-nationality Magyar State, into which only members of the nobility would be and were admitted. In the national revival, this political "Hungarian nation" fused, ethnically and politically, with the ruling Hungarian nation and thus also the originally Slovak aristocracy gradually went over to the Hungarian nation. The bourgeoisie as the second important social force, was split and scattered in urban structures, was nationally weakly profiled and thus incapable of any leading role in the national revival movement. The only genuinely uniform formation was the simple Slovak folk which had for centuries preserved its Slovak language, but also its inborn, autonomous, highly structured folk culture. This folk became the object of the national-reviving process in which the intelligentsia (the subject of this process), coming precisely from these plebeian strata, became the leading force of the national revival. Its task proved far from easy: to transform the people – that unconscious author and bearer of the "Slovak essence" – into a mature, socially aware nation with full rights, and all this under conditions of a backward feudal country, without adequate political rights, Statehood, or at least some sort of an autonomy.

The prologue of the ensuing national-liberation struggle was given by the most diverse types of "defenses" (Apologia) intended to show to the Hungarians and the Germans, to all the malevolent elements often filled with vicious ill will, spite, even hatred, the ancientness of the Slavs in the country in which they lived, to explain the nonsensicality and downright stupidity of such chroniclers' myths as, e. g. that about Svätopluk's selling the country to the Magyars for a white horse, an ornamented halter, and such stuff, handed down as "national history", to find a dignified place also for the Slovaks among the other nationalities of Hungary by pointing out their deserts in building up the Hungarian State and its prosperity. The apologies by J. B. Magin, S. Timon, M. Bela, J. Papánek, J. Sklenár (although bearing in their titles the usual accent on "defense") are still tributary to Hungarism and proceed with difficulty to an understanding of the inherent political autonomy of the Slovak nation, albeit they devote to it all their strength, skill and attachment.

New traits to the national revival were given by a group of Slovak intellectuals studying at the general seminary set up at the Bratislava castle on the inititative of Emperor Joseph II himself. The young men preparing for their pastoral work among the simple Slovak people had found that the Slovaks still lacked the elementary bonding link – a uniform literary language. This exacting task was undertaken by A. Bernolák with his fellow seminarists. They chose the west-Slovak dialect which had for long been cultivated in the environment of Trnava University and raised it, along with certain characteristics of Central-Slovak dialects, to be the literary language of the Slovaks. A. Bernolák supplied a solid support to all this through his linguistic work and a very needed dictionary. His colleagues, especially the indefatigable J. Fándly, published literary works in this new literary language, manuals, educative treatises and with the help of the association Tovaryšstvo spread all this among the people. The Slovak nation was thus given a powerful tool for promoting its self-awareness, and this on a natural democratic basis.

However, the confessional split of Slovakia was the cause for which a part of the protestant intellectuals, and with them also a section of the nation, refused to accept Bernolák's literary norm and persisted in old Czech – the biblical language used by the Evangelics in the divine service; in addition, they differed in their view regarding the origin of the Slovaks, considering them solely as a clan of one single Czechoslovak nation, in which they found support in outstanding Czech scholars. The protestant revival wing also received its institutionalised form in the setting up of a Chair of Czechoslovak Language and Literature near the Evangelic lycée (secondary school) in Bratislava which trained a whole generation of Slovak patriots and scholars in its spirit. Here belong also several great personalities of Slovak science and culture, such as Ján Kollár and Pavol Šafárik. Such an objective division of the national revival movement slowed down the national-forming process among the Slovaks, reduced it to narrowly understood linguistic, or literary-cultural and literary issues and this even at a time when the ideas of the Great French Revolution, which found an echo also in our country, reverberated across the entire Europe. But of course, the adherents of these ideas were drowned in blood. The power of secret police, censorship, a lack of political freedom to act and to associate soon came to be a barrier to national development. Social and economic problems of a backward country, but particularly the yoke of serfdom heavily weighing on the pauperized farming class, cropped up again to the surface.

In this novel situation the need was keenly felt to unify the two movements of national revival and to look for new forms of work under the sharpened political conditions. This role was shouldered by a young generation of scholars growing up at the Evangelic lycée, the leading personality of whom was Ľudovít Štúr. He realized that the fight for national rights had to be combined with that for social progress, for freedom. He consequently educated the young in an anti-feudal spirit, prompted them to get rid of Kollár's romanticism and his apolitical spirit. The process of national unification was also helped, albeit inadvertently, by the Hungarizing nationalistic movement initiated by L. Košút, which let loose an open attack against Slovaks, accusing them of panslavism and striving to outlaw them. This triggered a new wave of national defenses, petitions. Of significance was the one known as „Prostolný prosbopis"from the year 1842 addressed to Emperor Ferdinand V. A new tribune for the voice of the Slovaks came to be Slovenské národné noviny (Slovak National Newspaper) – a political magazine, together with its supplement Orol Tatranský (The Tatran Eagle).

One fact became evident, viz. that in a multi-nationality State, the link between a nation and its language is a very solid one. And the forthcoming magyarization, too, helped to bring to the foreground the question of unity of the Slovak literary language. Štúr and his adherents, therefore, evaluated responsibly the linguistic endeavours of Bernolák's school and took a critical stand also towards their own Evangelic revival component persisting in the use of old Czech. Nor were they satisfied with efforts at making it comprehensive also to the Slovaks.

Following mature considerations, Ľ. Štúr, M. M. Hodža and J. M. Hurban, at a meeting at Hlboké, proclaimed the Central Slovak dialect to be the literary language of the Slovaks. They were supported in this step also by the most prominent representatives of Bernolák's school, and the all-national assembly at Liptovský Mikuláš in 1844 simply meant an approbation of this serious step on the part of the leadership of the Slovak national movement. Even as late as 1848, on the eve of the impending revolution, Ľ. Štúr still endeavoured to assure the Czech nation that there was no question of any treason and that the Slovaks wished further to maintain close relations with them.

The on-coming revolution began to write a new chapter in the history of Slovakia and the Slovaks.

IN THE REVOLUTIONARY YEARS 1848–1849

The revolutionary wave that rolled over Europe since the beginning of 1848 also struck the Habsburg monarchy, shaken already by sharp class and nationalist conflicts. The March revolutionary events that took place in Vienna, affected also nearby Bratislava. At Pest, popular masses and students were in a belligerant mood.

At that time the Hungarian parliament was in session in Bratislava and among the most radical deputies was Ľudovít Štúr, the representative for the town Zvolen. Fear from the threatening revolution impelled the parliament deputies, for the most part members of the Hungarian liberal nobility, to pass over 30 decrees of a reforming character. The most important one related to the abolition of serfdom, which, although only a half-way measure, shook nevertheless, the foundations of the feudal social structure. However, this decree freed only part of the farmers from servile duties. On the other hand, it ensured financial indemnity to the nobility, left it with enormous estates and manors and the possibility further to exploit, partly by other forms, popular masses bound with and dependent on agriculture. Further inconsistent and halfway measures were also among the newly approved decrees, e. g. the one on popular representation, on freedom of the press and speech, and others.

The decree on manumission could in no way satisfy the masses of farmers who rebelled in many places, took over land, forests and pastures, refused to do servile duties and pay dues. During the revolutionary year 1848, demands for an improved social status were made by miners and metallurgists at Banská Bystrica and its environs, and by tailor journeymen in Bratislava.

The Hungarian parliament did not resolve the nationality problem. Quite the contrary, it passed two decrees directed against non-Hungarian nations. The closest bond of Slovak national demands with the universal democratic rights was expressed particularly in the Demands of the Slovak Nation, prepared and passed on May 10 and 11 at Liptovský Mikuláš; The Hungarian government peremptorily refused the Demands and issued warrants of arrest against the leading personalities of the Slovak national movement. This point-blank refusal on the part of the leaders of the Hungarian revolution and government of the rightful demands of the Slovaks forced their representatives to seek other ways for their implementation. Finally, not seeing any other possibilities of asserting their national rights, they joined Jozif Jelačič, ban of Croatia, Dalmatia and Slavonia, although they had little faith in the emperor's promises.

Early in September 1848, a Slovak National Council was set up in Vienna as the supreme representation, for the first time in Slovak history, and simultaneously as an authority co-ordinating political and military operations. Under its leadership a unit of Slovak volunteers was formed, which after passing through Moravia, grew into a body of some 6000 men. Following a few initial successes, however, it suffered a defeat near Poriaď, not far from Myjava.

Towards the end of 1848, a second Slovak volunteer expedition was formed, which as part of the imperial army, crossed practically the whole of northern Slovakia, from Kysuce up to Košice, and its second arm from Trenčín to Komárno. Its significance 'however' proved to have been of a political rather than a military impact – particularly in that it awakened and strengthened Slovak national consciousness and an awareness of a togetherness among regions isolated for centuries. Similar purposes were also fulfilled by the third Slovak expedition in the summer of 1849.

After the accession to the throne of the new ruler Emperor Francis Joseph (1830–1916), a deputation of Slovak politicians handed him a petition on March 20, 1849, with a request that in the reorganisation of the monarchy, then being prepared, also the Slovak nation would obtain just rights and that the territory which it inhabited be also administratively set apart under its own political designation – Slovakia.

Thus, the Slovak nation also entered the "New Age", but unsuccessfully. It wanted to fight on the side of progress, unfortunately, it found itself – through no fault of its own – in the opposite camp. After two years of endeavours, struggles and hardships, the Slovak nation obtained but empty promises and incomplete, half-baked decisions.

YEARS OF HOPE AND BITTER DISAPPOINTMENTS

Following the suppression of the revolution in Hungary, the reactionary Habsburg court initiated a sharp counter-revolutionary course involving a military dictatorship, imprisonment and executions of participants in the revolution, the setting up of an absolutist government, liquidation of all democratic liberties, centralization, bureaucracy, germanization. In relation to the Slovaks, the Viennese government adopted a very crafty course, with an evident goal to break up the Slovak national movement through trifling compromises.

The Imperial Patent of March 3, 1853 brought a great disappointment to the agricultural population. It resolved the key issue of the times – the farming question – to the detriment of the farming masses. It impressed a negative mark for whole decades on the development of agiculture in the age of capitalism. The disapointment and dissatisfaction of farmers led in several places, particularly in Spiš and Šariš, to rebellions and disturbances, especially against merging of lands, carried out at the beginning of the 60s. These manifestations of resistance were suppressed just as had been the violent struggle for wages staged by miners from the Banská Bystrica region.

The fall of the absolutist régime and the issue of the so-called October Diploma by the ruler in 1860 revived the hopes and the activity also in representatives of the Slovak national movement, which climaxed in a national assembly at Martin on June 6 and 7, 1861. At that meeting, some 5000 participants from numerous Slovak villages and towns approved a Memorandum of the Slovak Nation. This significant document of the awakening national consciousness demanded in particular a recognition of the autonomy of the Slovak nation, a legal ensurance of its equality of rights with the other nationalities in Hungary and a delimitation of their national territory, the so-called Slovak environs in which their political, cultural and other rights would be fully implemented.

The most important gains of the activity of those years was the setting up of three Slovak Gymnasia (secondary schools) – at Revúca, Martin and Kláštor pod Znievom, and of the Slovak Foundation, which marked the peak of many years of strivings for establishing a Slovak cultural centre. The Slovak Foundation, during more than ten years of activity, fulfilled not solely national-cultural roles within a very broad range, but also became a representative of the nation, of its inherent autonomous being and of its viability. That was why, together with the Gymnasia which educated Slovak intelligentsia at an intermediary level, soon became the targets of chauvinistic attacks on the part of the Hungarian government which ultimately liquidated them all, gradually between 1874 and 1875.

Following the Austrian defeat in the war with Prussia in 1867, a "marriage of convenience" took place between Austrian and Hungarian ruling classes which was consummated in a constitutional declaration known as the Austro-Hungarian Compromise. It opened more room for the penetration of a capitalist mode of production into Hungary's economy; but simultaneously, it condemned non-Hungarian nations into a long-term subjection, sanctioned by a nationalistic decree of 1868.

IN THE BONDS OF SOCIAL AND NATIONAL OPPRESSION

The capitalist development in the agrarian sphere was marked by remnants of feudalism. Most of the soil remained in the hands of former landowners whom the high financial compensations had permitted to pass without difficulty to capitalist investing. Farmers who represented 70 percent of the total population of Hungary, had to wage a difficult competitive struggle with large estates with every advantage on their side: working on large expanses of land, with more fertile soil, utilising more modern farm implements and machinery, uting artificial fertilizers, with availability of storing facilities permitting the sale of agricultural products at more advantageous terms, etc. The farmer had no such possibilities, and thus he could keep up solely thanks to his hard work and his modesty. Noneheless, within the course of 20–30 years, hundreds of farmers were ruined.

A whole mass of the population dependent on agriculture entered the new era without any land, or with a minimum acreage. Consequently, these landless looked for work on large estates, and if there was none available in the environs, they left in search of farm work to the southern regions, to other provinces, or even other countries. Their social standing was just miserable, the laws provided them with practically no social protection.

The coming of capitalism was accompanied with a gradual industrialization which did not bypass Slovakia, either. However, it was not on an extensive scale and did not affect all the provinces. During this period also, the most important branches of industry remained mining and metallurgy. Development was marked also in the timber, paper and glass industries, but particularly in sugar refineries, flour mills, distilleries and tobacco factories.

The economic and social progress became also reflected in transportation, particularly in railway haulage. Between 1831–1880 over 1000 km of railway track were constructed, including also the artery tracks from Košice to Bohumín, from Pest through Zvolen to Vrútky, and later from Žilina to Bratislava. Changes took place also in road and river traffic.

Despite certain economic advances, a lack of work opportunities continued and became even aggravated, subsequently leading to mass emigration principally to North American States. Tens of thousands of workers left in search of work alto to Budapest. Annually also many hundreds of craftsmen – tinkers, glaziers, and hawkers of plant oils, condiments, cloth sellers – left the country.

In the second half of the 19th century, the awakening process went on also among the Slovak proletariat, and became organized. One of the first working men's association "Napred" (Forward) was formed in Bratislava in 1869, and also the very first public assembly of workers in all the then Hungary took place here. Class consciousness was connected, from the very beginning, with a sense of internationalism. A significant step was the publication of the first Slovak working men's newspaper Nová doba (New Era) in 1897 and an activation within the Social Democratic party of Hungary.

After the Austro-Hungarian compromise, the chauvinistic Hungarian ruling classe stepped up its attacks on the national rights of nonhungarian nations with the barbarous purpose of Magyarizing them. To that end, they made use of repressive methods far in advance of the times: closing of schools, forcing the mother tongue out of elementary schools, chicanery and dismissal of "nonpatriotic" teachers, press trials, harsh sentences to editors and authors of articles, electoral frauds, terror against national candidates and their possible voters. But they also utilised covert forms, concealed beneath the guise of social and cultural needs.

Under conditions of such harsh oppression, national consciousness was maintained thanks principally to the merits of a handful of men who kept up the printing of periodicals and books (although this was a loss-making venture), organized theatre performances and cultural social evenings, annual celebrations in August at Martin, through the pursuits of the Slovak Museum Association, and such activities.

ENTRANCE INTO THE TWENTIETH CENTURY

In the first decade of the 20th century, the shift of rural populations to towns continued also in Slovakia, although its volume was smaller than in industrially advanced countries. In 1910 the largest towns in Slovakia were Bratislava (73 830 inhabitants), Košice (40 476), Komárno (18 863), Banská Štiavnica with Banská Belá (17 080), Nové Zámky (16 048), Nitra (15 830), Prešov (14 835), Trnava (14 501), Ružomberok (12 121), Žilina (11 537). On the other hand, however, the centre of the Slovak national movement Martin counted no more than 3351 souls. Practically half of the population continued to live in villages with less than 1000 inhabitants.

Farmers as a class remained the fundamental social stratum and also the core of the Slovak nation. Class and social differentiation in the Slovak village continued. The standard of life of the farmer and his way of acting were diametrally opposite to those of farm labourers, such workers on an allowance in kind, and seasonal farm hands. Slovak farmers were the focus of attention on the part of Slovak scholars and enlighteners. Through popular educational writings, programming of novel methods of farming, setting up of self-help credit associations and food industry cooperatives, fight against alcoholism, they helped to promote progress and to tone down the impact of the development of capitalist agriculture.

Construction and modernization of industrial plants went on. Many of them (e. g. the metallurgy works at Krompachy, the sugar refinery at Trnava, the cotton works at Ružomberok, the sweets factory at Bratislava) were of a world standard. To the traditional ore mining was added industrial coal extraction at Handlová.

All the industrial works and financial institutions were in the hands of foreign capital which constantly found here not only an abundance of raw materials, but also cheap labour. Attempts on the part of Slovak capital (Tatrabank, Cellulose Works at Martin) asserted themselves very slowly only.

The social position of workers was affected by a chronic back of work opportunities. Employment was characterized by long work time, low wages, exploitation of child and female work, rough treatment of workers, in most of the factories an unsatisfactory system of social safeguards, hygienically unhealthy dwellings, food poor in calories, inadequate clothing and footwear, etc. Such social conditions became the hot-bed for the growth of a social awareness and organization of the Slovak proletariat. The centre of working class movement was in Bratislava, but also further such cells were set up especially in industrial centres (Košice, Krompachy, Podbrezová, Liptovský Mikuláš, Ružomberok, Vrútky, Žilina, Lučenec, Nové Zámky, Komárno, Nitra, Uhrovec, etc.). Increased activity manifesting itself in a greater degree of organization, in strikes, demonstrations, fighting for fundamental democratic rights, but particularly for a general, secret and direct electoral right were noted especially in the years 1905–1907, and also in 1912–1913.

The continuing national oppression was characterized by such brutal actions as a condemnation of a group of politicians from Martin in 1900, a frenzied aggressivity by magyarizing unions (FMKE), processes against the press, terror during electoral campaigns, particularly against Slovak national candidates and their adherents and supporters at the polls, shootings into crowds at Černová in 1907, the infamous education decrees passed that same year, etc. Such a crudely barbarous oppression of the Slovak nation elicited protests not solely on the part of representatives of the Slovak national movement, but also on that of sober-minded Hungarian politicians, representatives of further oppressed nations within Hungary, progressive forces in the Czech lands and abroad, particularly by Björnstjerne Björnson and Seton Watson.

Since the turn of the century a clearer differentiation became evident in the forces and views in the Slovak political camp. A progressive role was played especially by writers grouped around the journal Hlas (Voice).

The Slovak national movement found effective moral and practical aid in the Czech provinces. Politicians, publicists, literati roused public opinion against the oppression of the Slovaks. This fostered interest in Slovakia which manifested itself in increased tourism, principally to the Tatra mountains, usually through Martin. Czech schools, principally of higher grade, enrolled greater and greater numbers of Slovak students. Likewise, hundreds of Slovak young men were apprenticed in the Czech provinces. Czech investors expressed greater interest to invest their capital in Slovakia. Positive contacts were also established in the working class movement.

IN THE MAELSTROM OF WAR AND REVOLUTIONARY STORMS

The sequelae of the worldwide imperialistic war weighed heavily also on the Slovak people. Some 450 000 men were driven from Slovakia to various battlegrounds of Europe, about 70 000 of whom were killed or left missing, and over 60 000 returned as invalids. For a time, the northeastern part of Slovakia became a frontline zone and a score of villages were left in ruins.

In the hinterland, exploitation of workers left by the régime to work in militarized factories important for the war machinery, was stepped up. A scourge on small and middle-class farmers were the ruthless requisitionings of farm products and cattle. The cost of living rose abruptly, prices went up, there was a dearth of foodstuffs and of other commodities.

At the beginning expressions of resistance were successfully repressed by means of police terror and the aid of narks. The first breakthrough came on in the third year of war when conflicts came to a head. News about the revolutionary changes in Russia penetrated also into Austria-Hungary. Front-lines disintegrated, diversions multiplied, thousands of members of the so-called green cadres were hiding in forests, returnees from Russian captivity, direct witnesses of the revolutionary events, spread true information about the revolution, and for the most part became organizers and participants of military rebellions in Slovakia (Bratislava, Trenčín, Rimavská Sobota) and beyond its borders (Kraguyevac).

Struggles by workers for higher wages, against hunger and a high cost of living, for democratic rights and principally for an immediate conclusion of peace became manifest in strikes, demonstrations, unrests and even in local open rebellions. Mayday meetings of 1918, too, carried the seal of revolution, especially that at Liptovský Mikuláš where those assembled asked for the first time in their resolution the right of self-determination for the Slovaks.

Towards the end of the war representatives of the Slovak national movement also showed a livelier activity and supported the demand for self-determination for the Slovaks and for a common Czechoslovak State.

A significant role was played during the war by associations of fellow-countrymen and organizations of Czechs and Slovaks abroad, with their moral and material aid to the national-liberation struggle. That aid was reinforced and guided by the political and diplomatic activity of the leading personalities of The Czecho-Slovak resistance abroad, particularly Thomas Garrigue Masaryk, Milan Rastislav Štefánik and Edward Beneš. The setting up of a Czechoslovak army 150 thousand strong abroad – legions formed in Russia, France, Italy – and sent to the battlefront came to be a strong military, political and moral argument in the hands of the Czechoslovak National Council in their negotiations with the Allied Powers concerning the right of Czechs and Slovaks to an independent common State.

Despite considerable efforts on the part of the altered government team for maintaining integrity of Austria-Hungary, the latter broke down towards the end of October and early November 1918. On October 28th 1918, the Czechoslovak Republic was proclaimed in Prague amidst an immense revolutionary enthusiasm of the people. Independently of this, on October 30th of that same year, leading representatives of the Slovak political life assembled at Martin approved a Declaration of the Slovak Nation expressing their decision to live with the Czech nation in one State. An autonomous Czecho-slovak Republic came to be a reality. The Slovak nation entered a new stage of its life.

RÉSUMÉ

L'histoire slovaque occupe une place particulière dans l'évolution historique de l'Europe. Peut-être n'y a-t-il pas d'autre nation qui se serait formée dans les conditions tellement compliquées et défavorables en entité politique et de plein droit qui a aujourd'hui sa place honorable sur la carte de l'Europe. Après la courte période de leur propre Etat, après la dislocation de la Grande-Moravie, les Slovaques se sont trouvés, déjà au début du Xe siècle, en tant que partie de l'Etat hongrois multiethnique naissant où ils n'avaient pu conquérir, au cours de toute l'évolution, aucune autonomie politique, territoriale, culturelle ou du moins religieuse. Tout au contraire, dès la moitié du XIXe siècle, commence la pression programmée des couches gouvernantes de la nation hongroise exercée à éliminer les Slovaques de la vie politique du pays et à les intégrer pleinement à la nation politique de la classe dirigeante. On a supprimé des établissements culturels fondamentaux, des écoles, des associations aux Slovaques qui se sont retrouvés ainsi à la limite de leur anéantissement national.

Tous ces événements forment de l'histoire slovaque un manuel intéressant de la force historique et de la puissance d'un ensemble ethnique de s'imposer, sans avoir ses droits civils, en tant que nation européenne moderne qui, par sa force et son enthousiasme, contribue de plus en plus au trésor de la culture européenne et mondiale, de la science et de l'art. A cet égard, l'histoire des Slovaques est vraiment une démonstration extraordinaire de la force créatrice collective, du travail humain et de l'assiduité.

Le livre La Slovaquie en images – le volume Histoire a pour objectif de présenter l'image de cette anabase historique compliquée de la nation slovaque. Le trait spécifique de cet ouvrage est le fait que les deux auteurs – PhDr. Matúš Kučera, DrSc., professeur à la Faculté des Lettres de l'Université Comenius de Bratislava ayant élaboré la période jusqu'à 1848, ainsi que PhDr. Bohumír Kostický, CSc., travailleur des Archives Nationales centrales de Bratislava qui a élaboré la deuxième partie de cet ouvrage – ont créé, pour la première fois dans les écrits historiques slovaques, un tel type d'ouvrage livresque où il avait fallu construire, à l'aide de l'iconographie, une image de l'évolution historique. Le texte des chapitres préliminaires ainsi que les autres textes descriptifs n'ont que la fonction accessoire comme on le fait habituellement dans l'histoire en images. Ici il faut signaler au lecteur que la partie d'images ne contient pas tout le meilleur de ce que le passé culturel slovaque et l'histoire nous avaient laissé, et cela même malgré l'étude consciencieuse nouvelle des dépôts de musées slovaques, de galeries et d'archives. La cause en est le fait que la multitude du patrimoine culturel de la Slovaquie et des Slovaques est passée, à la fin du XVIIIe et surtout au XIXe siècle, aux collections étrangères parce que les Slovaques n'avaient pas, à l'époque, de conditions nécessaires pour un collectionnement et un sauvetage de leur bien culturel et national. Des études récentes de collections étrangères vont alors sûrement contribuer à l'amélioration de l'histoire de la Slovaquie et des Slovaques en images.

Par sa conception, l'image du passé slovaque est construite sur le principe ethnique, mais nous n'avons quand même pas renoncé à la composante territoriale de l'explication. Pour cette raison, l'explication de l'histoire commence déjà à l'époque où apparut le premier homme sur notre territoire et elle finit à l'époque contemporaine la plus actuelle. Le nombre déterminé de matériel d'images ne donnait pas toujours les possibilités pour se consacrer uniformément à toutes les composantes de l'évolution historique, alors il y a des parties où prédomine la vue des aspects politiques et culturels, autre part on présente plutôt la production matérielle et le mouvement social du peuple slovaque dans le passé.

En tout cas, nous tâchons de présenter, dans le texte ainsi que dans le choix d'images en accord créateur, les résultats les plus récents de la connaissance et de la recherche scientifiques, la vérité vérifiée historique sur l'évolution compliquée de la nation qui traversa le chemin difficile jusqu'à son temps présent. Malgré le criticisme professionel, nous ne cachons point l'amour de notre nation, du pays natal, de la patrie où nous vivons et nous voulons faire entrer tous ces sentiments aussi bien dans le texte que dans le choix d'images au moyen duquel nous construisions l'histoire de notre nation.

Le changement brusque qui avait détaché l'homme du règne animal fut causé par le travail conscient. Depuis ce temps-là commence à se dérouler l'histoire de la société humaine. Le travail avec d'autres facteurs d'évolution changèrent l'habitus biologique de l'homme, développèrent sa pensée, l'amenèrent au language articulé, l'obligèrent à réfléchir et à poser les fondements de la culture humaine. La Slovaquie, à la différence de l'Amérique ou de l'Australie, est entraînée dans ce processus d'hominisation de l'humanité. Déjà depuis les temps les plus reculés de l'âge de la pierre (paléolithique), l'homme chez nous est capable de produire des outils primitifs, il utilise le don de la nature – le feu, et traverse en bandes le pays pour y chasser et cueillir ce que la mère nature lui offre. La nouvelle époque, presque révolutionnaire dans l'évolution de la civilisation humaine, c'est l'âge du néolithique (âge de la pierre polie) ainsi que de l'énéolithique – la période transitoire qui suit. A cette époque-là, aussi dans notre pays, l'homme triomphe pour la première fois en lutte difficile contre la nature. Par son travail il l'obligea à travailler pour lui, à lui apporter des vivres fondamentaux. Il commence à cultiver des plantes agricoles, et quelques animaux sont déjà contraints de lui servir et de l'aider au travail. Il ne flâne plus à travers le pays, mais il s'établit définitivement à l'endroit stable. Au cours de cette époque commence le peuplement régulier de la Slovaquie et il est déjà si stable que le pied humain ne la quitta plus et la main humaine ne cessa plus de la transformer en un pays culturel. Les conditions climatiques de ce temps-là lui sont favorables aussi, parce que même en altitude de 650 m (Poprad-Matejovce), la main féminine savait cultiver les céréales, les légumes et les plantes oléagineuses, dans l'Est de la Slovaquie, voire la vigne. Avec le progrès matériel va, la main dans la main, la construction des maisons, se forme le monde de la superstructure de l'homme, l'art, la culture, son sentiment artistique.

En alliant l'argent et le cuivre, l'homme a découvert le bronze – le métal convenable aux meilleurs outils, mais aussi aux armes. Comme la Slovaquie possédait d'importants gisements européens de cuivre, elle est devenue un des pays remarquables de l'Europe centrale. La domination des richesses naturelles, mais aussi de l'art d'exploitation des mines et de métallurgie, divisa la société quant à l'inégalité des fortunes et les gens sentaient le besoin nouveau – faire le commerce. A côté du métier se développe aussi l'agriculture; la société croît du point de vue démographique et mûrit. A l'inventaire des animaux domestiques entre le cheval comme animal universel qui a aidé l'homme à écourter les distances, le transport, le voyage. Aux VIIe–IIIe siècles avant notre ère, la civilisation de notre pays arriva presque au point de savoir lire et écrire. A la période de Hallstatt, l'homme commença à produire des objets en fer. Les connaissances de cette production arrivèrent dans notre pays quelque part des régions grecques. Mais, notre homme ne commença pas à bâtir les villes, comme le faisaient des nations maritimes, il restait villageois. La société fut dominée par les riches « rois de tribu » avec le groupe de guerriers. On pose les fondements de la société divisée du point de vue des classes.

Toutes les nations qui jusqu'à cette époque – et cela sans discontinuer – vivaient sur notre territoire n'ont pas de leur dénomination ethnique. Ce ne sont que les archéologues qui ont élaboré pour elles des noms originaux d'après les traits caractéristiques de la céramique produite ou d'après d'autres traits de la culture matérielle. Mais, depuis le deuxième âge du fer (période de La Tène), notre pays est occupé par le peuple que nous connaissons déjà d'après son nom : ce sont les Celtes que les Romains nommaient aussi Gaulois. Avec eux, aux régions du sud-est et de l'est se pressent encore les Daces et les Thraces. Mais les Celtes représentent la civilisation la plus remarquable qui a marqué la vie dans notre pays dans plusieurs domaines. L'agriculture a progressé, et cela dans le perfectionnement de la technique agricole primitive ainsi que dans l'exploitation de produits. Ce qui est remarquable, c'est surtout l'invention des pierres meulières tournantes pour la production de la farine. Des changements dans l'agriculture ainsi que dans d'autres domaines de la vie sont si grands que nous avons l'habitude de parler de la « révolution agraire ». Mais d'autres changements remarquables se produisent aussi dans les métiers, le transport et le commerce. Les Celtes éprouvent un besoin de monnaie métallique comme moyen d'échange. A Bratislava, on frappait plusieurs sortes de monnaies celtiques. Les plus connues sont celles portant les exergues BIATEC et NONNOS. On les frappait de l'argent, plus rarement même de l'or, et leur monnayage n'était pas seulement un phénomène occasionnel, mais elles se sont maintenues relativement longtemps.

Après le déclin du pouvoir des Celtes, la Slovaquie se divise au moins en trois régions plus remarquables : dans l'Est survit la civilisation celtique-dacique, en Slovaquie centrale ainsi que sur la base métallifère entière se maintiennent les descendants des Cotins celtiques mélangés avec d'autres ethnies ; en Slovaquie occidentale s'installent les Quades et les Marcomans germaniques avec lesquels guerroie l'empire romain, maître du monde. Celui-ci raffermit la frontière de son domaine sur le Danube, mais les légionnaires romains pénétraient profondément jusqu'au Nord, dans la vallée du Váh centrale et dans la vallée du Hron. Marc Aurèle, un des empereurs romains connus, écrivit son oeuvre philosophique sur le Hron, l'autre – Valentinien Ier, finit sa vie dans un camp près de Komárno. En 179–180, les légionnaires romains hivernaient même près de Trenčín – Laugaricio. Ainsi les premiers quatre siècles de notre ère ont été remplis de contacts et de rapports avec le monde romain évolué, confronté avec la civilisation barbare germanique. C'était l'époque traditionnellement nommée la migration des peuples, dont presque la dernière vague fut la venue de nos ancêtres et leur établissement en Slovaquie.

LES SLAVES ET LA QUÊTE DE LA NOUVELLE PATRIE

Nous ne savons pas encore exactement quand la Slovaquie devint notre pays, la nouvelle patrie. Lorsque les lettrés byzantins eurent commencé à s'intéresser à nous, au début du VIe siècle, nos ancêtres furent déjà en Slovaquie, voire même ils combattirent déjà en tant que soldats engagés dans l'armée byzantine et conquièrent Rome. Décidément, environ avant l'année 500 de notre ère, à la patrie originaire des Slaves, s'étendant entre la Vistule et le Dniepr, survint un grand surpeuplement, et les Slaves, à l'exemple des nations précédentes, se mirent en marche. Ils peuplèrent la Slovaquie au moins en trois flots marquants. Traversant les cols des Carpates, ils peuplèrent des régions d'Est et de Nord-est de la Slovaquie, la Slovaquie de l'Ouest fut peuplée peut-être par les Slaves passant par Moravská brána (La trouée de Moravie) et décidément nombreux fut aussi le troisième flot qui contourna les Carpates et se dirigea vers le Danube central. Ici le flot des Slaves s'est divisé. Une patie a peuplé la Bulgarie, la Macédonie en arrivant jusqu'à l'Acropole d'Athènes ; la deuxième partie s'est tournée à contre-courant du Danube et a peuplé la Slovaquie du Sud et la Slovaquie centrale actuelles. Décidément, ce sont ceux-ci qui donnèrent le caractère original à notre langue littéraire d'aujourd'hui – la langue de la Slovaquie centrale. Tout le mouvement des Slaves en quête de leur nouvelle patrie porte un trait caractéristique extraordinaire : il se passait sans grand bruit de sabre et sans grand cris. Il n'y a que cette explication du fait que les rapporteurs européens furent surpris en voyant les Slaves ayant vite et habilement occupé de nouveaux espaces européens. Tout à coup, ils découvrirent qu'ils avaient été là en une si grande quantité – comme s'ils avaient été « disséminés ». La Slovaquie ne forme qu'une petite partie d'expansion slave qui ne possède pas, en aucun cas, d'attributs d'une « nation de colombe » paisible. De même que leurs prédécesseurs, dans un combat courageux et par leur persévérance, ils occupèrent toutes les régions où il y avait de la terre fertile, une source d'eau convenable, une bonne et accessible communication avec d'autres confrères. Dans ces régions-ci, aussi en Slovaquie, ils mirent, étant agriculteurs, leurs araires dans la terre, bâtirent des maisons et s'y établirent pour qu'ils ne s'en soient jamais allés dans l'histoire. Ainsi, aussi la Slovaquie devint-elle la nouvelle patrie slave où la nouvelle population avait dominé par son nombre des restes de cités anciennes des Celtes et des Germains. Nos ancêtres donnèrent au pays du coloris inhabituel et commencèrent à édifier, par leur travail, la patrie nouvelle, leur patrie. Jusqu'à présent, la science connaît déjà environ 160 localités en Slovaquie qui rendent témoignage de leurs nouveaux habitants. La science slovaque, avant tout l'archéologie, fournit beaucoup de documents sur le mode de vie de nouveaux habitants, sur leurs idées, leur sentiment esthétique, leurs habitudes.

Dans le temps après 568, se produisit un grand changement dans la vie de nos ancêtres, lorsqu'au bassin du Danube fut arrivée, des steppes d'Asie, une nouvelle nation de pâtres – les Avars. Ainsi nos ancêtres ont-ils reçu le voisin avec lequel on ne pouvait pas vivre toujours en paix et en amitié, surtout du moment où les Avars s'efforcèrent de faire des Slaves du bassin du Danube leurs contribuables. De petites bagarres passaient aux conflits militaires, au début du VIIe siècle même à la grande insurrection « du peuple tout entier ». Au temps de graves combats, arriva chez les Slaves un marchand franc – Samo. Il vint du pays qui fournissait déjà longtemps aux Slaves des armes de qualité des ateliers d'Europe occidentale. Avec la caravane de marchands, Samo se joignit aux Slaves combattants et par sa vaillance et ses conseils il les a tellement servis qu'ils l'ont élu leur roi. Ainsi fut fondé le premier « regnum » (royaume) qui entra dans l'histoire de l'Europe de l'époque. C'est que Samo menait non seulement de nombreuses guerres couronnées de succès contre les Avars, mais il s'est rencontré à la guerre avec l'Etat le plus puissant de l'Europe de ce temps-là – l'empire des Francs – et a battu les rangs principaux du roi Dagobert près de Vogastisburg.

Des historiens cherchaient longtemps le lieu où s'était formé le légendaire empire de Samo. La science a changé beaucoup d'hypothèses, parce que les sources écrites concernant cet événement sont modestes et ne nous disent pas beaucoup. Mais, au cours des dernières 50 années, l'archéologie a apporté une quantité de nouvelles sources sur les Avars ainsi que sur les Slaves du Danube qui vivaient en voisinage et en symbiose avec le royaume des Avars. Il résulte de ces nombreux nouveaux documents qu'il faut chercher le noyau de cristallisation de l'empire de Samo au confluent du Danube et de la Morava, dans l'espace de la trouée de Bratislava qui est non seulement le point stratégique important de toute l'Europe centrale, mais dans cet endroit nous connaissons déjà beaucoup de lieux consacrés aux inhumations de l'époque de l'empire de Samo et tout cela sur l'espace fort petit, de quelques dizaines de kilomètres carrés. Un si grand potentiel humain ne pouvait se concentrer que dans le vrai centre de l'empire étendu qui entra dans l'histoire européenne en tant que le premier essai des Slaves d'organisation politique du type d'Etat. De cette façon la science slovaque a avancé en même temps la solution d'un des graves problèmes de l'histoire de l'antiquité slave.

L'ÉDIFICATION DE L'ÉTAT

En 791, les Francs détruisirent le pouvoir avar sur le Danube central. Ainsi fut créé l'espace plus libre pour l'organisation politique des Slaves du Danube. On ne sait pas encore s'il exista une organisation de continuité entre l'empire de Samo (il mourut en 658 ou 659) et les principautés récentes se formant à la fin du VIIIe et au début du IXe siècle. Mais nous savons exactement que c'est à Nitra, lieu stratégiquement et géographiquement bien situé, où régnait le prince Pribina qui arriva déjà à unir dans sa principauté presque toute la Slovaquie, le Spiš compris. Il alla même au devant des souhaits de la nouvelle idéologie qui accompagnait la naissance des Etats – le christianisme, et laissa construire dans son domaine une église qui, en 828, fut sacrée par l'archevêque de Salzbourg Adalram. Au val de la basse Morava se forma une autre principauté, en tête de laquelle était le prince Mojmír. Celui-ci envahit en 830 la région de Nitra, expulsa du pays Pribina avec sa femme, son fils et toute sa suite. Ce n'était pas seulement la guerre des deux souverains ambitieux, mais un vrais pillage militaire au cours duquel Mojmír fit brûler et détruire jusqu' aux fondations tous les lieux fortifiés de Pribina où la vie ne s'est réanimée jamais. De cette façon, après la réunion de la principauté de Moravie à celle de Nitra, fut fondée une formation d'Etat plus solide qui fut nommée par les historiens la Grande-Moravie. Au sang et à la cendre, dans la lutte fratricide naissait le nouvel Etat slave. Mais ce n'était rien d'extraordinaire dans le monde européen de ce temps-là.

La carrière de Pribina ne finit pas par son expulsion. Après un long cheminement à plusieurs cours, il reçut du souverain des Francs orientaux Louis le Germanique le domaine parmi les Slaves, près de Balaton où, après sa mort, régna avec succès son fils Kocel qui naquit encore à Nitra.

L'histoire politique de la Grande-Moravie est très variée, en majorité remplie de combat contre l'empire des Francs orientaux qui s'efforçait d'en faire l'Etat de vassal. Les souverains de la Grande-Moravie, surtout Rastislav et Svatopluk, se défendaient énergiquement contre les souverains des Francs orientaux, menaient de nombreuses guerres sur le champ de bataille mais aussi sur le champ diplomatique. Rastislav, pour se détacher des centrales bavaroises de l'Eglise à Salzbourg et à Passau qui dirigaient l'Eglise à la Grande-Moravie, s'adressa au pape et plus tard à Michel III, empereur byzantin, pour demander l'édification de l'organisation de l'Eglise indépendante. Sous cette impulsion, on envoya la mission diplomatique byzantine à la Grande-Moravie menée par deux érudits de Salonique, Constantin et Méthode. Constantin fut maître à l'université, Méthode – fonctionnaire d'Etat, légiste. Pour les besoins du christianisme de la Grande-Moravie ils préparèrent l'alphabet slave, parce que jusqu'alors aucune nation slave ne possédait d'écriture à sa langue. C'était une action mémorable qui posa les fondements des lettres slaves et de la vaste littérature qui, après l'expulsion des disciples de Méthode, se répandait dans plusieurs pays slaves et indiquait d'avance la vraie révolution culturelle chez les Slaves. Sous le règne de Svatopluk, la Grande-Moravie, par démarches militaires et diplomatiques bien conçues, avait tellement élargi ses frontières qu'elle devint une véritable puissance d'Europe centrale, directement liée par sa culture au centre diplomatique mondial de l'époque – à Rome. Après la mort de Svatopluk, régnèrent peu de temps en désaccord ses fils Mojmír II et Svatopluk II. Sous la pression extérieure du pouvoir franc, des incursions militaires de nouveaux habitants arrivés – des Magyars anciens, ainsi que dans les conditions intérieures de crise auxquelles se retrouve l'Etat féodal naissant, l'empire de la Grande-Moravie disparut. Un Etat fort partit de la carte politique de l'Europe, mais subsista sa culture originale matérielle et spirituelle avec laquelle renouèrent des Etats naissants : tchèque, polonais et hongrois. La Moravie même passe progressivement à l'alliance d'Etat tchèque, les Slovaques passent sous la domination des tribus nomades de Magyars anciens et, après leur installation, à l'Etat hongrois se formant où ils avaient fait leur chemin historique durant presque mille ans.

SOUS LA COUPE DE L'ÉTAT HONGROIS

L'union des tribus de Magyars anciens commença à s'établir à la vallée de Tisza avec l'accord des monarques de la Grande-Moravie. Ceux-ci cherchèrent en elle le pont tampon potentiel contre l'Etat bulgare, voisin de la Grande-Moravie à l'est. Des alliés, ils devinrent aussitôt les ennemis et, avec les troupes du roi des Francs orientaux Arnulf, ils attaquèrent l'Etat de la Grande-Moravie de l'est et de l'ouest. Après la fin de la Grande-Moravie, les pâtres magyars ne réfléchirent pas encore sur le fait que la Petite et la Grande plaine hongroise aurait pu être leur patrie stable. Pour les communautés de pâtres, cet espace n'était pas convenable à l'hivernage des troupeaux. De la crise dans laquelle se trouva la société de Magyars, ils en cherchaient la solution par des incursions de pillards au monde environnant et en tant que des guerriers habiles, triomphaient relativement assez longtemps. Mais en 955, près d'Augsbourg, ils essuyèrent un tel échec qu' ils ne s'en remirent plus, et il ne leur resta qu'une seule voie : d'après le modèle des Slaves qui y vivaient, passer au mode de vie agricole et demeurant. Une grande quantité de mots slaves, mais aussi purement slovaques dans la langue hongroise, provenant de la vie des habitants agricoles de villages, restent jusqu'à nos jours un document éloquent. Ainsi furent-elles créées les conditions pour la formation d'un Etat nouveau qui eut, au début, deux ou trois centres. Pour le développement ultérieur fut déterminant le territoire derrière le Danube (ancienne principauté de Pribina et de Kocel) ainsi que celui de Nitra comme la partie importante de l'empire de la Grande-Moravie. De cette façon l'Etat hongrois devint au fait l'Etat de succession de la Grande-Moravie, et le premier monarque important de la dynastie des Arpadiens Etienne Ier prit dans la structure intérieure de l'Etat nouveau beaucoup de conquêtes que la société de Grande-Moravie avait obtenues. La Slovaquie comme pays fut dirrigée dès le début d'un seul centre – de Nitra qui devint le lieu de principauté apanagiste.

Les destinées politiques de l'Etat hongrois évoluaient dans de compliqués combats intérieurs et internationaux. Il fut profitable à l'Etat qu'il s'était mis sous la protection directe de Rome, et le pape donna à Etienne Ier même la couronne royale. L'orientation vers la Byzance et la Russie kiévienne n'était pas durable, et l'Etat hongrois s'intégrait successivement à la sphère culturelle d'Europe occidentale ce qui laissa des traces dans la culture littéraire et matérielle de l'époque romane. Dans ce pays qui marchait vers l'anarchie féodale du temps d'André II l'évolution fut troublée par un danger plus grand que représentaient les Tatars. Les troupes de ce grand Etat eurasiatique envahirent, en 1247, la Hongrie, battirent l'armée royale, dévastèrent le pays et s'en emparèrent. Mais leur domination ne fut pas durable, car les troupes tatares sont rentrées dans leur pays pour élir un nouveau monarque central. L'invasion des Tatars marqua aussi l'évolution en Slovaquie, même si celle-ci fut atteinte moins que les autres régions de Hongrie. Le monarque devait céder aux revendications de la noblesse devenant plus forte. Il lui permit de bâtir d'étendus châteaux forts gothiques sur les lieux d'une importance stratégique, et ainsi, avec des privilèges politiques reçus d'André II en 1222, elle obtint aussi l'indépendance militaire. De cette façon augmenta la couche puissante d'oligarques qui entra dans la lutte politique surtout après la mort du dernier Arpadien André III. Après l'invasion des Tatars, le pays dépeuplé fut en même temps ouvert au flot de colons du pays et de l'étranger qui venaient chez nous de l'Italie, des Pays-Bas, mais avant tout des pays allemands. A leur activité se lie l'ère du progrès économique, l'acquisition des expériences économiques et administratives d'Europe occidentale dans le milieu villageois ainsi qu'urbain.

La Slovaquie des XIIIe–XIVe siècles fut dominée par deux totalités de magnats : le Sud, l'Occident et le Nord du pays appartenaient presque entièrement à Mathieu de Trenčín, la Slovaquie de l'Est – aux Omodeï de la famille Aba qui se sont alliés à Mathieu. Dans la lutte pour l'acquisition de la couronne royale hongroise, ils imposèrent la candidature du monarque tchèque Venceslas III qui fut remplacé peu après par Charles de la famille Anjou de Naples. Une bonne part à l'imposition de Charles au roi de Hongrie eut la curie papale qui soudoyait avec zèle des magnats hongrois. Charles Robert réussit à conquérir sur Mathieu de Trenčín quelques châteaux et villes, mais il n'arriva pas à supprimer son pouvoir politique jusqu'à la mort de Mathieu, en 1321.

L'historiographie romantique slovaque popularisait par tradition la légende du personnage de Mathieu de Trenčín. En réalité, c'était le type d'un féodal rapace formé par l'époque d'anarchie féodale dans le pays. Mais il est vrai que son domaine s'étendait presque systématiquement sur le territoire de la Slovaquie d'aujourd'hui avec le centre à Trenčín ou à Topoľčany. Sa famille et son armée qui l' a mis sur un piédestal venaient aussi du territoire de la Slovaquie. Tout cela raffermissait la délimitation territoriale et politique de notre pays comme l'unité qui reçut aussi son nom – « Terre de Mathieu », et ce nom survit plusieurs siècles. Mathieu se fit de la Slovaquie une sorte de petit « royaume » avec la cour de souverain et des employés. Mais il ne frappait point sa propre monnaie comme supposèrent des historiens plus anciens. Il s'efforçait de réaliser sa politique originale intérieure et extérieure, surtout envers la Pologne et la Moravie rebelle. Les Slovaques, malgré cette épisode féodale où l'on cherchait des traits de l'autonomie et de l'indépendance, restèrent toujours la nation vivant dans l'asservissement ce qui a marqué tous leurs événements historiques suivants.

LA CIVILISATION URBAINE

Les villes, étant une formation spéciale sociale-topographique, urbanistique et juridique, se forment en Slovaquie sur les mêmes fondements comme en toute l'Europe. Il n'y a qu'un déplacement de temps – le retard en comparaison avec l'Europe occidentale qui est évident. Du monde agraire s'est détaché un groupe particulier de spécialistes – d'hommes de métier qui savaient produire, en qualité et en quantité, des produits destinés au marché – des marchandises. Le métier organisé de cette façon est étroitement lié avec le commerce où s'engage non seulement la communauté municipale naissante, mais aussi la population agricole des larges alentours adjacents. Le métier et le commerce organisé si largement représentent deux composants économiques qui ont appelé à la vie le besoin de la ville du moyen âge. Le métier chez nous se forme sur des fondements du pays, remontant encore à l'époque de la Grande-Moravie, et peu à peu il passe du milieu des lieux fortifiés et des colonies de serviteurs à la corporation organisée plus librement. L'artisan se libère de la dépendance de seigneurs et va habiter dans les villes situées avantageusement. Le marchand, au contraire – il est bourlingueur qui ne connaît pas de frontières de nation ou d'Etat, il se sent comme chez lui partout où fleurit le marché libre, où il y a de quoi acheter et de quoi vendre. Le capital est son dieu et son maître. C'est surtout après l'invasion des Tatars, où le pays est dépeuplé et que les souverains donnent aux nouveaux venus de grandes libertés, que beaucoup de nouveaux habitants s'établissent dans nos villes en y imposant le caractère de l'organisation juridique apportée en principe de leur pays natal ou examinée et vérifiée dans la vie. Après l'établissement de maints privilèges urbains, la ville se développe en organisme économique, social de plein droit et autonome. Sur un territoire pas grand naissent des maisons maçonnées, formées en rues, avec une grande place au milieu où l'on commerce. C'est le lieu du marché (en slovaque « miesto trhu ») – d'où vient la notion générale de ces agglomérations nouvelles – la ville (« mesto »). Plus tard, on bâtit sur les places des mairies splendides d'où le maire élu et le conseil municipal dirigent toutes les affaires importantes de leurs habitants. Lorsque la ville reçoit le droit de s'entourer de remparts et de se fermer par des portes de ville, se forment non seulement une formation nouvelle – la formation urbaine tout à fait différente du village, mais en même temps une forteresse militaire, capable d'intervenir aux affaires du pouvoir du pays.

La conjoncture économique, qui commença au XIIIe siècle, favorise le développement des villes. Au XIIIe siècle, il y a en Slovaquie quelque 30 villes tandis qu'au siècle suivant il y en a déjà plus de 100. Au développement et à la prospérité économique contribue un grand nombre de réformes réfléchies qui découlent de la politique de cour de la dynastie Anjou et que favorisent des conseillers nouveaux, souvent des économes et des financiers étrangers expérimentés. Le développement des villes, étant un nouvel élément dans la structure de la société féodale, avance aussi grâce à la fin de l'anarchie féodale, des guerres et des incertitudes politiques. Les assurances internationales sont importantes surtout en vue du commerce extérieur. Il se dirige des villes de la Slovaquie occidentale vers la Dalmatie et l'Italie, mais aussi vers la Bohême et l'Allemagne. Les villes de la Slovaquie orientale procurent les relations commerciales sur la grande voie de communication depuis la Méditerranée jusqu'à la Baltique. Dans nos conditions, c'est surtout l'activité de commerce sur la ligne Košice – Cracovie avec tous ses embranchements. Au potentiel de matières premières en métaux de la Slovaquie centrale naissent des villes de mines riches, en tête avec Banská Štiavnica, Banská Bystrica, Kremnica et d'autres. A l'époque de la plus haute production, des mines d'argent produisent cent mille kilogrammes d'argent par an, ce qui représente à peu près un quart de la production européenne. La Slovaquie fournit annuellement presque un quart de tonne d'or en plus, surtout depuis le temps où l'on mit en usage à Kremnica les moulins rotatifs d'eau à moudre le silex où fut l'or « ensorcelé ». Il se développe aussi la production étendue du cuivre qui ne se consomme pas au pays et on le transporte aux marchés éloignés à Venise, à Regensburg et à Nuremberg, mais aussi à Stockholme, à Anvers et à Londres. Et c'était aux XIVe–XVe siècles où l'ère du cuivre slovaque ne fut qu'au commencement. Dans l'industrie minière et en métallurgie avance le progrès technique, naissent des technologies nouvelles, on unit le capital aux sociétés d'exploitation – ce qui représente en tout la source de la prospérité économique de l'époque et de l'avenir.

« L'âge d'or » dans le développement des villes slovaques, aux XIVe–XVe siècles, apporta aussi la vie intense derrière les remparts de villes. La bourgeoisie riche, liée avec le monde entier de l'Europe de l'époque, cherche à embellir son environnement des bâtiments superbes en style gothique, des artefacts remarquables d'arts plastiques, surtout des arts décoratifs, mais aussi de la culture littéraire.

Dans le milieu urbain, on commence peu à peu à proclamer l'appartenance des Slovaques comme ethnie et commence la lutte pour la défense de leurs droits. Louis d'Anjou publie le document assurant des droits aux Slovaques à Žilina déjà le 7 mai 1381. L'urbanisation rapide de la Slovaquie a causé qu'elle devenait une des zones les plus développées du grand Etat hongrois, servant de lien entre le royaume de Pologne et celui de Hongrie, liés par l'unie personnelle. Si nous nous rendons compte surtout de ces faits, nous comprendrons alors pourquoi notre pays va devenir, aux siècles suivants des luttes et des guerres, l'objet important des intérêts, l'aiguille si sérieuse de la balance politique de tous les événements d'Etat.

SOUS LE DRAPEAU RÉVOLUTIONNAIRE

L'Europe du XVe siècle court à la première grande crise du moyen âge avec des traits expressifs ralentissant l'évolution à la campagne ainsi qu'au milieu urbain. L'inquiétude intérieure devient plus intense avec des épidémies de peste, et dans la société européenne succéda toute une série d'insurrections. Ce sont les luttes sociales des salariés, mais les feux d'insurrections brûlent même à la campagne. Peu à peu ils ont gagné l'Italie, les Flandres, la France et l'Angleterre, pour passer peu après à l'Europe centrale. Les indices de la crise et enfin son passage en longues guerres ont atteint le pays voisin – la Bohême afin de toucher en diverses formes notre Slovaquie, elle aussi.

La société tchèque est une collectivité de structure compliquée où l'on trouve noué tout un rang de tensions mutuelles parmi des classes et des couches différentes. On entend même les voix du peuple asservi et des misérables de la ville demandant le renversement du système féodal injuste. Mais ces voix ne représentent pas encore une force sociale réelle qui pourrait réaliser ces changements-ci. S'ils s'accordent en quelque chose, les groupes régnants avec les assujetis – et c'est un phénomène typiquement tchèque – c'est qu'ils détestent l'Eglise, qui devient un des plus puissants propriétaires fonciers et qui, par sa vie immorale, s'est très éloignée de l'Eglise pauvre originaire de Christ. Cette organisation puissante devient non seulement l'autorité en affaires de religion, mais elle intervient remarquablement dans les problèmes politiques et économiques de la société. Elle est en même temps un protecteur monopoliste d'idéologie d'Etat et aucun bureau monarchique ou une institution culturelle ne peut se passer d'elle. A cause de cela, l'homme du XVe siècle ne parvient pas encore aux réflexions sur l'élimination de l'Eglise de la vie de société. Mais il oriente sa critique vers sa richesse et sa vie morale. Les efforts de réforme se lèvent des rangs du petit clergé qui en plus supporte difficilement le grand schisme – lorsque dans l'Eglise régnent trois papes qui mènent entre eux des guerres en y exigeant l'argent de leurs croyants. On se pose une question justifiée, si une telle institution, abîmée et immorale, peut amener l'homme au salut.

L'oeuvre du moine anglais John Wiclef pénétra peu après même derrière les murailles de l'Université Charles de Prague et divisa le corps professoral en deux camps tranchés. A la tête du mouvement de réforme parvient Jean Hus qui, par son autorité naturelle et son art de prédication, entraîne à la critique aussi de larges couches de petits artisans de Prague et les misérables de la ville. L'autorité écclésiastique invita J. Hus au concil de Constance, ici elle le proclama hérétique, le laissa brûler vif et le cendre éparpiller pour le faire tout à fait oublier. Le feu de Constance libéra dans la société tchèque l'avalanche de la révolution que l'on ne pouvait plus arrêter.

Parmi les premiers propagateurs de l'idéologie hussite en Slovaquie étaient des étudiants de l'Université Charles. L'un d'entre eux – Lukáš de Nové Mesto nad Váhom subit le supplice du feu à cause de ses idéaux, ainsi que son maître J. Hus. Un autre, Matej Slovák, qui devint prédicateur hussite à Kutná Hora, fut jeté de la tour et tué par ses adversaires. Ceux qui sont venus de Prague en Slovaquie n'avaient pas de bonnes conditions pour leur travail. La Slovaquie n'avait pas le centre culturel tel que l'Université Charles. C'est pourquoi des individus deviennent vite la cible du haut clergé. Malgré tout se répand l'hérésie du peuple qui trouve le milieu propice aux maintes villes et petites villes slovaques.

En Hongrie, à cette époque-là, règne Sigismond de la dynastie tchèque de Luxembourg, ennemi constant et mortel des hussites et du hussitisme. On fit de la Slovaquie le pont militaire de départ aux combats contre les troupes des taborites où luttaient beaucoup de hobereaux et de nobles appauvris. Ceux-ci acceptent avec joie les idées de hussitisme, car ils s'attendent au lotissement de la grande propriété foncière que possède aussi l'Eglise en Slovaquie. Des guides hussites – surtout depuis le temps de Prokop le Grand – prennent leur revanche sur les guerres de Sigismond et mènent de nombreuses grandes campagnes en Slovaquie. Aux châteaux forts et dans les villes conquis ils laissent des garnisons stables comme points d'appui pour la guerre suivante. De cette façon se forment des garnisons hussites à Trnava, à Žilina, à Topoľčany, mais aussi aux châteaux forts de Likava, de Lednica à la vallée du Váh et d'autres. La langue apparentée de ces combattants sert de meilleur pont par la voie duquel les idées de la réformation hussite se répandent aussi à la campagne slovaque. Ces rapports et relations marquèrent de même le processus de la formation nationale des Slovaques. C'est que partout où les hussites se furent installés, le patriciat allemand s' enfuit et les Slovaques prirent place aux conseils municipaux. Ce sont non seulement ces bourgeois, mais aussi la petite noblesse slovaque qui choisissent pour les relations épistolaires la langue tchèque, évoluée et éprouvée littérairement, dans laquelle pénètrent de plus en plus des éléments de la langue slovaque parlée. Ainsi la langue tchèque slovaquisée remplace-t-elle au fait assez longtemps un des attributs importants de la nation slovaque en voie de formation.

Encore une fois les idées de Tábor hussite retentirent dans notre histoire. C'était au temps où des troupes racolées de la Bohême, sous la conduite de Jan Jiskra de Brandýs, défendaient les droits de succession de Ladislav II mineur (Fils posthume). De leur activité combattive ils comblèrent notre histoire des années 1447–1467 ; les troupes tchèques, surtout après le licenciement des troupes de Jiskra, organisent des camps de campagne à la manière des combattants hussites et commencent à s'appeler parmi eux « bratríci » (frères). Beaucoup de braves commandants sortirent de leurs rangs, et dans les troupes des frères entraient même de nombreux Slovaques. La longue période du pouvoir des frères fut terminée par Mathias Corvin à la bataille près de Veľké Kostolany.

Des tribus mongoles de la race turque s'établirent en Asie Mineure sous le règne d'Osman. C'était déjà en 1396 que les Slovaques combattaient contre eux pour la première fois dans les troupes de Sigismond de Luxembourg au combat sans succès près de Nicopolis en Bulgarie. La deuxième victoire très importante des Turcs (Ottomans), c'est la bataille de Mohacs en 1526 où périt le roi de Hongrie Louis II Jagellon. A ce temps-là, les troupes d'Ottomans sont apparues pour la première fois aussi aux frontières Sud de la Slovaquie. Peu de gens de ce temps-là savaient que notre pays recevrait pour presque 150 années le pouvoir d'Ottomans comme voisin nouveau – très désagréable et insatiable. L'Etat des Turcs Ottomans s'interposa à la guerre civile qui commença à cause des droits de succession au trône de Hongrie entre Jean Zapoli et Ferdinand d'Autriche. De cette lutte où ils intervenaient non seulement politiquement mais aussi militairement, les Ottomans conquirent Buda qui devint le centre du pouvoir étendu. Ainsi le pays se divisa. La Transylvanie resta aux mains des descendants de Jean Zapoli. La Slovaquie avec les régions de la Hongrie occidentale se sont formées au prétendu « Royaume de Hongrie » aux mains de la dynastie des Habsbourg. Bratislava devint la capitale de cette partie et Trnava – centre ecclésiastique, après le déplacement du chapître d'Esztergom.

La domination ottomane avançait vers le territoire de la Slovaquie lentement, mais systématiquement. Elle occupait des régions sud et sud-est et continuait vers les villes minières de la Slovaquie centrale où les attiraient non seulement des métaux précieux mais aussi la matière première stratégique pour les armes nouvelles – les canons. Très tôt ils constituèrent même cinq circonscriptions administratives – sandjaks, et ils installèrent partout leurs employés surveillant surtout la perception des impôts. En même temps, les notables (beg) de région frontière extorquaient des impôts, taxes et droits même des régions qu'ils n'avaient pas conquises directement. Vers ces endroits-ci se dirigeaient leurs attaques d'intimidation et de pillards, dont le symptôme concomitant fut la déportation des gens aux marchés de prisonniers et d'esclaves et celle des enfants à l'éducation des jeunes militaires – janissaires. La guerre avec toute sa cruauté avait accablé la vie quotidienne de l'homme de village qui s'en allait, une arme à la main, labourer et semer, ayant peur chaque jour pour sa famille et sa fortune.

Le déplacement rapide des troupes ottomanes vers le sud et l'occident mobilisa de nombreuses nations d'Europe centrale pour la défense. La monarchie des Habsbourg commença à organiser la défense en réunissant des moyens financiers nécessaires à l'édification de l'armée professionnelle de soudards, mais aussi à la construction de nouvelles forteresses frontières adéquates à la nouvelle technique militaire. Ainsi naît le type de la forteresse de la Renaissance, étendue non plus sur les rochers, mais sur la plaine, équipée des bastions du coin, des canons, des douves, etc. (par exemple Komárno, Nové Zámky et d'autres). Aussi de nombreux châteaux et villes reçoivent-elles une nouvelle forme de fortification. De cette façon la Slovaquie devient la frontière européenne de combat à laquelle prête son attention le journalisme politique et la politique mondiale de l'époque.

Les guerres ottomanes marquèrent d'une manière compliquée la stratification sociale de la société. Les gens pauvres deviennent les misérables absolus, en comparaison avec eux augmente la richesse d'une partie de la bourgeoisie qui profite de la conjoncture de la production pour l'armée. Mais dans la guerre fait sa fortune avant tout la noblesse qui s'oriente vers l'approvisionnement d'armées. Elle fonde des fermes – grands domaines qu'elle exploite à son propre compte et de cette façon elle se rallie au processus européen des relations manufacturières et financières. Comme la noblesse s'enfuit des territoires occupés par les Turcs vers le nord, la Slovaquie tient presque une moitié de la noblesse hongroise qui cherche à établir sa fortune non seulement à la campagne, mais qui commence aussi à désintégrer la structure de communautés de villes. Par l'édification de ses palais dans les villes, elle a marqué l'achèvement de l'urbanisme de la Renaissance de nos villes.

La Slovaquie de l'époque enregistre aussi la première explosion du mécontentement d'ouvriers salariés. C'est une insurrection de mineurs dont le centre fut Banská Bystrica et qui représente la plus puissante lutte des classes dans notre histoire du moyen âge. Elle n'a pas de visage idéologique tranché, mais il semble qu'elle est parallèle au processus de la réception d'idées de la Réforme dans nos villes. La Réformation en Slovaquie atteint peu à peu toutes les couches sociales et sous toutes les formes idéologiques – de la forme modérée jusqu'aux ailes radicales d'anabaptistes moraves. La prépondérance obtint la Réforme du type luthérien qui convenait à la bourgeoisie ainsi qu'à la noblesse. Elle trouva en Slovaquie un terrain bien préparé parce que le pays et son organisation de l'Eglise étaient dans une crise profonde et très désorganisés. Mais depuis la deuxième moitié du XVIe siècle, c'est aussi l'Eglise catholique qui mobilise ses forces pour endiguer la Réforme se répandant vite et dominant déjà. Le centre du travail contre-réformiste est Trnava avec l'ordre des jésuites érudits en tête. La lutte pour l'âme du croyant que mènent tous les deux flots religieux entre eux apporte le profit en augmentation et en propagation de l'instruction, en application de la langue nationale. A ce fait contribue dans une large mesure la conquête nouvelle – l'imprimerie qui se répand très vite. A l'aide de l'imprimerie se répandent non seulement des ouvrages religieux, mais aussi des manuels et des ouvrages aux sujets du monde, destinés aux larges couches de la société. Outre les ouvrages savants naît aussi la vaste littérature populaire dans laquelle le peuple slovaque parlait de ses chagrins et douleurs, mais soulignait aussi la vaillance illimitée avec laquelle il défendait sa patrie, son pays. Ainsi, les notions comme « patrie », « nation », « appartenance » reçoivent un nouveau contenu.

SOUS LE FEU D'INSURRECTIONS

Au XVIIe siècle compliqué et au début du XVIIIe siècle, l'évolution européenne se brisait, le féodalisme perdait son pouvoir et sa perspective et naissait le nouveau monde du capital. Mais la Slovaquie, et tant que beaucoup d'autres pays de l'Europe orientale, ne s'y trouvait pas. Au contraire, la Slovaquie a du retard sur le développement européen, le fait causé par les guerres destructives contre l'Empire Ottoman ainsi que par leurs conséquences. Mais à cette époque-là, personne ne se rendait compte que ce retard serait de longue durée déjà et qu'il marquerait l'évolution de notre pays jusqu'aux XIXe–XXe siècles.

La période des guerres contre l'Empire Ottoman est en plus entrelacée de la guerre des Etats hongrois pour leurs libertés de noblesse. C'est causé par le grand changement dans la structure de la société hongroise, et dans le même cadre de la société slovaque. Les habitants asservis, surtout des territoires du Sud de la Slovaquie, quittent les villages délabrés et brûlés, les greniers saccagés, le bétail massacré. Le bourgeoisie, elle aussi, supporte avec inquiétude la menace militaire incessante, le maintien des corps de sécurité, le temps d'incertitude qui n'est favorable ni au commerce en détail ni au commerce en grand et non plus à la production. De toute cette situation-ci, c'est la noblesse qui en sort le plus avantageusement. Un noble du XVIIe siècle, ce n'est plus un chevalier bien astiqué du moyen âge qui s'acharne aux « combats honnêtes ». C'est déjà un entrepreneur économique nouveau qui se lance avec rapacité dans le commerce européen qui éprouve déjà la force et le pouvoir de l'argent. Et pour réaliser et accomplir ses intérêts ambitieux, il augmente l'exploitation du serf, l'attache avec des lois de servage à la terre et en fait un esclave moderne. En même temps, il supporte avec indignation l'intervention de l'Etat centralisé qui veut s'interposer entre lui et un serf pour protéger le serf de l'exploitation démesurée et pour garder une partie de son travail au profit de l'Etat.

En Hongrie la noblesse se défend contre les revendications de l'Etat centralisé absolutiste et s'efforce de garder tous ses anciens privilèges des nobles, presque illimités, et ses libertés. De ces diverses attitudes envers le développement ultérieur de l'Etat naît une série de séditions des nobles hongrois. Elles sortent presque toutes de la Transylvanie, mais l'endroit, où commence l'affrontement militaire avec le pouvoir habsbourgeois, est la Slovaquie – le pays depuis Košice jusqu'à Bratislava. Tout le problème concernant les intérêts politiques des classes est désorienté par le côté idéologique de cette lutte. C'est que les Habsbourg restent les partisans exemplaires de Rome, et pour cette raison la noblesse rebelle prend logiquement et légalement le parti du protestantisme hongrois et européen. Ainsi le côté extérieur de cette lutte fait l'effet d'une série de guerres de religion. En réalité, la noblesse persévérait durement dans le principe de l'époque – « cujus regio, ejus religio » (de tel pays, de telle religion) – et cela tant la noblesse catholique que la noblesse protestante. Un serf fut entièrement exclu de cette lutte ayant l'air « démocratique ». En Slovaquie, au XVIIe siècle, se déroulèrent les insurrections : d'Etienne Bocskai, de Gabriel Bethlen, de Juraj Rakoczi, la conspiration sans succès de F. Wesselényi, l'insurrection du magnat de Kežmarok Imrich Tököli ainsi que l'insurrection tardive de Ferenc Rakoczi. La plupart de ces insurrections sont en relation étroite avec le pouvoir le plus réactionnaire du monde de l'Empire central d'alors – avec l'Empire Ottoman. C'est une grande tache au caractère de ces insurrections qui profitent souvent du mécontentement des couches populaires pour y trouver un allié luttant pour les droits et les libertés des nobles. Cela se montra le plus sensiblement à l'insurrection de Ferenc Rakoczi laquelle, en réalité, commençait en guise d'une grande insurrection de masses populaires contre le système féodal intenable. Pour cette raison, à son commencement, l'insurrection cherchait l'environnement européen plus large, mais elle n'y a pas réussi et subit un rude échec.

Outre les séditions des nobles, la paysannerie slovaque mène elle aussi sa lutte, ne poursuivant ni les buts nationaux ni ceux des nobles. Ainsi, dans les années 1631–1632 éclata en Slovaquie orientale l'insurrection dirigée par Peter Császár ou celle à Orava avec G. Pika en tête. L'époque mouvementée apporte aussi le type rebelle de serf – le rebelle. Celui-ci profite du paysage et du peuple qui le protège et le considère légitimement comme héros social luttant contre une malveillance seigneuriale et une injustice. Le personnage le plus populaire, se transformant en héros national est Juro Jánošík. Dans sa personne est personnifiée l'opposition des masses populaires contre le système de servage haï.

En dépit du temps incertain et mouvementé, la Slovaquie en gros vit d'une vie culturelle et sociale très mobile. Elle profite presque avidement de chaque moment de tranquilité et de paix pour que la société se réalise aussi de façon culturelle. Il en témoigne une vaste architecture Renaissance où domine la noblesse avec sa richesse, mais aussi la littérature étendue dont le grand nombre paraît dans la langue slovaque maternelle, certes, toujours de façon inorganisée, sans ordre. Le grand nombre en publie l'imprimerie installée auprès de l'université à Trnava. A cette époque-là dans la vie culturelle en Slovaquie intervenaient aussi les intellectuels tchèques qui, à cause de leur conviction durent quitter le pays et chercher une nouvelle patrie. L'un d'entre eux – Jacob Jacobaeus – écrivit la première histoire de programme de la Slovaquie et des Slovaques qui, hélas, ne s'est plus maintenue.

AU SEUIL DE L'ÉPOQUE INDUSTRIELLE

Le sillon profond dans la pensée de la société du XVIIIe siècle fut le rationalisme. Il refusa à plein l'âge des ténèbres moyenâgeuses baroques et gothiques avec la force excessive de la foi, et mit sur le piédestal surélevé la raison humaine avec ses capacités et sa force de changer le monde et de résoudre ses problèmes. Ce ne sont que des connaissances profondes de la nature et de l'humanité qui puissent créer la voie d'une activité réformatrice raisonnable et fondée sur le raisonnement, et trouver le chemin du nouveau – idéal modèle de la société. Au mouvement rationaliste, qui fut né en France, prirent part tant les révolutionnaires acharnés que les « réformateurs » modérés, assez souvent des rangs monarchiques. Dans notre pays existaient déjà des réformes rationalistes monarchiques, lorsque monta sur le trône la première femme dans l'espace de l'Europe centrale : ce fut Marie-Thérèse, fille de Charles VI. Bien qu'elle dût défendre dans de nombreuses guerres sa position monarchique et le pays où elle régnait, elle ne renonça pas à son idée d'imposer à la vie de la monarchie des Habsbourg une série de réformes rationalistes nécessaires. Avec son corps de conseillers, elle avait bien conclu que l'on ne pouvait diriger un Etat moderne avec succès qu'en ayant bien connu le nombre de gens productifs et improductifs dans l'Etat, et qu'il fallait protéger contre l'exploitation démesurée ceux à la charge et sur le travail desquels était le pouvoir de l'Etat. Evidemment, elle se trouva ainsi en désaccord avec la noblesse et quand, de surcroît, elle présenta à la Diète en 1764 la proposition de l'imposer, le trône et la classe dirigeante, ils en sont venus à la rupture constante. Surtout la noblesse hongroise ne pouvait comprendre que le monde des privilèges moyenâgeux eut fini, que commençait à travailler le nouvel appareil bureaucratique de l'Etat et que le féodalisme, s'il avait voulu se maintenir encore quelque temps, il aurait eu besoin de toute une série de réformes fondamentales.

Depuis 1767, cinq ans durant se déroulait la lutte acharnée pour la réforme dans la branche fondamentale de la vie de la société – dans l'agriculture. La matrice cadastrale de Marie-Thérèse, le projet de réforme, eut la tâche de dresser la liste de toute la terre serve, de la partager en degrés de qualité et de déterminer la plus haute mesure de tributs, laquelle un propriétaire foncier aurait pu exiger de son serf. On tenait compte en particulier d'une des plus difficiles obligations féodales – travailler à la corvée dans un domaine seigneurial. La matrice cadastrale déterminait que l'on devait travailler à la corvée 52 jours avec attelage ou 104 jours de travail manuel d'une exploitation rurale. Cette matrice cadastrale fut rédigée en langues nationales, on la déposa à la commune et elle est devenue le document de droit public protégeant un serf contre la malveillance de seigneurs jusqu'à 1848. Ensuite c'était Joseph II, gouvernant avec Marie-Thérèse et devenu plus tard empereur indépendant, qui continuait à réaliser des réformes agraires et se mit à l'abolition totale du servage. En Hongrie ce fut le 22 août 1785. Le serf redevint l'homme. Il pouvait enfin choisir librement son partenaire au mariage, décider du sort de ses enfants, quitter son propriétaire et utiliser librement sa propriété individuelle. Avec des réformes agraires on continuait à surmonter la technique et la technologie agricoles surannées, à introduire de nouvelles plantes du sol, surtout le maïs et les pommes de terre utiles à tous égards, il se réalisait la réfection de la base fourragère et l'extension de l'élevage du bétail, la culture des plantes textiles en faisant même des expériences en sériciculture, etc. Tout cela avait contribué à l'épanouissement du village slovaque, à l'augmentation de nombre d'habitants, mais aussi au surplus démographique et aux premiers flots d'émigration ou de déplacement, pour le moment au cadre des pays de la monarchie.

Les changements atteignirent également la petite production artisanale qui, elle aussi quitta les limites du moyen âge. L'enfant nouveau de l'époque – c'est la manufacture qui, dans nos pays eux aussi, s'oriente traditionnellement vers la production textile. Le grand entrepreneur y est même le mari de Marie-Thérèse François Ier qui a fondé à Šaštín la grande cartonnerie européenne produisant 100 mille mètres de carton par an. On fondait encore des manufactures de vaisselle (de majolique, de porcelaine anglaise, de grès) et celles destinées à traiter le cuir, le papier et le verre. Quant aux manufactures slovaques, il leur manquait deux conditions nécessaires pour le développement réussi : l'abondance d'habitants prêts à faire des achats et une politique un peu plus favorable de la cour viennoise qui écartait intentionnellement toute la Hongrie à la position d'un pays agraire. Malgré tout cela, au sein des manufactures fut né un nouveau miracle d'évolution industrielle, c.-à-d. l'installation de machines hydrauliques et à vapeur au processus de production. La Slovaquie se trouvait vraiment au seuil de l'époque industrielle.

Parmi les réformes rationalistes, d'une grande importance furent l'introduction de la scolarité obligatoire, en 1774, ainsi que l'élaboration du système d'enseignement et d'éducation scolaires. Ce domaine, ayant été pendant des siècles en curatelle de l'Eglise, tombe ainsi partiellement aux mains de l'Etat et doit servir avant tout ses besoins. La Slovaquie et son peuple commencèrent, dans plusieurs domaines de la vie, la voie historique vraiment nouvelle même si elle n'était pas facile et sans problèmes.

LA NATION RESSUSCITÉE

Le nom « renaissance nationale » est passé dans l'usage en considérant cette époque de la communauté nationale quand il fallait y intégrer de larges couches de la population. Ainsi la nation en tant que cathégorie reçut une nouvelle quantité, mais aussi une autre qualité. Le changement de la nation slovaque en communauté sociale moderne portait en lui toute une série de problèmes intérieurs et extérieurs.

Dans l'Etat hongrois multiethnique, au moyen âge, ne se formait qu'une seule nation politique – « natio hungarica » dans laquelle ne pouvaient entrer et n'entraient que les nobles. Cette „nation hongroise" politique à l'époque de la renaissance nationale s'est confondue avec la nation magyare, dominant du point de vue ethnique et politique, et alors la noblesse d'origine slovaque fut passée peu à peu à la nation magyare. La bourgeoisie, deuxième grande force sociale, peu marquée du point de vue national, fut dispersée dans les structures de villes et de cette façon elle ne pouvait pas devenir le guide du mouvement de la renaissance nationale slovaque. Le peuple slovaque, lui seul restant monolithe, gardait pendant des siècles sa langue slovaque ainsi que sa culture populaire originale de haute structure. C'est lui qui devint l'objet du processus de la libération nationale, et la couche d'intellectuels (le sujet de se mouvement), provenant justement de ces couches plébéiennes, s'est faite la force dirigeante de la renaissance nationale. Son rôle ne fut pas du tout facile : le peuple – ce créateur inconscient et le porteur du caractère slovaque, elle devait le transformer en nation consciente, jouissant de tous ses droits, et tout cela dans les conditions compliquées du pays féodal arriéré, sans droits politiques adéquats, sans un Etat ou au moins une autonomie de n'importe quel type. Le prologue de la lutte pour la renaissance nationale – ce sont de différents types de « défenses » (apologies) proclamées envers les Magyars et les Allemands, mais ayant aussi pour but de démontrer à tous les envieux l'ancienneté des Slovaques dans le pays où ils vivent, d'expliquer l'absurdité des fables de chroniqueurs où l'on raconte comment Svatopluk avait vendu aux Magyars le pays contre un cheval blanc, un collier orné, etc. Enfin c'était à l'intention de trouver pour les Slovaques eux aussi une place honorable parmi les autres nations de l'Etat hongrois renvoyant à leurs mérites de l'édification et de l'épanouissement de la patrie hongroise. Les apologies de J. B. Magin, S. Timon, M. Bel, J. Papánek, J. Sklenár (même si elles portent déjà au titre l'accent habituel sur la „défense") restent toujours tributaires du hungarisme et atteignent très difficilement à la compréhension d'originalité politique de la nation slovaque bien qu' elles lui remettent toutes leurs forces, l'ingéniosité et l'affection.

La renaissance nationale a pris des traits nouveaux que lui a donnés le groupe d'intellectuels slovaques, rassemblés au séminaire général au Château de Bratislava sous l'impulsion de l'empereur Joseph II lui-même. De jeunes gens se préparant à leur activité de pasteur remarquèrent chez le peuple slovaque qu'il manquait aux Slovaques le lien fondamental – la langue littéraire unifiée. C'étaient A. Bernolák et ses compagnons qui se mirent à réaliser cette tâche difficile. Ils choisirent le dialecte cultivé de la Slovaquie occidentale dont on se servait déjà depuis des années dans le milieu de l'Université de Trnava, et l'ont élevé, en y ajoutant quelques éléments des dialectes de la Slovaquie centrale, à la langue littéraire des Slovaques. A. Bernolák a appuyé ces faits sur son oeuvre linguistique solide et le vocabulaire très nécessaire. Ses compagnons, avant tout J. Fándly, publient dans la langue nouvelle des oeuvres littéraires, des manuels, des travaux de l'éducation populaire à l'aide de l'association Tovaryšstvo (Compagnonnage) et les propagent parmi les gens. La nation slovaque reçoit ainsi un instrument fort de sa conscience nationale et cela sur une base démocratique naturelle.

Mais la scission confessionnelle de la Slovaquie causa qu'une partie des intellectuels protestants, et avec elle une partie de la nation, n'accepta pas la norme littéraire de Bernolák et gardait la vieille langue tchèque – le tchèque biblique – langue liturgique des évangéliques slovaques, ne partageant non plus les mêmes opinions quant à l'origine des Slovaques. Elle considérait les Slovaques comme une tribu de la nation tchécoslovaque unie, appuyée dans ces avis par des savants tchèques remarquables. L'aile protestante de renaissance reçut de même sa forme institutionnelle dans la fondation de la Chaire de langue et de littérature tchécoslovaques près du Lycée évangélique de Bratislava qui a élevé la génération d'érudits et de patriotes slovaques dans son intention. Nous trouvons parmi eux les grandes personnalités de la science et de la culture slaves, comme Ján Kollár et Pavol Jozef Šafárik. La division objective de la renaissance nationale en deux groupes ralentissait le processus de la formation de la nation slovaque, en le réduisant aux problèmes linguistiques, culturels et historiques et littéraires, et cela même à l'époque où se répandaient, à travers l'Europe, les idées de la Révolution française ayant eu son retentissement aussi dans notre pays. En vérité, les partisans de ses idées furent noyés dans le sang. Le pouvoir de la police secrète, de la censure, la force du manque de liberté d'action et d'association devinrent une barrière nouvelle de l'évolution nationale. Des problèmes sociaux et économiques du pays arriéré remontèrent de nouveau et avec insistance, surtout le joug du servage faisant de la peine à la classe des paysans appauvris.

Dans la situation nouvelle on éprouvait le besoin d'unir tous les deux flots de la renaissance nationale et de chercher de nouvelles formes du travail sous le régime policier aggravé. Ce fut la jeune génération du Lycée évangélique de Bratislava, dont le personnage en tête fut Ľudovít Štúr, qui se chargea de cette tâche. Štúr se rendit compte qu'il fallait joindre la lutte pour les droits nationaux à la lutte pour le progrès social, pour la liberté. C'est pourquoi il élevait la jeunesse dans l'esprit antiféodal, en la poussant à se débarrasser du romantisme de Kollár et du caractère apolitique. Au processus de l'unification nationale contribua, sans le vouloir, le mouvement national hongrois dirigé par L. Kossuth. Ce mouvement se mit à lutter ouvertement contre les Slovaques, les accusa de panslavisme et s'efforça de les mettre hors la loi. Il vient une nouvelle vague de défenses nationales, de pétitions. Ce qui était très important, c'était la supplique Prostolný prosbopis de 1842 adressée à l'empereur Ferdinand V. La tribune nouvelle de la voix slovaque fut le journal Slovenské národné noviny (Journal national slovaque) – l'organe politique, ainsi que son supplément Orol Tatranský (Aigle des Tatras).

Il est apparu que dans cet Etat multiethnique il existait un lien fort entre la nation et sa langue. En plus, c'était la magyarisation commençante qui mit au premier plan la question de la langue littéraire des Slovaques. Les compagnons de Štúr évaluèrent avec toute la responsabilité l'effort linguistique des compagnons de Bernolák et s'opposèrent même à leur propre partie évangélique de renaissance nationale conservant la langue tchèque. Ils ne se contentèrent non plus de l'effort de la rendre compréhensible aux Slovaques. Après une mûre réflexion, à la rencontre à Hlboké, Ľ. Štúr, M. M. Hodža et J. M. Hurban proclamèrent le dialecte de la Slovaquie centrale langue littéraire des Slovaques. Ils furent appuyés dans cette action même des compagnons les plus remarquables du mouvement Bernolák, et à l'assemblée de la nation toute entière à Liptovský Mikuláš, en 1844, on arriva à l'adoption de ce pas grave de la direction du mouvement national slovaque. Encore à la veille de la grande révolution bourgeoise en 1848, Ľ. Štúr assurait les Tchèques qu'il ne s'agissait pas du tout d'une trahison envers leur nation et que les Slovaques en tant que nation indépendante voulaient toujours entretenir des rapports étroits avec eux.

La révolution suivante commença déjà à écrire un chapitre nouveau dans l'histoire de la Slovaquie et des Slovaques.

DANS LES ANNÉES RÉVOLUTIONNAIRES 1848–1849

La vague de révolutions qui, dès le début de 1848, envahissait l'Europe, atteignit aussi la monarchie habsbourgeoise, agitée par des conflits aigus de classes et de nationalités. Les événements révolutionnaires de mars à Vienne influencèrent aussi Bratislava, pas trop éloignée. A Pest se révoltaient les couches populaires et la jeunesse étudiante.

A Bratislava, en ce temps-là, siégeait la diète de Hongrie à laquelle Ľudovít Štúr, député de la ville de Zvolen, faisait partie des députés les plus radicaux. Les députés de la diète, pour la plupart membres de la noblesse hongroise libérale, guidés par la peur devant la révolution, acceptèrent plus de 30 lois de réforme. La plus importante en fut celle sur l'abolition du servage qui, tout en étant insuffisante, ébranla les bases du système social féodal. Mais cette loi ne libéra des obligations du service qu'une partie de la paysannerie. Elle assura l'indemnisation financière à la noblesse, en lui laissant de grandes propriétés colossales et la possibilité d'exploiter désormais, d'une autre manière, les masses populaires, liées par leur existence à l'agriculture. Aussi d'autres lois adoptées furent-elles inconséquentes et insuffisantes, par exemple la loi sur le prétendu conseil populaire, sur la liberté de presse et d'expression et d'autres.

La loi sur l'abolition du servage ne pouvait pas satisfaire la masse de paysans qui se révoltaient en maints lieux, occupaient la terre, les forêts et les pâturages, refusaient de travailler à la corvée et de payer les tributs. En année révolutionnaire de 1848, les ouvriers de mines et de métalurgie à Banská Štiavnica et ses environs, puis les garçons tailleurs à Bratislava demandèrent l'amélioration de leur situation sociale.

La diète de Hongrie ne résolvait pas la question des nationalités. Au contraire, elle vota deux lois dirigées contre les nations non hongroises. Ce furent surtout les Demandes de la nation slovaque, préparées et acceptées les 10 et 11 mai à Liptovský Mikuláš, qui exprimèrent la plus étroite liaison des revendications nationales slovaques avec les revendications démocratiques en général. Le gouvernement hongrois refusa résolument les Demandes et lança un mandat d'arrêt contre les dirigeants du mouvement national slovaque. Cette attitude négative univoque des dirigeants de la révolution hongroise et du gouvernement envers les revendications justes des Slovaques força leurs représentants à chercher de nouvelles voies à leur imposition. Enfin, en ne voyant pas d'autres possibilités d'imposer les droits nationaux, ils profitèrent de la position du ban croate-dalmate-slavon Jozif Jelačič et même s'ils n'avaient pas cru beaucoup aux déclarations et aux promesses de l'empereur, ils se rengèrent de son côté.

Au début de septembre 1848, à Vienne, on a constitué pour le première fois le conseil national slovaque, comme la plus haute représentation politique et en même temps l'organe coordonnant les actions politiques et les opérations militaires. Sous sa direction se forma aussi l'unité des volontaires slovaques qui, après son passage de la Moravie aux environs de Myjava, avait augmenté son nombre à 6 000 combattants d'environs. Mais au bout de quelques rencontres couronnées de succès, cette unité essuya la défaite près de Poriadie non loin de Myjava.

A la fin de l'année 1848 se forma la deuxième expédition slovaque de volontaires qui, faisant partie des soldats impériaux, avait traversé presque toute la Slovaquie du Nord, depuis Kysuce jusqu'à Košice, et sa deuxième partie depuis Trenčín jusqu'à Komárno. Son importance fut plutôt politique que militaire, surtout parce qu'elle réveillait et renforçait la conscience nationale slovaque et celle de l'appartenance des régions isolées depuis plusieurs siècles. La troisième expédition slovaque, en été 1849, accomplissait les buts pareils.

Après l'avènement au trône du nouveau souverain François-Joseph, la députation des politiques slovaques vint vers lui, le 20 mars 1849, avec la supplique exigeant que la nation slovaque obtînt les droits équitables à la réorganisation préparée de la monarchie, et que le territoire occupé par eux fût détaché administrativement et sous son propre nom politique (la Slovaquie, la Région slovaque).

Alors, la nation slovaque entra aux « temps nouveaux », mais sans succès. Elle voulait combattre du côté du progrès, et elle s'est retrouvée – non par sa faute – au camp opposé. Après l'effort de deux ans, après des combats et des souffrances, le peuple slovaque n'obtint que de vaines promesses et des résolutions inaccomplies et insuffisantes.

ANNÉES D'ESPOIRS ET D'AMÈRES DÉCEPTIONS

Après la répression de la révolution en Hongrie, la cour réactionnaire des Habsbourg déclencha le dur cours contre-révolutionnaire, l'expression duquel furent la dictature militaire, l'emprisonnement et les exécutions des participants de la révolution, la formation du gouvernement absolutiste, la liquidation de toutes les libertés démocratiques, la centralisation, la bureaucratie, la germanisation. Le gouvernement viennois agissait envers les Slovaques avec roublardise, avec un effort clair : par la voie de petits compromis scinder le mouvement national slovaque.

La patente impériale du 3 mars 1853 apporta aux paysans une grande déception. La question clé de l'époque – question du paysannat – fut ainsi résolue au préjudice des masses de la paysannerie. Cette patente avait marqué, durant toutes les décennies, l'évolution de l'agriculture à l'époque du capitalisme. La déception et le mécontentement des paysans aboutirent aux maints endroits, surtout à Spiš et à Šariš, aux insurrections et désordres, essentiellement contre le remembrement des terres réalisé au commencement des années soixante. Ces manifestations de la résistance furent supprimées de même qu'auparavant la lutte aiguë de salaires des mineurs de Banská Štiavnica.

La chute du gouvernement absolutiste et la publication du diplôme d'Octobre par le souverain en 1860 provoquèrent de nouveaux espoirs et aussi l'activité des représentants du mouvement national slovaque. Cela aboutit à la réunion nationale à Martin les 6 et 7 juin 1861. A cette assemblée, presque 5 000 participants de nombreuses communes et villes slovaques acceptèrent le Mémorandum de la nation slovaque. Dans ce document important de la conscience nationale éveillée on revendiquait surtout la reconnaissance de l'identité de la nation slovaque, la protection légale de son égalité en droits parmi les autres nations de la Hongrie et la délimitation du territoire national, prétendu environ slovaque, où l'on aurait fait valoir pleinement les droits slovaques politiques, culturels et autres.

Les conquêtes les plus importantes de l'activité de ces années-là furent la fondation de trois lycées – à Revúca, à Martin et à Kláštor pod Znievom – et la fondation de la Matica slovenská ce qui acheva les efforts de plusieurs années de former un centre culturel slovaque. La Matica slovenská accomplissait, pendant son activité durant plus de 10 ans, non seulement des tâches nationales et culturelles d'une grande étendue, mais elle devint représentante de la nation, de son identité et sa viabilité. Pour cette raison elle devint, avec les lycées qui formaient dans la langue nationale les intellectuels slovaques érudits de l'enseignement secondaire, la cible des attaques chauvines du gouvernement hongrois qui, au cours des années 1874–1875, les liquida successivement.

Après la défaite de l'Autriche à la guerre contre la Prusse, naquit le « mariage de raison » entre les classes dirigeantes autrichiennes et hongroises qui trouva son expression institutionnelle au compromis austro-hongrois. Depuis cet événement, s'ouvrit en Hongrie une plus large surface à la pénétration du mode de production capitaliste dans l'économie ; mais en même temps les nations non-hongroises furent condamnées à l'asservissement de plusieurs années, sanctionné par la loi sur les nationalités de 1868.

Le développement capitaliste dans la sphère agraire fut marqué des survivances du féodalisme. La plupart de la terre resta aux mains d'anciens propriétaires auxquels la haute indemnisation financière permit de passer sans difficultés à l'entreprise capitaliste. Les paysans qui formaient 70 % du nombre total d'habitants de la Hongrie, devaient mener un combat difficile de concurrence contre la grande exploitation agricole à laquelle furent accordés tous les avantages : exploitation sur les grandes étendues, sur la terre d'une meilleure qualité, utilisation des machines agricoles de plus en plus modernes, utilisation des engrais chimiques, construction des entrepôts permettant de vendre les produits agricoles aux prix avantageux, etc. Le paysan n'eut pas de ces possibilités et ne put se maintenir que grâce à son travail intense et sa modestie. Mais en dépit de cela, durant 20–30 ans, des centaines d'exploitations agricoles disparurent.

Une masse d'habitants dépendant de l'agriculture entra dans la nouvelle époque sans terre ou avec un arpentage minimal du terrain. C'est pourquoi les paysans sans-terres cherchaient le travail dans les grandes exploitations agricoles et quand il n'y en avait pas eu aux alentours, ils partaient à la recherche des travaux agricoles au Bas pays, aux autres régions et même aux autres pays. Leur situation sociale fut misérable, les lois ne leur accordant presque aucune protection sociale.

L'avènement du capitalisme fut accompagné de l'industrialisation graduelle qui n'évita pas non plus la Slovaquie. Mais elle n'était pas vaste et n'englobait pas toutes les régions. Ainsi pendant ces années-ci, l'exploitation des mines et la production de fer furent-elles les plus importantes branches d'industrie. On remarquait aussi le développement de l'industrie du bois, du papier et celle du verre ainsi que d'autres branches de l'industrie agroalimentaire, surtout de sucreries, moulins, distilleries, manufactures des tabacs.

Le développement économique et social s'est reflété aussi dans le transport, surtout ferroviaire. En 1831–1880 on a édifié en Slovaquie plus de 1 000 km de chemins de fer, parmi les plus importants celui de Košice à Bohumín, de Pest à travers Zvolen à Vrútky et plus tard de Žilina à Bratislava. Il y avait encore des changements au transport routier et fluvial.

Malgré un certain développement économique, continuait et s'approfondissait un manque d'occasions de travail ce qui mena à l'émigration massive, surtout aux pays de l'Amérique du Nord. Quelques dizaines de milliers d'ouvriers partirent à la recherche du travail pour Budapest. Toutes les années, des milliers de raccommodeurs de faïence, de vitriers, de chiffonniers, de marchands d'huile et de safran et d'autres marchands ambulants quittaient leurs maisons pour aller aux pays plus au moins éloignés.

Dans la deuxième moitié du XIXe siècle, en Slovaquie, augmente le processus d'aquisition de la conscience du prolétariat et de son organisation. A Bratislava se forma une des premières associations ouvrières Napred (En avant) et en 1869, on y organisa la première assemblée ouvrière publique en Hongrie. La conscience de classe fut liée dès son commencement avec le sentiment international. La publication de la première revue ouvrière slovaque Nová doba (Nouvelle époque) et l'activité intensive dans le cadre du Parti social-démocrate de Hongrie furent aussi très importantes.

Après le compromis austro-hongrois, la gentry hongroise augmenta ses attaques contre les droits nationaux des nations non-hongroises ayant pour but leur magyarisation. Elle y choisissait de diverses méthodes : fermeture d'écoles, évincement de la langue maternelle des écoles populaires, brimade et renvoi des « instituteurs non-patriotes », processus de presse, punitions dures aux rédacteurs et auteurs d'articles, fraudes électorales et terreur contre les candidats nationaux et leurs électeurs éventuels. Mais elle utilisait aussi des formes cachées sous le manteau des besoins sociaux et culturels.

La conscience nationale se maintenait, dans les conditions difficiles d'oppression, grâce à une poignée d'individus, surtout au moyen de la presse périodique financièrement déficitaire et de la production des livres, puis en organisant des spectacles et des soirées culturels, les fêtes d'août annuelles à Martin, par l'activité de la Société slovaque de musée et ainsi de suite.

Dans la première décennie du XXe siècle continuait, en Slovaquie elle aussi, le déplacement de la population des villages dans les villes, même s'il ne prit pas d'une telle ampleur qu'aux pays industriellement développés. En 1910, les plus grandes villes furent Bratislava (73 459 habitants), Košice (40 476), Komárno (18 863), Banská Štiavnica avec Banská Belá (17 080), Nové Zámky (16 048), Nitra (15 830), Prešov (14 835), Trnava (14 501), Ružomberok (12 121), Žilina (11 537). Mais de l'autre côté, le centre du mouvement national slovaque – Martin n'avait que 3 351 habitants. Presque une moitié d'habitants demeurait encore dans les communes avec moins de 1 000 habitants.

Le paysannat restait en Slovaquie la couche sociale fondamentale et le noyau de la nation slovaque. La différenciation sociale dans le village slovaque continuait. Le niveau de vie du paysan, sa manière de penser et d'agir différait diamétralement de l'ouvrier d'une grande exploitation agricole, de l'ouvrier agricole payé en nature et de l'ouvrier saisonnier. C'était au paysan que fut portée l'attention des intellectuels slovaques. Ils aidaient à avancer le progrès et à atténuer les conséquences de l'évolution d'agriculture capitaliste par les écrits d'éducation populaire, par la propagande en faveur de méthodes nouvelles d'exploitation, par la fondation des associations de crédit faits de propres moyens et des associations alimentaires, par la lutte antialcoolique.

L'édification et la modernisation d'établissements industriels continuaient. Plusieurs d'entre eux (usine sidérurgique de Krompachy, sucrerie de Trnava, cotonnerie de Ružomberok, usine aux confiseries de Bratislava) atteignirent le niveau mondial. A l'exploitation traditionnelle des mines de minerais s'est alliée l'extraction de la houille à Handlová.

Tous les établissements industriels et les établissements financiers en Slovaquie étaient aux mains du capital étranger qui trouvait ici non seulement la riche source de matières premières, mais aussi la main-d'œuvre peu coûteuse. Les tentatives d'appliquer le capital slovaque (Tatrabanka, usine de cellulose de Martin) s'imposaient très difficilement.

La situation sociale d'ouvriers fut influencée par un manque chronique d'occasions de travail. Ses traits caractéristiques furent – long travail, de bas salaires, abus de travail de femmes et d'enfants, traitement indigne d'ouvriers, système de la protection sociale qui laissait à désirer dans la plupart des établissements, habitation insalubre, alimentation peu nourrissante du point de vue calorifique, habillement et chaussure insuffisants, etc. Ces conditions sociales devinrent la base de la croissance de la conscience et de l'organisation du prolétariat slovaque. Le centre du mouvement ouvrier fut à Bratislava, mais encore d'autres centres naissaient, surtout aux villes industrialisées (Košice, Krompachy, Podbrezová, Liptovský Mikuláš, Ružomberok, Vrútky, Žilina, Lučenec, Nové Zámky, Komárno, Nitra, Uhrovec, etc.). On remarque une activité plus intensive se montrant par l'organisation, par les grèves et les manifestations, par la lutte pour les droits démocratiques fondamentaux, avant tout le droit de suffrage universel, secret et direct, surtout au cours des années 1905–1907 et en 1912–1913.

La suppression nationale continuelle est caractérisée par les actions brutales, comme la condamnation d'un groupe de politiciens de Martin en 1900, l'agressivité des sociétés magyarisantes (FMKE), les procès de presse, la terreur pendant les élections, surtout contre les candidats nationaux slovaques et leurs électeurs, la fusillade au peuple à Černová en 1907, les lois scolaires acceptées la même année, etc. Contre l'oppression cruelle de la nation slovaque protestaient non seulement les représentants du mouvement national slovaque, mais aussi les politiciens hongrois de pensée réaliste et les représentants d'autres nations opprimées en Hongrie, les forces progressistes aux pays d'expression tchèque, à l'etranger avant tout Björnstjerne Björnson et Seton Watson.

Au camp politique slovaque, dès le tournant des siècles, on peut voir la différenciation plus marquante des forces et des opinions. Le rôle progressiste appartint surtout aux individus regroupés autour de la revue Hlas (Voix).

Le mouvement national slovaque trouvait l'aide morale et pratique aux pays d'expression tchèque. Les politiciens, les publicistes, les littéraires excitaient contre l'oppression des Slovaques. L'intérêt pour la Slovaquie allait en croissant ce qui s'est manifesté par le tourisme augmenté, surtout dans les Hautes Tatras, d'habitude traversant Martin. Les écoles tchèques, avant tout les écoles supérieures, admettaient aux études un nombre de plus en plus grand d'étudiants slovaques. Des centaines de jeunes hommes entraient en apprentissage aux pays thèques. Des entrepreneurs de la Bohême prenaient l'intérêt élevé à placer des capitaux en Slovaquie. On crée des contacts positifs aussi dans le mouvement ouvrier.

AU TOURBILLON DE LA GUERRE ET DES ÉMEUTES RÉVOLUTIONNAIRES

Les conséquences de la guerre mondiale accablèrent gravement aussi le peuple slovaque. Aux divers champs de bataille on chassa de la Slovaquie environ 450 mille hommes dont presque 70 000 tombèrent ou disparurent et plus de 60 mille revinrent comme invalides. La partie nord-est de la Slovaquie devint, pour un certain temps, un champ de front sur lequel des dizaines de communes restèrent dévastées.

A l'arrière devint plus forte l'exploitation d'ouvriers que le régime avait laissés travailler dans les usines militarisées, importantes pour la conduite de la guerre. Le fléau des petits paysans et des paysans moyens représentaient les requisitions brutales de produits agricoles et du bétail. La cherté augmentait rapidement, les prix montaient, il manquait des produits alimentaires et d'autres besoins vitaux.

Par le mouchardage et par la terreur militaire et policière on arrivait dès le début à étouffer les manifestations d'opposition. Dès la troisième année de guerre, arrive le premier revirement où toutes les contradictions se sont exacerbées. Même en Autriche-Hongrie pénètrent les nouvelles des événements révolutionnaires en Russie. Le front se désintégrait, les diversions se multipliaient, dans les forêts se cachaient des milliers de membres de prétendus cadres verts; les soldats rentrés au pays de la captivité russe, témoins directs d'événements révolutionnaires, diffusaient des informations véridiques et devinrent le plus souvent organisateurs et participants des mutineries de soldats en Slovaquie (Bratislava, Trenčín, Rimavská Sobota) et aussi derrière ses frontières (Kragujevac).

La lutte d'ouvriers pour le relèvement des salaires, contre la famine et la cherté, pour les droits démocratiques et surtout pour l'immédiate conclusion de la paix se montrait par des grèves, des manifestations, des troubles, même par des insurrections locales. Des assemblées du Premier mai en 1918, avant tout celle de Liptovský Mikuláš dans la résolution de laquelle on revendiquait pour la première fois d'accorder aussi pour les Slovaques le droit à l'autodétermination, portaient le signe de la situation révolutionnaire.

Au déclin de la guerre se manifesta d'une mesure élevée l'activité des représentants du mouvement national slovaque qui appuyaient la revendication du droit à l'autodétermination pour les Slovaques et celle de l'Etat commun tchécoslovaque.

Aussi les sociétés et les organisations de compatriotes des Tchèques et des Slovaques jouèrent-elles un rôle important pendant la guerre par le soutien moral et matériel du combat de libération nationale à l'étranger. Elles furent renforcées et orientées par l'activité politique et diplomatique des dirigeants de la résistance tchéco-slovaque organisée à l'étranger, avant tout de Tomáš Garrigue Masaryk, d'Edvard Beneš et de Milan Rastislav Štefánik. La formation de l'Armée tchécoslovaque de 150 mille à l'étranger – des légions, organisées en Russie, en France, en Italie, et son intervention aux combats devint l'argument militaire, politique et moral du Conseil national tchécoslovaque envers les empires de l'Entente pour le droit des Tchèques et des Slovaques à l'Etat commun indépendant.

Malgré l'effort considérable de l'équipe gouvernementale changée en vue de maintenir l'intégrité de l'Autriche-Hongrie, celle-là se désintégra à la fin d'octobre et au début de novembre 1918. Le 28 octobre, dans l'enthousiasme révolutionnaire colossal, on déclara à Prague l'État tchécoslovaque. Indépendamment de cela, le 30 octobre, les dirigeants de la vie politique slovaque adoptèrent à Martin la Déclaration de la nation slovaque par laquelle ils exprimèrent sa décision de vivre avec la nation tchèque dans l'État commun. L'État tchéco-slovaque devint réalité. La nation slovaque entra dans une ère nouvelle de son existence.

SLOVENSKO V OBRAZOCH

ÚVOD –
prof. PhDr. Matúš Kučera, DrSc.

TEXTY KAPITOL 1–10
a texty pod obrázky k týmto kapitolám – prof. PhDr. Matúš Kučera, DrSc.

TEXTY KAPITOL 11–15
a texty pod obrázky k týmto kapitolám – PhDr. Bohumír Kostický, CSc.

PREKLADY –
PhDr. Jevgenij Timofejev, CSc. (ruština), Ján Lumtzer (nemčina), Peter Tkáč (angličtina), Daniela Mamicová (francúzština)

LEKTOROVALI
akademik Viliam Plevza,
PhDr. Richard Marsina, DrSc.

AUTORI FOTOGRAFIÍ

V. Biró (477), L. Borodáč (119, 131, 135, 143, 144, 148, 153, 154, 160, 165, 167, 168, 169, 170, 171, 176, 177, 180, 192, 209, 210, 211, 226, 247, 248, 249, 250, 251, 271, 272, 273, 276, 283, 285, 298, 303, 315, 338), A. Briatková (474, 502, 533), J. Cíleková (475, 476, 485, 529, 555), M. Červeňanský (1, 3, 5, 10, 11, 14, 16, 29a, 38, 42, 43, 45, 46a, 46b, 46c, 49b, 51a, 51b, 61, 63, 68b, 69, 79, 84, 86a, 86b, 107, 108, 116b, 117, 123b, 136a, 136b, 157a, 157b, 157c, 178, 179, 191, 197b, 246, 299a, 299b, 454, 490, 508, 532, 534, 535, 536, 537, 548, 549, 558, 568), Z. Čilinská (54), ČSTK (450, 459, 467), J. Dérer (439, 469, 538), M. Dominová (236a, 236b, 421, 463, 487, 496, 531, 553), O. Gažová (184), I. Grossmann (155, 188, 256), J. Hanula (518), J. Hanus (2, 6, 7, 9, 15, 18, 19, 21, 22, 23, 24, 28, 49a, 49c, 53, 73, 74, 75, 82b, 87, 88, 90, 94, 95, 96, 97, 116a, 121, 122, 124, 127, 128, 129, 134, 142, 145, 147, 152, 173, 174, 175, 182, 183, 186, 189, 195, 196, 203, 204, 205, 207, 208, 213, 214, 230b, 231, 232, 233, 237, 241, 255, 261, 262, 263, 264, 265, 266, 267, 268, 269, 270, 275, 277, 278, 280, 284, 286, 287, 288, 290, 291, 292, 294, 295, 296, 297, 300, 301, 302, 307a, 307b, 309, 310a, 311, 312, 313a, 313b, 316, 317, 318, 319, 320, 321, 322, 323, 324, 325, 326, 327, 328, 329, 330, 331, 332, 333, 335, 342, 343, 344, 345, 346, 347, 348a, 348b, 348c, 352a, 352b, 356, 362, 363, 364, 365, 366, 368a, 368b, 369, 370, 371, 373, 375, 379, 395, 397, 398, 419, 424, 430, 431, 441, 444, 445, 447, 458, 465, 466, 468, 478, 479, 483, 484, 486, 488, 498, 504, 507, 509, 510, 511, 512, 513, 521, 522, 524, 525, 526, 527, 528, 547, 552, 554, 563, 569, 573, 574), R. Hergovicz (254, 258, 336, 337, 339, 349, 350, 351), A. Ifčičová (520), A. Jiroušek (141, 158, 163, 164, 193, 194, 239, 240, 396), T. Kolník (71), A. Kniesová (422, 425, 429, 436, 438, 440, 442, 446, 448, 449, 457, 460, 461, 480, 481, 482, 489, 491, 492, 516, 523, 530, 539, 541, 543, 551, 556, 557, 559, 560, 561, 562, 564, 566, 570, 571, 572, 577, 578, 581, 582), V. Koša (25a, 25b, 52), J. Krátky (4, 17a, 17b, 20a, 20b, 27, 34, 39a, 39b, 40, 41, 44a, 44b, 48a, 48b, 58, 59, 62a, 66, 72c, 76, 77, 78, 80, 82a, 85, 93, 99, 100, 104, 109, 110, 114, 115, 118), M. Kučera (26, 55, 56, 60, 62b, 67, 83, 89, 91, 105, 106a, 111, 112, 113, 123a, 125, 126, 138, 139, 140, 181, 190, 197a, 198, 199, 200, 201, 212, 215, 216, 217, 218, 219, 220, 221, 222, 227, 228, 229, 234, 235, 238, 242, 243, 244, 245, 259, 260, 400, 407, 417), LAMS (92, 374, 376, 377, 378, 380, 381, 382, 383, 384, 385, 386, 387, 388, 389, 390, 392, 393, 394, 401, 402, 410, 411, 412, 413, 435, 451, 452, 453, 455, 456, 462, 464, 495, 542, 544, 545, 546), F. Lašut (172, 420, 426a, 427, 497), R. Lendel (150, 230a), R. Lendel – I. Grossmann (185, 340, 341, 426b, 437, 443), Ľ. Mišurová (423, 428, 432, 433, 434, 493, 514, 517), M. Novotná (12, 13, 29b, 57a, 57b, 98, 101b, 106b), P. Paul (30, 31, 32, 33, 35a, 35b, 36, 37a, 37b, 65, 68a, 72a, 72b, 101a, 102, 103, 120a, 120b, 137, 149, 156, 161, 206, 223, 224, 293, 306, 308, 310b, 357, 358, 359, 360, 361, 367, 372, 391, 399, 406, 408, 409, 414, 415), Š. Péchy (130, 132, 133, 151, 159, 162, 166, 187, 202, 253, 274, 279, 281, 282, 289, 304, 305a, 305b, 314, 334, 353, 354, 355, 403, 404, 405, 416, 418, 472, 473, 506), K. Pieta (47), P. Plesník (70, 81), E. Ponya (470, 471, 503, 505, 515, 565), A. Rajnič (64), O. Šilingerová (225, 257), J. Vízdal (8)

História

Matúš Kučera
a Bohumír Kostický

VYDALO
VYDAVATEĽSTVO OSVETA,
Š. P., MARTIN
ROKU 1990 AKO SVOJU
3328. PUBLIKÁCIU

Zodpovedná redaktorka
Juliana Krébesová
Výtvarný redaktor
Robert Brož
Korektorka Anna Fričová
Prebal, väzba a grafická úprava
Robert Brož

301-09/18. Vydanie 1. Náklad
15 000. Počet strán 376 + 24 strán
cudzojazyčné texty. AH 57,62 (textu
24,78; obrázkov 32,84). VH 58,36.
Vytlačili Tlačiarne SNP, štátny
podnik, závod Neografia, Martin

ISBN 80-217-0177-3 Kčs 145,– 85.8

SLOVENSKO
V OBRAZOCH

História

Тексты под иллюстрациями
Bildbeschriftung
Text to plates
Textes des illustrations

216 Людовит II погиб в болотах под Могачей
217, 218 Фердинанд Габсбургский и Ян Запольский
219 Султан Сулейман
220 Комарно – важная крепость против турков на Дунае
221 Нове-Замки – ренессансная крепость против турков
222 Вид на Братиславу в 1593 году
223 Братиславский замок стал резиденцией венгерских королей династии Габсбургов
224 Братиславские Михалские городские ворота
225 Братислава во время коронации Максимилиана II в 1563 году
226 Сторожевая башня – наблюдательный пункт против турков у Крупина
227 Венгерские пограничные начальники
228 Османский всадник
229 Янычары на торжественном мачте
230 Украшенный военный шлем турецких времен а) Комарно, б) Бойнице
231 Сабля с украшенной рукоятью и ножнами
232 Ружья с украшенными прикладами
233 Пистолеты
234 Легкая пушка
235 Венгерские воины XVI–XVII века
236а, б Из жизни на словацко-османской границе
237 Легендарный герой турецких войн Микулаш Зринский
238 Битва у замка Филяково
239 Крепость против турков – замок Девин
240 Замок Шомошка
241 Вид на Банску-Штьявницу 1676 года
242 Кошице прибл. в 1600 г.
243 Зволен в 1599 г.
244 Нитра – вид 1663 г.
245 План города Тренчина с новыми укреплениями
246 Ренессансная перестройка Братиславского замка в середине XVI века
247 Богатая одежда дворянской пары
248 Дворянин в поклоне в богатой одежде
249 Соколиная охота
250 Ванна
251 Горожанка в чепце
252 Оруженосец в кожаном плаще
253 Заседание городского совета в Левоче
254 Торжественный бокал с ренессансным мотивом
255 Защитник словацких евангеликов – палатин Юрай Турзо
256 Дом анабаптистов
257, 258 Габаны были умелыми мастерами-гончарами
259 Евангелическая деревянная церковь в Кежмароке
260 Трнава – вид на город XVII века
261 Весенние работы на винограднике (календарь 1612 года)
262 Дойка коровы и ручное взмучивание молока
263 Стрижка овец
264 Сенокос и сушка сена
265 Жатва и обед в поле
266 Осенняя вспашка
267 Уборка винограда и прессование вина
268 Обработка конопли
269 Домашний убой
270 Сельскохозяйственные работы (резьба по дереву)
271 Ренессансный дворец в Фричовце
272 Укрепленный замок в Липтовска-Штьявничке
273 Дом семьи дворян-предпринимателей Турзо в Банска-Бистрице
274 Дом Турзо в Левоче
275 Ренессансный замок в Битче
276 Фасад так наз. свадебного зала (Битча)
277 Герб Тековской жупы 1552 года
278 Герб Липтовской жупы
279 Герб города Левочи 1549 года
280 Армалес тренчинского старосты
281 Зал заседаний городского совета в левочской ратуше
282 Дом горожанина с арками (Левоча)
283 Обширные подземные склады в замке Червены-Камень
284 Герб рыбацкого цеха 1690 года
285 Стеклянный кувшин с украшениями 1639 года (Червены-Камень)
286 Изделия золотых дел мастеров (Банска-Штьявница)
287 Призывающий символ портных 1673 года (Михаловце)
288 Вывеска городского кузнеца (Ружомберок)
289 Сундук для денег и ценностей (Левоча)
290 Штефан Бочкай (1605–1606)
291 Габриэль Бетлен (1613–1629)
292 Убийство Альбрехта Вальдштейна в Хебе
293 В Банска-Бистрице Г. Бетлен решил избраться венгерским королем (25. 8. 1629)
294 Франтишек Вешелени
295 Имрих Текели (1678–1685)
296 Казнь восставших липтовских и оравских крестьян в 1672 г.
297 Протестанские священники на каторжных работах в 1674 году
298 Рисунок на прикладе ружья – Червены-Камень
299 Мелкие монеты в Кремнице чеканил Франтишек Ракоци
300 Нападение на представителей Турчианской жупы в Онодском сейме
301 Под Тренчином были побеждены войска последнего восстания дворян против Габсбургов
302 Палатин Юрай Турзо
303 Здание католического университета в Трнаве, основанного в 1635 г.
304 Произведение Я. А. Коменского – Орбис пиктус (титульный лист)
305а, б Иллюстрации в произведении Я. А. Коменского
306 Университетский костел в Трнаве, произведение итальянских мастеров
307а, б Образец работы трнавской университетской типографии
308 Интерьер раннебарочного костела в Трнаве
309 Мария Терезия (1740–1780)
310а Проект реконструкции коронационного холма в Братиславе
310б Коронация Марии Терезии
311 Иосиф II (1780–1790)
312 Адам Франтишек Коллар
313а, б Произведение А. Ф. Коллара, в котором автор стремился включить словаков в венгерскую историю
314 Скамья для наказания крепостного
315 Тюремные цепи с гирей
316 Наказание крепостного
317 Список крепостных и их обязанностей в Нитрианской жупе 1753 г.
318 Народный рисунок изображает, кто кормится за счет труда крестьянина
319 План крепостной деревни Будатин с замком
320 Словацкие крестьяне из Тренчианской столицы
321 Рекрутирование
322 Народный герой Юро Яношик – его предполагаемая шапка
323 Проект строительства крепостного дома на Ораве
324 План дома с суконной мастерской
325 Проект типизированного дома горожанина
326 Проект большой перегонной мастерской
327 Мост через реку Ораву под Тврдошином
328 План механического шлюза на Ваге в 1784 году
329 Проект плотины на Ораве в долине потока Яловец под Сеницей
330 Декрет об отмене крепостного права, в 1785 изданный и на словацком языке
331 Вид на Липтовски-Микулаш
332 Шахтерский городок Смолник
333 Римавска-Собота – вид на город 1769 года
334 Печать цеха ювелиров в Левоче
335 Медная посуда – изделие среднесловацких мастеров
336 Цеховой кувшин обувщиков 1781 года
337 Герб цехов бочарей
338 Виноградари – горожане Братиславы
339 Декоративный кубок для вина
340 Оловянная посуда для вина
341 Часы – изделие братиславских мастеров
342 Банска-Штьявница – вид на шахты
343 Паровая машина для перекачки воды из шахты
344 Металлургическая технология переработки серебра
345 Пневматическое насосное устройство
346 Из жизни в шахтерском городке на рубеже XVIII–XIX вв.
347 Герб главного камер-барона графа К. Митровского 1792 г.
348а, б Печати мануфактур в Теплицке, Берналоково и Банска-Бистрице
349, 350 Из изделий мануфактур по производству тонкого фарфора в Голиче
351 В Братиславе работала мануфактура по производству курительных трубок
352а, б Внутреннее оснащение текстильной мануфактуры
353 Деревянный костел в Бардееве
354 Апостолы–икона XVIII века
355 Святой Микулаш и его мир
357 Иконостас православного костела в Едлинке
358 Купол дворца в Топольчанках
359 Дворец в Голиче
360 С 1737 года (восстановлено в 1762) работала в Банска-Штьявнице горная школа – академия, первый горный вуз в мире

361 Библиотека премонштранского монастыря в Ясове
362 Словаки из Турца
363 Молодой человек и девушка из Спиша
364 Словацкий крестьянин из Карпат
365 Рабочие металлургических мастерских графа Андраши
366 Среднесловацкие шахтеры во время сортировки руды
367 Жарение вола на народном празднике во время коронации в Братиславе
368a, б Произведение Самуэля Тимона искало для словаков новое пространство в истории венгерского государства
369 Юрай Папанек пишет первую историю истоков Словакии и словацкого народа, Юрай Скленар написал работу о месте Великой Моравии
370 Матей Бел, сознательный словак, стал крупнейшим европейским ученым
371 Основной труд Бела дает историческую и современную картину Словакии и словаков
372 Братислава в XVIII – начале XIX вв. стала центром словацкой духовной жизни
373 Первый словацкий роман написал Йозеф Игнац Байза
374 Антон Бернолак, центральная фигура словацкой национальной жизни
375, 376, 377 А. Бернолак стоял во главе первой кодификации литературного словацкого языка
378 Юрай Фандли широко использовал литературный язык Бернолака
379, 380, 381 Просветительские произведения Фандли (образцы титульных листов)
382 Ян Голлый – талантливейший поэт школы Бернолака
383, 384 Произведения рукописей Й. Голлого – образцы титульных страниц
385 Л. Бартоломейдес
386 Титульная страница произведения Бартоломейдеса География
387 Богуслав Таблиц стремился к созданию единой чехословацкой культуры и образования
388 Юрай Палкович основывал Кафедру речи и литературы – чешско-словацкой в Братислсве
389 Еженедельник или императорско-королевская народная газета
390 Ян Коллар внес в общество возрождения идею всеславянской взаимности
391 Памятник Яна Коллара в Мошовце
392 Образец произведения Коллара „Славы дцера"
393 Титульный лист „Народных песен" Коллара
394 Павел Йозеф Шафарик оставил миру незабываемое произведение о славянской древности
395 Славянские древности
396 Дом, где родился П. Й. Шафарик в Кобельярово
397 Предводитель венгерских якобинцев – Игнац Мартанович
398 Казнь участников клятвы Мартановича
399 Наполеоновские войны коснулись и Словакии (Вид на здание Примациального дворца, где был закючен мир с Наполеоном)
400 Девин взорвали наполеоновские войска
401 Обстрел Братиславы в 1809 году
402 В 1811 году сгорел Братиславский замок
403, 404 Восточнословацкое крестьянское восстание 1831 года расколебало основы феодализма. Список повстанцев из Спиша, находящихся под следствием, и приговор над ними.
405 Описание судьбы повстанцев
406 Памятник жертва восстания в Ганиске
407 Евангелический лицей в Братиславе
408 Дом, где родился крупнейшая личность движения – Людовит Штур
409 Штуровцы в усадьбе священника в Глбоком провозгласили среднесловацкий диалект новым литературным словацким языком
410 Альманах „Нитра" (титульный лист 2 года издания)
411 Всенародное общество „Татран". Оно утвердило решение о новом литературном словацком языке и до 1848 стало центром национально-культурного движения
412, 413 Титульные листы произведений Л. Штура
414 Классическая усадьба в Дольна-Крупе (1820–1828)
415 Крестьянский дом в стиле классицизм в Томашовцах
416 Интерьер евангелического костела в Левоче
417 На Спише работал художник Й. Цациг (картина „Торговец текстилем")
418 Вид на Левочу работы Т. Сент-Иштвани (около 1840 г.)
419 Й. Божетех Клеменс
420 Й. Божетех Клеменс: Константин и Мефодий
421 Здание Угорской палаты в Братиславе, где в 1847–1948 гг. заседали парламенты
422 Заседание парламента, где в марте 1848 года были приняты важные законы, между ними и закон об отмене крепостного права
423 Зачитывание мартовских законов в одной из липтовских деревень
424 Бойницкий замок, место заключения и мучений крестьян в 1848 г.
425 Требования словацкого народа, объявленные 11. 5. 1848 г. на курорте Ондрашова в Липтовски-Микулаше
426 Людовит Штур
427 Йозеф Милослав Гурбан
428 Михал Милослав Годжа
429 Печать Словацкой народной рады 1848 года
430 Миява, интерьер квартиры в доме, где заседала СНР
431 Знамя словацких добровольцев в боях в западной Словакии
432 Учения словацких добровольцев 1849 года (деталь картины маслом П. М. Богуня)
433 Словацкий доброволец с девочкой
434 Офицер и солдат словацкого добровольного корпуса
435 Члены словацкой делегации, которая 20. 3. 1849 предложила государю прошение о признании самобытности словацкого народа
436 Роспуск словацкого добровольного корпуса 21. 11. 1849 года в Братиславе
437 Братислава в половине XIX века
438 Комарнянская крепость, в послереволюционные годы тюрьма
439 Император Франц-Иосиф I с членами правительства
440 Братислава, Рыбная площадь (около 1860 г.)
441 Тренчин, вид из замка на город (работа Ф. Баслера, масло)
442 Кошице, на переднем плане казармы (около 1860 г.)
443 Братислава, первая станция железной дороги в 1848 году (работа В. Рейма, масло)
444 Молодой человек из Ступавы (П. М. Богунь)
445 Мужчина и женщина из Зволена (П. М. Богунь)
446 Банска-Штявница, в 1852 году центр выступлений шахтеров
447 Левоча, дом Чаки
448 Прешов, центр Шаришской жупы (около 1860)
449 Высокие Татры, начало превращения в господский курорт
450 Мартин, город, где 6 и 7 июня 1861 г. проходило собрание, принявшее меморандум
451 Первая национальная программа Словаков, принятая на собрании в Мартине
452 Штефан Марко Дакснер, руководящий деятель собрания, один из авторов меморандума
453 Ян Паларик, демократический политик, сторонник соглашения с венгерскими демократическими силами
454 Бокал и браслет – предметы в память о собрании в честь принятия меморандума
455 Члены делегации, отправленной собранием с меморандумом в июне 1861 года в венгерский парламент в Пеште
456 Руководящие деятели словацкого национально-освободительного движения
457 Банска-Бистрица, предлагаемая в 1861 году стать центром „Словацкой среды"
458 Здание словацкой гимназии в Клашторе под Зневом, первой реальной гимназии в Венгрии
459 Папка Устава Матицы Словацкой
460 Штефан Мойзес, первый председатель Матицы Словацкой
461 Карол Кузмани, зам. председателя Матицы Словацкой
462 Здание Матицы Словацкой 1865 года построеное из собраний в народе
463 Венгерские выборы в 60-е годы
464 Национальные депутаты в венгерском парламенте
465 Карта Словакии с венгеризированными названиями, изданная в конце XIX века
466 Оравский замок, все еще символ социального угнетения народа Оравы
467 Дворец в Бетляре, перестроенный в 1880 году
468 Грамота о предоставлении титула барона, купленная помещиком А. Ф. Штуммером
469 Конфискация в Липтовски-Яне, народный рисунок 1873 года
470 Комната в доме турчианского крестьянина
471 Старики верхней Оравы (рисунок Й. Вешина)
472 Дом бедного крестьянина из Фрички (район Бардеев)
473 Хозяйственная усадьба богатого крестьянина в Крачуновцах (район Бардеев)
474 Молотьба зерна на малой мо-

лотилке с приводом на лошадиную силу
475 Паровой локомотив, используемый в крупных поместьях
476 Чабаны в шалаше недалеко от Ревуцы
477 Отлов рыбы на Дунае под Комарно
478 Плетельщик (рисунок маслом П. М. Богуня)
479 Стекольщик (рисунок маслом П. М. Богуня)
480 Словаки на чужбине – фотомонтаж с бродячими профессиями: стекольщик, продавец стекла, сборщик тряпья, плетельщик, продавец шляп
481 Продавцы полотна из Оравы
482 Кремница, знаменитые ярмарки
483 Подбрезовские железоплавильные мастерские, основаны в 1853 году и относились к наиболее современным в Венгрии
484 Сахарный завод в Шуранах, был открыт в 1854 году
485 Стеклозавод в Угровце, старинный монтаж
486 Изделия стекольщиков в Угровце
487 Строительство Кошицко-богуминской железной дороги в 1870–1872 гг.
488 Станция в Галанте, где начали применять первое безопасное устройство с электрическим затвором
489 Прешов после пожара в 1887 году
490 Денежные знаки до и после реформы в 1892 году
491 Переселенцы на корабле „Славония"
492 Газета словацких переселенцев
493 „Как же это зовется наша деревня?" – протест художника против венгеризации названий деревень (рисунок маслом Й. Вешина)
494 Семья Й. М. Гурбана, сын Светозар Гурбан-Ваянский – выдающийся деятель словацкого национального движения в конце XIX века
495 Семья Паулини-Тота, дочери и их мужья активно участвовали в словацком культурном и общественном движении
496 Выставка словацких народных вышивок в 1887 г. в Мартине
497 Народный дом в Мартине, построенный на взносы в 1888–1891 гг.
498 Андрей Кметь – организатор словацкой научной жизни, инициатор основания Музеологического словацкого общества
499 Эдуард Немчик, пионер словацкого рабочего движения
500 Карол Ганзличек, пионер словацкого рабочего движения
501 Франтишек Тупый, чешский рабочий, пионер словацкого рабочего движения
502 Густав Швени, пионер словацкого рабочего движения
503 Группа социал-демократических деятелей, изгнанных в 1898 году из Будапешта
504 Красный мост в Братиславе – место рабочих митингов
505 Новое здание Горной и лесотехнической академии в Банска-Штявнице
506 Белианская пещера после изучения и открытия для просмотров
507 Братислава, Зерновая площадь (сегодня Колларова площадь)
508 Кошице, Главная улица
509 Комарно, центр с городской ратушей
510 Нитра, вид на центр города
511 Прешов, Главная улица (сегодня улица Словацкой республики советов)
512 Трнава, вид на центр с городской башни
513 Лученец, центр
514 На родной земле (рисунок маслом Й. Ганулы)
515 После жатвы в Велька-Слатине
516 Жатва на усадьбе в южной Словакии
517 Пряха (рисунок маслом Й. Ганулы)
518 Есенова, жители оравской деревни перед фотокамерой
519 На ярмарке в Детве
520 Продуктовое общество в Борски-Микулаше (район Сеница)
521 Высокие Татры, место экскурсий и отдыха
522 Бардеевский курорт, в самом начале его курортной славы
523 Автомобиль во владениях Битчианской усадьбы прибл. в 1905 г.
524 Нищий (рисунок маслом Г. Малого)
525 Сахарный завод в Требишове, построенный в 1912 г. с самыми современными машинами
526 Кадки для брынзы из брынзоваренного завода Маковицких в Ружомбероке
527 Суконное производство в Жилине
528 Ареал железоплавильного завода в Кромпахах – одно из наиболее современных предприятий в Европе в начале XX века
529 Рабочие и мастера железоплавильного завода в Кромпахах, города забастовок и непорядков в 1912 году
530 Гандловские угольные шахты начали первую промышленную добычу угля в Словакии в 1912 году
531 Рожнявские шахтеры
532 Солдаты и служащие, присланные для подавления забастовки рабочих в Сирке (район Рожнява)
533 Жандармы перед общим домом в Нитрианске-Правно
534 Титульная страница первомайской брошюры словацких социал-демократов
535 Первомайский значок Социал-демократической партии Унгарии
536 Членский значок словацких социал-демократов после 1905 г.
537 Значок рабочего хора Магнит в Братиславе
538 Первые словацкие депутаты, избранные в венгерский парламент после восстановления избирательных деятельностей
539 Свидетельство депутата д-ра Павла Благи, избранного в 1906 г.
540 Милан Годжа, активный политик и журналист
541 Символы венгеризации в католической народной мужской школе в Моравски-Яне (район Сеница)
542 Матуш Дула, Светозар Гурбан-Ваянский, Андрей Галаша, Йозеф Шкультети и др., осужденные к заключению на массовом процессе 5. 1. 1910
543 Близки над могилами жертв расстрела народа в Чернове в 1907 года.
544 Бьернштьерне Бьернсон, лауреат Нобелевской премии за литературу, защитник словаков
545 Павол Орсаг-Гвьездослав, бард словацкого народа
546 Иван Краско, поэт социального и национального протеста
547 Общественный дом в Скалице, построенный в 1905 г. по проекту Душана Юрковича
548 Восточная станция электропоезда из Братиславы в Вену
549 Делегация словацких крестьян на юбилейной выставке в Праге в 1908 году
550 Культурная программа в амфитеатре в Лугачовице
551 „Словацкая будка" в Лугачовице, место чехословацких встреч
552 Отркытка с наивной военной пропагандой
553 Кочается жизнь одной из миллионов жертв войны
554 Памятник павшим во время мировой войны в Трнаве (автор И. Конярек)
555 Возвращение инвалидов, отмеченных на всю жизнь
556 Врач П. Благо в военном лазарете в Кромнержиже
557 Беглецы из прифронтовой области в северо-восточной Словакии
558 Руины в Зборове, одной из наиболее разрушенных деревень Шарише
559 Колокола, снятые с костелов для переплавки на военные нужды
560 Один из лагерей для военнопленных в восточной Словакии для русских и сербских военнопленных
561 Побратание солдат Австро-Венгрии и России в 1917 году
562 Чехословацкие легии в России в 1918 г.
563 Липтовски-Микулаш, место первомайский демонстраций в 1918 году
564 На митинге была принята резолюция, требующая заключить мир, права на самоопределение для словаков и другие социальные и демократические требования
565 Доктор Вавро Шробар, главный оратор и автор микулашской резолюции
566 Рабочий совет в Врутках, который 26. 10. 1918 взял власть в городе в свои руки
567 Питтсбургское соглашение между представителями чешских и словацких организаций о правой организации будущего общего государства
568 Значок в память о земляческих обществах в США в поддержку солдатских вдов и сирот
569 Диплом за вклад в фонд на помощь освобожденной Словакии
570 Томаш Гарик Масарик в США в 1918 г.
571, 572 Генераль Милан Растислав Штефаник
573 Т. Г. Масарик и В. Вилсон
574 Прага, Вацлавская площадь, где 28 октября 1918 года было провозглашено Чехословацкое государство
575 Здание Татрабанка в Мартине, где было принято решение о создании Словацкого национального совета

576 Документ Словацкого национального совета от 30. 10. 1918, выражающий желание словацкого народа создать вместе с чешским народом общее государство
577–582 Главные актеры Словацкого национального совета: М. Дула, А. Хлинка, Ф. Юрига, К. А. Медвецки, Э. Стодола, С. Зох
583 Мартинская декларация
584 Масло от Я. Алексиго
585–587 Малый, средный и великий знак Чехословацкой республики из 1920 г.

1 Travertinausguß der Hirnschale eines Neandertalers aus Gánovce

2 Die Höhle in Bojnice

3 Ein Faustkeil aus Bratislava

4 Werkzeuge und Waffen

5 Der Kult der Fruchtbarkeit und der Erhaltung des Stammes – die Venus aus Moravany

6 Rillenverzierte Keramik aus der Ostslowakei

7 Ein Lehmbärchen aus Bojnice

8 Der Kult der Fruchtbarkeit – die Venus aus Oborín

9 Sitzende Venus aus Nitriansky Hrádok

10 Wunderschöne Bukovohorská-Keramik

11 Kultische Tierformen

12 Ein Gefäß in der Form einer stilisierten Frauengestalt (Svodín)

13 Kleines Einfamilienhaus (Horná Seč, Kreis Levice)

14 Quirle und Wirtel

15 Bearbeitete Steinhämmer und Hammeräxte (Banská Štiavnica)

16 Eine neue technische Errungenschaft – ein Räderwagen aus Radošiná bei Piešťany

17 Die ersten Bronzegegenstände, die aus der heimischen Rohstoffbasis produziert wurden, kennen wir aus der Ostslowakei

18 Bronzene Spitzhacke (Koš bei Bojnice)

19 Kleine Bronzeäxte (Hrádek-Bojnice)

20 a, b Zu dieser Zeit verfertigte man besonders lange und dekorative Schwerter

21 Hochpolierte Keramik von guter Qualität

22 Ein Deckel auf die Glutasche (Liptovský Hrádok)

23 Ein Wagen mit einem Pferdegespann. Zeichnung auf einem Gefäß aus Veľké Raškovce

24 Spangen zur Befestigung und Zierde der reichen Kleidung (Rimavská Sobota)

25 Bunt ist die Auswahl der Bronzeerzeugnisse

26 Die Burgstätte bei Smolenice

27 Das Heft eines eisernen Dolches

28 Zweiergefäß aus Chotín

29 Kultische Keramik (Nové Košariská)

30 Männer und Frauen befestigten ihre Kleidung nach römischer Art mit Spangen

31 Eine Gürtelspange

32 Reiche Leute trugen prunkvolle Armbänder und Halsringe

33 Dekorative Beinringe

34 Die Kelten gaben den Geräten eine Form, die sich jahrhundertelang kaum veränderte (eine Axt, Speere, Fesseln, kleine Messer)

35a, b Die Keramik wurde schon auf der rotierenden Töpferscheibe hergestellt

36 Schwarzgebrannte Gebrauchskeramik aus einem Gemenge von Graphit und Ton

37a, b Keltische Gold-, Silber- und Bronzemünzen

38 Römische Inschrift aus den J. 179–1980, eingemeißelt in einen Felsen in Trenčín

39a, b Römisches Bauwerk in Pác, Kreis Trnava und in Bratislava-Dúbravka

40 Zeus Dolichenos

41 Statuette eines komischen Schauspielers

42 Terra sigillata

43 Römisches Glas, zu Gefäßen von verschiedener Form und für verschiedene Zwecke geformt

44a, b Erzeugnisse aus Gold – ein massiver Armreif (Zohor)

45 Kaiser Marcus Aurelius verfaßte am Fluß Hron seine philosophischen Schriften

46a–c Porträts der römischen Herrscher auf den Münzen

47 Rekonstruktion des Tores zur Burgstätte in Liptovská Mara

48a–c. Das Volk, das im Norden der Slowakei lebte, verarbeitete Edelmetalle. Davon zeugen Schmucksachen und eigene Münzen

49a–c Silberne, mit einem Relief verzierte römische Schüssel (Krakovany-Stráže)

50 Schmucksachen aus Rusovce

51a, b Ein goldener Ohrring und Spangen aus der Zeit der Völkerwanderung

52 Aus der stürmischen Zeit der Völkerwanderung blieb auch ein Laib gesäuerten Brotes erhalten

53 Keramik vom Prager Typ

54 Slawisches Grab

55 Keramik vom donauländischen Typ

56 Der Grundriß eines slawischen Wohnhauses mit einer Feuerstätte in der Ecke

57a, b Ein Komplex von Ackergeräten (Moravský Ján)

58 Grundlegende Bedarfsartikel aus Holz verfertigte sich jeder selbst

59 Eine verzierte beinerne Pfeife

60 Keramik wurde bereits auf der Töpferscheibe hergestellt

61 Verschiedene Äxte – Beile und Barten

62a, b Zur Kampfausrüstung gehörten Messer und Speere

63 Ein Halsband und ein Ring

64 Die Awaren bestatteten ihre Toten mit den Resten ihres Pferdes

65 Ein Riemenbeschlag

66 Ein Beschlag mit einem Tiermotiv

67 Ansicht der Burgstätte in Majcichov

68 Ein Pferdegeschirr (Phaläre aus Žitavská Tôňa)

69 Fragmente eines Pferdegeschirrs

70 Das Tor von Bratislava, die Landschaft oberhalb der Mündung der March in die Donau

71 Die Fundamente eines slawischen Hauses

72 Importierter Schmuck (Želovce)

73 Krieger aus dem Osten (Sinnicolau Mare)

74 Fränkisches Fußvolk

75 Der Grabstein eines fränkischen Kriegers, Ende des 7. Jahrhunderts

76 Schmucksachen aus der Grabstätte in Štúrovo

77 Riemenbeschlag mit einem Weinrebenmotiv (Štúrovo)

78 Schmucksachen und Bronzebeschläge

79 Silbergegenstände aus dem Schatz von Zemiansky Vrbovok

80 Importierte Keramik

81 Die Stadt Nitra und ihre Umgebung, das Gebiet des ersten slowakischen Fürsten Pribina

82a Der Erzbischof Adalram weihte auf dem Besitz Pribinas das erste bekannte christliche Heiligtum ein

82b Der erste schriftliche Vermerk über den Fürsten Pribina

83 Ansicht der Burgstätte Pobedim

84 Der Griff eines verzierten Schwertes eines Magnaten aus der Ortschaft Blatnica im Turiec-Gebiet

85 Schwerter mit verziertem Griff

86 Der byzantinische Kaiser Michael III., Porträt auf einer Münze

87 Der Empfang einer Gesandschaft auf dem Hof von Byzanz

88 Das Leben im Palast des byzantinischen Hofes

89 Die Brüder Konstantin und Methodius aus Thessalonike. Ihre erste Abbildung auf einer Freske in Rom

90 Die Glagolitika. Ein Schriftmuster aus einem Meßbuch, das im

Großmährischen Reich am Ende des 9. oder zu Beginn des 10. Jahrhunderts entstanden ist (Kiewer Briefe)
91 Der Assemansche Kodex. Teil eines Evangeliariums, das im 9. Jahrhundert zur Zeit des Großmährischen Reiches entstanden ist
92 Der Assemansche Kodex. Ein Detail der Illumination
93 Ein Kreuzchen östlicher Herkunft aus Mača
94 Ein Herrscher in der Tunika (Valy bei Mikulčice)
95 Eine Magnatengestalt auf einem Beschlag (Valy bei Mikulčice)
96 Die Abbildung eines Bischofs (Valy bei Mikulčice)
97 Falkenjagd (Staré Město)
98 Arbeitsgeräte aus Eisen
99 Töpferprodukte aus einer Werkstätte in der Burgstätte Lupka
100 Die Batterie von Töpferöfen in der Burgstätte Lupka produzierte für die breite Umgebung
101a, b Ohrringe, Fingerringe
102 Das Handwerk – die Arbeit mit Glas
103 Ein Kreuzchen als Anhängsel
104 Eine Kollektion von Werkzeugen aus der Schmiedewerkstatt von Vršatecké Podhradie
105 Metallurgische Halbfabrikate – axtförmige Eisentalente
106a, b Landwirtschaftliche Geräte
107 Die Fundamente einer Kirche in der Burg von Bratislava – hergerichtet nach der Rekonstruktion
108 Die Burgstätte Devín wurde zum Symbol des Widerstandes Großmährens gegen die fränkische Macht
109 Elfenbeinerne Pyxis, die als Import in die Slowakei gebracht wurde
110 Unter einem Grabhügel im Zemplín-Gebiet wurde ein reicher altmadjarischer Häuptling begraben
111 Schmuckstücke von der Kleidung und dem Pferdegeschirr eines altmadjarischen Reiters
112 Beschläge einer Tasche, gefunden in Hlohovec
113 Die Fundamente des Kirchleins der Grundherrschaft in Ducové
114 Gegenstände aus den Funden in Ducové
115 Ein Schwert aus der Zeit um die Mitte des 10. Jahrhunderts
116a König Stephan I. gilt als Begründer des ungarischen Staates
116b Die sog. Heilige Stephanskrone
117 Ein Denar mit der Aufschrift BRESLAVA CIVITAS
118 Das Schwert eines Kriegers aus der 2. Hälfte des 10. Jahrhunderts (Krásna nad Hornádom)
119 Die Kirche in Kostoľany pod Tribečom
120a Das Interieur der Kirche in Kostoľany pod Tribečom
120b Steinernes Taufbecken aus der Kirche in Kostoľany pod Tribečom
121 Ein Verzeichnis der ausgedehnten Güter des Klosters auf dem Berg Zobor in Nitra aus dem J. 1113
122 Muster aus der Chronik eines unbekannten Notars des Königs Béla III.
123a König Ladislaus I. (1077–1095). Abbildung auf einem Wandgemälde in Veľká Lomnica etwa aus dem J. 1300
123b Abbildung des Königs Ladislaus I. auf einer Münze aus der Zeit des Königs Matthias Corvinus
124 Béla III., der bedeutendste frühmittelalterliche König Ungarns
125 Kaiser Heinrich III. belagerte im J. 1052 erfolglos die Burg Bratislava von den Schiffen auf der Donau aus
126 Das Siegel an der Goldenen Bulle des Königs Andreas II. aus dem J. 1222
127 Der Einfall der nomadischen Tataren aus dem Osten. Abbildung in einer Bilderchronik aus dem 14. Jahrhundert
128 Das älteste handgeschriebene lateinische Buch in der Slowakei – der Kodex von Nitra aus der Zeit um die Wende vom 11. zum 12. Jahrhundert
129 Die älteste erhaltene Urkunde in der Slowakei stammt aus dem J. 1111
130 Das Muster eines Doppelfensters in der Zipser Burg
131 Die Dekoration in der Kirche von Bíňa
132 Das Symbol des gekreuzigten Christus. Eine Plastik in Spišská Stará Ves
133 Das Portal der Kirche in Spišské Podhradie
134 Christus am Kreuz. Bronzefigur aus Rimavská Sobota
135 Der Gekreuzigte. Eine Nachahmung französischer Arbeiten (Rimavská Sobota)
136a, b Münzen des Königs Andreas II.
137 Die Burg Trenčín, der Sitz Matthäus Čáks von Trenčín, des mächtigsten Oligarchen in der Slowakei
138 Die Schlacht bei Rozhanovce
139 Karl Robert von Anjou. Das Bild seiner symbolischen Krönung (Spišské Podhradie)
140 Kardinal Gentilis wurde von Rom gesandt, um Matthäus Čák von Trenčín mit dem Herrscher auszusöhnen
141 Ansicht der mittelalterlichen Stadt Bardejov (Modell von Milly)
142 Die ältesten erhaltenen Stadtprivilegien besitzt die Stadt Trnava, sie stammen aus dem J. 1238
143 Ansicht eines gotischen Hauses in Bratislava. Später wurde es ein Bestandteil des Rathauses von Bratislava
144 Die Vorstellungen eines gotischen Meisters von einer befestigten Stadt
145 Bürger vor den Toten der Stadt. Aus einem Bild auf dem St.-Georgsaltar in Spišská Sobota
146 Košice, die Metropole der Ostslowakei. Das Wappen der Stadt nach einer Ausfertigung aus dem J. 1502
147 Das Wappen der Stadt Kežmarok, die an der Handelsstraße nach Polen liegt
148 Das Siegel der Stadt Ružomberok
149 Ansicht des historischen Stadtkerns von Trenčín
150 Der Stadt Komárno wurden die städtischen Privilegien von Matthäus Čák von Trenčín im J. 1307 verliehen
151 Die Befestigungen der Stadt Levoča
152 Gold wurde durch Goldwaschen gewonnen. Ein altes Goldwäschergerät
153–154 Verfahren bei Bergbau- und Hüttenarbeiten unter Tage
155 Ansicht des Hofes im Schloß Starý zámok in Banská Štiavnica
156 Die Bergbau- und Münzstadt Kremnica
157a, b Ein Floren des Königs Karl Robert, Vorder- und Rückseite
157c Die Urkunde Karl Roberts aus dem J. 1328, in der der Stadt Kremnica das Münzrecht erteilt wurde
158 Die Stadt Bardejov mit ihrem prunkvollen Rathaus aus dem 15. Jahrhundert
159 Das Rathaus in Levoča
160 Das gotische Interieur des Rathauses in Levoča
161 Der Turm der Klarissenkirche in Bratislava
162 Der Kreuzgang im Minoritenkloster in Levoča
163 Bürgerhäuser in Poprad – Spišská Sobota
164 Eine alte Gasse mit Stützpfeilern in Rožňava
165 Der Gang und das Treppenhaus in einem Bürgerhaus in Levoča
166 Die Fassade eines gotischen Hauses in Levoča
167 Bürgerliche Frauenkleidung
168 Bürgerfrau mit einem Löffel
169 Bürger in Wämsern
170 Eine bürgerliche Familie
171 Die Kleidung der Bürgerkinder
172 Die Slowaken in der Stadt Žilina erwählten das Tschechische zu ihrer Schriftsprache
173 Die Kirche und ihre Gläubigen. Aus einem Meßbuch des Bratislavaer Kapitels aus dem 14. Jahrhundert
174 Christus – König
175 Der Papst im Kreise der Bischöfe und Kardinäle
176 Ein reichverziertes Bronzetaufbecken
177 Das Taufbecken aus Stráže pod Tatrami
178 Ein Reliquienkreuz
179 Ein Kelch
180 Mittelalterliche Vorstellung vom Teufel
181 Der Feuertod des Meisters Jan Hus als Ketzer
182 Siegmund von Luxemburg, ein Bild von A. Dürer
183 König Siegmund zieht an der Spitze seines Heers in den Kampf
184 Ein Bericht über eine Gruppe geheimer Hussiten in Bratislava
185 Die Burg Topoľčany, der Sitz einer hussitischen Besatzung
186 Hussitische Waffen, gefunden in der Umgebung von Bojnice
187 Eine Aufschrift, die den Aufenthalt der Hussiten und Böhmischen Brüder in der Zips bezeugt
188 Štibor von Štiborice, Herr der Burg Beckov
189 Eine Urkunde aus dem J. 1422, geschrieben in slowakisiertem Tschechisch
190 König Siegmund erneuerte den Bürgern von Bratislava ihre städtischen Privilegien
191 In Bratislava begann man Münzen zu prägen
192 Die Burg Zvolen war die Residenz Jan Jiskras von Brandýs
193 Die Fundamente des befestigten Lagers der hussitischen Heerscharen der Böhmischen Brüder, erbaut in der Vorburg der Zipser Burg
194 Die Brüder Brcal, Angehörige der hussitischen Heerscharen der Böhmischen Brüder, hielten die Burg Kežmarok besetzt
195 Ein Brief des Räubers Fedor Hlavatý, gerichtet an die Bürger der Stadt Bardejov
196 Der Statthalter Ján Huňady
197a Matthias Corvinus organisierte eine Koalition gegen die hussitischen Heerscharen der Böhmischen Brüder
197b Das Staatswappen auf einer Münze des Königs Matthias Corvinus
198 Ein Bauer beim Ackern
199 Beim Grasmähen
200 Die Ernte mit der Sichel
201 Die Weinlese
202 Ein Hirt
203 Slowakische Bauern

werkstatt in Bratislava
342 Die Stadt Banská Štiavnica, Ansicht und Querschnitt durch die Erzbergwerke
343 Dampfmaschine zum Schöpfen des Wassers aus Bergwerken
344 Aus der metallurgischen Technologie bei der Verarbeitung der Silbererze
345 Schöpfanlage mit Luftantrieb
346 Aus dem Leben in einer Bergbaustadt um die Wende vom 18. zum 19. Jahrhundert
347 Das Wappen des Hauptkammergrafen Baron K. Mitrovský aus dem J. 1792
348a–c Die Siegel der Manufakturen in Teplička, Bernolákovo und Banská Bystrica
349, 350 Erzeugnisse der Feinporzellanmanufaktur in Holíč
351 In Bratislava arbeitete eine Manufaktur zur Erzeugung von Tabakpfeifen
352a, b Die Innenausstattung einer Textilmanufaktur
353 Das Holzkirchlein in Bardejov
354 Die Apostel, eine Ikone aus dem 18. Jahrhundert
355 Der Hl. Nikolaus und seine Welt
356 Christus mit seinen Jüngern
357 Der Ikonostas in der orthodoxen Kirche in der Ortschaft Jedlinka
358 Die Kuppel und der Hof des Schlosses in Topoľčianky
359 Das Schloß in Holíč
360 Seit dem J. 1737 (erneut vom J. 1762) bestand in Banská Štiavnica eine Bergbauschule, die Bergakademie, die erste Hochschule für Bergbau in der Welt
361 Die Bibliothek im Prämonstratenserkloster zu Jasov
362 Slowaken aus dem Komitat Turiec
363 Jüngling und Mädchen aus dem Komitat Spiš (Zips)
364 Slowakischer Bauer aus den Karpaten
365 Arbeiter aus den Eisenhütten des Grafen Andrássy
366 Bergleute aus der Mittelslowakei beim Sortieren des Erzes
367 Auf dem Volksfest anläßlich einer Krönung in Bratislava wird ein Ochse gebraten
368a, b In seinem Werk suchte Samuel Timon für die Slowaken neuen Raum in der Geschichte des ungarischen Staates
369 Juraj Papánek schreib die erste Geschichte der Anfänge der Slowakei und der Slowaken. Juraj Sklenár verfaßte ein Werk über die geographische Lage Großmährens
370 Matthias Bel, ein volksbewußter Slowake, erreichte das Niveau eines prominenten europäischen Wissenschaftlers
371 In seinem grundlegenden Werk entwarf M. Bel ein historisches und zeitgenössisches Bild von der Slowakei und von den Slowaken
372 Im 18. und zu Beginn des 19. Jahrhunderts wurde Bratislava zum Zentrum des slowakischen Geisteslebens
373 Den ersten slowakischen Roman schrieb Jozef Ignác Bajza
374 Anton Bernolák, die zentrale Persönlichkeit des slowakischen nationalen Lebens
375, 376, 377 Anton Bernolák stand an der Spitze der ersten Kodifizierung der slowakischen Schriftsprache
378 Juraj Fándly erprobte in seinen Werken die breite Verwendungsmöglichkeit der Schriftsprache Bernoláks
379, 380, 381 Die Aufklärungswerke J. Fándlys (Proben aus zwei Titelseiten)
382 Ján Hollý, der talentierteste Dichter der Bernolákschen Schule
383, 384 Proben aus den Titelseiten und dem Manuskript der Werke von J. Hollý
385 L. Bartholomeides
386 Titelseite des Werkes Geographia von Bartholomeides
387 Bohuslav Tablic bemühte sich um den Aufbau einer einheitlichen tschechoslowakischen Kultur und Bildung
388 Juraj Palkovič beteiligte sich an der Gründung des Lehrstuhls für „tschecho-slowakische" Sprache und Literatur am evangelischen Lyzeum in Bratislava
389 Die Zeitschrift „Týdenník, aneb císařsko-královské národní noviny" (Wochenzeitung oder kaiserlich-königliche nationale Zeitung)
390 Ján Kollár trug die Idee der allslawischen Gemeinsamkeit in die Gesellschaft der Epoche der nationalen Wiedergeburt hinein
391 Das Denkmal des slowakischen Dichters Ján Kollár
392 Eine Probe aus J. Kollárs Werk „Slávy dcera" (Die Tochter der Sláva)
393 Die Titelseite des Werkes „Národné spievanky" (Nationale Lieder) von Ján Kollár
394 Pavol Jozef Šafárik schenkte der Welt sein unvergeßliches Werk über die slawische Vorzeit
395 Das historische Werk „Slovanské starožitnosti" (Slawische Altertümer) von P. J. Šafárik
396 Das Geburtshaus P. J. Šafáriks in Kobeliarovo
397 Ignác Martinovič, der Führer der ungarischen Jakobiner
398 Die Hinrichtung der Teilnehmer an der Verschwörung I. Martinovičs
399 Die Napoleonischen Kriege verschonten auch die Slowakei nicht. Ansicht des Primatialpalais, in dem im J. 1805 der Frieden zwischen Österreich und Napoleon I. geschlossen wurde
400 Die Burg Devín wurde von den Heeren Napoleons in die Luft gesprengt
401 Die Beschießung der Stadt Bratislava im J. 1809
402 Im J. 1811 brannte die Burg Bratislava ab
403, 404 Der ostslowakische Bauernaufstand im J. 1831 rüttelte an den Fundamenten des Feudalismus. Ein Verzeichnis der in Untersuchung genommenen Aufständischen im Komitat Spiš (Zips) und der über sie verhängten Urteile
405 Revolutio rusticana, eine Beschreibung der Schicksale der aufständischen Bauern
406 Das Denkmal der Opfer des ostslowakischen Bauernaufstandes in der Ortschaft Haniska bei Prešov
407 Das evangelische Lyzeum in Bratislava
408 Das Geburtshaus Ľudovít Štúrs, der führenden Persönlichkeit der nationalen Wiedergeburt der Slowaken
409 Auf der Pfarre in der Gemeinde Hlboké proklamierten Ľudovít Štúr und seine Mitarbeiter den mittelslowakischen Dialekt zur neuen Schriftsprache der Slowaken
410 Der Almanach „Nitra" (Titelseite des zweiten Jahrgangs)
411 Der gesamtnationale Verein „Tatrín". Er billigte den Beschluß über die neue slowakische Schriftsprache und war bis Enge 1848 das Zentrum der nationalen und kulturellen Bestrebungen und Aktionen der Slowaken
412, 413 Titelblätter der Werke von Ľ. Štúr und M. M. Hodža
414 Das klassizistische Schloß in Dolná Krupá (1820–1828)
415 Ein klassizistisches Bauernhaus in Tomášovce
416 Das Interieur der evangelischen Kirche in Levoča
417 In der Zips wirkte der Maler J. Czaczig. Sein Bild „Der Textilwarenhändler"
418 Ansicht von Levoča von T. Szent-Istványi (um 1840)
419 Jozef Božetech Klemens
420 J. Božetech Klemens: Konstantin und Methodius
421 Das Gebäude der Ungarischen Kammer in Bratislava, in dem in den Jahren 1847–1848 die Landtage tagten
422 Die Sitzung des Landtags, auf dem im März 1848 wichtige Gesetze angenommen wurden, unter ihnen auch das Gesetz von der Aufhebung der Leibeigenschaft
423 Beim Verlesen der Märzgesetze in einer Gemeinde im Gebiet Liptov
424 Die Burg Bojnice, in der im J. 1848 Bauern eingekerkert und gefoltert wurden
425 Die Forderungen des slowakischen Volkes, die am 11. 5. 1848 im Kurort Ondrašová in Liptovský Mikuláš verkündet wurden
426 Ľudovít Štúr
427 Jozef Miloslav Hurban
428 Michal Miloslav Hodža
429 Das Siegel des Slowakischen Nationalrates aus dem J. 1848
430 Myjava, das Interieur der Wohnung im Hause, in dem der Slowakische Nationalrat tagte
431 Die Fahne der slowakischen Freiwilligen aus den Kämpfen in der Westslowakei
432 Ausbildung der slowakischen Freiwilligen im J. 1849 (Detail aus einem Ölgemälde von P. M. Bohúň)
433 Ein slowakischer Freiwilliger mit einem Mädchen (P. M. Bohúň)
434 Ein Offizier und ein Soldat des slowakischen Freiwilligenkorps
435 Die Mitglieder der slowakischen Deputation, die dem Herrscher am 20. 3. 1849 eine Bittschrift um Anerkennung der Selbständigkeit des slowakischen Volkes unterbreitete
436 Die Auflösung des slowakischen Freiwilligenkorps am 21. 11. 1849 in Bratislava
437 Bratislava in der Mitte des 19. Jahrhunderts
438 Die Festung Komárno, die in den Jahren nach der Revolution von 1848 ein Gefängnis war
439 Kaiser Franz Josef I. mit den Gliedern der Regierung
440 Bratislava, der Fischplatz (um das J. 1860)
441 Trenčín, Aussicht von der Burg auf die Stadt (Ölgemälde von F. Baszler)
442 Košice, im Vordergrund die Kaserne (um das J. 1860)
443 Bratislava, der erste Bahnhof der Dampfeisenbahn aus dem J. 1848 (Ölgemälde von V. Reim)
444 Junger Mann aus Stupava (P. M. Bohúň)
445 Mann und Frau aus Zvolen (P. M. Bohúň)
446 Banská Štiavnica, im J. 1852 das Zentrum der Kämpfe der Bergleute

447 Levoča, das Haus der Adelsfamilie Csáky
448 Prešov, der Sitz des Komitates Šariš (um das J. 1860)
449 Die Hohe Tatra, der Beginn ihrer Umwandlung in eine herrschaftliche Sommerfrische
450 Martin, die Stadt, in der am 6. und 7. 6. 1861 die Memorandumsversammlung abgehalten wurde
451 Das erste Nationalprogramm der Slowaken, beschlossen auf der Memorandumsversammlung in Martin
452 Štefan Marko Daxner, die führende Persönlichkeit der Versammlung, konzipierte den Entwurf des Memorandums
453 Ján Palárik, ein demokratisch gesinnter Politiker und Verfechter des Abkommens zwischen den Slowaken und den ungarischen demokratischen Kräften
454 Ein Ring und ein Armband, Gegenstände zur Erinnerung an die Memorandumsversammlung
455 Die Mitglieder der Deputation, die im Juni 1861 mit dem Memorandum des slowakischen Volkes an den ungarischen Landtag abgesandt wurde
456 Das Tableau der führenden Repräsentanten der slowakischen nationalen Bewegung
457 Banská Bystrica, die Stadt, die im J. 1861 als Zentrum des „Slowakischen Umkreises" vorgeschlagen wurde
458 Kláštor pod Znievom, das Gebäude des slowakischen Gymnasiums, des ersten Realgymnasiums in Ungarn
459 Der Umschlag der Statuten der Matica slovenská
460 Štefan Moyzes, der erste Vorsitzende der Matica slovenská
461 Karol Kuzmány, der Vizevorsitzende der Matica slovenská
462 Das Gebäude der Matica slovenská in Martin, angekauft von der Gemeinde Martin im J. 1865 aus dem Erlös einer Sammlung unter dem Volk
463 Ungarische Wahlen in den sechziger Jahren des vorigen Jahrhunderts
464 Die Abgeordneten der Nationalitäten im ungarischen Parlament
465 Die Landkarte der Slowakei mit madjarisierten Benennungen, herausgegeben am Ende des 19. Jahrhunderts
466 Die Burg Orava, auch weiterhin ein Symbol der sozialen Bedrückung des Volkes
467 Das Schloß in Betliar, umgebaut im J. 1880
468 Eine Urkunde über die Erhebung in den Stand der Barone, erkauft vom Großgrundbesitzer A. F. Stummer
469 Die Konfiszierung in Liptovský Ján, volkstümliches Gemälde aus dem J. 1873
470 Die Stube im Haus eines Bauern aus dem Turiec-Gebiet
471 Greise im oberen Orava-Gebiet (Zeichnung von J. Věšín)
472 Das Haus eines armen Bauern aus der Gemeinde Frička (Kreis Bardejov)
473 Das Anwesen eines reichen Bauern aus der Gemeinde Kračúnovce (Kreis Bardejov)
474 Getreidedreschen mit einer kleinen Dreschmaschine, betrieben mit einem von Pferden gezogenen Göpel
475 Dampflokomotiven wurden nur auf großen Gütern verwendet
476 Hirten auf einer Sennwirtschaft in der Nähe von Revúca
477 Fischfang in der Donau bei Komárno
478 Ein Rastelbinder (Ölgemälde von P. M. Bohúň)
479 Ein Glaser (Ölgemälde von P. M. Bohúň)
480 Die Slowaken in der Welt: zeitgenössische Fotomontage der Wanderbeschäftigungen: ein Glaser, ein Glashändler, ein Lumpensammler, ein Rastelbinder, ein Hutverkäufer
481 Leinwandhändler aus dem Orava-Gebiet
482 Die berühmten Jahrmärkte in Kremnica
483 Die Eisenwerke in Podbrezová, von ihrer Entstehung im J. 1853 an gehörten sie zu den modernsten in Ungarn
484 Die Zuckerfabrik in Šurany nahm ihren Betrieb im J. 1854 auf
485 Die Glashütten in Uhrovec
486 Erzeugnisse der Glasbläser in Uhrovec
487 Der Bau der Eisenbahnstrecke Košice-Bohumín in den J. 1870–1872
488 Der Bahnhof in Galanta, wo man die erste Sicherungsanlage mit elektrischem Weichenverschluß zu verwenden begann
489 Prešov nach der großen Feuersbrunst im J. 1887
490 Zahlungsmittel vor und nach dem Währungswechsel im J. 1892
491 Abreise der Auswanderer auf dem Schiff Slavonia
492 Zeitungen der slowakischen Auswanderer
493 „Wie heißt denn unser Dorf?" Der Protest eines Künstlers gegen die Madjarisierung der Ortsnamen. (Ölgemälde von J. Věšín)
494 Die Familie J. M. Hurbans, sein Sohn Svetozár Hurban Vajanský, die führende Persönlichkeit der slowakischen nationalen Bewegung am Ende des 19. Jahrhunderts
495 Die Familie V. Paulíny-Tóths, seine Töchter und Schwiegersöhne engagierten sich im slowakischen Kultur- und Gesellschaftsleben
496 Die Ausstellung slowakischer volkstümlicher Stickereien im J. 1887 in Martin
497 Das Haus der Nation, erbaut aus dem Erlös der Sammlungen in den J. 1888–1891
498 Andrej Kmeť, der Organisator des slowakischen wissenschaftlichen Lebens und Initiator der Gründung der Slowakischen Musealgesellschaft
499 Eduard Nemčík, ein Pionier der slowakischen Arbeiterbewegung
500 Karol Hanzlíček, ein Pionier der slowakischen Arbeiterbewegung
501 František Tupý, ein tschechischer Arbeiter und Pionier der slowakischen Arbeiterbewegung
502 Gustáv Švéni, ein Pionier der slowakischen Arbeiterbewegung
503 Eine Gruppe sozialdemokratischer Funktionäre, die im J. 1898 aus Budapest ausgewiesen wurden
504 Bratislava, die rote Brücke, wo Arbeiterversammlungen abgehalten wurden
505 Das neue Gebäude der Bergbau- und Forstakademie in Banská Štiavnica
506 Die Tropfsteinhöhle Belianska jaskyňa in der Belaer Tatra nach ihrer Entdeckung und Erschließung
507 Bratislava, der Getreideplatz (heute Kollár-Platz)
508 Košice, die Hauptgasse
509 Komárno, das Stadtzentrum mit dem Rathaus
510 Nitra, Aussicht auf die Stadtmitte
511 Prešov, die Hauptgasse
512 Trnava, Aussicht vom Stadtturm auf das Zentrum
513 Lučenec das Stadtzentrum
514 Auf der Heimatscholle (Ölgemälde von J. Hanula)
515 Heimkehr von der Ernte in Veľká Slatina
516 Ernte auf einem Großgrundbesitz in der Südslowakei
517 Eine Spinnerin (Ölgemälde von J. Hanula)
518 Jasenová, die Bürger einer Gemeinde im Orava-Gebiet vor der Fotokamera
519 Auf dem Jahrmarkt in Detva
520 Der Konsumverein in Borský Mikuláš (Kreis Senica)
521 Die Hohe Tatra, ein Ausflugsund Erholungsgebiet
522 Der Kurort Bardejovské kúpele am Anfang seines Ruhmes
523 Ein Automobil, im Besitz der Gutsherrschaft Bytča etwa um das J. 1905
524 Ein Bettler (Ölgemälde von G. Malý)
525 Die Zuckerfabrik in Trebišov, errichtet im J. 1912 mit der modernsten Maschineneinrichtung
526 Typische Holzgefäße für Brimsenkäse aus der Brimsenkäsefabrik der Familie Makovický in Ružomberok
527 Die Tuchfabrik in Žilina
528 Das Areal der Eisenwerke in Krompachy, einer der modernsten Betriebe in Europa zu Beginn des 20. Jahrhunderts
529 Arbeiter und Meister in den Eisenwerken von Krompachy, einer Stadt der Steiks und Arbeiterunruhen, im J. 1912
530 Die Braunkohlengruben in Handlová begannen als erste mit der industriellen Kohlenförderung in der Slowakei im J. 1912
531 Bergleute in Rožňava
532 Soldaten und Beamte, die zur Unterdrückung des Arbeiterstreiks in Sirk (Kreis Rožňava) eingesetzt wurden
533 Gendarmen vor dem Gemeindehaus in Nitrianske Pravno
534 Die Titelseite einer Broschüre der slowakischen Sozialdemokraten zum 1. Mai
535 Das Erste-Mai Abzeichen der Sozialdemokraten in Ungarn
536 Ein Mitgliedsabzeichen der slowakischen Sozialdemokraten nach dem J. 1905
537 Das Abzeichen des Arbeitergesangvereins „Magnet" in Bratislava
538 Die ersten slowakischen Abgeordneten, die nach der Erneuerung der Wahlaktivität in das ungarische Parlament gewählt wurden
539 Der Ausweis des Abgeordneten Dr. Pavol Blaho, der im J. 1906 ins ungarische Parlament gewählt wurde
540 Milan Hodža, ein tatkräftiger Politiker und Journalist
541 Symbole der Madjarisierung an der katholischen Knabenvolksschule in Moravský Ján (Kreis Senica)
542 Matúš Dula, Svetozár Hurban Vajanský, Andrej Halaša, Jozef Škultéty und andere, die im Massenprozeß vom 5. 1. 1910 zu Gefängnisstrafen verurteilt wurden
543 Die Hinterbliebenen an den Gräbern der Opfer der Schießerei ins Volk im J. 1907
544 Björnstjerne Björnson, Träger des Nobelpreises für Literatur, ein

Fürsprecher der Slowaken
545 Pavol Országh Hviezdoslav, der Barde des slowakischen Volkes
546 Ivan Krasko, der Dichter des sozialen und nationalen Protestes
547 Das Vereinshaus in Skalica, erbaut im J. 1905 nach einem Projekt von Dušan Jurkovič
548 Die Oststation der elektrischen Eisenbahn Bratislava–Wien
549 Eine Gruppe slowakischer Bauern auf der Reise zur Jubiläumsausstellung in Prag im J. 1908
550 Das Kulturprogramm im Amphitheater in Luhačovice
551 Die „Slowakische Baude" in Luhačovice, ein tschechisch-slowakischer Treffpunkt
552 Eine Ansichtskarte mit naiver Kriegspropaganda
553 So endet das Leben eines der Millionen Kriegsopfer
554 Das Denkmal der Gefallenen im 1. Weltkrieg in Trnava
555 Heimkehr der für ihr ganzes Leben gezeichneten Invaliden
556 Der Arzt MUDr. P. Blaho im Militärlazarett zu Kroměříž
557 Flüchtlinge aus dem Frontgebiet in der Ostslowakei
558 Die Ruinen von Zborov, einer der am schwersten betroffenen Gemeinde im Šariš-Gebiet
559 Von den Kirchen herabgerissene Glocken, die zum Einschmelzen bestimmt waren
560 Eines der Kriegsgefangenenlager für russische und serbische Kriegsgefangene in der Ostslowakei
561 Verbrüderung der Soldaten Österreich-Ungarns und Rußlands im J. 1917
562 Angehörige der tschechoslowakischen Legionen in Rußland im J. 1918
563 Liptovský Mikuláš, der Ort der Demonstration vom 1. Mai 1918
564 Auf der Versammlung wurde eine Resolution angenommen mit der Forderung Frieden zu schließen, den Slowaken das Selbstbestimmungsrecht zu gewähren sowie mit weiteren sozialen und demokratischen Forderungen
565 MUDr. Vavro Šrobár, der Hauptredner und Autor der Resolution von Liptovský Mikuláš
566 Der Arbeiterrat in Vrútky, der am 26. 10. 1918 die Macht in der Gemeinde übernahm
567 Der Vertrag von Pittsburg, abgeschlossen zwischen den Vertretern der tschechischen und slowakischen Organisationen in Amerika über die staatsrechtliche Regelung im künftigen gemeinsamen Staat der Tschechen und Slowaken
568 Ein Gedenkabzeichen der Landsmannsvereine in den USA zur Unterstützung der Kriegswitwen und – waisen
569 Das Diplom für den Beitrag zur Sammlung für die Hilfe der befreiten Slowakei
570 Tomáš Garrigue Masaryk im Lager der Freiwilligen
571 M. R. Štefánik mit den Organisatoren der Bewegung der Landsleute in Washington
572 General Milan Rastislav Štefánik im Jahre 1918
573 Eine Postkarte mit dem Porträt von T. G. Masaryk und W. Wilson aus dem Jahre 1918
574 Prag, der Wenzelsplatz, auf dem am 28. Oktober 1918 der tschechoslowakische Staat proklamiert wurde
575 Das Gebäude der Tatra-Bank in Martin, in dem die Bildung des Slowakischen Nationalrats beschlossen wurde
576 Das Dokument des Slowakischen Nationalrats vom 30. 10. 1918, in dem der Wunsch des slowakischen Volkes ausgedrückt wurde, mit dem tschechischen Volk einen gemeinsamen Staat zu bilden
577–582 Die Hauptakteure der Deklarationsversammlung in Martin am 30. Oktober 1918: Matúš Dula, Andrej Hlinka, Ferdiš Juriga, Karol A. Medvecký, Dr. Emil Stodola, Samuel Zoch
583 Die Martiner Deklaration in festlicher graphischer Gestaltung mit slowakischen volkstümlichen Motiven
584 Vorwärts (Olgemälde von J. Alexy) mit dem Gedanken des neuen Wegs des slowakischen Volks
585–587 Des kleine, mittlere und größe Staatswappen der Tschechoslowakischen Republik, die mit dem Gesetz Nr. 252 vom 30. März 1920 bestätigt wurden

1 Casting of the cranial cavity of a Neanderthal man from Gánovce

2 The cave at Bojnice

3 A hand wedge from Bratislava

4 Tools and weapons

5 Cult of fertility and race preservation – Venus from Moravany

6 Ceramic ware adorned with a groove, from Eastern Slovakia

7 A bear cub of clay, from Bojnice

8 Cult of fertility – Venus from Oborín

9 Sitting Venus from Nitriansky Hrádok

10 Beautiful Bühk ceramic

11 Cultic forms of animals

12 Vessel in the form of a stylized female figure (Svodín)

13 A small – one-family house (Horná Seč)

14 Distaffs and weights

15 Rough-worked hammers and axe-hammers (Banská Štiavnica)

16 A new technical achievement – a wheel cart from Radošina near Piešťany

17 The first bronze items from Eastern Slovakia

18 A bronze pickaxe (Koš near Bojnice)

19 Bronze hatchets (Hrádek-Bojnice)

20a, b At that time specially long and ornamented swords used to be made

21 High-quality highly polished ceramic

22 Cover for the fire-place (Nitriansky Hrádok)

23 Cart with a team of horses. Drawing on a vessel from Veľké Raškovce

24 Brooches for clasping and as ornaments of rich dresses (Rimavská Sobota)

25 Bronze products present a colourful palette

26 The hill-fort Molpír near Smolenice

27 Handle of an iron dagger

28 A pair of vessels from Chotín

29a, b Cult cermaic (Nové Košariská)

30 Men and women fixed their dress with clasps in the Roman way

31 Buckle from a belt

32 Wealthy people wore luxurious bracelets and neck disks

33 Ornamental bangles – anklets

34 Designs imparted to tools by the Celts hardly changed over the centuries (an axe, a lance, fetters – shackles, knives)

35a, b They produced ceramics already on the potter's wheel

36 Black-burnt utility (ceramic of a mixture of graphite and clay)

37a, b Gold, silver and bronze Celtic coins

38 A Roman inscription from the year 179–180, carved in the rock at Trenčín

39a, b A Roman building at Pác, Distr. of Trnava, and Bratislava-Dúbravka

40 Jupiter of Dolichen

41 Statuette of a comic actor

42 Terra sigillata

43 Roman glass moulded into vessels of the most diverse shapes and utilisation

44a, b Items of gold – a massive bracelet (Zohor), rings (Iža, Pác)

45 Emperor Marcus Aurelius wrote his philosophical treatise on the banks of the Hron river

46a–c Portraits of Roman rulers on coins

47 Reconstruction of a gate in a hill-fort at Liptovská Mara

48a–c The people living in northern Slovakia processed precious metals, as evidenced by jewels and their own coins

49a–c A silver Roman tray, relief-ornamented (Krakovany-Stráže)

50 Jewels from Rusovce

51a, b A gold ear-ring and clasps from the times of the migration of nations

52 Preserved from the movemented times of the migration of nations is also this loaf of leavened bread

53 Ceramic of the Prague type

54 A Slav grave

55 Ceramic of the Danubian type

56 Lay-out of a Slav dwelling house with the hearth in the corner

57a, b A ploughing set

58 Each individual himself made wooden implements of essential need

59 Decorated bone whistle

60 Ceramic ware used to be made already on a potter's wheel

61 Axes – broad-bladed and narrow bits

62 A warrior's arsenal included knives and lances

63 Necklace and ring

64 The Avars buried their dead rider with the remains of his horse

65 Strap buckle

66 Buckle with an animal motif

67 View of the hill-fort at Macichov

68a, b Horse harness (from Žitavská Tôň)

69 Ornaments from the grave of a Slav magnate from Bernolákovo

70 Site of the Bratislava Gate, landscape over the confluence of the Danube and the Morava river

71 Slavs began to settle down in this region towards the end of the 5th century. Foundations of a Slavonic house

72 Imported jewel (Želovce)

73 Warrier of the Eastern type (Sin Nikolau Mare)

74 Frankish infantry

75 Gravestone of a Frankish warrior

76 Ornamental objects from the burying-ground at Želovce

77 Strap buckle with the motif of a vine (Štúrovo)

78 Jewels and bronze mountings

79 Silver objects from the treasure at Zemiansky Vrbovok

80 Imported ceramics

81 Nitra and the Nitra region – country of the first Slovak prince Pribina

82a Archbishop Adalram consecrated on Pribina's estate the first known Christian sanctuary

82b The first written mention of prince Pribina

83 View of the hill-fort Pobedim

84 Handle of an ornamental sword of a magnate from Blatnica in Turiec

85 Great Moravian swords with ornamented handles

86 The Byzantine Emperor Michael III. Portrait on a coin

87 Reception of a mission at the Byzantine court

88 Palace life at the Byzantine court

89 The two Salonica brothers Sts Constantine and Methodius. Their earliest porbraiture on a presco in Rome

90 Glagolitic script – Specimen from a missal, written in Great Moravia towards the end of the 9th – beginning of the 10th century (Kiev Letters)

91 Asseman's Codex. Part of the Evangelistary which originated in Great Moravia towards the end of the 9th cent.

92 Asseman's Codex – detail of illumination

93 Crucifix of Eastern origin

94 Ruler in a tunic (Valy near Mikulčice)

374 Anton Bernolák, a central figure of Slovak national life
375, 376, 377 A. Bernolák stood at the head of the first codification of literary Slovak
378 Juraj Fándly tested the wide ranging application of Bernolák's literary language
379, 380, 381 Fándly's educational works (specimens of title pages)
382 Ján Hollý – the most talented poet of Bernolák's school
383, 384 Specimens from J. Hollý's title pages and manuscripts
385 L. Bartholomeides
386 Title page of Bartholomeides's work about Geografia
387 Bohuslav Tablic endeavoured to build up a unified Czech and Slovak culture and education
388 Juraj Palkovič was at the foundation of the Faculty of "Czech-Slovak" language and literature at Bratislava
389 "The Weekly, or the Imperial-Royal National Newspaper"
390 Ján Kollár brought the idea of a Panslavic Mutuality into the society's revival movement
391 Ján Kollár's monument at Mošovce
392 Specimens from Kollár's „Daughter of Slavdom"
393 Title page of J. Kollár's National Ballads
394 Pavol Jozef Šafárik gave to the world his unforgettable work about the Slavs'remote past
395 Slavonic antiquities
396 P. J. Šafárik's native house at Kobeliarov
397 Leader of Hungarian Jacobins – Ignác Martanovič
398 Execution of participants of Martanovič's conspiration
399 Napoleonic wars did not bypass Slovakia either (View of the building of the Primatial Palace where peace with Napoleon was signed)
400 Devin castle was blown up by Napoleonic soldiery
401 Bombardment of Bratislava in 1809
402 In 1811 the Bratislava castle was gutted out by fire
403, 404 In 1831 the East-Slovakian peasant revolt shook the foundations of feudalism. List of insurgents from Spiš and their sentence
405 Revolutio rusticana – description of the insurgents'fate
406 Monument to the victims of the rebellion at Haniska
407 The Evangelical lycée at Bratislava
408 Native house of the leading personality of the movement – Ľudovít Štúr
409 Štúr's followers at the parsonage at Hlboké, where they declared the Central-Slovak dialect to be the new Slovak literary language
410 The Almanach Nitra (title page of the second volume)
411 The all-national association Tatrín. It approved the decision on the new literary Slovak and until 1848 was the centre of all national-cultural endeavours and events
412, 413 Title pages of works by Ľ. Štúr
414 A classicist manor at Dolná Krupá (1820–1828)
415 A classicist peasant house at Tomášovce
416 Interior of the Evangelical church at Levoča
417 The painter J. Czaczig was active at Spiš (picture of a Drapery Merchant)
418 View of Levoča by T. Szent-Istványi (about the year 1840)
419 J. Božetech Klemens
420 J. Božetech Klemens: Sts Constantine and Methodius
421 Building of the Hungarian Chamber in Bratislava in which Assemblies used to meet in 1847–1848
422 Session of the Parliament at which important decrees were passed in March 1948, including that abrogating serfhood.
423 Reading of the March decrees at a village in Liptov
424 The Bojnice castle, a place of imprisonment and torture of farmers in 1848
425 Petitions of the Slovak Nation proclaimed on May 11, 1848 at the spa Ondrašová in Liptovský Mikuláš
426 Ľudovít Štúr
427 Jozef Miloslav Hurban
428 Michal Miloslav Hodža
429 The seal of the Slovak National Council from the year 1848
430 Myjava, interior of a home where the SNC held its meetings
431 Flag of Slovak volunteers fighting in Western Slovakia
432 Training of Slovak volunteers in 1849 (detail from a painting by P. M. Bohúň)
433 A Slovak volunteer with his girl
434 An officer and a soldier of the Slovak Volunteer Corps
435 Members of a Slovak deputation that on March 20, 1849, submitted a petition to the ruler for recognition of independence to the Slovak nation
436 Disbanding of the Slovak Volunteer Corps on November 11, 1849 in Bratislava
437 Bratislava in the half of 19th century
438 The fortress at Komárno – a prison in the pre-revolutionary years
439 Emperor Francis I with members of the government
440 Bratislava, Rybné námestie (Fishermen's Sq. – about 1860)
441 Trenčín, view of the town from the castle (oil by F. Baszler)
442 Košice, with caserns in the foreground (around 1860)
443 Bratislava, the first station of a steam railway line, from 1848 (oil by V. Reim)
444 A young man from Stupava (P. M. Bohúň)
445 A couple from Zvolen (P. M. Bohúň)
446 Banská Štiavnica, in 1852 a centre of miners' fighting
447 Levoča, house of the Čák family
448 Prešov, the seat of the Šariš zhupa („district", – around 1860)
449 The High Tatras, the beginning of alteration into summer residences for the wealthy
450 Martin, a town where the "Memoranda" meeting took place on June 6 and 7, 1861
451 The first national programme of the Slovaks passed at an assembly at Martin
452 Štefan Marko Daxner, the leading personality at the assembly, the designer of the Memoranda concept
453 Ján Palárik, a democratically-minded politician, adherent of the agreement with Hungarian democratic forces
454 Cup and armband – objects recalling the Memoranda assembly
455 Members of the Deputation sent to submit the Memoranda in June 1861 to the Hungarian Parliament at Pest
456 Leading representatives of the Slovak National Movement
457 Banská Bystrica, proposed in 1861 to be the centre of "the Slovak Environs"
458 Building of the Slovak upper grammar school at Kláštor pod Znievom, the very first such lycée in Hungary
459 Covers for the Statutes of the Slovak Foundation
460 Štefan Moyzes, the first Chairman of the Slovak Foundation
461 Karol Kuzmány, Deputy Chairman of the Slovak Foundation
462 Building of the Slovak National Foundation put up in 1865 out of collections
463 Hungarian elections in the 60s of the last century
464 Nationality deputies in the Hungarian Parliament
465 Map of Slovakia with magyarized names, published towards the end of the 19th century
466 The Orava castle, a persisting symbol of social oppression of the Orava people
467 The château at Betliar, rebuilt in 1880
468 Letters-patent granting the title of baron, bought by the landowner A. F. Stummer
469 Confiscation at Liptovský Ján, folk painting from 1873
470 A room in the house of a farmer from Turiec
471 Old men at Upper Orava (drawing by J. Věšín)
472 A poor farmer's house from Frička (District of Bardejov)
473 Farmstead of a wealthy landowner at Kračúnovce (Distr. of Bardejov)
474 Wheat treshing on a small threshing-machine powered by a horse-drawn whim-gin
475 A steam-engine used on large estates
476 Shepherds at a sheep dairy-farm not far from Revúca
477 Fishing in the Danube near Komárno
478 A tinker (oil by P. M. Bohúň)
479 A glazier (oil by P. M. Bohúň)
480 Slovaks in the world – period photo-montage of itinerant avocations: glazier, glass vendor, rag-picker, tinker, hat seller
481 Linen sellers from Orava
482 Kremnica, famous markets
483 Iron Works at Podbrezová: from the beginning in 1853 they belonged among the most modern in Hungary
484 Sugar refinery at Šurany began working in 1854
485 Glass Works at Uhrovec, period montage
486 Products of glaziers at Uhrovec
487 Construction of the Košice–Bohumín railway track in 1870–1872
488 Railway station at Galanta where the first safety device was used for electrical locking of points
489 Prešov after the fire of 1887
490 Bank notes before and after the currency change in 1892
491 Departure of emigrants by the boat Slavónia
492 Newspapers of Slovak emigrants
493 "What's the name of that village of ours?" – an artist's protest against magyarization of Slovak villages (oil, J. Věšina)

494 J. M. Hurban's family, his son Svätozár Hurban-Vajanský, a leading personality of the Slovak national movement towards the end of the 19th century
495 V. Paulíny-Tóth's family, daughters and sons-in-law were engaged in the Slovak cultural and social life
496 Exhibition of Slovak folk embroidery work at Martin in 1887
497 National House at Martin, built out of collections made in 1888–1891
498 Andrej Kmeť, organiser of the Slovak scientific life, initiator of the setting up of the Slovak Museum Society
499 Eduard Nemčík, a pioneer of Slovak working-class movement
500 Karol Hanzlíček, another pioneer of Slovak working-class movement
501 František Tupý, a Czech workman, pioneer of Slovak working class movement
502 Gustáv Švéni, a pioneer of Slovak working-class movement
503 A group of socio-democratic functionaries expelled from Budapest in 1898
504 Červený most (Red Bridge), a site of working-class meetings in Bratislava
505 The new building of the Mining and Forestry Academy at Banská Štiavnica
506 The cave Belianska jaskyňa after its discovery and opening to the public
507 Bratislava, Obilné námestie (the Corn Square – today Kollár's Place)
508 Košice, High Street (today Lenin's Street)
509 Komárno, the centre with the town hall
510 Nitra, view of the centre of the town
511 Prešov, High Street (today Street of the Slovak Council Republic)
512 Trnava, view of the town's centre from the municipal tower
513 Tisovec, Vladimír Clementis's native house
514 On native glebe (oil by J. Hanula)
515 Return from harvest work at Veľká Slatina
516 Harvest on an estate in Southern Slovakia
517 A spinster (oil by J. Hanula)
518 Jasenová, folk of this Oravan village in front of the camera
519 At the market at Detva
520 Food Association at Borský Mikuláš (District of Senica)
521 The High Tatras, place of excursion and rest
522 The Bardejov spa at the beginning of its fame
523 An automobile, in the possession of the Bytča demesne about the year 1905
524 A beggar – a product of the class society (oil by G. Malý)
525 Sugar refinery at Trebišov, constructed in 1912 with the then most up-to-date machine equipment
526 Firkins for cheese of ewe's milk (Liptov cheese) from the cheese-factory Makovice at Ružomberok
527 A cloth manufactory at Žilina
528 The complex of the iron works at Krompachy, one of the most modern such concerns in Europe at the beginning of the 20th century
529 Workers and foremen at the iron works of Krompachy, a town of strikes and unrest in 1912
530 The coal mines at Handlová began the first industrial coal extraction in Slovakia in 1912
531 Miners from Rožňava
532 Soldiers and clerks called out to suppress workers'strike at Sirok (district of Rožňava)
533 Gendarms in front of the municipal house at Nitrianske Pravno
534 Title page of a Mayday brochure of Slovak Social Democrats
535 A Mayday badge of the Social Democratic Party of Hungary
536 Membership badge of Slovak social democrats after 1905
537 Badge of the working men's choir „Magnet" in Bratislava
538 The first Slovak deputies elected to the Hungarian Parliament after renewal of electoral activity
539 Identity card of Dr. Pavol Blaho, elected in 1906
540 Milan Hodža, an assertive bourgeois politician and journalist
541 Symbols of enforced magyarization at the Catholic boys' elementary school at Moravský Ján (District of Senica)
542 Matúš Dula, Svetozár Hurban Vajanský, Andrej Halaša, Jozef Škultéty and others, condemned to prison at a mass process on January 5, 1910
543 Survivors at the grave of victims of shooting into the crowd at Černová in 1907
544 Björnstjerre Björnson, Nobel prize-winner for literature, a defender of the Slovaks
545 Pavol Orszag Hviezdoslav, bard of the Slovak nation
546 Ivan Krasko, poet of social and national protest
547 Club-House at Skalica, constructed in 1905 according to a project by Dušan Jurkovič
548 Starting station of an electric train from Bratislava to Vienna
549 A group of Slovak farmers going to a jubilee exhibition in Prague in 1908
550 A cultural programme in the open-air amphitheatre at Luhačovice
551 The „Slovak Booth" at Luhačovice, site of Czechoslovak meetings
552 A viewing card with a naive war propaganda
553 The life of one of millions of war victims comes to an end
554 Monument to those fallen in World War I at Trnava (author J. Koniarek)
555 Return of invalids crippled for life
556 Physician MUDr. P. Blaho at a military field hospital at Kroměříž
557 Refugees from the frontline area in northeastern Slovakia
558 Ruins at Zborov, one of the most severely affected villages in Šariš
559 Church bells destined to be melted for war needs
560 One of prisoner camps in Eastern Slovakia for Russian and Serbian P. O. Ws.
561 Fraternisation among Austro-Hungarian and Russian soldiers in 1917
562 Members of the 8th Artillery Regiment of the Czechoslovak Legions in Russia in 1918
563 Liptovský Mikuláš, scene of Mayday celebrations in 1918
564 At the mass meeting, a resolution was passed pressing for peace to be concluded, for the right of self-determination of Slovaks and further social and democratic demands
565 MUDr. Vavro Šrobár, the principal speaker and initiator of the resolution at Liptovský Mikuláš
566 Working men's Council at Vrútky which took over power at the village on October 26, 1918
567 The Pittsburgh agreement between representatives of Czech and Slovak organisations regarding the constitutional organisation of the future common State
568 Commemorative badge of associations of our fellow-countrymen in the USA in support of war widows and orphans
569 Diploma for contribution in aid of liberated Slovakia
570 Thomas Garrigue Masaryk in the camp of Czechoslovak Volunteers in the USA in 1918
571 General Milan Rastislav Štefánik
572 M. R. Štefánik with foremost organizers of our countrymen's movement in Washington in 1917
573 A picture card with the portraits of T. G. Masaryk and W. Wilson
574 Prague, Wenceslaus' Sguare, where the Czechoslovak State was proclamaidet on October 28, 1918
575 Building of the Tatra Bank at Martin in which the decision was taken on the formation of the slovak National Council
576 Document of the Slovak National Council of October 30, 1918, expressing the desire of the Slovak nation to form a common State with the Czech nation
577–582 Personalities of the Declaration Meeting at Martin: Matúš Dula, Andrej Hlinka, Ferdiš Juriga, Karol A. Medvecký, Dr. Emil Stodola and Samuel Zach
583 The Martin Declaration in a solemn arrangement
584 Napred (Forward) (oil by J. Alexy)
585–587 Small-, middle- and large-sized national emblem of the Czechoslovak Republic

1 Moulage de la boîte crânienne de l'homme de Neandertal
de Gánovce
2 Caverne à Bojnice
3 Coup-de-poing de Bratislava
4 Outils et armes
5 Culte de la fécondité et du maintien de la famille – Vénus de Moravany
6 Céramique ornée d'une rayure de la Slovaquie orientale
7 Petit ours en argile de Bojnice
8 Culte de la fécondité – Vénus d'Oborín
9 Vénus assise de Nitriansky Hrádok
10 Céramique ravissante de Bukové hory
11 Figures d'animaux de culte
12 Vase en forme d'une taille de femme stylisée (Svodín)
13 Petite maison d'une famille (Horná Seč, distr. de Levice)
14 Quenouilles et poids
15 Marteaux et haches anciens travaillés (Banská Štiavnica)
16 Nouvelle acquisition technique – chariot à roues de Radošiná près de Piešťany
17 Les premiers objets de bronze, produits du potentiel de matières premières du pays, sont connus de la Slovaquie de l'Est
18 Bâton à hachette de bronze (Koš près de Bojnice)
19 Hachettes de bronze (Hrádek – Bojnice)
20a, b A cette époque-là, on produisait des épées particulièrement longues et décoratives
21 Céramique polie de haute qualité
22 Couvercle du foyer (Nitriansky Hrádok)
23 Chariot avec l'attelage de chevaux. Dessin sur le vase de Veľké Raškovce
24 Fibules à l'attachement et à l'ornement des vêtements riches (Rimavská Sobota)
25 Le choix des produits en bronze est varié
26 Lieu fortifié de Molpír près de Smolenice
27 Poignée du poignard de fer
28 Deux pots de Chotín
29 Céramique de culte (Nové Košariská)
30 Les hommes et les femmes, à la manière romaine, attachaient leurs vêtements avec des fibules
31 Boucle de ceinture
32 Les gens riches portaient des bracelets et des anneaux du cou splendides
33 Anneaux décoratifs de pieds
34 Les Celtes donnèrent à l'outillage une telle forme qu'elle ne subit presque aucun changement au cours des siècles (hache, lances, chaines – fers, couteaux)
35a, b Ils fabriquaient la céramique déjà au tour de potier tournant
36 Faïence utilitaire du mélange de graphite et de terre cuite en noir
37a, b Monnaies celtiques d'or, d'argent et de bronze
38 Inscription romaine de 179–180, taillée dans un rocher à Trenčín
39a, b Construction romaine à Pác, district de Trnava, et à Bratislava-Dúbravka
40 Jupiter Dolichenus
41 Statuette d'un comique
42 Terra sigillata
43 Verre romain façonné en vases de formes et d'emploi les plus variés
44a, b Produits d'or – bracelet massif (Zohor)
45 L'empereur Marc Aurèle écrivit son oeuvre philosophique sur le Hron
46a–c Portraits des empereurs romains sur les monnaies
47 Reconstruction de la porte du lieu fortifié de Liptovská Mara
48a–c Le peuple vivant au Nord de la Slovaquie traitait les métaux précieux. Les bijoux et leurs monnaies en témoignent
49 a–c Plats romains d'argent, ornés de relief (Krakovany-Stráže)
50 Bijoux de Rusovce
51a, b Boucle d'oreille en or et boucles de l'époque de la migration des peuples
52 Une miche de pain levé s'est maintenue de la période mouvementée de la migration des peuples
53 Faïence du type pragois
54 Tombe slave
55 Faïence du type danubien
56 Plan d'une maison d'habitation slave avec le foyer dans le coin
57a, b Collection d'instruments aratoires (Moravský Ján)
58 Les gens produisirent des articles élémentaires de bois eux-mêmes
59 Sifflet en os ornementé
60 On produisait la céramique déjà au tour de potier
61 Haches – doloires et herminettes
62a, b Des couteaux et des lances firent partie de la tenue de combat
63 Collier et bague
64 Les Avars enterrèrent leur défunt avec le reste du cheval
65 Ferrure ornementée d'une ceinture
66 Ferrure avec le motif d'animal
67 Vue du lieu fortifié à Majcichov
68a, b Harnais de cheval (garniture de Žitavská Tôňa)
69 Fragments du harnais de cheval
70 Espace de la trouée de Bratislava, paysage au-dessus du confluent du Danube et de la Morava
71 Fondations d'une maison slave
72 Bijou importé (Želovce)
73 Guerrier du type oriental (Sinnikolau Mare)
74 Infanterie franque
75 Pierre tombale d'un guerrier franc, fin du VIIe siècle
76 Objets décoratifs de la sépulture de Želovce
77 Ferrure d'une ceinture avec le motif de la vigne (Štúrovo)
78 Bijoux et ferrures en bronze
79 Outils d'argent du trésor à Zemiansky Vrbovok
80 Faïence importée
81 Nitra et la région de Nitra – pays du premier prince slovaque Pribina
82a L'archevêque Adalram consacra, à la propriété de Pribina, le premier sanctuaire chrétien connu
82b La première mention du prince Pribina
83 Vue du lieu fortifié de Pobedim
84 Poignée de l'épée ornée d'un grand seigneur de Blatnica à Turiec
85 Epées aux poignées ornementées
86 Empereur byzantin Michel III. Portrait sur la monnaie
87 Accueil des messagers à la Cour byzantine
88 La vie de palais à la Cour byzantine
89 Les frères de Salonique Constantin et Méthode. Leur représentation la plus ancienne sur une fresque à Rome
90 Alphabet glagolitique – extrait du missel qui fut écrit à la Grande-Moravie à la fin du IXe ou au début du Xe siècle (Lettres de Kiev)
91 Codex d'Assemanius. Une partie de l'évangéliaire qui fut écrit à la Grande-Moravie au IXe siècle
92 Codex d'Assemanius – détail de l'enluminure
93 Petite croix d'origine orientale
94 Monarque en tunique (Valy près de Mikulčice)
95 Figure d'un grand seigneur sur la ferrure (Valy près de Mikulčice)

quie et des Slovaques, Juraj Sklenár écrivit l'oeuvre sur la position de la Grande-Moravie

370 Matej Bel d'Očová, le savant européen remarquable

371 Notitiae... de Matej Bel, l'image de la Slovaquie et des Slovaques

372 Bratislava, au XVIIIe et au début du XIXe siècle, fut le centre de la vie spirituelle slovaque

373 Le premier roman slovaque fut écrit par Jozef Ignác Bajza

374 Anton Bernolák, personnage principal de la vie nationale slovaque

375, 376, 377 A. Bernolák fut en tête de la première codification du slovaque littéraire

378 Juraj Fándly éprouva une vaste application de la langue littéraire de Bernolák

379, 380, 381 Oeuvres de l'éducation populaire de Fándly (démonstrations des feuilles de titre)

382 Ján Hollý – poète le plus doué de l'école de Bernolák

383, 384 Démonstrations des pages de titre et du manuscrit de l'oeuvre de J. Hollý

385 L. Bartholomeides

386 Page de titre de l'oeuvre Geografia de Bartholomeides

387 Bohuslav Tablic s'efforça de créer la culture et l'érudition tchécoslovaques unifiées

388 Juraj Palkovič prit part à la naissance de la Chaire de langue et de littérature « tchéco-slovaques » à Bratislava

389 Týdenník, aneb císařsko-královské národní noviny (Hebdomadaire, ou le journal national impérial-royal)

390 Ján Kollár introduisit dans la société de la renaissance nationale l'idée du panslavisme

391 Monument de Jan Kollár

392 Extrait de l'oeuvre de Kollár „Slávy dcera" (La Fille de la Gloire)

393 Feuille de titre des Národné spievanky (Chansons populaires) de Kollár

394 Pavol Jozef Šafárik offrit au monde l'oeuvre inoubliable sur l'antiquité slave

395 Slovanské starožitnosti (Les Antiquités slaves)

396 Maison natale de P. J. Šafárik à Kobeliarovo

397 Guide des jacobins hongrois – Ignác Martinovič

398 Exécution capitale des participants à la conspiration de Martinovič

399 Les guerres napoléoniennes n'évitèrent non plus la Slovaquie (Vue de l'édifice du Palais de l'archevêché où fut conclue la paix avec Napoléon)

400 Les troupes napoléoniennes firent sauter le château fort de Devín

401 Canonnage de Bratislava en 1809

402 En 1811, le château fort de Bratislava fut complètement détruit par l'incendie

403, 404 L'insurrection de paysans de la Slovaquie orientale de 1831 ébranla les fondements du féodalisme. Liste des insurgés interrogés de Spiš et leur jugement

405 Revolutio rusticana – la description des destinées d'insurgés

406 Monument des victimes de l'insurrection à Haniska

407 Lycée évangélique de Bratislava

408 Maison natale de Ľudovít Štúr – protagoniste du mouvement

409 Les compagnons de Štúr, à la cure à Hlboké, proclamèrent le dialecte de la Slovaquie centrale nouvelle langue littéraire des Slovaques

410 Almanach Nitra (feuille de titre de la 2e année)

411 L'association nationale Tatrín. Elle approuva la résolution de la nouvelle langue slovaque littéraire et jusqu'à 1848, elle fut le centre des efforts et des actions nationaux et culturels

412, 413 Feuilles de titre des ouvrages de Ľ. Štúr et de M. M. Hodža

414 Château classique de Dolná Krupá (1820–1828)

415 Maison de paysan classique de Tomášovce

416 Intérieur de l'église protestante de Levoča

417 A Spiš travaillait le peintre J. Czaczig (tableau: le Marchand de produits textiles)

418 Vue de Levoča de T. Szent-Istványi (vers 1840)

419 Jozef Božetech Klemens

420 J. Božetech Klemens: Constantin et Méthode

421 Edifice de la Chambre de Hongrie, lieu des assemblées en 1847–1848

422 La session de la diète où l'on adopta, en mars 1848, des lois importantes, entre autres celle de l'abolition du servage

423 Lecture des lois de mars dans une commune de Liptov

424 Château de Bojnice, lieu de l'emprisonnement et de la torture des paysans en 1848

425 Demandes de la nation slovaque, déclarées le 11 mai 1848 aux bains d'Ondrašová à Liptovský Mikuláš

426 Ľudovít Štúr

427 Jozef Miloslav Hurban

428 Michal Miloslav Hodža

429 Sceau du Conseil national slovaque de 1848

430 Myjava, l'intérieur du logement dans la maison où siégeait le Conseil national slovaque

431 Drapeau des volontaires slovaques des combats en Slovaquie occidentale

432 Entraînement des volontaires slovaques en 1849 (détail de la peinture à l'huile de P. M. Bohúň)

433 Volontaire slovaque avec une fille (P. M. Bohúň)

434 Officier et soldat du corps de volontaires slovaques

435 Les membres de la députation slovaque qui, le 20 mars 1849, présenta au monarque la supplique demandant la reconnaissance de l'identité nationale

436 Licenciement du corps des volontaires slovaques, le 21 novembre 1849, à Bratislava

437 Bratislava dans la moitié du XIXe siècle

438 Forteresse de Komárno devenue, dans les années après la révolution, une prison

439 Empereur François-Joseph Ier avec les membres du gouvernement

440 Bratislava, place Rybné (vers 1860)

441 Trenčín, vue du château sur la ville (peinture à l'huile de F. Baszler)

442 Košice, au premier plan la caserne

443 Bratislava, première station du chemin de fer à vapeur de 1848 (peinture à l'huile de V. Reim)

444 Jeune homme de Stupava (P. M. Bohúň)

445 Homme et femme de Zvolen (P. M. Bohúň)

446 Banská Štiavnica, en 1852 centre des combats de mineurs

447 Levoča, maison des Čáki

448 Prešov, siège du comitat de Šariš (vers 1860)

449 Les Hautes Tatras, le commencement de leur changement en une station estivale des seigneurs

450 Martin, la ville où se tenait, le 6 et 7 juin 1861, l'assemblée de mémorandum

451 Le premier programme national des Slovaques adopté à l'assemblée à Martin

452 Štefan Marko Daxner, personnage dirigeant de l'assemblée, préparateur de la proposition du mémorandum

453 Ján Palárik, politicien d'opinions démocratiques, partisan de l'entente avec les forces hongroises démocratiques

454 Anneau et bracelet – objets commémoratifs de l'assemblée de mémorandum

455 Membres de la députation, envoyée avec le mémorandum, en juin 1861, à la diète de Hongrie à Pest

456 Photographie de représentants principaux du mouvement national slovaque

457 Banská Bystrica, proposée en 1861 pour le centre de « Slovenské okolie » (« Commune slovaque »)

458 Edifice du lycée slovaque de Kláštor pod Znievom, étant le premier lycée moderne en Hongrie

459 Couverture des Statuts de la Matica slovenská (Association slovaque)

460 Štefan Moyses, premier président de la Matica slovenská

461 Karol Kuzmány, vice-président de la Matica slovenská

462 Edifice de la Matica slovenská acheté à la municipalité de Martin en 1865 des collectes du peuple

463 Elections de Hongrie dans les années soixante

464 Députés nationaux à la diète de Hongrie

465 Carte de la Slovaquie avec des noms magyarisés, publiée à la fin du XIXe siècle

466 Château fort d'Orava, symbole constant de l'oppression sociale du peuple d'Orava

467 Château de Betliar, reconstruit en 1880

468 Document de l'anoblissement en baron, acheté par le grand propriétaire A. F. Stummer

469 La Confiscation à Liptovský Ján, peinture populaire de 1873

470 Chambre dans la maison d'un paysan de Turiec

471 Vieillards de la haute Orava (dessin de J. Věšín)

472 Maison d'un paysan pauvre de Frička (distr. de Bardejov)

473 Exploitation rurale d'un paysan riche à Kračúnovce (distr. de Bardejov)

474 Battage du blé à la petite batteuse mue par un manège tiré par les chevaux

475 Locomotive à vapeur utilisée aux grandes propriétés foncières

476 Bergers au chalet près de Revúca

477 Pêche sur le Danube près de Komárno

478 Raccommodeur de faïence (peinture à l'huile de P. M. Bohúň)

479 Vitrier (peinture à l'huile de P. M. Bohúň)

480 Les Slovaques dans le monde – photomontage de l'époque des métiers ambulants: vitrier, marchand de verre, chiffonnier, raccommodeur

de faïence, marchand de chapeaux
481 Marchand de toile d'Orava
482 Kremnica, ses fameux marchés
483 Usine sidérurgique de Podbrezová; dès sa fondation en 1853, une des plus modernes en Hongrie
484 Sucrerie de Šurany, mise en marche en 1854
485 Verrerie à Uhrovec, montage de l'époque
486 Quelques produits des verriers à Uhrovec
487 Edification du chemin de fer de Košice à Bohumín, en 1870–1872
488 Gare de Galanta où l'on commença à employer le premier dispositif de protection avec la fermeture électrique des aiguilles
489 Prešov après l'incendie en 1887
490 Instruments de payement avant et après le changement de la monnaie en 1892
491 Départ des émigrés en bateau Slavónia
492 Journaux des émigrés slovaques
493 « Comment s'appelle donc ce village-ci? » la protestation du peintre contre la magyarisation des noms de localités (peinture à l'huile de J. Věšín)
494 Famille de J. M. Hurban, son fils Svetozár Hurban-Vajanský, personnage principal du mouvement national slovaque à la fin du XIXe siècle
495 La famille de V. Pauliny-Tóth, ses filles et ses gendres s'engageaient dans la vie culturelle et sociale des Slovaques
496 Exposition de broderies populaires slovaques en 1887 à Martin
497 Maison nationale de Martin, édifiée des collectes en 1888–1891
498 Andrej Kmeť, organisateur de la vie scientifique slovaque, initiateur de la fondation de la Société slovaque de musée
499 Eduard Nemčík, pionnier du mouvement ouvrier slovaque
500 Karol Hanzlíček, pionnier du mouvement ouvrier slovaque
501 František Tupý, ouvrier tchèque, pionnier du mouvement ouvrier slovaque
502 Gustáv Šveni, pionnier du mouvement ouvrier slovaque
503 Groupe des responsables social-démocrates expulsés de Budapest en 1898
504 Červený most (pont Rouge) à Bratislava, lieu des réunions d'ouvriers
505 Nouvel édifice de l'Académie minière et forestière à Banská Štiavnica
506 Grotte Belianska après sa découverte et son ouverture au public
507 Bratislava, place Obilné (aujourd'hui place Kollár)
508 Košice, rue Hlavná
509 Komárno, centre avec l'hôtel de ville
510 Nitra, vue sur le centre de la ville
511 Prešov, rue Hlavná
512 Trnava, vue sur le centre du haut de la tour de ville
513 Lučenec, le centre
514 Sur le sol natal (peinture à l'huile de J. Hanula)
515 Retour de la moisson à Veľká Slatina
516 Moisson à la grande propriété foncière en Slovaquie du Sud
517 Fileuse (peinture à l'huile de J. Hanula)
518 Jasenová, habitants du village d'Orava devant la caméra
519 A la fête foraine à Detva
520 Association d'alimentation à Borský Mikuláš (distr. de Senica)
521 Les Hautes Tatras, endroit touristique et lieu de repos
522 Bains de Bardejov, au commencement de leur célébrité
523 Automobile, en possession du domaine de Bytča vers 1905
524 Le Mendiant (peinture à l'huile de G. Malý)
525 Sucrerie à Trebišov, édifiée en 1912, ayant l'équipement le plus moderne en machines
526 Pétrins à 'bryndza' (la brousse) de la laiterie des Makovický à Ružomberok
527 Fabrique de drap à Žilina
528 Complexe de l'usine sidérurgique à Krompachy, une des usines les plus modernes en Europe au commencement du XXe siècle
529 Ouvriers et maîtres ouvriers d'usine sidérurgique à Krompachy, lieu de la grève et des émeutes en 1912
530 Les mines de charbon de Handlová commencèrent la première extraction de la houille en Slovaquie en 1912
531 Mineurs de Rožňava
532 Soldats et agents employés à la répression de la grève d'ouvriers à Sirk (distr. de Rožňava)
533 Gendarmes devant la maison municipale à Nitrianske Pravno
534 Feuille de titre de la brochure du 1er mai des social-démocrates
535 Insigne du Premier mai des social-démocrates de la Hongrie
536 Insigne de membre des social-démocrates slovaques après 1905
537 Insigne du choeur d'ouvriers Magnet de Bratislava
538 Premiers députés slovaques élus à la diète de Hongrie après le rétablissement de l'activité électorale
539 Carte du député dr. Pavel Blaho, élu en 1906
540 Milan Hodža, politicien initiateur et journaliste
541 Symboles de la magyarisation à l'école catholique de garçons de Moravský Ján (distr. de Senica)
542 Matúš Dula, Svetozár Hurban-Vajanský, Andrej Halaša, Jozef Škultéty et d'autres, condamnés à la prison au procès collectif, le 5 janvier 1910
543 Les survivants devant les tombes des victimes de la fusillade au peuple à Černová, en 1907
544 Björnstjerne Björnson, prix Nobel de littérature, protecteur des Slovaques
545 Pavol Országh-Hviezdoslav, barde de la nation slovaque
546 Ivan Krasko, poète de la protestation sociale et nationale
547 Maison d'associations de Skalica, construite en 1905 d'après le projet de Dušan Jurkovič
548 Station de départ du train électrique de Bratislava à Vienne
549 Expédition des paysans slovaques à l'exposition jubilaire à Prague en 1908
550, 551 Programme culturel dans l'amphithéâtre à Luhačovice. Le « Chalet slovaque » de Luhačovice, lieu des rencontres tchécoslovaques
552 Cartes postales avec la propagande naïve de guerre
553 Finit la vie d'une des milions de victimes de guerre
554 Monument aux morts à la guerre mondiale à Sliač
555 Retour des invalides marqués pour toute la vie
556 Médecin Dr P. Blaho à l'hôpital militaire ambulant à Kroměříž
557 Réfugiés de la région de front en Slovaquie du Nord-Est
558 Ruines à Zborov, une des communes le plus grièvement frappées à Šariš
559 Cloches jetées bas des églises, destinées à refondre pour les besoins de guerre
560 Un des camps de prisonniers en Slovaquie orientale pour les prisonniers de guerre russes et serbes
561 Fraternisation des soldats d'Autriche-Hongrie et de Russie en 1917
562 Membres du 8e chasseurs des légions tchécoslovaques en Russie en 1918
563 Liptovský Mikuláš, lieu de la manifestation du Premier mai en 1918
564 A l'assemblée, on a accepté la résolution revendiquant la conclusion de la paix, le droit des Slovaques à l'autodétermination et d'autres revendications sociales et démocratiques
565 Dr. Vavro Šrobár, orateur principal et auteur de la résolution de Liptovský Mikuláš
566 Le conseil ouvrier à Vrútky qui, le 26 octobre 1918, prit le pouvoir dans la commune
567 Accord de Pittsburgh entre les représentants des organisations tchèques et slovaques concernant l'organisation institutionnelle du futur Etat commun
568 Insigne commémoratif des associations de compatriotes aux Etats-Unis pour subventionner des veuves et des orphelins de guerre
569 Diplôme pour la contribution à la collecte pour aider la Slovaquie libérée
570 Tomáš Garrigue Masaryk au camp des volontaires tchécoslovaques aux États-Unis en 1918
571 M. R. Štefánik avec les organisateurs principaux du mouvement de compatriotes à Washington en 1917
572 Le général Milan Rastislav Štefánik
573 Carte postale avec les portraits
574 Prague, place Venceslas où fut déclaré, le 28 octobre 1918, l'Etat tchécoslovaque
de T. G. Masaryk et W. Wilson
575 Edifice de Tatrabanka à Martin où l'on décida de la formation du Conseil national slovaque
576 Document du Conseil national slovaque du 30 octobre 1918, exprimant le désir de la nation slovaque de former un Etat commun avec la nation tchèque
577–582 Personnages de l'assemblée de déclaration: Matúš Dula, Andrej Hlinka, Ferdiš Juriga, Karol A. Medvecký, dr. Emil Stodola et Samuel Zoch
583 La déclaration de Martin en arrangement solennel
584 En avant (peinture à l'huile de J. Alexy)
585–587 Petites, moyennes et grandes armoiries d'État de la République tchécoslovaque